D0550434

LES ÉMISSAIRES DU VATICAN

Des mêmes auteurs

Le Volcan arrive, Robert Laffont, 1970.

Le Tremblement de terre de San Francisco, Robert Laffont, 1973.

Dans les couloirs du Vatican, Stock, 1983.

Gordon Thomas et Max Morgan-Witts

Les Émissaires du Vatican

Traduit de l'anglais
par
Delphine Lemoine

Stock

Titre original :

THE YEAR OF ARMAGEDDON
(Granada)

1

Avant-Propos

Ensemble ou séparément, nous avons « couvert » l'histoire de la papauté à partir des derniers mois du pontificat de Jean XXIII en 1963, et rendu compte de l'élection de Paul VI, des espoirs qu'elle a suscités et des désillusions qui ont marqué la fin de son règne, jusqu'à sa mort en 1978. Son successeur, Jean Paul Ier, mourra la même année après trente-trois jours de pontificat. L'intronisation du primat de Pologne, Karol Wojtyla, sous le nom de Jean Paul II, a mis fin à plus de quatre siècles de domination italienne sur la papauté.

En tant qu'historiens et sociologues, nous nous intéressons à la vie du Vatican depuis ce mercredi 13 mai 1981 au cours duquel, à 17 h 18, Mehmet Ali Agca a tenté de tuer le pape.

En 1983 nous avons publié notre enquête dans un premier ouvrage, intitulé *Dans les couloirs du Vatican.* Ce livre a été bien accueilli par les catholiques et par la critique dans les dix-neuf pays où il a été traduit. Avant même sa parution, plusieurs personnes nous ont conseillé de lui donner une suite : Mgr Emery Kabongo, le premier évêque noir attaché au secrétariat personnel du pape et dont l'aide nous a été précieuse ; Mgr John Magee, d'abord secrétaire privé du pape puis promu maître de cérémonie ; Mgr Crescenzio Sepe, fonctionnaire à la secrétairerie d'Etat, directement sous les ordres du cardinal Casaroli ; père Lambert Greenan, connu pour son franc-parler et son caractère décidé, directeur de l'édition anglaise de l'*Osservatore Romano :* tous ces prêtres nous ont incités à poursuivre notre travail. A leurs yeux, un autre livre devait être écrit, témoignant du rôle majeur du pape sur la scène internationale. Kabongo eut une phrase mémorable à ce sujet : « Le pape est une sorte de géant spirituel : il s'efforce de préserver le monde d'une apocalypse nucléaire à laquelle le conduirait inévitablement la politique des deux superpuissances. C'est pour cela, que vous devez rendre compte de tout ce qui survient sous son pontificat. »

Ce fut la déclaration de Jean Paul II, en janvier 1983, qui nous détermina à écrire *Les Emissaires du Vatican :* désormais, et plus que jamais, il s'engageait à n'épargner aucun effort pour prévenir la guerre, toutes les guerres, et notamment la troisième guerre mondiale.

Aujourd'hui, et pour la première fois, la diplomatie papale applique les préceptes qui gouvernent tout Etat séculier. Le Vatican — ou pour être tout à fait précis, le Saint-Siège, car l'Etat du Vatican n'est que le support séculier du Saint-Siège — préside non seulement au destin religieux de près d'un milliard de catholiques, mais entretient également des relations diplomatiques dans le monde entier. Le Saint-Siège est déterminé à intervenir si la coexistence échoue, à coopérer si possible, à parvenir à un compromis si nécessaire. Ce mélange de principes et d'opportunisme explique pourquoi la diplomatie papale est souvent considérée avec défiance, non seulement à Moscou, mais à Washington et également à Londres [1].

De tous les secrets, ceux de la diplomatie sont les mieux gardés. Les documents sur la politique du Saint-Père sont rares. Les papes ne publient pas leurs mémoires et les nonces — contrairement à leurs homologues séculiers — s'abstiennent de rendre compte au public de leurs années passées au service de la diplomatie papale [2]. Aucun ouvrage sérieux ne relate la politique du pontificat actuel ; la politique du Saint-Siège, mis à part son rôle d'avocat infatigable au service de la paix, est destinée, aux yeux de la plupart des gens, à instaurer le règne de Dieu sur le monde en étendant la pratique religieuse et en la soutenant là ou elle faiblit ou menace de disparaître [3]. Les résultats concrets d'une telle politique, nous nous en sommes aperçus, sont difficiles à mesurer.

Comme notre précédent livre, *Les Emissaires du Vatican* s'appuie à la fois sur nos propres observations et sur ce qui constitue la base essentielle de toute enquête sérieuse : correspondance, notes, rapports et comptes rendus de réunions, de source privée ou officielle.

Pendant l'année 1982-1983, nos collaborateurs et nous-mêmes avons effectué des centaines de visites au Vatican afin d'étudier les dossiers et conduire les interviews[4]. Nous avons enquêté aussi en Angleterre, aux Etats-Unis, au Canada, en Allemagne de l'Ouest, en Autriche, en France, en Belgique ainsi qu'en Irlande du Nord et du Sud. Nous avons interviewé plus de trois cents personnes, dont certaines à plusieurs reprises.

Les recherches sur le pontificat de Jean Paul II sont plus simples, à certains égards, que celles concernant ses prédécesseurs immédiats. L'influence italienne — qui ne doit pas pour autant être sous-estimée — n'est plus omniprésente : il est possible d'obtenir une foule de renseignements valables sans avoir à passer par un seul membre italien de la curie. Les Polonais — et cela n'a rien de surprenant — sont désormais les interprètes les mieux informés de l'humeur du pape. Ils sont au courant de ce qui se trame et savent quelles propositions seront agréées ou rejetées. Les Irlandais occupent encore solidement le terrain. Ils sont minutieux et n'ont pas leurs égaux lorsqu'il s'agit de déceler telle pique ou telle phrase, anodine en apparence, mais annonciatrice de la fin d'une carrière ecclésiastique ; ce furent les Irlandais qui fournirent ce que Lambert Greenan, directeur de l'*Osservatore Romano,* appelle le « type d'information qui est le pain quotidien de tout observateur en poste au Vatican ». Les relations avec les Américains se sont améliorées. Le haut clergé américain a instauré avec Jean Paul II des liens étroits qui n'existaient pas du temps de ses prédécesseurs. Celles des Allemands et des Français avec la papauté restent cordiales et constituent de ce fait une source précieuse de renseignements. Cela vaut également pour les Espagnols et les Latino-Américains.

Pour développer ces contacts, nous avons pris l'habitude de rencontrer nos informateurs dans des restaurants discrets de Rome. Les prêtres, peu loquaces au sein du palais apostolique ou dans ses environs immédiats, s'y sentaient plus en confiance. Nous n'avons jamais vraiment su ce qui les poussait à parler. Certains étaient mus par un sentiment de frustration ; travailler toute une vie dans un bureau de la curie, à regarder le monde passer sous la forme d'un flot incessant de notes et de rapports leur semblait fastidieux. La frustration s'accentue, nous disait un fonctionnaire, lorsqu'on prend conscience de n'être qu'un maillon de la chaîne, tout juste bon à lire et à parapher, mais dont l'opinion n'intéresse personne. Il était heureux d'avoir enfin l'occasion de donner son point de vue sur la diplomatie du Vatican. Certains ont coopéré, convaincus qu'eux-mêmes ou leurs supérieurs, évêques ou cardinaux, avaient tout à y gagner. D'autres témoignaient d'intentions plus nobles : le monde devait savoir ce que Jean Paul II s'efforçait d'accomplir. Ils s'exprimaient parfois avec une telle ferveur que nous en étions gênés.

Les motivations de quelques autres demeurent obscures. Ils éprouvaient du ressentiment à l'égard de ce système de caste dans lequel ils avaient choisi de vivre, bien qu'ils en fussent bénéficiaires plutôt que victimes. Etait-ce par vanité, par ennui ou le besoin de mettre un peu de piment dans leur vie en prenant des risques (révéler les secrets du Vatican peut constituer une faute grave, punie par l'interdiction de servir l'Eglise et parfois même par l'excommunication) ? Nous n'en serons jamais sûrs. Et peut-être cela n'a-t-il pas d'importance.

Nos sources au Vatican n'ont rien à voir avec le bureau de presse que le mini-Etat maintient pour informer les médias. Nos principaux renseignements émanent de l'entourage immédiat du pape, d'hommes avertis des prochaines initiatives du Saint-Siège. Ils savent vers quel degré d'insécurité évolue la situation internationale, c'est-à-dire, selon l'expression de Mgr Kabongo, « notre progression sur le chemin de l'Apocalypse ».

Décider de la forme que prendrait notre relation des faits se révéla plus complexe que nous ne l'avions prévu. Alors que dans notre ouvrage précédent nous avions pris le parti de restituer les événements tels qu'ils apparaissaient après coup, nous nous sommes aperçus cette fois que rendre compte avec exactitude des fluctuations de la politique du Vatican exigeait un procédé de narration différent. Nous avons donc décidé de relater une année de diplomatie vaticane et d'en décrire les implications en utilisant le procédé du journal de bord qui permet une relation des événements au fur et à mesure qu'ils surviennent et immédiatement après qu'ils se sont produits. C'est ce qui nous a permis d'expliquer le processus de prise de décision du Saint-Siège, d'indiquer les problèmes importants ou secondaires auxquels la politique du Vatican doit faire face. En ce sens, *Les Emissaires du Vatican* est un reportage sur l'histoire en train de se faire.

Le journal de bord nous a permis de relater ces événements en empruntant au roman sa texture et son style. Cette approche convenait particulièrement à l'ambiguïté de la politique du Saint-Père. De même, nous nous sommes appliqués à ne pas embellir la réalité, à ne pas nous complaire dans les mythes concernant la façon dont un pape moderne s'efforce d'imposer sa propre conception du monde.

Nous avons pris le parti de ne pas nous étendre sur le scandale qui entourait la loge maçonique P 2 d'Arezzo, près de Florence. Le scandale financier lié à cette affaire a sans aucun doute rejailli sur le pontificat de Jean Paul II et terni son image ; mais les machinations de la loge P 2 n'ont pas pesé sur la tâche que nous nous étions assignée : écrire l'histoire contemporaine du Vatican et étudier ce que Harold Laski a appelé le problème de la souveraineté dans ce qu'il a de plus complexe, à savoir les rapports entre l'Eglise et l'Etat.

Bien que Jean Paul II joue dans la diplomatie du Vatican un rôle plus direct que ses récents prédécesseurs, les initiatives du Saint-Siège découlent encore d'une pratique établie il y a plus de quatre siècles. C'est ainsi que même aujourd'hui la politique du pape incarne l'idée traditionnelle que l'Eglise et l'Etat ne peuvent être complètement séparés, dans la mesure où aucun des deux ne peut ni ne souhaite ignorer l'autre.

Nous avons pris le parti de ne pas négliger la controverse et le mystère liés à l'attentat de Mehmet Ali Agca contre le Saint-Père, car étudiant les répercussions de la politique extérieure du Vatican, il nous a semblé impossible de passer sous silence l'aspect essentiel de cet attentat : un acte politique dirigé contre le souverain pontife et la papauté et qui, lorsque les faits seront éclaircis, peut entraîner des conséquences politiques et diplomatiques, voire militaires, désastreuses pour le monde.

Enfin, nous apparaissons constamment dans ce livre : nous y relatons tous nos déplacements, nos rencontres avec des officiers de renseignements ainsi qu'avec bien d'autres personnes qui nous ont aidés ; nous y décrivons nos impressions et commentons les événements qui se sont produits au cours de cette quête de la vérité au sein de l'étrange et complexe organisation du Vatican.

Cet univers ne cesse de nous surprendre, de nous intriguer, de nous amuser, de nous fasciner. Et parfois, même, de nous effrayer.

2

La cité du Vatican

Vendredi matin

Comme d'habitude, Camillo Cibin marche lentement. Les matinées à Rome sont étouffantes et il s'accorde une bonne dizaine de minutes pour contourner l'imposante colonnade circulaire du Bernin. Ici commence, en pleine ville, le minuscule Etat au sein duquel Cibin est responsable de l'Ufficio central di vigilanze. Au Q.G. de la police romaine, dans les bureaux du D.I.G.O.S., à la brigade antiterroriste ou dans les services secrets italiens, ses plus implacables rivaux avec l'antenne locale des services de contre-espionnage, Cibin est plus connu sous le pseudonyme de *Hotshot.* Ce nom de code sera utilisé en cas d'alerte si un incident survient menaçant la sécurité du pape[1].

A tout moment, Cibin peut déclencher un dispositif mobilisant des centaines de policiers en uniforme, plusieurs agents de protection rapprochée ainsi qu'une bonne douzaine de services secrets, et boucler la place Saint-Pierre. Il dispose pour cela d'un talkie-walkie longue portée dont il ne se sépare jamais. L'une des trois touches de l'émetteur alertera instantanément le responsable du bureau de la C.I.A. à l'ambassade américaine à Rome : en langage codé, il s'agit du *pope alert* qui signifie que le Saint-Père vient d'être victime d'une tentative d'assassinat.

Depuis douze ans, Cibin dirige le service de sécurité du

Vatican. Il est entièrement responsable de la protection du pape et a le pouvoir d'accepter, de modifier ou de rejeter les suggestions qui lui sont faites à ce sujet par la police et les services secrets d'une douzaine de pays occidentaux. C'est ainsi qu'il a accepté sans hésiter la proposition du B.K.A. (*Bundeskriminalamt*) de prendre en charge l'entraînement intensif des *vigili*. Scotland Yard a offert à son tour de mettre à sa disposition ses compétences en matière de contrôle des foules. L'une des nombreuses difficultés auxquelles avait été confronté Cibin dans la panique qui suivit l'attentat fut de disperser rapidement la foule place Saint-Pierre afin de permettre à la police de faire son travail. C'est ainsi que les complices de Mehmet Ali Agca ont réussi à échapper.

Deux ans se sont écoulés depuis cette fin d'après-midi de mai 1981 au cours de laquelle Agca a tiré trois balles à bout portant sur Jean Paul II. Cibin en garde encore un souvenir de rage impuissante ; c'est pourquoi il prête la plus grande attention aux conseils prodigués par ses collègues, même si ceux-ci lui semblent parfois saugrenus.

Cibin s'arrête un instant au pied de l'une des colonnes du Bernin couverte de graffiti par les milliers de touristes qui visitent chaque année la place Saint-Pierre. Il observe les policiers romains chargés, depuis Mussolini, de la surveiller.

Cibin n'a pas une très haute opinion d'eux. Ils n'ont pas été capables de repérer Agca. Pourquoi n'échoueraient-ils pas une seconde fois ? En outre, pour le chef de la sécurité du Vatican, la discrétion est une règle d'or, et il les trouve trop voyants. Cette façon d'arborer leur mitraillette Uzi et de se servir à tout propos de leur talkie-walkie pour signaler qu'il n'y a rien à signaler l'exaspère. Ils se ressemblent tous : jeunes, le visage dur et basané, l'uniforme froissé et les chaussures éculées. On dirait des fauves qu'on vient de lâcher dans l'arène. Lorsque Cibin les entend surnommer le Saint-Père *il bersaglio*, la cible, il ne peut s'empêcher de sursauter.

Le chef de la sécurité ne doute pas qu'ils aient raison : Jean Paul II constitue en effet une cible de choix parmi les trois mille deux cent quatre-vingt-quatorze personnes travaillant au Vatican. Cibin se demande dans quelle mesure ces patrouilles de police offrent une protection à la mesure des menaces qui pèsent sur la vie du pape. En outre, il n'ignore pas, pour en avoir discuté à plusieurs reprises avec eux, qu'ils n'éprouvent aucun intérêt particulier pour la théologie, ni pour ce que le Saint-Père représente politiquement. La plupart d'entre eux appartiennent au parti communiste italien, ouvertement opposé aux idées du souverain pontife.

Pour tous ces policiers, garder la place Saint-Pierre est une corvée et Cibin redoute que cette indifférence ne nuise à leur efficacité. Mais qu'y faire ? Il n'a, légalement, aucun pouvoir sur eux, sauf en cas d'urgence et ce jusqu'à l'intervention de la police romaine. C'est un sale boulot, lui ont dit les hommes de la C.I.A. à Rome. C'est l'Italie, a répondu Cibin.

Dans une certaine mesure, les Américains le gênent davantage que les patrouilles de police.

Il s'étonne toujours que la C.I.A., organisme pourtant séculier, demeure un des principaux conseillers du Vatican en matière de renseignement[2].

Il se dirige lentement vers les portes de bronze, l'entrée monumentale du palais apostolique, et songe que seuls sa ténacité et les liens étroits qu'elle entretient depuis toujours avec le Vatican ont sauvé la C.I.A. de la débâcle après l'attentat.

Il est rare que le Saint-Siège exerce des représailles contre une superpuissance amie comme les Etats-Unis. Cependant, soixante-douze heures après l'attentat, alors que Jean Paul II était en réanimation à l'hôpital Gemelli à Rome, le cardinal Agostino Casaroli, secrétaire d'Etat, obtint que le personnel de la C.I.A. en poste à Rome fût limogé. Plusieurs officiers de haut rang ont été mutés dans d'autres ambassades américaines ou rappelés au Q.G. de la C.I.A. à Langley, en Virginie.

La C.I.A. aurait dû prévoir. Des semaines après, Casaroli fulminait encore. *C'était le seul service secret en qui nous avions confiance. La C.I.A. aurait dû en savoir davantage sur les liens d'Agca avec le K.G.B. et sur l'ensemble du complot.*

Par la suite, Cibin fut l'un des premiers à s'interroger : Et si la C.I.A. s'était doutée de quelque chose avant l'attentat ? Et *maintenant* que savait-elle au juste des ramifications de ce complot ?

Il n'ignore pas qu'au cours de sa longue collaboration avec le Vatican, la C.I.A. a déjà suscité de semblables soupçons.

Bien avant que Cibin n'arrive à Rome, alors qu'il n'était qu'un adolescent dans l'Italie de l'après-guerre, les services de renseignements américains avaient leurs entrées au Saint-Siège[3]. Cela s'était fait sans difficulté. L'O.S.S. *(Office of Strategic Studies)* précurseur de la C.I.A., fut accueilli « à bras ouverts » selon les propres termes de James Jesus Angleton, directeur des services secrets américains à Rome en 1945. Pie XII et la curie demandèrent à l'O.S.S. de propulser la démocratie chrétienne au pouvoir en manipulant les élections afin de soutenir l'Eglise dans sa croisade anticommuniste. Angleton, catholique pratiquant, sut exploiter la situation. Le Vatican possédait déjà un service de renseignements efficace, grâce aux Jésuites qui, à partir de 1945, avaient été chargés par le pape de suivre les activités clandestines des communistes italiens et leurs relations avec Moscou. Angleton fit en sorte de centraliser les affaires les plus importantes et en rendit compte à Washington.

Depuis 1952, un autre bon catholique, William E. Colby, dirigeait l'antenne de la C.I.A. à Rome. Des années plus tard, il allait être responsable des déboires de celle-ci au Vietnam. Les services secrets américains établirent un réseau d'informateurs recrutés parmi les ecclésiastiques, au sein de la secrétairerie d'Etat, de la sacrée congrégation et des tribunaux de la curie.

Liés par une cause commune — débarrasser l'Italie et le monde du communisme (c'est en ces termes qu'on s'exprimait dans les années cinquante) —, la C.I.A. et le Vatican entretenaient des relations très étroites. De nombreux ecclésiastiques coopéraient avec l'Agence, non seulement à Rome, mais également dans tous les pays où l'Eglise était présente. En Amérique latine, en Asie et en Afrique, on engageait des missionnaires qui se lançaient avec enthousiasme dans le renseignement.

En 1960, la C.I.A obtint un autre succès. Montini, le cardinal de Milan — qui, trois ans plus tard, allait devenir Paul VI —, tomba par hasard sur un véritable trésor. Il s'agissait de documents ayant trait à l'épiscopat italien et « aux activités politiques des prêtres en Italie ». Cette découverte eut pour effet d'accroître l'efficacité de la C.I.A. en lui permettant de discréditer plus facilement les prêtres compromis avec les communistes et de récompenser ceux qui étaient prêts à collaborer avec elle.

La C.I.A. disposait d'une caisse noire appelée « Project Money », qui lui avait permis de subventionner certaines œuvres catholiques, des écoles, des orphelinats et de financer la restauration de plusieurs églises. L'Agence offrit des voyages ainsi que de coûteux objets de piété aux prêtres et aux religieuses. Dans une Italie lente à se remettre des privations de la guerre, cardinaux et évêques faisaient bonne chère aux frais de la princesse. Ce furent les beaux jours de la C.I.A. Le Vatican traitait avec plus d'égards les responsables de l'Agence que l'ambassadeur des Etats-Unis à Rome ou que le représentant personnel du président chargé d'établir des relations plus étroites avec le Saint-Siège.

Puis les temps changèrent. Jean XXIII comprit que la croisade anticommuniste avait échoué. Il fallait désormais agir avec plus de diplomatie. Il demanda aux évêques italiens d'adopter des positions plus neutres et de cesser de suivre systématiquement la démocratie chrétienne. Cette nouvelle stratégie désarçonna l'épiscopat italien et le laissa en plein désarroi. Il y avait là les germes de l'Ostpolitik. Un vent de panique souffla sur la C.I.A. Jean XXIII entama un dialogue prudent avec Khrouchtchev ; il y eut un échange de lettres amicales. Les pires craintes de la C.I.A. se confirmaient : le Vatican n'adhérait plus, les yeux fermés, au système de valeurs américain. Thomas Hercules Kalamasinas, directeur de l'Agence à Rome, reçut la consigne de considérer désormais le Vatican comme « hostile » et d'observer sa politique sous ce nouveau jour. Des phrases du genre « Un vent de gauche souffle dangereusement » émaillaient les rapports de la C.I.A. en provenance de Rome.

Pour un homme aussi conservateur que John McCone, le directeur de l'Agence, c'était une situation déplaisante. Jean XXIII engageait le Vatican dans une politique gauchisante, ouverte aux réformes sociales et disposée à reconsidérer sa position dans des pays où la C.I.A. avait dépensé tant d'énergie ; par exemple, en soutenant les juntes militaires d'extrême droite, elle avait étouffé dans l'œuf la tentation communiste. D'après les collaborateurs de McCone, le pape allait critiquer de plus en plus la politique américaine de soutien actif aux juntes militaires et manifesterait davantage de sympathie à l'égard des partis d'opposition de gauche tel que celui de Salvador Allende au Chili. Un nouveau type d'ecclésiastique militant était né qui, comme l'évêque Don Helder Camara, soutenait ouvertement les plus défavorisés. Selon la C.I.A., tout indiquait que le Vatican et l'Eglise allaient abandonner leur politique traditionnelle de soutien des pouvoirs en place.

McCone insista pour qu'on prît toutes les mesures afin de renforcer l'influence de la C.I.A. au Vatican. On mit tout en œuvre pour contrer cette politique du Saint-Père que la C.I.A. jugeait aussi inamicale à l'égard des U.S.A. que celle de l'Union soviétique.

Paradoxalement, cet état de choses ne s'améliora pas sous l'administration Kennedy. John F. Kennedy, premier président catholique, était décidé à prendre ses distances avec la papauté.

Lors de sa campagne électorale, il avait remarqué que ses convictions religieuses constituaient un obstacle, et plus particulièrement dans les Etats à prédominance protestante, tels que l'Indiana, l'Oklahoma et le Mississippi. D'autre part, des millions d'Américains craignaient, en élisant un catholique fervent à la Maison-Blanche, de voir le pape gouverner l'Amérique par président interposé. Pour eux, l'élection de Kennedy signifiait la fin d'un principe jusqu'alors inviolé : la séparation de l'Eglise et de l'Etat. Conscient de cette inquiétude et des avantages que ne manqueraient pas d'en retirer ses adversaires républicains, Kennedy se démarqua donc du clergé catholique et du pape.

Cette distance affichée à l'égard des catholiques n'empêchait pas les contacts officieux entre l'administration Kennedy et la papauté.

Au printemps 1963, le directeur du service politique de la C.I.A., James Spain, soumit un rapport ultraconfidentiel à Kennedy, critiquant sévèrement l'Ostpolitik du pape. C'était un document ahurissant, truffé d'exagérations et d'accusations non fondées. Selon James Spain, le pape était convaincu « qu'un changement radical s'amorçait en U.R.S.S. et que le marxisme y perdait du terrain ». Le pape était devenu tolérant à l'égard des communistes et ne perdait pas une occasion de critiquer le Rêve américain.

L'administration Kennedy accordait beaucoup d'importance à la politique du Vatican et ce rapport de la C.I.A déclencha la sonnette d'alarme à Washington.

Kennedy approuva sans réserve la requête de McCone demandant que la C.I.A. intensifie ses activités au sein du Vatican.

L'Agence dépensa sans compter. Un prélat, particulièrement coopératif, recevait chaque semaine une caisse de champagne (en 1983, il buvait encore de ce champagne à la santé de la « bonne vieille C.I.A. »). Un prêtre travaillant au Saint-Siège fut si bien récompensé qu'il se fit faire une garde-robe somptueuse chez Gamarelli, le tailleur du pape. Un autre, employé à la secrétairerie d'Etat, fit main basse sur un document suggérant que le pape tenait à ne rien exprimer en paroles ni en actes qui pût être interprété comme antisoviétique.

Ainsi, la C.I.A. étoffait son dossier concernant les relations privilégiées qui avaient tendance à s'établir entre le Vatican et le Kremlin. Au printemps 1963, l'antenne romaine de la C.I.A. acquit la conviction que le Saint-Siège et l'Union soviétique allaient nouer des relations diplomatiques.

McCone, d'un naturel pourtant flegmatique, s'affola et sollicita de toute urgence un entretien avec Kennedy. Après quoi, soutenu par l'autorité présidentielle, il prit le premier avion pour Rome. Dix heures plus tard, il affrontait le pape dans son bureau.

McCone n'était pas homme à tergiverser. Le président des Etats-Unis l'avait chargé de convaincre le pape des dangers de cette dérive vers les pays communistes. Se compromettre avec le Kremlin était inacceptable. Le communisme faisait du Vatican son cheval de Troie, comme le confirmaient les progrès de l'extrême gauche italienne aux dernières élections. Les communistes, après ces succès, avaient démantelé la politique des chrétiens démocrates. Quant aux catholiques pro-américains, ils s'étaient tous fait évincer. Alors que le prédécesseur de Jean XXIII, Pie XII, avait décrété que les catholiques affiliés au parti communiste seraient excommuniés, la papauté était désormais violemment critiquée pour ses « sympathies communistes ».

Jean XXIII écouta McCone avec attention et fut frappé par son physique : grand, de beaux traits réguliers, des cheveux impeccablement coiffés ; comment un pur produit de l'opulente Amérique pouvait-il être au fait des réalités du monde qui préoccupaient le pape, ce monde dans lequel sévissait une misère désespérante, où les droits de l'homme étaient bafoués, où partout régnait la violence ? Le pape répondit que l'Eglise dont il était le chef se faisait un devoir sacré d'agir dans les pays sous-développés en encourageant les réformes sociales en Europe et en Amérique du Sud et de soulager la condition des catholiques au sein du bloc soviétique en discutant directement des problèmes avec Moscou.

Ce discours lénifiant ne convainquit pas McCone. La C.I.A.,

répliqua-t-il, possédait la preuve irréfutable que, tandis que l'Eglise poursuivait sa politique de détente à l'égard de Moscou, les persécutions communistes continuaient contre les prêtres catholiques en Russie, en Asie et en Amérique du Sud.

Jean XXIII considéra son interlocuteur avec commisération : McCone ne comprenait-il pas que ces persécutions dont lui-même n'ignorait rien, constituaient une raison supplémentaire d'instaurer un dialogue avec les communistes ?

McCone rentra à Washington, convaincu que la politique du pape rapprochait l'Eglise du camp soviétique. Il conseilla à l'administration Kennedy de rompre ses relations secrètes avec le Vatican. Désormais, la C.I.A. s'efforcerait de neutraliser tout ce qui pourrait porter atteinte à l'influence américaine dans le monde.

La mort prévisible de Jean XXIII — son cancer eut une évolution foudroyante — soulagea McCone.

Des semaines avant le conclave, un nouveau responsable de la C.I.A. à Rome avait prédit, dans un rapport d'une incroyable clairvoyance, l'élection de Mgr Montini, le cardinal de Milan qui leur avait si obligeamment fourni les dossiers sur les activités politiques des prêtres italiens.

A Washington, on respira.

Deux jours après son intronisation, Mrg Montini, devenu Paul VI, reçut Kennedy en audience privée.

Avant de se rendre au Vatican, Kennedy lut un rapport où la C.I.A. décrivait la personnalité du nouveau pape et suggérait quelques sujets de discussion qu'il pourrait aborder avec lui : par exemple le rappel du nonce apostolique en poste à Washington qui « présentait une image déformée des Etats-Unis auprès du Vatican ». Il était par ailleurs souhaitable que Paul VI fît pression sur l'épiscopat vietnamien : les moines bouddhistes devraient mettre une sourdine à leur campagne pacifiste et « renoncer à s'immoler par le feu dans les rues de Saigon, ce qui produisait un effet déplorable et amenait à une interprétation erronée de la politique américaine au Vietnam ».

En réalité, ces problèmes ne furent pas abordés au cours des trente minutes que dura l'audience. Les deux hommes se montrèrent circonspects, conscients du fossé qui séparait leur position. Chacun était soucieux de ne pas paraître vouloir tirer trop d'avantages personnels d'une telle rencontre historique.

En novembre 1963, l'assassinat de Kennedy à Dallas et l'accession de Lyndon Johnson à la présidence ne firent rien pour améliorer les relations entre Washington et le Vatican. Lorsque Paul VI se rendit à New York pour s'adresser aux Nations unies en 1966, Johnson fit une brève visite au pape dans son hôtel de Manhattan, mais ne l'invita pas à la Maison-Blanche.

Dorénavant, les briefings quotidiens du président ne pourraient que confirmer un fait établi : Paul VI, le cardinal qui avait fait preuve de tant de bonne volonté envers l'Agence quand il était à Milan, avait comme on pouvait l'attendre d'un caractère aussi torturé — fait volte-face. Il condamnait la politique d'escalade menée par Johnson au Vietnam et souhaitait que le Saint-Siège fût autorisé à jouer un rôle de médiateur. Les conseillers du président s'opposaient à l'intervention du Vatican dont ils redoutaient, à juste titre, qu'elle ne mît un terme à l'influence des Etats-Unis dans le Sud-Est asiatique.

Richard Nixon pensait de même lorsqu'il devint président. Trois mois après son arrivée à la Maison-Blanche, il reçut un rapport de la C.I.A. sur Paul VI et, notamment, sur son état physique et mental. C'était un document beaucoup plus complet que celui que l'Agence avait précédemment soumis à Kennedy ; il reflétait l'attitude de Nixon à l'égard de l'antenne de la C.I.A. à Rome au moment où le président s'apprêtait à rencontrer le Saint-Père. Nixon s'assit dans le cabinet de travail du pape et annonça sans ambages l'engagement militaire de l'Amérique au Vietnam. Plus question du projet de médiation de Paul VI. Afin d'atténuer les effets d'un tel coup sur un homme aussi enclin aux crises dépressives que le pape, la C.I.A. suggéra que le président lui offrît une contrepartie en nommant Henri Cabot Lodge, son ancien représentant au Vietnam, ambassadeur auprès du Vatican.

Les années de la présidence de Nixon furent paisibles pour la C.I.A. à Rome. Il n'y avait pas au Vatican un secret ou un document confidentiel que l'Agence ne pût se procurer rapidement. Au cours des premiers mois de l'administration Nixon, Paul VI, déjà physiquement et mentalement très amoindri, fit un effort pour obliger le président à cesser d'utiliser les membres du clergé comme de vulgaires informateurs de la C.I.A.

La Maison-Blanche lui assura que, si de telles pratiques avaient été tolérées dans le passé, elles feraient désormais l'objet de sanctions sévères.

Pendant ce temps, avec le scandale du Watergate, Nixon donnait un récital de mensonges sur les chaînes de télévision et de radio américaines.

Il finit par démissionner et Gerald Ford le remplaça. Celui-ci promit que la vaste opération de nettoyage qu'il comptait mener afin d'assainir les pratiques politiques de Washington ne remettrait pas en cause le rôle de la C.I.A. à Rome. L'antenne de Rome ne souffrit donc pas du nouveau cours de la politique étrangère.

L'avènement de l'administration Carter fut marqué à Rome par l'installation de télex ultrarapides et de dispositifs d'écoute sophistiqués, mis au point à Langley.

Pendant l'hiver 1977-1978, la C.I.A., grâce à la collaboration de quelques prêtres compréhensifs au Vatican, installa six micros à la secrétairerie d'Etat, à la banque du Vatican et dans les bâtiments du *governatore*. Ces micros étaient assez puissants pour capter une conversation à travers des murs qui auraient supporté un tir d'artillerie.

Ce ne fut pas la moindre réussite de Cibin que d'aider à détecter ces micros[4].

En montant l'escalier, Cibin repense à ce jour de mai 1978 où il introduisit deux experts en détection électronique des services secrets italiens, au palais apostolique. Les deux hommes, censés établir un devis concernant la réfection des installations électriques du Vatican, travaillèrent toute une semaine au palais apostolique et dans les bâtiments annexes. Ils ne découvrirent pas moins de six micros posés par la C.I.A. et cinq autres de modèle soviétique.

Un officier de l'Intelligence Service, en poste à l'ambassade britannique à Rome, expliqua à Cibin que la chasse aux micros était un travail sans fin. Le chef de la sécurité commençait à se rendre compte qu'il n'existait aucun moyen d'empêcher que le Vatican n'en fût truffé.

Cibin n'est pas le seul à trouver remarquable la façon dont la C.I.A. a refait surface après l'attentat du pape. C'est également l'opinion de l'ensemble des services secrets à Rome. Des officiers, bénéficiant de l'immunité diplomatique, ne se lassent pas de lui donner leur version d'une histoire qu'il connaît par cœur : comment l'Agence est parvenue à instaurer des liens aussi étroits avec le Vatican sous le pontificat de Jean Paul II.

Ces liens remontent à novembre 1978, alors que le pape venait d'être élu un mois plus tôt. Il avait accordé une audience privée au responsable de l'Agence à Rome. L'entrevue était restée secrète et aucun compte rendu n'avait été rédigé. L'officier exposa en détail ce que ses services étaient en mesure de fournir au Vatican. Il lui proposait, grosso modo, de lui remettre régulièrement une analyse complète des objectifs de la politique soviétique en Europe de l'Est et notamment en Pologne. En outre, la C.I.A. établirait un rapport, mis à jour en permanence, sur le bloc soviétique en général, son attitude à l'égard de l'Eglise catholique, les menaces qui pesaient sur la liberté religieuse, les arrestations de prêtres trop engagés. Enfin, l'Agence tiendrait le Vatican informé de la situation instable au Moyen-Orient ou de toute autre région sensible du globe qui préoccupait le souverain pontife.

Jean Paul II s'accorda un délai de réflexion. Il consulta Casaroli ainsi que d'autres dignitaires de la curie. Certains se montrèrent résolument opposés à ce projet. D'autres estimaient que la C.I.A. constituait une source d'informations non négligeable. En outre, même si le pape rejetait ces propositions, l'espionnage au sein du Vatican continuerait.

Au début du mois de décembre, le directeur de l'antenne locale rencontra de nouveau le pape : ce dernier accepta sur-le-champ sa collaboration[5].

Après le discrédit dont elle avait été l'objet sous les pontificats de Jean XXIII et de Paul VI, l'Agence jouissait à nouveau des faveurs du Saint-Père.

Elle s'assurait une influence décisive sur Jean Paul II en contribuant par leurs rapports étroits à former ses jugements sur la situation dans le monde.

L'auteur de ce coup de maître venait d'être muté à Rome après avoir été en poste au Chili, à Saigon puis à Téhéran. Il avait attiré l'attention du pape en ne manquant jamais la messe, où qu'il se trouvât dans le monde. Jean Paul II l'invita donc à assister à la messe de Noël en 1979, célébrée dans sa chapelle privée. Ces rapports privilégiés ne survécurent pas à l'attentat contre le pape. Peu après le drame, Casaroli eut la preuve que le D.I.G.O.S. connaissait depuis près d'un mois l'existence d'un groupe terroriste localisé à Pérouse, non loin de la capitale.

Un télex du M.O.S.S.A.D., l'un des deux services secrets

israéliens, avait identifié le groupe terroriste, y compris « Mehmet Ali Agca, alias Faruk Ozgun ».

Casaroli fut atterré d'apprendre que le D.I.G.O.S. s'était abstenu de lui transmettre immédiatement cette information sous prétexte que les services italiens ne faisaient pas confiance à leurs homologues israéliens. Le D.I.G.O.S. s'était contenté d'une filature de routine du groupe terroriste à Pérouse et avait finalement perdu la trace d'Agca.

Quatre mois plus tard, miraculeusement remis de ses blessures Jean Paul II reprit les rênes de son pontificat.

Cibin franchit les portes de bronze. Il songe que les touristes, occupés à photographier les deux gardes suisses en faction, ne peuvent se douter que la crainte d'un nouvel attentat a transformé le Vatican en une forteresse imprenable.

Derrière les portes de bronze, les gardes suisses se tiennent prêts à utiliser leur mitraillette Uzi — dix balles par seconde — afin de protéger l'accès du palais apostolique.

Cibin s'approche du poste de garde : l'un de ses *vigili* est assis derrière un bureau en acajou. A ses pieds, une Uzi chargée et une pile de magazines. Le *vigile*, d'âge moyen, porte un pantalon et une veste dépareillés. Posé devant lui, entre deux téléphones, un transistor diffuse les informations matinales de Radio-Vatican en quatre langues, *Quattrovoci.* Le garde écoute sans la comprendre la speakerine anglaise, Clarissa McNair, une protestante vive et élancée de trente-cinq ans[6]. Son émission est écoutée dans le monde entier. Elle est mariée, mais vit séparée de son époux canadien. Elle travaille à Radio-Vatican depuis près d'un an. Avant qu'elle ne s'installe à Rome, son reportage sur la Mafia a été couronné par la télévision canadienne.

Le chef de la sécurité pénètre dans la cour San Damaso, où Jean Paul II avait coutume de se promener entre deux réunions. La C.I.A. lui a vivement conseillé de renoncer à ces promenades, de même qu'elle désapprouve le jogging du pape dans les jardins du Vatican. L'Agence redoute les fusils à lunette qui font mouche à mille cinq cents mètres.

Un garde suisse, mitraillette en bandoulière, veille à l'entrée de la cour. D'autres *vigili* sont postés tout autour.

Cibin se dirige vers la porte de Jean XXIII. Là encore, un garde suisse veille.

Cibin prend l'ascenseur et se retrouve dans un étroit couloir. Ses pas résonnent sur le sol de marbre foulé par une centaine de papes. Le chef de la sécurité franchit une double porte et pénètre dans la salle d'audience.

Le trône constitue la pièce maîtresse de cette salle. C'est ici que le pape reçoit les lettres de créance des nouveaux ambassadeurs auprès du Saint-Siège. Cibin entre dans une seconde salle de proportions plus modestes au plafond orné de fresques. Bien qu'il fasse jour, les lourdes tentures fermées confèrent à la pièce une atmosphère funèbre. Des tableaux religieux couvrent les murs. Le mobilier se compose de chaises anciennes à haut dossier, de deux tables de réfectoire datant du Moyen Age, d'un grand coffre et d'une statue représentant un saint polonais. A un bureau d'angle, près de deux hautes plantes caoutchouc, sont assis un chambellan et un *vigile*. Cette salle est gardée nuit et jour. Le browning chargé du garde est dissimulé dans le tiroir d'une commode. Agca s'est servi de la même arme pour tirer sur le Saint-Père. Ce garde représente l'ultime protection du pape, déjà au travail dans la pièce voisine.

Avant l'attentat, il était inconcevable qu'une personne étrangère au palais pût s'aventurer aussi loin dans les appartements pontificaux. Aujourd'hui, on se méfie de tout. C'est pourquoi la C.I.A. a persuadé Jean Paul II d'accepter ce dispositif de sécurité.

Au bout d'un long corridor, Cibin prend l'ascenseur, en principe réservé au seul usage du pape. Mais le chef de la sécurité bénéficie d'une autorisation spéciale.

L'ascenseur monte jusqu'au jardin privé du Saint-Père, situé sur le toit du palais apostolique. C'est un endroit charmant, clos de mur et rempli de fleurs. On ne pourrait y apercevoir le pape qu'en survolant le jardin, mais aucun vol n'est permis au-dessus du Vatican.

Cependant, ce jardin inquiète Cibin qui, tous les matins depuis l'élection d'Andropov, y effectue une visite d'inspection. Vingt-quatre heures après l'accession d'Andropov au pouvoir, les techniciens de la C.I.A. installèrent sur le toit du palais apostolique des radars afin de détecter toute approche aérienne. L'armée de l'air italienne en alerte permanente a reçu l'ordre de prendre immédiatement en chasse tout appareil suspect.

Jean Paul II sait qu'il est dangereux pour lui de se promener dans son jardin. Il pourrait être victime de la bombe d'un kamikaze ou être pris en otage par des terroristes.

Parmi ses tâches quotidiennes, il incombe au chef de la sécurité de s'assurer que le dispositif de détection fonctionne bien. Tout en procédant à ces vérifications, Cibin ne peut s'empêcher de surveiller le ciel.

Palazzo di Giustizia, Rome

Même jour : après-midi

A la tombée du jour, le palais de justice paraît plus sinistre que jamais. L'importance de cet édifice surprend parmi les immeubles modestes de ce quartier. Derrière son austère façade, des corridors lugubres, éclairés au néon, exsudent un insidieux sentiment de culpabilité. Ici, on ne cesse d'interroger car les réponses sont rarement spontanées. Un étranger pourrait aisément se perdre si les vigiles armés ne contrôlaient chaque entrée et ne vous escortaient d'un bureau à l'autre. Les hommes qui y travaillent sont tous calqués sur le même modèle, costume sombre et cheveux courts. Il émane d'eux l'autorité propre à ceux qui savent extorquer des aveux aux suspects les moins loquaces. Dans ce pays où le crime est élevé au rang des beaux-arts, aucune sorte de criminel ne leur est étrangère. Ils possèdent, de la société italienne et de ses éléments réfractaires, une connaissance approfondie[7].

En cette nuit de la Saint-Sylvestre, la stupéfaction règne dans les bureaux au quatrième étage du *palazzo*. Pourtant on ne s'occupe ici que de grande criminalité : assassinats politiques, enlèvements assortis de fortes rançons, braquages de banque. Tous ces délits nécessitent l'intervention de professionnels endurcis, d'hommes « qui n'ont pas froid aux yeux ».

Le juge Ilario Martella occupe, au même étage, un bureau confortable mais sans prétention. La manière dont il a instruit le dossier de l'attentat contre le pape a étonné ses collègues.

En juillet 1981, à la suite d'un procès qui ne fournit aucune preuve quant aux mobiles de l'accusé, Agca fut condamné à la prison à vie avec l'espoir d'une remise de peine en 2009. Beaucoup d'observateurs ont le sentiment que la cour a délibérément écarté tout élément de l'enquête susceptible d'éclairer le comportement du meurtrier.

Sur un plan strictement légal, l'affaire était close. Sauf pour le pape. S'appuyant sur des informations que la C.I.A. et d'autres services secrets avaient mis à sa disposition, celui-ci était déterminé à faire toute la lumière sur l'attentat, même si cela devait conduire à révéler, preuves à l'appui, le rôle joué par Iouri Andropov dans cette affaire. Cette attitude du pape, avec tout ce qu'elle comporte de passionnel, continue de diviser le Vatican. Certains estiment, en effet, qu'impliquer officiellement Iouri Andropov dans cette affaire ne peut qu'exaspérer l'Union soviétique et contribuer à envenimer ses relations avec le Vatican.

Le pape n'était pas convaincu par de tels arguments et le fit savoir à Washington. Les discussions qui s'ensuivirent dans la capitale fédérale coïncidèrent avec un net refroidissement des relations entre le Saint-Siège et le gouvernement polonais.

La Pologne est au cœur des préoccupations de Jean Paul II. Que l'Union soviétique qui menace son pays, s'en fût directement prise à lui renforçait la volonté du pape d'exposer au grand jour les dessous de cette affaire.

Bien qu'étrangère à cette décision, la C.I.A. avait tout lieu de s'en réjouir : elle ne manquerait pas d'embarrasser l'Union soviétique. La C.I.A. encouragea donc le Vatican à intervenir auprès du ministère de la Justice italienne afin qu'il ordonnât une réouverture du dossier.

Par un hasard heureux, l'instruction du dossier fut confiée au juge Martella[8]. En effet celui-ci y travaillait déjà depuis plusieurs semaines dans le plus grand secret et avait accumulé des preuves.

C'était ce même juge qui, en 1970, avait instruit l'affaire Lockheed et obtenu la démission du président de la République ainsi que l'emprisonnement de nombreux hommes politiques italiens.

Le mandat d'arrêt qu'il lança contre cinq citoyens turcs et deux Bulgares fit l'effet d'une bombe. Tous furent accusés de complicité de tentative d'assassinat.

La piste bulgare venait de naître.

Devant le Parlement, le ministre de la Défense, s'appuyant sur les preuves fournies par le juge Martella, mit en accusation le gouvernement bulgare : le service de contre-espionnage italien contrôlant les communications des services secrets bulgares fit état d'une « activité inhabituelle au cours des jours qui avaient précédé l'attentat » ; trois diplomates en poste à l'ambassade de Bulgarie à Rome furent accusés de complicité : le trio, bénéficiant de l'immunité diplomatique, avait regagné Sofia et se trouvait actuellement hors de la juridiction italienne. L'Italie avait rappelé son ambassadeur et la Bulgarie s'apprêtait à en faire autant. Selon le ministre, c'était l'Union soviétique, par le truchement du gouvernement bulgare, qui avait monté tout le complot[9].

Ce n'est pas le retentissement mondial donné à cette affaire qui provoquait l'incrédulité des collègues de Martella. Ni même le fait qu'il fût chargé d'instruire à nouveau une affaire mêlant étroitement l'univers de la politique à celui du fait divers et dont personne ne pouvait prévoir les conséquences. Non, c'était plutôt dû aux méthodes employées par le juge à l'égard d'Agca.

La première année d'incarcération d'Agca a démoralisé celui-ci au point de lui ôter toute faculté de raisonnement et tout intérêt pour le monde extérieur. Son comportement quasi autistique rendait impossible tous rapports avec ses gardiens. Ses codétenus le détestaient, l'injuriaient, allant même jusqu'à le rouer de coups. Il supportait tout cela stoïquement et semblait parfois prendre un étrange plaisir à ces mortifications.

Par la suite, Martella obtint qu'on lui attribuât un régime spécial. Il cessa de dépérir, oublié de tous, avec pour seuls visiteurs des officiers de services secrets et le psychiatre de la prison. Transféré dans une autre cellule individuelle — pour sa propre sécurité —, on lui permit de regarder la télévision, d'écouter la radio et on mit à sa disposition livres et journaux turcs afin qu'il pût garder un contact avec son pays.

Cet après-midi, Martella a convoqué Agca au palais de justice pour l'interroger. Les psychiatres lui ont demandé de ne pas trop prolonger ces interrogatoires afin de ne pas compromettre le rétablissement psychologique du prisonnier.

En fin d'après-midi le procureur demande aux *carabinieri* de préparer le fourgon blindé qui ramènera Agca en prison.

Avant de quitter le juge, celui-ci manifeste l'intention d'écrire au pape.

Martella lui promet de l'aider à rédiger sa lettre.

Lorsque la nouvelle parvient au quatrième étage, elle provoque quelques remous.

Où Martella veut-il en venir [10] ?

Le palais apostolique, cité du Vatican

Même jour : tard dans la nuit

Une grosse Fiat bleu marine se présente devant les portes en fonte de l'arche des Cloches, fermées à minuit comme toutes celles du Palais. La voiture est immatriculée au Vatican, mais on ne prend aucun risque : à Rome, se procurer de fausses plaques minéralogiques est un jeu d'enfant. Un garde suisse vêtu d'une pèlerine bleue s'approche avec méfiance de la voiture et se penche vers le conducteur. Deux *vigili* se tiennent de part et d'autre du véhicule, prêts à tirer dans les pneus s'il tente de forcer le passage [11].

Le passager, à l'arrière de la voiture, ordonne au chauffeur de démarrer. Le garde suisse le reconnaît, s'incline et fait signe aux *vigili* de les laisser passer. La Fiat longe la basilique Saint-Pierre, passe sous une seconde voûte et cahote sur les pavés de la cour San Damaso. Elle s'arrête enfin devant l'entrée principale de la secrétairerie d'Etat.

La silhouette trapue de l'archevêque Luigi Poggi sort du véhicule. Depuis février 1975, nonce apostolique doté de pouvoirs spéciaux, il a été chargé par le Saint-Siège des dossiers et des missions les plus délicates. Il s'avance vers son prédécesseur dans cette fonction, le secrétaire d'Etat Agostino Casaroli [12].

Il rentre de la mission qui l'a conduit à Moscou, Genève, Bonn, Paris et Varsovie avec des révélations suffisamment importantes pour que Casaroli l'accueille personnellement.

Rarement dans le passé, les déplacements à l'étranger de l'archevêque ont été aussi fructueux. Iouli Kvitsinsky, chef de la mission permanente soviétique à Genève, l'a reçu dans un palais du XIXe siècle, sans lésiner sur la vodka et le caviar préférés de Poggi. Il lui a laissé entendre que le gouvernement soviétique était disposé à signer un compromis dans la négociation en cours sur la limitation des armements nucléaires.

Il s'agit du dossier le plus brûlant des relations Est-Ouest[13] : l'O.T.A.N. installera-t-elle cinq cent soixante-douze fusées Pershing à tête nucléaire pour contrebalancer les missiles soviétiques SS-20, actuellement dirigés vers les pays de l'Europe de l'Ouest, membres de l'organisation ?

A Genève, Kvitsinsky a clairement fait comprendre à Mgr Poggi que l' « option zéro » du président Reagan restait inacceptable pour les Soviétiques. Casaroli et Poggi savent que la proposition américaine n'est pas réaliste car elle suppose que les Soviétiques sacrifient la plupart de leurs missiles.

Mais Kvitsinsky lui a donné l'assurance que les Russes accepteraient de ramener vers l'arrière une partie des missiles SS-20, stationnés actuellement chez leurs alliés européens, à condition que l'O.T.A.N. renonce au déploiement des Pershing en Europe.

Poggi s'est rendu à Moscou. Il annonce à Casaroli qu'au Kremlin il est question de déplacer une centaine de missiles dotés chacun de trois têtes nucléaires. Mais il précise que, pour les Russes, un tel retrait est subordonné à des concessions américaines équivalentes.

A Bonn, bien que le gouvernement d'Allemagne de l'Ouest se fût abstenu de tout commentaire, on était manifestement déçu de l'attitude de Reagan : celui-ci considère que la proposition soviétique n'est pas « acceptable » et « constituerait un désavantage considérable pour les pays européens occidentaux ».

A Paris, l'humeur était plutôt à la discrétion. Le gouvernement Mitterrand soutient officiellement la position américaine. Mais, en privé, on a le sentiment qu'il n'est pas impossible de trouver un compromis acceptable entre les deux parties.

Enfin, à Varsovie, poste privilégié pour jauger les intentions soviétiques, Poggi a appris qu'en dépit du peu d'enthousiasme de l'administration Reagan à l'égard des rares informations que laisse filtrer le Kremlin, l'atmosphère est plutôt à l'optimisme parmi les diplomates occidentaux. Pour eux, la proposition soviétique, qu'il s'agisse ou non d'un ballon d'essai, est à saisir au rebond. Casaroli écoute tout cela avec la plus grande attention. Poggi possède cette qualité, peu commune même parmi les diplomates, d'être capable de rendre compte de manière équilibrée des positions exprimées par une douzaine d'interlocuteurs différents et d'en faire la synthèse.

Les deux hommes sont conscients des périls menaçant le Saint-Siège qui essaie d'y voir clair sur la sincérité des propositions soviétiques. Les Russes ont-ils véritablement l'intention de réduire la tension nucléaire ? Si tel est le cas, il convient de les soutenir discrètement mais fermement.

De toute évidence, le Saint-Siège a un rôle à jouer dans cette affaire, et cela depuis ce jour de mai 1970 où Casaroli s'est rendu pour la première fois à Moscou afin d'apposer sa signature au bas du traité de non-prolifération des armements nucléaires, conclu par les deux supergrands.

Si Casaroli et Poggi se rencontrent à cette heure tardive de la nuit, c'est pour trouver le moyen d'empêcher les Etats-Unis et l'Union soviétique de rompre leur accord.

3

Les appartements pontificaux

Samedi, à l'aube

En ce jour de l'an, les événements internationaux les plus importants pour le Vatican sont consignés dans un dossier beige posé sur le bureau de Jean Paul II. Sur la couverture, tracés en lettres d'or, deux mots : au centre, SOMMARIO, sommaire ; en haut, à droite, SEGRETO, secret [1].

Le dossier a été préparé à la secrétairerie d'Etat. Différents services, chacun responsable d'une région du monde, ont contribué à son élaboration. Le style en est clair et concis. Son rôle est d'informer le pape de l'évolution des crises existantes et d'attirer son attention sur celles qui pointent dans d'autres régions.

Un dossier semblable avait prévu notamment le débarquement anglais aux Malouines et l'invasion du Liban par les troupes israéliennes. Cette fois, le dossier fait état de la façon dont les Israéliens ont laissé les milices chrétiennes pénétrer dans les camps de Sabra et Chatila à Beyrouth-ouest pour y massacrer des centaines de réfugiés palestiniens, en majorité des femmes, des enfants et des vieillards.

Ce dossier comporte une analyse exhaustive de l'évolution de la politique menée par le Vatican au cours des douze derniers mois. Un an plus tôt, ce document, deux fois plus épais, traitait des événements intéressant l'ensemble du monde. Aujourd'hui, conformément aux souhaits de Jean Paul II, il aborde en priorité les problèmes de l'Europe de l'Est, les intentions soviétiques dans cette partie du monde et notamment en Pologne.

Jean Paul II a clairement défini les grands axes politiques de son pontificat. Il pense en particulier qu'il se doit de lutter activement contre les forces qui menacent les libertés à travers le monde : il s'agit de mettre en garde les nations qui, par crainte d'une confrontation avec les Soviétiques, s'empressent de prendre pour argent comptant leurs discours pacifiques. En public, il a soin de ne jamais mentionner directement l'Union soviétique et préfère recourir à des formules détournées, du style : « Beaucoup d'hommes », « Certaines nations », « De nombreux systèmes », etc. Il met surtout l'accent sur la façon dont ils utilisent leur puissance économique et militaire pour effrayer les nations occidentales les plus faibles. Mais, en privé, Jean Paul II ne dissimule pas ses sentiments : l'ennemi déclaré est le communisme soviétique. Empêcher la guerre constitue un véritable défi : il est nécessaire pour cela que les Russes ne sous-estiment pas la vigilance des Occidentaux et sachent qu'en cas d'agression, la riposte serait immédiate. Il ne perd pas une occasion de revenir sur ce point.

Pour bien comprendre en quoi consiste précisément la menace nucléaire, Jean Paul II a appris à maîtriser un vocabulaire peu connu de ses prédécesseurs : celui des nonces experts en stratégie nucléaire. La politique agressive des Soviétiques dissimulée sous des propos destinés à créer un climat de confiance factice n'a plus de secret pour lui. Il n'est pas dupe non plus du rôle qu'ils assignent à la politique de zones démilitarisées. Les sigles des armes nucléaires et de leurs vecteurs — I.C.B.M. *, M.I.R.V. ** — lui sont aussi familiers que le *credo*. Tout cela n'est pas fait pour le rassurer. Il est de plus en plus convaincu que, si une guerre survient entre les deux superpuissances, la Pologne sera la première impliquée. Tout ce qu'il a lu et tout ce qu'on lui a dit semble indiquer que l'Union soviétique — de même qu'Israël — penche pour une stratégie de guerre éclair. Logiquement, les Russes devraient préférer lancer les premiers une offensive en Europe afin d'être à même de négocier en position de force. Jean

* I.C.B.M. : Missile balistique intercontinental.
** M.I.R.V. : Missile intercontinental à tête nucléaire multiple.

Paul II craint que cela n'entraîne une riposte immédiate de l'O.T.A.N. qui déclencherait l'apocalypse nucléaire, y compris en Pologne.

Si ce scénario terrifiant se réalisait, il pourrait confirmer la prédiction de feu Padre Pio, prêtre du sud de l'Italie, un mystique qui a prophétisé que le pontificat de Jean Paul II serait de courte durée et s'achèverait dans le sang. Agca a bien failli lui donner raison. Le pape croit qu'il doit son salut à la Vierge Marie. Il a déjà effectué un pèlerinage sur la tombe de Notre-Dame-de-Fatima au Portugal afin de lui rendre grâce de son rétablissement. Au retour du Portugal, il a déclaré à son entourage qu'ayant été épargné, il se sentait plus que jamais investi d'une mission sacrée : sauver le monde de l'autodestruction.

Ce matin, réveillé à cinq heures comme chaque jour, son premier geste a été de s'agenouiller sur son prie-Dieu et d'implorer la Vierge de le soutenir dans la lourde tâche que Dieu lui a assignée. A sept heures, il célèbre la messe dans sa chapelle privée[2].

Puis il se rend à son cabinet de travail pour étudier le *Sommario* avant le petit déjeuner.

La bibliothèque du pape atteste les nombreux changements survenus dans sa personnalité depuis l'année dernière. Aux ouvrages classiques se mêlent à présent l'*International Defence Review* et le *Defence Management Journal,* aussi bien que des livres aux titres évocateurs tels que *The Problem of Military Readiness, Military Balance* et *Surprise Attack : Lessons For Defence Planning.* Non loin des encycliques reliées en cuir blanc, parmi lesquelles figure l'original de *Laborem Exercens* qui traite en détail du droit à l'emploi et à la syndicalisation, on trouve, rassemblées dans un album, les lettres émanant des membres de Solidarité en Pologne qui témoignent du réconfort que leur a procuré la lecture de l'encyclique. Jean Paul II sait à quel point celle-ci soutient l'action des syndicalistes polonais et combien elle exaspère les autorités communistes. Il ne s'en inquiète pas. Leur réaction fait partie intégrante de la tâche ardue qui lui incombe : faire triompher la justice, la paix et la dignité humaine.

Voisinant avec les encycliques, des livres qui fascinent le pape : ils traitent de l'eschatologie, de l'enseignement biblique qui prétend que Dieu inaugurera son royaume sur terre par une série d' « événements » qui marqueront la fin d'une ère. Le Saint-Père est convaincu qu'un « événement » décisif pourrait balayer le monde avant la fin de notre siècle. S'agirait-il d'une seconde peste noire ? Ou d'une terrible famine ? Ou encore d'une guerre nucléaire ? Il redoute à présent cette dernière hypothèse. Peut-être a-t-il été appelé à la tête de l'Eglise au cours d'une période qui pourrait bien être la dernière décennie avant l'holocauste nucléaire.

Le pape sait que l'Eglise perd régulièrement du terrain au profit du marxisme-léninisme, du socialisme et, dans certain pays de l'Ouest tels que l'Allemagne et la Hollande, de la laïcité[3]. Se référant à sa propre expérience en tant que prêtre sous le régime communiste, il est bien placé pour comprendre la gravité de l'enjeu, non seulement pour l'Eglise, mais d'une façon générale pour toute l'humanité. Son obsession ne le quitte jamais, qu'elle s'exprime sous forme de parabole des Ecritures ou en termes diplomatiques.

Cette angoisse affecte la santé physique et morale du Saint-Père.

Lorsqu'il n'est pas en public, il marche voûté. Les balles d'Agca n'ont pas seulement atteint ses os et sa chair, elles ont également provoqué un traumatisme psychique dont il garde des séquelles. Il est devenu plus méditatif et quelquefois morose. Alors qu'il prenait autrefois une part active à chaque discussion, il préfère aujourd'hui écouter en silence. Après une réunion, il s'isole un long moment pour réfléchir.

Cependant son travail ne cesse de s'accroître. Le rapport de Poggi, rédigé par le nonce d'une écriture de pattes de mouche, se trouve au-dessus du *Sommario*[4]. Le pape le met de côté ; il en discutera plus tard avec Casaroli. Il écrit sur un bloc-notes qu'il veut voir Poggi. Plus tard, un des secrétaires du pape viendra chercher ce bloc-notes dont le contenu sera dactylographié et remis aux intéressés. Le Vatican fonctionne désormais à partir des notes griffonnées sur ce calepin.

A tout moment Poggi peut s'entretenir avec le pape, mais Jean Paul II tient à distance ses autres conseillers italiens. Il n'en va pas de même pour les Polonais et les Européens de l'Est que le pape a introduits en nombre au Vatican : les plus hauts dignitaires parmi eux vont et viennent comme bon leur semble dans les appartements pontificaux et rencontrent le souverain pontife sans avoir à solliciter une audience. Mais cette distance qu'il maintient délibérément avec les Italiens, toujours majoritaires au sein de la curie, prive le pape des conseils d'une part non négligeable de son équipe. Les débats qui ont lieu à un niveau hiérarchique moins élevé ne parviennent pas jusqu'à lui et il lui arrive souvent de prendre ses décisions sans connaître la totalité des opinions émises. L'administration du Vatican a dans l'ensemble fini par accepter ce système. Ceux qui le récusent sont exclus de la sphère où se prennent les décisions papales[5].

Au-dessous de la note concernant Poggi, un rapport du bureau des Affaires polonaises traite un sujet très important pour le pape : celui de son prochain pèlerinage en Pologne. Le régime polonais se sent désormais suffisamment solide pour accepter bientôt sa venue. Mais ce rapport fait état du harcèlement auquel Walesa est continuellement soumis. Celui-ci craint d'être de nouveau arrêté, et cela moins de deux mois après l'intervention personnelle de Jean Paul II en vue d'obtenir la libération des membres de Solidarité. Sur son bloc-notes, le pape griffonne une instruction : il demande à Mgr Joseph Glemp, archevêque de Cracovie, d'enquêter et de lui rendre compte personnellement de la situation exacte de Lech Walesa.

Bien qu'ils soient parfaitement conscients de la portée humanitaire d'une telle démarche, les liens étroits que le pape entretient avec Walesa inquiètent les membres de son administration[6]. Plusieurs ecclésiastiques qui ont déjà prouvé dans le passé leur capacité d'analyse politique à long terme estiment que le pape commet une erreur en liant aussi étroitement la politique de l'Eglise en Pologne au sort d'un homme qui est devenu la bête noire des autorités. Selon eux, le soutien apporté publiquement par le pape à la personne de Lech Walesa ne peut qu'aller à l'encontre de ce qu'il recherche avant tout et qu'il a exprimé dans son encyclique *Laborem Exercens :* la liberté pour les travailleurs polonais.

L'amitié entre les deux hommes commença par un échange de lettres[7]. Le 5 juillet 1979, Walesa écrivit au pape afin de lui demander s'il approuvait le choix du nom « Solidarité » qu'il avait emprunté à l'encyclique de Jean Paul II, *Redemptor Hominis,* dont le message appelait à l' « action collective » et qui lui paraissait approprié au premier syndicat polonais représentatif et puissant. Le pape comprit la portée de cette lettre.

Dix jours plus tard, il répondit personnellement à Walesa. Il disait approuver pleinement le choix de « Solidarité » pour ce syndicat naissant qui par la suite devait défier si courageusement le régime polonais. Jean Paul II indiquait ainsi qu'il était prêt à faire intervenir l'Eglise dans les affaires de politique intérieure du pays.

Il n'en resta pas là. En dépit du peu de temps que lui laissait son travail harassant, le pape entreprit de téléphoner fréquemment à Walesa pour se tenir informé des progrès de Solidarité.

Les conversations téléphoniques entre le Saint-Père et le syndicaliste étaient enregistrées systématiquement par les services de sécurité polonais qui les transmettaient ensuite au K.G.B. Moscou était ainsi au fait des positions de Jean Paul II.

En février 1980, Brejnev avertit le nonce en poste à La Havane que l'attitude du pape risquait d'avoir de graves conséquences. Jean Paul II n'en continua pas moins de téléphoner régulièrement à Walesa. Pour le Saint-Père, Walesa était devenu une sorte de phare guidant dans la nuit du bloc soviétique, non seulement les travailleurs polonais mais tous ceux des pays de l'Est[8].

De même qu'il avait ignoré la mise en garde de Moscou, Jean Paul II ne tint pas compte des réserves de son entourage. Mgr Casaroli lui conseilla d'espacer ses appels téléphoniques car Walesa défiait maintenant trop ouvertement le régime polonais ; selon Casaroli, l'audace dont il faisait preuve augmentait avec la fréquence des conversations téléphoniques qu'il avait avec le pape.

Jean Paul II finit par accepter d'écrire à Walesa pour lui demander de modérer le ton de ses déclarations publiques, sans cesser pour autant de lui apporter son soutien sur le fond. Poggi fut chargé de transmettre cette lettre à Walesa. Le 2 juin, il remit au pape la réponse de Walesa : le syndicaliste essaierait de faire preuve de plus de modération au cours de ses allocutions, mais il affirmait n'être plus en mesure, ni même souhaiter, arrêter le cours des événements.

La réponse de Walesa alarma les conseillers les plus écoutés du pape. Mgr Casaroli et son adjoint espagnol, Mgr Eduardo Somalo Martinez, se consultaient régulièrement à ce sujet. La secrétairerie d'Etat fut avertie que la situation en Pologne se dégradait et risquait d'entraîner l'Eglise dans l'une des plus graves crises qu'elle eût connue depuis la Seconde Guerre mondiale.

Ils demandèrent à Jean Paul II d'intervenir auprès de Walesa afin d'éviter une confrontation sanglante en Pologne. Le pape refusa ; selon lui, l'évolution de la situation en Pologne justifiait sa position.

Fin juillet 1980, une réunion décisive se tint dans le bureau du pape. La discussion, très longue, porta sur les réactions soviétiques suscitées par l'attitude de Walesa et le soutien accordé par le pape à Solidarité. Une fois encore, le Saint-Père invoqua les analyses de la C.I.A. dont les experts estimaient qu'en dépit de ses menaces, l'Union soviétique n'oserait pas envahir la Pologne. Le Vatican devait donc éviter d'intervenir dans le déroulement des événements.

Au terme d'un voyage de douze jours au Brésil, le pape apprit que la C.I.A. avait brusquement modifié son analyse de la situation en Pologne : Walesa venait d'appeler à la grève générale afin d'obtenir la reconnaissance de Solidarité ; selon l'agence, cet acte constituait un défi inacceptable pour Moscou et si l'armée polonaise ne réglait pas cette affaire sur le terrain, l'Armée rouge envahirait la Pologne. Le spectre de la guerre hantait une fois de plus Jean Paul II.

Mgr Casaroli tenta de persuader le pape d'intervenir auprès de Walesa afin que celui-ci renonce à la grève générale.

Loin de céder à ses objurgations, le 4 août 1980, Jean Paul II écrivit la lettre la plus dramatique qu'aucun pape eût jamais rédigée. Ecrite à la main sur un papier aux armes du Vatican, cette lettre adressée personnellement à Leonid Brejnev exprimait son angoisse devant le risque d'une intervention armée des Soviétiques en Pologne. Il ajoutait qu'en cas d'invasion il abandonnerait le trône de Saint-Pierre pour conduire en personne la résistance du peuple polonais contre l'agresseur [9].

Le pape croit encore aujourd'hui que son coup d'audace a dissuadé les Russes d'envahir la Pologne.

Il sait pertinemment — bien qu'il refuse de modifier pour cela sa politique — que cette lettre a fait de lui la cible numéro un du K.G.B. [10]. Par ailleurs, il n'est pas question qu'il retire son soutien à Walesa, et cela en dépit des pressions continuelles que fait peser sur lui la secrétairerie d'Etat.

Au cours des pénibles mois de convalescence qui suivirent l'attentat, le pape fut soutenu moralement par la dignité dont Walesa fit preuve. Arrêté après l'interdiction de Solidarité, celui-ci subit d'incessantes pressions psychologiques qui frisaient la torture.

De retour au Vatican, Jean Paul II entreprit immédiatement de faire libérer Walesa. Par l'entremise du primat de Pologne, Mgr Glemp, le Saint-Père reprit le dialogue avec le nouveau gouvernement polonais. Il n'avait rien d'autre à mettre en balance que son autorité morale et n'était pas disposé à accepter un compromis remettant en cause la position de l'Eglise face au communisme. Le gouvernement polonais — comme on pouvait s'y attendre — fut effaré par cette attitude et en référa à Moscou. Qu'un pape intercède personnellement en faveur d'un simple citoyen était chose peu courante. Un problème plus immédiat préoccupait le Kremlin : Brejnev agonisait et Youri Andropov gouvernait virtuellement. C'est ainsi que Jean Paul II fut conduit à négocier avec l'homme qui avait, à la tête du K.G.B., ordonné son assassinat.

Malgré sa compréhensible répugnance, le pape accepta de dialoguer avec Andropov afin d'obtenir la libération de Walesa et la suspension de la loi martiale en Pologne. Il commençait de désespérer lorsqu'il apprit, le jour même de l'accession d'Andropov au pouvoir, que Varsovie s'apprêtait à libérer Walesa.

On dit que Jean Paul II pleura lorsque Mgr Glemp lui confirma cette information par téléphone.

Le pape écrit une troisième note sur son bloc. Il demande à Mgr Casaroli de confier à Walesa une fonction diplomatique au sein de l'Eglise : il disposerait ainsi d'un passeport du Saint-Siège qui le mettrait à l'abri du harcèlement des autorités polonaises.

Cette requête démontre que son engagement à l'égard de Walesa et de Solidarité fait partie intégrante de la façon dont il entend mener la politique extérieure du Vatican. Comme ses prédécesseurs, il se sait confronté à des problèmes à la fois nationaux et religieux dans une Europe de l'Est dirigée par des gouvernements résolument matérialistes [11]. Mais, alors que ceux-ci avaient cru possible d'écarter l'aspect religieux du problème politique, il pense au contraire que les deux sont indissociables. C'est pourquoi sa stratégie consiste à entamer une négociation sur le respect des libertés religieuses, prétendument garanties par les constitutions de toutes les démocraties populaires, mais qui, en pratique, ne sont jamais respectées [12].

Cette stratégie de défense des libertés religieuses conduira Jean

Paul II à mettre en œuvre une politique internationale infiniment plus active et plus personnelle que celle des précédents souverains pontifes.

C'est en Pologne que cette politique trouvera son premier champ d'application [13] : il n'a d'autre choix, dans ce pays, que de poursuivre sa mission morale et religieuse au moyen d'une suite d'initiatives purement politiques. Si cette tactique produit les effets escomptés en Pologne, elle pourrait être appliquée par la suite à l'ensemble du bloc soviétique. Cela explique qu'il attache une telle importance à son voyage en Pologne.

Pour le moment, il ne peut rien faire de plus. Il a besoin d'informations, de faits, d'opinions, même s'ils proviennent de l'homme de la rue. C'est seulement lorsqu'il disposera de tous ces éléments qu'il saura si ce voyage est possible et, dans ce cas, il lui faudra décider sur place de la conduite à tenir [14].

L'ambassade de Bulgarie, Rome

Lundi, midi

Communiquer de mauvaises nouvelles au ministère des Affaires étrangères à Sofia est une source d'angoisse pour le Premier secrétaire, Vassil Dimitrov. Il dort si peu en ce moment que ses yeux le piquent et, chaque fois qu'il s'assoupit dans son bureau, il est réveillé par le téléphone ou bien on l'appelle par télex pour répondre à de nouvelles questions du ministère [15].

La tension règne derrière les murs de l'ambassade de Bulgarie, *via* Monti Parioli. Dans ce quartier d'ambassades où vivent la plupart des diplomates, coexistent anciens et nouveaux riches. Naguère, Dimitrov s'y promenait fréquemment. A présent, tout cela est fini. L'officier du D.S., le K.G.B. bulgare, a donné l'ordre au personnel de ne sortir qu'en cas de nécessité absolue.

Il veut éviter d'aggraver une situation déjà tendue et craint que les diplomates se fassent prendre à partie par les jeunes Italiens que Dimitrov surnomme les « têtes brûlées à Mobylette ». Ceux-ci se rassemblent devant l'ambassade pour les insulter et crier « Vous avez essayé de tuer le pape » ou encore « C'est ici que commence la piste bulgare ! »

En outre, Dimitrov sent que l'atmosphère a changé à Sofia et cela l'inquiète. Plus que n'importe quel autre diplomate bulgare à Rome, il est compromis dans cette lamentable affaire. Ses supérieurs à Sofia ont suivi les conseils qu'il n'était que trop heureux de leur donner. Ils restent en contact avec lui, mais le climat a récemment évolué. Dimitrov est suffisamment averti pour s'en rendre compte : personne là-bas n'apprécie la façon dont les choses ont tourné.

Au début, les Bulgares ont affiché un optimisme inébranlable, persuadés que l'orage passerait : la piste bulgare ne tarderait pas à apparaître comme une invention des autorités italiennes destinée à masquer leur propre incapacité à faire la lumière sur le complot. Il allait de soi que personne ne mettrait en doute les protestations des Bulgares attribuant à une poignée de fanatiques musulmans la tentative d'assassinat du pape. Encore aujourd'hui, Dimitrov soutient cette thèse et l'expose à qui veut l'entendre. Il est à l'origine des premières informations fournies par l'ambassade de Bulgarie sur cette affaire. Il réfute inlassablement les accusations portées contre son pays à l'aide de formules du genre : « Les Italiens sont devenus des laquais de l'impérialisme », ou bien : « Toute cette affaire n'est qu'une vaste provocation montée contre la Bulgarie, l'Union soviétique et l'ensemble du camp socialiste. » Cette fable, prétend-il, a été inventée par les services secrets occidentaux. Pour Dimitrov, l'attitude de la presse italienne et des correspondants de presse occidentaux est « dans l'ordre des choses » et il sait parfaitement qu'on ne tiendra aucun compte de ses protestations.

Tout cela aurait dû l'inciter à empêcher Sofia d'organiser une conférence de presse destinée à balayer une fois pour toutes la prétendue piste bulgare. Cette idée était née après l'arrestation de Serguei Antonov, chef d'escale de la Balkan Air à Rome, et la mise en cause de plusieurs de leurs compatriotes.

Dimitrov avait informé Sofia de l'article du *Newsweek* [16] qu'il considérait comme « représentatif de l'attitude calomnieuse de la presse occidentale à l'égard de son pays ».

Ce rapport incita le ministère des Affaires étrangères à mettre son projet à exécution. Les ambassades bulgares furent chargées d'inviter les journalistes à assister à la conférence de presse prévue fin décembre à Sofia.

C'était il y a moins de trois semaines et, en y repensant, Dimitrov songeait que le peu de réponses positives des journalistes romains aurait dû l'alarmer. La plupart déclinèrent l'invitation, alléguant que les preuves dont ils disposaient contre la Bulgarie étaient irréfutables.

Seuls deux cent soixante-dix journalistes de la presse internationale assistèrent à cette conférence de presse à l'hôtel Moskva Park à Sofia.

Dimitrov a rassemblé leurs articles : leur contenu le stupéfie. La conférence, loin d'atteindre ses objectifs, s'est révélée désastreuse. Cela va du titre satirique du *Newsweek :* « Y a-t-il un Agca dans la salle [17] ? » au contenu plus sentencieux de l'article de l'*Economist :* « Nous en savons désormais suffisamment pour avancer que vraisemblablement l'attentat contre le pape a été téléguidé par le gouvernement de l'Union soviétique [18]. »

Entre le ministère des Affaires étrangères et Sofia, les lignes téléphoniques étaient constamment occupées. Qui était à l'origine de cette conférence de presse ? Qui l'avait organisée ? Qu'avait-on fait pour écarter les soupçons dirigés contre l'Union soviétique ? Ces questions seraient posées inlassablement jusqu'à ce qu'on ait trouvé le ou les boucs émissaires. Ceux-ci pourraient alors faire une croix sur leur carrière. Un diplomate expérimenté comme Dimitrov évitait d'envisager le destin plus tragique encore qui attendait les plus compromis d'entre eux : les Russes n'avaient qu'un mot à dire et il lui faudrait échanger sa vie douillette à Rome contre celle d'un camp de la région de Sofia. C'était arrivé à bien d'autres [19].

Cette perspective terrifie Dimitrov. Son propre sort est entre d'autres mains, il ne peut guère plus qu'entasser et agrafer les articles de presse qui établissent que la piste bulgare dispose d'un avenir certain.

Secrétairerie d'État, cité du Vatican

Même jour, fin d'après-midi

Mgr Emery Kabongo sort de l'ascenseur qui l'a conduit de l'appartement du pape au troisième étage du palais apostolique [20], quartier général de la diplomatie vaticane. Il y règne une activité fébrile, les lampes ne s'éteignent jamais et les bureaux sont étouffants.

La présence de Mgr Emery Kabongo en ces lieux signifie que la piste bulgare n'est pas sans rapport avec la situation en Pologne et fait partie intégrante de la politique soviétique en Europe de l'Est : le pape désire être immédiatement tenu au courant des moindres développements de cette *pista bulgaria.* Kabongo centralise les informations qui la concernent. Cela n'entre pas réellement dans ses attributions mais il aime l'atmosphère de ruche qui règne à cet étage et sait sélectionner les articles intéressants dans le lot quotidien des nouvelles.

Depuis quatre ans, il a lui-même fourni d'innombrables rapports rédigés à l'ambassade du Vatican à Séoul [21]. C'est là qu'il a pu se faire une idée précise des problèmes du tiers monde ; il y a découvert que la majorité des solutions proposées par les Occidentaux sont peu réalistes et s'est rendu compte sur place de la manière dont les communistes exploitent la situation. Ses suggestions allaient dans le sens des projets ambitieux de l'Eglise en Corée du Sud. C'est là qu'il a compris qu'il n'y avait pas place « pour un certain pacifisme religieux », mais qu'il fallait que s'y exprime « la toute-puissance de Jésus-Christ ».

Un langage aussi tranché fit un certain effet parmi les diplomates de la secrétairerie. L'étoile de Kabongo montait : il fut nommé à la nonciature du Brésil. Au cours des trois années suivantes, il fut confronté avec la situation brésilienne : une richesse considérable entre les mains de quelques privilégiés et un peuple qui mourait de faim.

Il rendit compte de ces intolérables inégalités sociales et ses rapports furent suffisamment alarmants pour être inclus dans les recommandations remises au pape avant son voyage au Brésil.

C'est au cours de ce voyage que Kabongo confirma au pape les informations de la C.I.A. concernant l'aggravation de la situation en Pologne.

Le souverain pontife fut si favorablement impressionné par la personnalité de Kabongo qu'il décida de le nommer à Rome. Ce n'était pas la première fois qu'il procédait à ce genre de remaniement : il avait déjà ramené à Rome plusieurs ecclésiastiques tandis qu'il en éloignait d'autres. La curie n'avait pas connu de tels bouleversements depuis Pie XI.

Il décida de nommer son secrétaire anglophone, John Magee, au poste de maître des cérémonies : la mésentente entre celui-ci et Dziwisz[22] n'était un secret pour personne. Cette promotion laissa vacant un poste qui fut offert à Kabongo.

Ce nouveau secrétaire, âgé de quarante et un ans, suscite encore des commentaires étonnés dans le Landernau du palais apostolique : il est en effet le premier Noir à occuper ce poste. Il a un visage rond, des cheveux crépus et de grands yeux de myope derrière des lunettes à monture dorée. Chacun a vite compris qu'il ne fallait pas sous-estimer sa remarquable intelligence. Il sort en très bon rang de l'académie pontificale qui forme les diplomates du Vatican.

Il parle la plupart des dialectes du Zaïre ainsi que plusieurs langues européennes. Sous des dehors policés, c'est un redoutable négociateur.

Il voue une admiration sans bornes à Jean Paul II. De sa démarche athlétique, il passe d'un bureau à l'autre, à l'affût des innombrables télex adressés par le *réseau* — terme générique qui désigne les nonces, les chargés de missions et les délégués apostoliques chargés d'informer le Vatican chaque semaine, parfois même chaque jour et, en période de crise, d'heure en heure, allant jusqu'à s'exprimer en latin afin de déjouer les écoutes téléphoniques[23].

Aujourd'hui le réseau rend compte des nombreuses réactions au dernier message du pape affirmant que le désarmement nucléaire ne peut pas être unilatéral[24].

Kabongo s'arrête tout d'abord au bureau des Affaires africaines.

De Pretoria, l'archevêque Edward Cassidy a fait état des réactions du gouvernement d'Afrique du Sud. Cassidy souligne la fermeté de la position de Pretoria sur un sujet d'une telle importance, encouragée par l'attitude de l'administration Reagan qui tient absolument à éviter que ce pays ne suive le sort de la Rhodésie. Les Etats-Unis ne permettront pas que la domination des Blancs cesse en Afrique du Sud, elle seule garantissant encore la liberté d'escale des flottes occidentales dans cette région ; cette route maritime est considérée comme d'importance vitale par Washington.

Depuis plusieurs mois, les rapports codés de Cassidy expriment l'idée que les milieux gouvernementaux sud-africains sont sûrs, qu'en dernière analyse les Etats-Unis n'hésiteraient pas à venir en aide à l'Afrique du Sud. Il estime que la position du Vatican n'est pas étrangère à cette évolution.

De Luanda, parvient une réaction très différente. Au cours de huit années tumultueuses, le délégué apostolique en Angola a vu se développer la révolution, le vieil ordre portugais s'effondrer et les chefs révolutionnaires ouvrir le pays à leurs maîtres soviétiques. L'envoyé spécial du pape en Angola s'est vu confier une mission délicate par le bureau des Affaires africaines : il est chargé de découvrir si les Russes incitent le gouvernement communiste d'Angola à attaquer l'Afrique du Sud, prenant ainsi le risque d'une riposte nucléaire de leur part.

Ces nouvelles alarmantes émanent de la C.I.A. qui les tient elle-même des services secrets israéliens, le M.O.S.S.A.D. Ces derniers ont noué des relations avec leurs homologues sud-africains.

La question qui préoccupe les hauts responsables de la secrétairerie est la suivante : lorsqu'ils ont décidé de propager la révolution en Afrique du Sud, les révolutionnaires angolais ont-ils envisagé l'éventualité d'une riposte nucléaire ? Dans un cas, ils font preuve d'une effarante naïveté ; dans l'autre, ils sont encore plus dangereux qu'on ne le pensait.

De l'ensemble du continent africain, les réactions au message du pape sont plutôt favorables, encore qu'il soit parfois considéré comme bien tardif. La plupart des nonces estiment que la voix des gouvernements auprès desquels ils sont accrédités aura peu de poids dans les décisions du Pentagone ou dans celles du Kremlin.

Les rapports des nonces feront l'objet d'une analyse poussée avant d'être inclus dans le résumé communiqué chaque jour au pape. L'importance accrue donnée depuis un an à ces rapports adressés au bureau des Affaires africaines témoigne de l'influence croissante de Kabongo auprès du Saint-Père.

C'est de Vienne que sont parvenus les premiers échos de la réaction soviétique. Le nonce en poste en Autriche a rendu compte de la fureur des Russes bien que celle-ci n'ait pas fait l'objet d'une déclaration officielle. Pour le Kremlin, la déclaration du pape est un ralliement pur et simple à la ligne la plus dure de la politique américaine. Le nonce n'en est pas surpris. Quelques jours plus tôt, il avait averti la secrétairerie qu'un magazine communiste accusait le souverain pontife d'être « subversif », « antisocialiste », « réactionnaire » et « d'aider Solidarité à renverser le gouvernement polonais ».

Le nonce en poste en Autriche est généralement l'un des premiers à être informé de telles attaques. Dans une ville où les intrigues politiques abondent, il est généralement considéré comme une source d'informations très sûre. Dans sa résidence aux meubles baroques, où sont servis d'excellents vins et une cuisine raffinée, les langues se délient facilement. Il a table ouverte pour les diplomates et les agents de toute provenance. Grâce à ses relations, l'envoyé du pape est en mesure d'informer le Saint-Siège sur la situation en Pologne et à Moscou plus rapidement que ne le peuvent les diplomates des autres pays. Casaroli soumet fréquemment les analyses de la C.I.A. à son ambassadeur de Vienne. Depuis quelque temps, ils sont tombés d'accord pour estimer que la position soviétique à l'égard des Occidentaux frise la paranoïa.

Les craintes exprimées par Mgr Kabongo se sont peu à peu confirmées et on lui a demandé de suivre tous les développements de la *pista bulgara.* Il est en contact permanent avec Martella, avec l'antenne de la C.I.A. à Rome et avec d'autres services de renseignements. Il est devenu, en fait, l'agent secret du pape. Comme Dimitrov à l'ambassade de Bulgarie, Kabongo regroupe et classe les coupures de presse que lui adressent des correspondants dans le monde entier.

De La Havane, le chargé d'affaires du Vatican a transmis toute une série d'articles affirmant qu'Agca, loin d'être un assassin à la solde du K.G.B., était en fait un agent de la C.I.A. Selon ces articles, toute l'affaire a été montée par les Etats-Unis pour discréditer la Russie. Comme d'habitude ils fourmillent d'accusations mais ne s'appuient sur aucun fait précis.

Kabongo sait que Cibin n'est plus le seul à se poser des questions sur le rôle exact de la C.I.A. avant et après l'attentat contre Jean Paul II. Les articles de la presse cubaine, allant dans le même sens, parviennent maintenant sur le bureau de Mgr Casaroli, de Mgr Poggi et de quelques hauts dignitaires du Vatican.

Selon le chargé d'affaires du pape à La Havane, ces papiers sont probablement inspirés par les Soviétiques qui verraient d'un bon œil la tension monter entre Cuba et les Etats-Unis. Ce n'est pas la première fois qu'une telle manipulation se produit, mais Kabongo se demande s'il s'agit là d'une action de propagande traditionnelle ou d'une tentative des Soviétiques d'ouvrir de nouveaux fronts dans leur lutte avec les Etats-Unis en fomentant des troubles en Amérique centrale, notamment au Salvador et au Nicaragua. Selon la secrétairerie, Cuba joue un rôle de « diversion » qui devrait permettre aux Russes de frapper ailleurs, tandis que les Etats-Unis concentreraient leur attention sur l'attitude du régime cubain. C'est pourquoi il faut rester à l'écoute de tout ce qui se dit ou s'écrit à Cuba : si absurdes soient-ils, les articles publiés à La Havane doivent être analysés avec soin.

A Paris, le nonce apostolique Angelo Felici habite, avenue du Président-Wilson, une adresse prestigieuse. De là, il ne s'est pas contenté de transmettre des coupures de presse mais il a envoyé la transcription écrite d'une émission de la radio nationale. Il s'agit du plus étonnant rapport jamais établi par les services de renseignements français qui, selon cette émission, entretiennent des « liens étroits mais secrets » avec le K.G.B. (ce qui n'est pas surprenant lorsqu'on sait que tous les services de renseignements ont des contacts situés au-delà de leurs frontières). Selon les services secrets français, la façon dont Youri Andropov a été ouvertement impliqué dans l'attentat contre le pape est une manœuvre délibérée du Politburo lui-même, en vue de déstabiliser la position d'Andropov au sein de cet organisme. Le fait qu'Andropov ait trempé, à la tête du K.G.B., dans l'organisation de l'attentat sans en avoir pleinement mesuré toutes les conséquences gêne le bureau politique, auquel de telles pratiques rappellent les jours les plus sombres de l'époque stalinienne. Les dirigeants soviétiques souhaitent donc écarter Andropov à tout prix, y compris en faisant pression sur lui à l'aide d'une formidable campagne d'opinion menée hors des frontières soviétiques. C'est en tout cas ce qu'affirme l'émission [25].

Selon les rapports du nonce à Bonn, Mgr Guido del Mestri, l'Allemagne de l'Ouest ne commence vraiment à s'intéresser aux implications internationales de cette tentative d'assassinat que vingt mois après qu'elle a eu lieu. Guido del Mestri a été l'un des premiers diplomates à établir des liens étroits avec le chancelier Helmut Kohl. Ces rapports privilégiés permettent au nonce de porter un jugement autorisé sur les articles à sensation qu'il transmet à Rome.

Ce sont ces contacts en haut lieu qui permettent au nonce de faire des commentaires pertinents sur l'ambiguïté des relations germano-soviétiques, notamment en ce qui concerne le rôle des Verts et des mouvements pacifistes antinucléaires en Allemagne fédérale. Il peut ainsi critiquer le contenu aberrant des articles de presse qu'il transmet.

Mais Mgr Kabongo sait que le pape tient à recevoir tous les articles concernant l'attentat. Il ne partage aucunement l'opinion de ceux qui, à la secrétairerie, commencent à penser que Jean Paul II fait une fixation sur Andropov et la piste bulgare, tout comme il a été obsédé par Lech Walesa et la Pologne[26].

La prison d'Ascoli Piceno à l'est de Rome

Même jour, la nuit

On a beau être habitué aux prisons italiennes, celle-ci a de quoi vous glacer le sang[27]. Ses détenus sont parmi les plus dangereux de toute l'Italie, ses gardiens comptent parmi les plus durs. La vie quotidienne y est rude, la nourriture infecte : ici on ne s'occupe pas de réhabiliter les prisonniers, on les punit.

Le détenu de la cellule 47 n'essaiera pas de s'évader[28]. Il sait que s'il parvenait à franchir la porte blindée ou les murs bétonnés de sa cellule et à ouvrir les systèmes qui bloquent électriquement le quartier de haute sécurité, il ne survivrait pas longtemps hors de la prison. Il serait à coup sûr exécuté par l'un de ceux qui l'ont recruté, entraîné et payé, qu'ils appartiennent au K.G.B., aux services secrets bulgares, libyens ou à l'O.L.P. A des degrés divers, tous ont aidé Agca dans sa tentative d'assassinat, place Saint-Pierre. Agca pense maintenant que son échec et sa trahison ont fait de lui un homme à abattre.

Cette terreur lui rend supportable son existence dans la prison d'Ascoli Piceno. Paradoxalement, il en vient même à aimer sa vie de détenu. Il éprouve une certaine fierté à se savoir le criminel le plus célèbre de Rome, le détenu qui fait couler le plus d'encre. Lorsqu'il sort pour voir Martella, Agca sait qu'une foule de reporters l'attendront devant le palais de justice pour l'entrevoir à l'intérieur du fourgon blindé qui l'emmène. Le psychiatre qui s'entretient avec lui chaque jour le lui a dit.

Physiquement, il est en bien meilleure forme qu'auparavant. Il fait du jogging deux heures par jour dans sa cellule et il semble moins frêle et plus musclé. Il écoute la radio et regarde la télévision pendant des heures ou bien il écrit sur un vieux bureau surmonté de rayonnages. Le psychiatre l'y a encouragé : il lui a conseillé de noter ses pensées et ses impressions sur ses visiteurs, en fait tout ce qui lui vient à l'esprit. Agca a écrit de nombreuses lettres à sa mère, à son jeune frère, Adnan, et à sa sœur, Fatma. Ils habitent Yesiltepe, un village situé à sept cents kilomètres d'Ankara.

Agca remet ses lettres à un gardien de la prison. Celui-ci lui promet toujours qu'elles partiront par le prochain courrier.

Ses lettres transitent par le bureau de Martella et s'y empilent. Chacune fait l'objet d'un rapport du psychiatre, commentant l'évolution de l'humeur d'Agca.

On a expliqué à Agca que, s'il ne recevait pas de réponse à ses lettres, c'était sans doute que la censure turque les avait interceptées[29].

Dans les rayonnages au-dessus du bureau, il y a un exemplaire du Coran, des grammaires italienne et allemande ainsi qu'une foule de livres de poche. C'est en les lisant qu'Agca a appris à jurer en italien. Lorsqu'il est contrarié, il hurle « *Vaffanculo* » à la grande joie de ses gardiens.

Bien que sa bibliothèque soit réduite, le psychiatre lui a fait remarquer qu'elle constituait une exception. Les autres prisonniers ne possèdent aucun livre dans leur cellule. Agca se plaint de sa couverture, rêche au point d'irriter sa peau, et il refuse de porter les sous-vêtements et les chaussettes grises fournis par la prison sous prétexte qu'ils ont déjà servi à d'autres détenus. Martella lui a promis d'intervenir pour améliorer les conditions pratiques de sa détention.

Agca reçoit quotidiennement la visite du médecin et des

psychiatres, ainsi que celles d'officiers de renseignements italiens et même étrangers. Ils se sont abstenus de venir le voir au cours de l'année qui a suivi son jugement ; à cette époque, on avait décidé de le laisser moisir dans sa cellule. Quand le juge Martella a été désigné pour instruire le dossier d'Agca, les officiers sont revenus.

Il écrit dans son journal qu'il les juge moins chaleureux et sympathiques que Martella et les médecins, mais ils manifestent un grand intérêt à chacun de ses propos qu'ils consignent ou — c'est le cas des Américains — enregistrent[30].

Agca ignore leur identité et leur nationalité.

Au début, il a fait preuve d'indifférence à leur égard, se contentant de répondre d'un air ennuyé à leurs questions. Un psychiatre ayant réduit les doses de ses médicaments, Agca s'est mis à parler avec plus de vivacité et à poser des questions aux enquêteurs, leur demandant s'ils appartenaient à la C.I.A., aux services secrets allemands, turcs ou au M.O.S.S.A.D. israélien, qu'apparemment il redoute plus que tout autre. Agca se souvient qu'après son arrestation, deux officiers du M.O.S.S.A.D. sont venus l'interroger dans sa cellule, au Q.G. de la police romaine. Ils arrivaient directement de Tel-Aviv, munis de dossiers complets sur lui-même et ses complices, établis à l'ambassade israélienne d'Ankara. Ils lui révélèrent pour quel service ils travaillaient et ne lui cachèrent pas qu'ils ne lui feraient pas de cadeau s'il refusait de coopérer. Ils furent si menaçants qu'Agca pensa qu'ils n'hésiteraient pas à le tuer. En moins de trois jours d'interrogatoire, il divulgua tout ce qu'il savait sur la filière bulgare et le rôle joué par le K.G.B. dans cette affaire. Depuis, il s'est souvent demandé pourquoi il avait fallu si longtemps pour que ses révélations fussent connues du grand public. Quand il interroge ses visiteurs à ce sujet, ceux-ci ne lui répondent pas.

Dès qu'un officier de renseignement sort de sa cellule, le psychiatre étudie l'humeur d'Agca, lui demande si cette visite l'a intéressé, si les questions posées l'ont ennuyé et pourquoi. A-t-il dit la vérité ? Le médecin écoute avec sympathie chacune de ses réponses qu'il consigne soigneusement dans son rapport à Martella.

Les jours et les nuits passent lentement : Agca trompe son ennui en répétant inlassablement le nom de ceux qu'il déteste.

Deux ans après sa condamnation, Agca a encore du mal à

reconstituer l'itinéraire compliqué qui l'a conduit de Yesiltepe à la place Saint-Pierre. Il ne sait plus très bien à quel moment il a suivi un entraînement militaire dans un camp syrien et a oublié les noms de ceux qu'il y a côtoyés. Les souvenirs de son passage en Bulgarie s'estompent à l'exception de ce qu'il nomme ses « grands moments ». Ainsi il se souvient de ses deux rencontres avec les agents du K.G.B., du jour où ils lui ouvrirent un compte en banque et lui versèrent trois millions de deutschmarks pour tuer le pape, du premier browning qu'il eut entre les mains. Il revoit tout cela avec précision chaque soir avant de s'endormir de même qu'il n'omet jamais de psalmodier sa liste noire.

Ce qu'Agca appelait ses « démons intérieurs » ne l'obsède plus à présent. Les pharmacologues et leurs drogues puissantes contrôlent désormais son esprit bien plus que ne le feront jamais les agents secrets qui se succèdent dans sa cellule. Le président Reagan fait maintenant partie de ses bêtes noires, il en répète inlassablement le nom qui évoque pour lui l'idée qu'il se fait de l'enfer.

L'O.T.A.N. en est une autre : il déteste ses bases et la puissance destructrice qu'elle représente ; il la considère comme l' « instrument du diable », cliché qu'il a rapporté de Syrie et ressort en toute occasion. Le sens exact de ces phrases toutes faites lui échappe et le psychiatre ne fait rien pour qu'elles s'effacent de son esprit, considérant qu'il est vital pour Agca que l'origine de tels clichés lui reste obscure afin qu'il ne se considère pas comme complètement manipulé de l'extérieur.

Autre démon familier d'Agca : son père, décédé depuis longtemps.

Lorsqu'il vivait à Yesiltepe, Agca, par égard pour sa mère, ne parlait jamais de son père, bien qu'il s'en souvînt comme d'une sombre brute, terrorisant toute sa famille jusqu'au jour où il se tua dans un accident de la route. Il évoqua son souvenir devant le juge qui, par son attitude, prenait la place de son propre père. Un tel transfert sur Martella ne peut que satisfaire le psychiatre.

Viennent ensuite l'Arabie Saoudite, méprisée par Agca à cause de ses liens étroits avec les Etats-Unis, et pêle-mêle les tsars pour leur impérialisme, l'Afrique du Sud, la reine Elisabeth qui symbolise les classes dirigeantes qu'il exècre et les démocraties occidentales en raison de leurs liens avec Israël.

Le nom suivant sur cette liste n'est pas le moins surprenant :

« major Frank », personnage qui intéresse vivement le psychiatre, Martella et les officiers de renseignement. Tous ont tenté de savoir pourquoi Agca éprouve une telle haine à l'égard de cet homme.

Il s'agit de Frank Terpil, un Américain qui l'a entraîné en Syrie et lui a appris toutes les techniques du terrorisme : assassinat, pose de bombes et voitures piégées. Les deux hommes ont passé des heures ensemble à regarder des films sur l'assassinat du président Kennedy à Dallas ainsi que sur d'autres attentats couronnés de succès contre des hommes politiques en Espagne et ailleurs. Puis il a initié Agca aux techniques de l'attentat au milieu des foules très denses, comme celles qui déambulent en permanence place Saint-Pierre.

Agca pense maintenant que Terpil l'a trompé. Selon lui, il s'agissait d'un agent double à la solde de la C.I.A. prétendant travailler pour le compte du gouvernement libyen. Cette conviction explique la place de choix qu'occupe le major Frank sur la liste noire d'Agca.

Vient ensuite le colonel Arpaslan Turkes, fondateur de l'un des mouvements terroristes turcs les plus actifs, les Loups gris. Agca a fait vœu d'allégeance à Turkes et juré fidélité aux Loups gris. Cependant, après l'arrestation d'Agca en mai 1981, Turkes a démenti que celui-ci eût jamais appartenu aux Loups gris.

La liste noire s'allonge, hétéroclite, mais toujours invoquée selon un ordre immuable : le président Reagan, les conserves Heinz, le K.G.B., l'O.T.A.N., les services secrets bulgares, etc., liste dont l'éclectisme est pour le moins déroutant. Il est persuadé — sa haine de toute religion autre que la sienne l'en a convaincu — que le pape a pris la tête d'une croisade internationale destinée à affaiblir l'Islam. Depuis des années, il rêve de tuer le souverain pontife. Tout d'abord Paul VI, puis Jean Paul Ier. Leur mort naturelle l'ont frustré de ce dessein.

Ce soir, comme tous les soirs, Agca récite sa liste. Il ignore qu'un micro est branché dans le plafonnier de sa cellule et que chaque mot qu'il prononce est enregistré dans la pièce voisine. Chaque matin, une dactylo tape le contenu de la bande magnétique et l'envoie au juge Martella.

Cité du Vatican

Mercredi, dans la matinée

Une note émanant de la secrétairerie d'Etat confirme à Cibin les rumeurs qui circulent depuis quelque temps au Vatican : le pape s'apprête à se rendre en Amérique centrale.

Les problèmes politiques que soulève un voyage dans l'une des zones les plus perturbées du monde n'intéressent pas vraiment Cibin dans l'immédiat. Il laisse à d'autres le soin de les régler.

Son premier geste est de téléphoner, à l'ambassade américaine en Italie, 119 *via* Veneto. Là, il demande le directeur de la C.I.A. à Rome.

Malgré le peu de crédit qu'il accorde à l'Agence, Cibin sollicite son aide pour mettre sur pied un plan de sécurité rapprochée autour du pape.

4

Les réactions de Rome

Nous déjeunons avec le père Lambert Greenan : quel pape est donc Jean Paul II ? Notre convive est moins prolixe lorsqu'il s'agit de répondre à ce genre de questions que pour décrire le bon vin qu'on nous a servi. Nous connaissons depuis des années son goût pour la bonne chère. Mais, dès qu'il s'agit du pape, le directeur de l'édition anglaise de l'*Osservatore Romano* devient moins disert. Cependant ce qu'il tait a souvent plus d'importance que ce qu'il suggère. C'est un dominicain irlandais de haute taille, mince, au visage émacié et aux cheveux gris.

Nous sommes dans l'arrière-salle de Rasella et Romaul : les *capocameriere* nous ont servis un *abbachio,* agneau de lait assorti de petits artichauts romains et arrosé d'un délicieux chianti de Capri.

Selon une bonne douzaine de nos interlocuteurs, Jean Paul II se comporte à présent comme un prophète plutôt que comme un souverain pontife ; c'est davantage un prédicateur qu'un administrateur, un mystique exceptionnel mais manquant de sens pratique. Nous demandons à Greenan ce qu'il pense de cette opinion.

D'après Greenan, même les catholiques les mieux informés ne comprennent pas toujours que l'Eglise est en perpétuelle évolution. Le rôle du pape doit évoluer en conséquence. Certes, Jean Paul II continue à prendre lui-même les décisions importantes et maintient toujours ses principes avec fermeté. Mais la question n'est pas de savoir si le pape gouverne réellement. « C'est le genre de questions absurdes que se pose la presse catholique. »

Greenan ne les porte pas dans son cœur mais aujourd'hui il n'est pas décidé à aborder ce sujet.

Jean Paul II, poursuit-il, s'en tient à ce qu'il juge être l'essentiel : il agit selon ses convictions même lorsqu'il sait qu'il sera incompris. C'est ce qui rend son pontificat incomparablement plus dynamique que celui de ses prédécesseurs. Il estime, en outre, que de nombreux problèmes n'ont pas à être réglés en détail par le pape ni par les congrégations. Il est partisan de laisser les solutions mûrir lentement au sein de l'Eglise. Il impose les enseignements de l'Eglise mais ne cherche pas à en élaborer seul la ligne politique.

Le pape, ajoute Greenan, combattra rigoureusement les dissidences théologiques et liturgiques sans pour autant fermer la porte à tout débat au sein de l'Eglise.

Pendant le repas, nous avons abordé toutes sortes de sujets. La presse italienne se demande s'il est vrai qu'Antonov sera relâché sous peu, mettant momentanément un terme à la piste bulgare. Le gouvernement polonais a créé deux mille cinq cents « petits syndicats » pour remplacer Solidarité[1]. Un espion soviétique a été expulsé de Suède. Un scandale vient d'éclater dans les bureaux du F.A.O. : la Food and Agriculture des Nations unies à Rome est soupçonnée de falsifier les comptes pour justifier les fonds demandés aux principales banques de développement[2].

Greenan quant à lui est convaincu qu'Antonov restera en prison. Martella n'est pas fou.

Par ailleurs, Henry Kissinger a relancé le débat en affirmant que tous les éléments de l'enquête sur l'attentat contre Jean Paul II accusaient le K.G.B.[3]. C'est suffisant pour qu'Antonov reste derrière les barreaux.

Greenan pense que le pape va renforcer le rôle de l'Eglise dans le monde. Le message réformateur de Vatican II n'a pas disparu mais il a perdu de son ardeur révolutionnaire avec le temps.

Tout cela est-il compatible avec le rôle de la papauté sur la scène internationale ? demandons-nous.

Greenan préfère s'attarder sur le pontificat de Jean Paul II. Ses propos offrent un mélange plaisant de faits et de souvenirs personnels, ce qui n'a rien d'étonnant quand on sait que le directeur du journal est resté proche des hauts dignitaires de l'Eglise pendant bon nombre d'années. Il nous relate le premier voyage de Jean Paul II à l'étranger, au Mexique, au cours duquel il a entamé un débat qui est toujours d'actualité. Dans son discours, Jean Paul II a insisté pour que les prêtres restent en dehors de la politique. Il a réclamé plus de justice sociale pour les paysans. C'était une prise de position brutale. Certains ont cru relever une contradiction entre ces propos et l'apolitisme recommandé aux prêtres. Greenan n'est pas de ceux-là. Pour le pape, le rôle prioritaire du prêtre est pastoral, il se doit de donner les sacrements et d'éduquer les fidèles. Il appartient aux laïques, en principe, de faire pénétrer l'esprit de l'Evangile au sein des affaires politiques et sociales. Greenan insiste sur l'adjectif « prioritaire ».

En d'autres termes, poursuivons-nous, une fois sa tâche spirituelle remplie, un prêtre, et plus particulièrement un pape, peut intervenir dans les affaires séculières ?

Pour toute réponse, Greenan se contente de hausser les épaules. Un dernier *digestivo,* une courte bénédiction suivi d'un « Bonne chance, les enfants » bien irlandais, et il part dire les vêpres.

Ce déjeuner a été très intéressant. Plus tard, de retour à l'Albergo Santa Chiara, un hôtel sans prétention mais agréable (la direction ne voit pas d'inconvénient à ce que nous transformions nos chambres en salle de rédaction ou à ce que nous utilisions leur téléphone pour appeler New York ou Varsovie), nous comparons nos impressions. Comme d'habitude, il y a un bon nombre de sujets que Greenan s'est contenté d'effleurer, a évité, ou simplement jugé inutile d'aborder ; cela prouve que, contrairement à ce qu'on nous a laissé entendre ailleurs, ces questions ne sont pas considérées comme des problèmes dans les milieux du Vatican où évolue le directeur.

Nous l'avons interrogé sur l'affaire des jésuites. La Société de Jésus, l'ordre le plus important et le plus élitiste de l'Eglise, fut indigné lorsque le pape, contre l'avis de la hiérarchie, nomma le révérend Paolo Dezza à sa tête.

Dezza a la réputation d'être un conservateur intransigeant, qui n'hésite pas à s'attaquer ouvertement à quiconque « s'écarte de la ligne ».

Certains de nos contacts au Vatican ont prévu que cette nomination donnerait lieu à ce que l'un d'eux appelle en plaisantant de « saintes explosions ».

Cependant, Greenan ne croit pas que cela aille jusqu'aux

règlements de compte. Jean Paul II ne le permettrait pas, a-t-il ajouté. Selon lui, Dezza ne fera preuve d'intransigeance qu'en dernier recours. Mais plus probablement, il usera de son habileté pour rétablir de façon pacifique l' « ordre dans l'ordre » (autre bon mot de Greenan).

Greenan a vu juste. Pour le moment, et comme nous le laissait supposer son indifférence, la question jésuite n'est pas brûlante.

Mais comment interpréter la réticence de Greenan à discuter du présent statut de l'Opus Dei ?

L'Opus Dei est un organisme aussi conservateur que secret, qui prône la piété et l'obéissance à l'Eglise. Il est très influent parmi ceux qui occupent de « hautes fonctions » officielles ou officieuses. L'organisme compte soixante-douze mille membres répartis dans quatre-vingts pays.

Les critiques de gauche l'appellent la *Santa Mafia* car elle s'est infiltrée à tous les niveaux hiérarchiques de l'Eglise. Manifestement, Jean Paul II ne partageait pas cette opinion puisque d'un organisme séculier, il a fait de l'Opus Dei une « prélature personnelle[4] ».

Le responsable de l'Opus Dei, Mgr Alvaro del Portillo, est directement sous les ordres du pape.

Le reste de l'après-midi, nous étudions la liste des dix-huit prélats que Jean Paul II a choisi de nommer cardinaux au début du mois prochain[5]. Le choix des cardinaux est en partie déterminé par des impératifs d'ordre pratique. Le pape peut accorder le chapeau rouge pour récompenser une belle carrière dans l'Eglise, pour reconnaître publiquement l'importance du clergé catholique du tiers monde, pour soutenir un prélat persécuté dans son pays, ou pour envoyer ce que le Vatican appelle un « message d'espoir » à une minorité opprimée. C'est ainsi que Jean Paul II a choisi sur cinq continents, ceux qu'il a nommés pour faire partie du sacré collège.

Le seul Américain à qui l'on remettra un chapeau rouge s'appelle Joseph Bernardin, archevêque de Chicago. Mgr Bernardin, âgé de cinquante-quatre ans, a succédé au cardinal John Cody, peu regretté dans l'ensemble. On reprochait à Mgr Cody ses propos racistes et quelques indélicatesses (il aurait détourné certains fonds de l'Eglise pour son usage personnel). En outre, il était sujet à de violentes colères et ses liaisons successives consternaient le Vatican. Pendant les cinq mois qu'il a passés à

Chicago, Bernardin a fait merveille en réintroduisant une morale élémentaire dans la conduite des affaires de l'Eglise et en prenant parti dans les questions sociales, sinon sur des problèmes de doctrine.

Nous appelons le palais apostolique en passant par le standard du Vatican. Nos interlocuteurs sont stupéfaits. Mgr Bernardin a naguère pris ouvertement position en critiquant sévèrement la ligne dure de l'administration Reagan au sujet de l'armement nucléaire. Ils se demandent si, en le nommant cardinal, Jean Paul II n'a pas cherché à faire comprendre indirectement qu'il partageait ses vues et souhaitait le faire savoir à Washington.

Nous remarquons que la liste des nouveaux cardinaux ne comporte pas le nom de Mgr Marcinkus. La presse italienne l'a également relevé et les commentaires vont bon train. Elle continue d'accabler le principal responsable de l'Institut des œuvres religieuses, la banque du Vatican. Il ne fait aucun doute que cette banque a été mêlée à des opérations financières douteuses. Marcinkus a eu des contacts malheureux avec quelques affairistes. Mais selon toutes les preuves que nous avons rassemblées, y compris l'interview des cardinaux Felici et Benelli avant leur mort, il semble que Marcinkus soit plus à plaindre qu'à blâmer. Ses liens avec Michele Sindona relèvent davantage de la naïveté que de la criminalité ; celui-ci purge aujourd'hui une longue peine dans les prisons américaines pour avoir détourné des fonds provenant de la banque du Vatican. Marcinkus était également en relation d'affaires avec Roberto Calvi, responsable de la banque Ambrosiano et qu'on a retrouvé en 1982, pendu sous le pont de Blackfriars à Londres, les poches lestées de pierres. Il avait sur lui sept mille livres, son passeport et ses lunettes. Les circonstances de sa mort font davantage penser à un assassinat qu'à un suicide. Nous ne parvenons pas à croire, compte tenu de la minceur des preuves réunies, que la banque du Vatican soit mêlée à cet assassinat. Cependant nul ne sait ce que nous réserve cet incroyable feuilleton que l'un de nos informateurs à la banque du Vatican a baptisé « Saint Dallas[6] ».

Ce soir, nous dînons avec Henry McConachie, de Radio Vatican. Nous le rejoignons à l'Excelsior, *via* Veneto. McConachie porte une cape de diplomate et un pantalon si moulant qu'il semble avoir été cousu à même le corps. A peine installés, il nous informe à voix basse que l'homme assis dans le hall est un agent de la C.I.A.

Pendant treize ans, McConachie a dirigé les informations en langue anglaise de Radio Vatican. Il constitue une précieuse source de renseignements mais se fait un peu prier pour nous donner sa version, très personnelle mais néanmoins passionnante, des événements survenus depuis notre dernière rencontre.

A la fin du dîner, il nous apprend que l'émission d'une de ses collègues est enregistrée par la C.I.A. et communiquée à William Wilson, l'envoyé spécial du président Reagan auprès du Saint-Siège. Pour Wilson, ces cassettes sont destinées à prouver que les informations diffusées par Radio Vatican sont antiaméricaines. Il s'agit de Clarissa McNair et McConachie avoue ne pas comprendre pourquoi la C.I.A. s'obstine à enregistrer son journal parlé : « Peut-être devriez-vous voir ça de plus près », suggère-t-il avec un sourire malicieux.

De retour à l'Albergo Santa Chiara, nous ajoutons le nom de Clarissa McNair à la liste de ceux que nous voulons interviewer. A priori la révélation de McConachie nous semble étrange. Radio Vatican est connue pour son impartialité et il est difficile pour un journaliste de s'écarter du ton général de la station. Cependant le représentant de Reagan au Vatican, dont le statut est celui d'un ambassadeur, doit avoir quelques motifs d'inquiétude pour établir un dossier de ce genre avec le concours de la C.I.A. Tout cela nous rappelle étrangement l'affaire du Watergate, mais nous ne pouvons pas l'ignorer : c'est une preuve supplémentaire des pressions extérieures que subit le Vatican.

5

Cité du Vatican

Vendredi, fin d'après-midi

Peu après cinq heures, Severia Battistino, religieuse appartenant à l'ordre des Disciples du Maître divin, affectée au standard du Vatican, reçoit un appel téléphonique international. Il y en a eu des centaines cette semaine, beaucoup plus qu'en temps normal : sœur Severia en déduit que « ça chauffe en ce moment[1] ».

Le standard est situé derrière le palais apostolique. Sa porte est toujours verrouillée de l'intérieur et étroitement surveillée par le poste de garde de la *vigilanza.* Cibin sait que le standard peut constituer la première cible d'une attaque terroriste.

Vêtue de sa robe noire ornée d'une croix en or, sœur Severia n'a pas quitté son poste depuis plusieurs heures[2]. Les écouteurs qui enserrent sa cornette et le micro placé à quelques centimètres de sa bouche forment une vision surréaliste.

A 17 heures, l'archevêque Pio Laghi appelle, comme presque chaque jour, l'un des fonctionnaires de la secrétairerie d'Etat. Mgr Laghi est le délégué apostolique en poste à Washington. Il occupe cette fonction depuis le 10 décembre 1980, date à laquelle il s'est installé dans la résidence officielle du Vatican, Massachusetts Avenue. Mgr Laghi est chargé de coordonner les contacts entre le pape, la Maison-Blanche et le Département d'Etat.

Tout le monde sait à Washington que Jean Paul II a envoyé Mgr Laghi aux Etats-Unis pour renforcer son autorité sur les cinquante-deux millions de catholiques américains. Mgr Laghi a rappelé que l'Eglise catholique américaine devait obéir aux ordres du pape et a ordonné à ses fidèles de ne pas s'engager dans la voie du laxisme et du matérialisme. Il leur a demandé de prendre à cœur le message du pape qui les conjure de « cesser de se réfugier dans la sexualité, la drogue, la violence ou l'indifférence[3] ». Les prêtres ne sont pas autorisés à remettre en cause le célibat ; les religieuses doivent renoncer à la prêtrise. Mgr Laghi a également rappelé aux évêques et aux cardinaux américains que prêtres et religieuses devaient porter des vêtements ecclésiastiques. En outre, ils n'ont pas à admettre l'homosexualité et le droit à l'avortement « dans certains cas ». Cependant, malgré tous ses efforts, la croisade a en partie échoué. En outre, certains signes attestent que la hiérarchie catholique américaine s'oppose de plus en plus à la ligne dure de la politique nucléaire de l'administration Reagan.

Dans leur seconde lettre pastorale, *Le Défi de la paix : la promesse divine et notre réponse*, les évêques américains se sont nettement démarqués de la position de leur gouvernement selon laquelle l'hypothèse d'une première frappe restait moralement justifiable[4]. La lettre qualifie d' « immorales » les positions de l'administration Reagan et demande le gel complet des armements atomiques ; elle condamne fermement la politique des Etats-Unis à l'égard de la dissuasion nucléaire, « moralement inacceptable ».

Les partisans de Reagan ont très mal pris la chose. Un conseiller à la Maison-Blanche aurait demandé à Mgr Laghi si « ses évêques prétendaient opposer leur crosse aux missiles russes[5] ».

Après la publication de cette lettre pastorale, William Wilson, l'envoyé spécial du président Reagan auprès du Saint-Siège, fut chargé de faire pression sur le pape : il devait convaincre les évêques américains que leur prise de position revenait à laisser les Etats-Unis sans défense[6]. Cette intervention de Wilson fut appuyée par plusieurs émissaires de haut rang. On les écouta poliment, mais on ne leur promit rien. C'est peut-être cet échec qui incita Wilson à enregistrer les informations de Radio Vatican. Mgr Laghi, qui écoute régulièrement ces émissions à Washington, n'a pas, jusqu'à présent, pris en défaut leur impartialité. Cependant, l'administration Reagan manifeste une méfiance croissante à l'égard du Vatican. Pour des raisons que, ni la Maison-Blanche ni le Département d'Etat ne s'expliquent clairement, on considère que même si cette lettre pastorale ne constitue rien de plus qu'un document polémique, elle n'en traduit pas moins l'absence complète d'influence du Vatican sur le haut clergé américain. La vive réaction du président Reagan à la lettre de l'épiscopat américain a incité Mgr Laghi à téléphoner au Vatican. Il demande à sœur Severia de lui passer le bureau de Casaroli.

Comme d'habitude, la journée du secrétaire d'Etat a été longue et chargée. Il a étudié ce matin un rapport inquiétant du chargé de mission en Algérie, Gabriel Montalvo. Depuis trois ans, Montalvo doit rendre compte au Vatican de la conduite imprévisible du colonel Khadafi. Montalvo a le don de réduire ses interminables discussions avec les Arabes à quelques rapports concis. Ils comptent parmi les documents les plus courts et les plus précis de toute la diplomatie vaticane[7].

Montalvo envoie des nouvelles préoccupantes : le colonel Khadafi projette une opération de propagande de grande envergure contre le Tchad, qui pourrait être suivie d'une intervention directe des forces armées libyennes. Cette attaque risque de provoquer une vive réaction de la part des Français qui se sont engagés à garantir la sécurité de ce pays. Le Tchad deviendrait alors un autre point chaud de l'Afrique, un brasier délibérément allumé par Khadafi. Bien que Montalvo soit aussi chargé, en Afrique du Nord, des relations diplomatiques de la Libye avec le Vatican, il a rarement été autorisé à se rendre dans ce pays à cause du fanatisme religieux de Khadafi ; pour le colonel, le nonce n'est qu'un représentant de plus de ces Etats chrétiens qu'il abhorre et qui, croit-il, ont juré sa perte. Dans ces conditions, le Saint-Siège n'a aucune chance de convaincre directement le leader libyen du danger que comporte une incursion au Tchad. Malgré tout, selon Montalvo, il existe d'autres moyens d'obliger Khadafi à renoncer à ses projets.

Dans deux semaines, les délégués se rassembleront à Alger à l'occasion du conseil national palestinien annuel. Le président de l'O.L.P., Yasser Arafat, y assistera également. Bien que les relations entre Arafat et Khadafi soient devenues glaciales en raison du soutien apporté par la Libye à des groupes extrémistes au sein de l'O.L.P., Montalvo a de bonnes raisons de penser que Khadafi tiendra compte de la mise en garde de Yasser Arafat contre les conséquences d'une invasion au Tchad[8]. Reste à persuader Arafat d'aborder ce sujet avec le colonel libyen.

Cette suggestion a été faite au cours d'un repas. Casaroli et le pape ont pour habitude de dîner ensemble deux fois par semaine au palais apostolique. Comme à l'accoutumée, de nombreux convives assistaient à ce repas : parmi eux se trouvaient deux évêques que le pape avait reçus en audience privée le matin même. Au cours de ces repas, Jean Paul II est tout à fait ouvert à la discussion — et même parfois un peu trop au goût de Casaroli. Ce soir, il est question de l'éventuelle intervention de Yasser Arafat auprès de Khadafi. De l'avis général, le chef de l'O.L.P. n'a guère de chances de convaincre un homme tel que Khadafi, inaccessible au raisonnement.

Après le repas pris dans les appartements pontificaux, Casaroli regagne son bureau afin d'étudier le problème toujours préoccupant du Liban. Jean Paul II souhaite une présence plus active du Saint-Siège dans cette région. Pour aider Casaroli à réaliser ce projet, le nonce en poste à Beyrouth, Luciano Angeloni, a envoyé un rapport circonstancié : après plusieurs mois d'hésitation, l'armée libanaise est sur le point de revenir à Beyrouth-Est afin de reprendre officiellement le contrôle de la ville, encore sous la coupe des milices d'extrême droite des phalanges chrétiennes. Le président libanais, Amin Gemayel, annonce que le retour de l'armée marquera la fin de la guerre civile. Mais le nonce ne partage pas son optimisme[9].

Mgr Laghi appelle Casaroli de Washington pour lui annoncer que la Maison-Blanche sollicite une audience privée pour le vice-président, George Bush.

Celui-ci aimerait faire part au pape des dernières réflexions du Président concernant ce qu'il appelle l'« année des missiles » ; si aucun accord n'est conclu à la conférence de Genève avant la fin de l'année, l'O.T.A.N. déploiera un nouvel arsenal d'armes nucléaires en Europe[10].

Pendant que Mgr Laghi attend à l'autre bout du fil, Casaroli appelle Jean Paul II sur sa ligne privée[11].

Le pape accepte de recevoir Bush. Casaroli demande à Laghi d'en informer la Maison-Blanche.

La décision du pape accroît la tension qui règne à la secrétairerie. Son équipe est déjà confrontée à de nombreux problèmes, résultant de l'intérêt constant que porte la papauté aux affaires du monde entier.

Le bureau des Affaires d'Amérique latine étudie un rapport de son observateur à Managua. Selon lui, les délégués participant à la conférence au sommet des nations non alignées, qui doit commencer dans quelques heures, projettent de dénoncer le rôle des Etats-Unis et d'Israël en Amérique centrale. Cuba et le Nicaragua se proposent d'accuser Israël d'agir pour le compte de l'administration Reagan en armant les pays voisins hostiles au gouvernement sandiniste du Nicaragua. L'observateur demande des instructions. On l'informe qu'il doit tout mettre en œuvre pour adoucir une telle condamnation et faire intervenir les délégations égyptienne et indienne, les deux nations les plus modérées des quatre-vingt-seize pays appartenant au mouvement des non-alignés [12].

L'observateur sait pertinemment que le Saint-Siège ne doit officiellement apparaître à aucun moment au cours de ces négociations. Soutenir ouvertement Israël — une nation que le Saint-Siège ne reconnaît pas diplomatiquement — pourrait créer des problèmes dans les pays opposés à l'Etat juif avec lesquels le Saint-Siège entretient des relations officielles. Le Vatican ne peut pas davantage se permettre d'approuver le rôle des Etats-Unis dans cette région. Une telle attitude nuirait à la réputation d'impartialité de l'Eglise, ce qui doit être évité à tout prix, à moins de deux mois de la visite du pape en Amérique centrale.

Les experts du bureau des Affaires d'Amérique latine ont étudié avec le plus grand soin le sermon que le nonce en poste au Salvador, Mgr Lajos Kada, propose au pape de faire dans la cathédrale de San Salvador. Son contenu témoigne d'une nouvelle orientation de la politique du Saint-Siège au Salvador.

Depuis plusieurs mois, Mgr Kada s'emploie secrètement à mettre fin à la guerre civile qui ravage le pays. Il a vu des prêtres torturés et assassinés par le régime que soutient le président Reagan. Mgr Kada a jusqu'à présent évité d'engager le Saint-Siège dans une confrontation directe avec les autorités. Mais il ne pense pas pouvoir rester plus longtemps silencieux. Il a l'intention, dans son sermon, d'encourager le gouvernement à entamer des pourparlers avec les forces rebelles de gauche. Même modérés, ses propos auront de toute évidence un impact : pour le régime en place, et à Washington, ce sermon prouvera que le Saint-Siège s'intéresse activement à la situation politique au Salvador. Il pourrait même créer quelques remous.

Chaque terme en est étudié et pesé par les experts. Finalement rien n'a été censuré. Mgr Kada est chargé de demander au président Magania de préparer le voyage de Jean Paul II.

Le bureau des Affaires du Moyen-Orient, travaillant à la préparation du dossier sur le Liban pour Casaroli, essaie d'évaluer la réelle influence de quatre groupes palestiniens prosyriens, violemment opposés aux efforts des Etats-Unis pour rétablir la paix dans cette zone [13].

Le bureau des Affaires d'Amérique du Nord se penche sur la dernière dépêche émanant d'une adresse élégante à New York, 20, 72e Rue Est, le bureau de l'observateur permanent du Saint-Siège aux Nations unies, l'archevêque Giovanni Cheli. Avec son câble personnel — *Vatobserv* — et ses deux télex dont le code de réponse — V.V.O.U.N. — est identique, Cheli est le nonce apostolique le mieux équipé pour entrer en contact avec la secrétairerie. Son rapport télexé est jugé assez important pour être photocopié et envoyé à Mgr Poggi, le spécialiste des affaires soviétiques. Cheli fournit des indications précises sur la gravité du désaccord qui oppose le président Reagan et l'homme qu'il vient juste de mettre à la porte, Eugène Rostaw, directeur de l'agence américaine pour le contrôle du désarmement. Rostaw a été congédié parce que certains faucons de l'administration l'accusaient d' « être trop faible avec Moscou [14] ».

Cheli a appris que le renvoi de Rostaw était dû au soutien qu'il apportait à un plan secret. Ce plan consiste à obtenir la diminution du nombre de missiles soviétiques en Europe de l'Est en échange de la réduction de ceux que l'O.T.A.N. a prévu de déployer en Europe occidentale. Rostaw a fait part de ce projet à un officiel soviétique de haut rang au cours d'une réunion confidentielle à Vienne. Peu après, il était destitué de ses fonctions.

Les experts du bureau des Affaires d'Amérique du Nord s'attendent que Bush minimise l'importance de cet incident au cours de son voyage en Europe. Mais le bureau demande que les diplomates pontificaux de tous les pays où Bush se rendra fassent état dans leur rapport des réactions officielles suscitées par le renvoi de Rostaw ; ces rapports constitueront une partie du dossier final remis au pape avant sa rencontre avec Bush. Ils sont également chargés de recueillir les réactions provoquées par un document du ministère de la Défense américain, délibérément divulgué à Washington. Celui-ci révèle la stratégie du Pentagone, y compris les plans d'urgence pour déclencher dans l'espace une guerre nucléaire contre l'Union soviétique. Le document — Budget Defense 1984-1988 — suggère la possibilité d'un changement important dans la politique militaire américaine [15].

Pour William Wilson, le représentant personnel du président auprès du Saint-Siège, l'attitude de la secrétairerie à l'égard de la politique américaine est une cause permanente d'inquiétude et d'étonnement. Wilson reste convaincu que Jean Paul II adhère aux principaux axes politiques de l'administration Reagan. Il ne comprend donc pas pourquoi certains fonctionnaires du Vatican font preuve d'hostilité envers la politique étrangère américaine [16].

Ces mêmes fonctionnaires font remarquer que, s'il est vrai que le pape est passionnément opposé au déclenchement d'une guerre nucléaire, il n'en a pas moins souligné chaque fois qu'il a abordé les problèmes de désarmement, que ceux-ci doivent être « réciproques », qu'il s'agisse d'armes conventionnelles ou nucléaires [17].

Cette obsession de la réciprocité explique, selon eux, l'attention apportée par Jean Paul II à la préparation de la venue à Rome du cardinal Bernardin et de l'archevêque John Roach de Minneapolis-Saint-Paul. Cosignataires de la lettre pastorale que le pape désapprouve, ils souhaitent en effet obtenir le soutien des principaux évêques européens. Jean Paul II ne néglige rien pour que cette réunion, prévue à Rome, aboutisse à un résultat contraire et c'est dans ce but qu'il prolonge tard dans la nuit des réunions ultraconfidentielles dans les appartements pontificaux.

Les appartements pontificaux

Le même jour vers minuit

Chaque vendredi, l'antenne de la C.I.A. à Rome communique son rapport hebdomadaire au pape.

Ce soir, comme d'habitude, celui-ci étudie ce rapport après le dîner. S'il a besoin d'éclaircissements, Jean Paul II demandera à son secrétaire de faire venir dès le lendemain le directeur de l'antenne. Il reçoit toujours ses visiteurs dans son bureau du deuxième étage, même s'il s'agit d'affaires ultrasecrètes.

Bien que l'épaisseur de ce rapport varie d'une semaine à l'autre, il contient habituellement quelques documents hautement confidentiels, émanant des services de l'Agence chargés de traiter les dossiers soviétiques : estimations économiques, évaluations politiques et, parfois, renseignements militaires. Ces derniers proviennent souvent de la National Security Agency, la N.S.A., chargée de la surveillance électronique dont les Etats-Unis disposent partout dans le monde. La N.S.A. enregistre le trafic radio sur toute la surface du globe, ce qui représente chaque jour plusieurs millions de mots traduits et analysés. C'est une procédure de routine prise par les Etats-Unis, afin d'assurer leur propre sécurité et celle de leurs alliés.

Semaine après semaine, les rapports de la C.I.A. confirment à Jean Paul II la terrifiante puissance de la machine de guerre soviétique. Ainsi, ils lui ont appris que les Russes dépensaient *un demi-million de dollars à la minute* afin d'être en mesure de livrer une guerre totale : 44 pour cent de leur P.N.B. sert à financer un système d'attaque qui pourrait, en cas d'agression contre les Etats-Unis, tuer cent soixante millions de personnes. Les experts anglais ont calculé qu'une semblable attaque décimerait 75 pour cent de leur population. Les Français, les Italiens et les Allemands estiment que leurs pertes en vies humaines pourraient être encore plus importantes[18].

Pour Jean Paul II, cette puissance de feu des Soviétiques « est véritablement accablante[19] ». Les forces du pacte de Varsovie disposent de 4 800 000 fantassins, marins et aviateurs, de 8 000 avions de chasse basés en Europe, de 200 navires de guerre, d'environ 300 sous-marins, de 50 000 chars et de 5 000 rampes de lancement de missiles. Personne n'est en mesure d'évaluer le nombre exact de têtes nucléaires que cela représente. La plupart sont pointées vers l'Europe de l'Ouest, mais beaucoup pourraient atteindre l'Amérique[20].

Le pape a demandé une comparaison quantitative des forces occidentales. L'O.T.A.N. compte environ 3 000 000 de soldats, 3 000 avions, 300 navires de guerre, 200 sous-marins, 13 000 chars et 3 000 rampes de lancement de missiles, dont beaucoup, situées aux Etats-Unis, sont dans l'impossibilité d'atteindre l'Union soviétique[21].

Jean Paul II a été horrifié d'apprendre qu'il existait aujourd'hui près de 200 000 armes nucléaires prêtes à entrer en action. Il ne trouve qu'un seul mot pour décrire la situation : « Folie, folie, folie[22]. »

La C.I.A. a affirmé au pape que les Etats-Unis ne déclencheraient jamais d'attaque préventive et que ni la Grande-Bretagne ni la France — dont les forces ne font pas partie de l'O.T.A.N. — ne pourraient le faire sans être détruites immédiatement par la riposte nucléaire soviétique. Mais l'Agence ne peut se porter garante des intentions soviétiques. Chose alarmante, ses rapports hebdomadaires font état d'un comportement des Russes de plus en plus déroutant et imprévisible.

Ces informations affectent tellement Jean Paul II que la plupart des dîners de travail avec les membres de la « Mafia polonaise » prennent la forme d'une dissertation sur la menace soviétique. L'argumentation de Jean Paul II repose en grande partie sur des informations fournies par la C.I.A. ou découlant directement de sa propre expérience sous la férule des communistes.

La plupart des convives, ayant également vécu sous ce régime en Pologne, se considèrent comme ses conseillers politiques officieux et approuvent ses propos. Ils se démarquent délibérément de l'attitude critique de la secrétairerie d'Etat à l'égard de la politique du président Reagan.

Jamais auparavant la C.I.A. et, par son intermédiaire, la Maison-Blanche n'ont bénéficié d'un groupe aussi influent dans l'entourage immédiat du pape.

Jean Paul II tient compte de leur avis pour toutes les questions importantes, même si lui seul décide en dernier ressort.

Ce soir, pendant le dîner, il a défini les grandes lignes du discours qu'il prononcera demain matin à l'intention des diplomates accrédités auprès du Saint-Siège. Il a fait l'objet d'une discussion animée et de nombreuses suggestions.

Plus tard, Jean Paul II s'est retiré dans son bureau pour prendre connaissance du dernier rapport de la C.I.A. Vers minuit, il a appelé l'un de ses secrétaires et lui a remis la version définitive de son discours. Le pape a décidé de dire clairement ce qu'il pense de la situation en Afghanistan, et de la guerre entre l'Iran et l'Irak, régions plus ou moins soumises à l'influence soviétique[23]. Certains membres du groupe ont suggéré que Mgr Bernardin et Mgr Roach reconsidèrent le contenu de la lettre pastorale qu'ils ont l'intention de défendre à l'occasion de leur prochaine rencontre avec le pape.

Le Saint-Office. Place Saint-Pierre

Tôt le matin

Le père Bruno Fink est grand et maigre, avec un sourire qui éclaire tout son visage, et d'épaisses lunettes. Il a, naturellement, des mimiques de comédien : haussements d'épaules significatif ainsi qu'une façon de plisser les paupières et de s'exprimer un peu théâtrale[24].

A cette heure, il n'y a que le *vigile* dans le poste de garde à l'entrée du Saint-Office. Dans deux heures, cette imposante bâtisse se remplira de fonctionnaires dont le travail consiste, pour l'essentiel, à combattre toutes les formes d'hérésies. Ils codifient les subtilités de l'enseignement de la foi catholique, condamnent les livres qui contiennent ce qu'ils appellent de « dangereuses affirmations » et corrigent les « erreurs fondamentales » de l'éducation sexuelle des catholiques. Tous ces célibataires ont du pain sur la planche...

Au cours des nombreuses années que le père Fink a passées au Saint-Office, il a rencontré d'éminents théologiens catholiques, tels que Jacques Pohier et Edward Schillebeeckx, accusés d'avoir transgressé les règles édictées par le Saint-Office. Il était présent le jour où on a privé Hans Küng de sa fonction de théologien catholique officiel. Cette sanction a stupéfié Fink : elle prouvait que même un catholique célèbre n'était pas à l'abri des représailles du Saint-Office.

Il en a toujours été ainsi depuis 1542, date à laquelle, dans ces mêmes bureaux, l'Inquisition ordonnait de brûler les hérétiques. Encore de nos jours, il arrive qu'un prêtre soit condamné à défroquer pour conduite ou enseignement immoraux. Rebaptisé il y a quelques années Sacrée Congrégation pour la doctrine de la foi, le Saint-Office, c'est-à-dire la plus importante congrégation de la curie après la secrétairerie d'Etat dirigée par Casaroli, est un lieu sinistre encore hanté par la terreur des victimes qu'il a fait condamner.

Au Saint-Office, le père Fink est, officiellement, *addetto tecnico di 2a classe*, un grade administratif relativement modeste qui n'a aucun rapport avec sa fonction réelle. Il prétend qu'il occupe une fonction aussi réelle que le chauffeur de l'ambassade d'Union soviétique[25] qui n'est autre qu'un homme du K.G.B.

Il est, en réalité, l'un des secrétaires les plus influents du Vatican, le confident du cardinal Joseph Ratzinger, préfet de la Sacrée Congrégation pour la doctrine de la foi et, sans doute, le cardinal de la curie le plus proche de Jean Paul II. Sur le plan théologique, Ratzinger partage les idées du pape. Il sort du même moule : Ratzinger est réputé pour son intransigeance, notamment par ceux qui tentent de réviser la doctrine catholique ou de s'éloigner des normes de conduite prescrites par l'Eglise.

Jean Paul II a invité Mgr Ratzinger à participer à la réunion où l'on discutera pendant quarante-huit heures de la lettre pastorale américaine. Cette réunion aura lieu dans quatre jours. Le père Fink est chargé de rassembler les éléments nécessaires à l'information de Ratzinger. Depuis une semaine, il travaille d'arrache-pied, traduisant en allemand le contenu de la lettre pastorale pour le cardinal bavarois qui, hormis le latin — et l'italien qu'il parle approximativement —, ne connaît aucune autre langue. La plus grande partie de la documentation provient de Laghi à Washington et de ceux que Fink a baptisés « nos amis de la hiérarchie américaine[26] ». Toute cette documentation a été annotée, indexée et classée dans des dossiers qui s'entassent à présent sur le bureau de Fink. Ratzinger et Fink reconstituent en tête à tête le cheminement des évêques américains qui a abouti à la lettre pastorale.

Fink trouve leur démarche étonnante. Pour un Allemand, un tel processus est inimaginable ailleurs qu'aux Etats-Unis : aucune hiérarchie européenne ne songerait à attaquer ainsi son propre gouvernement[27].

Il sait à présent comment tout a commencé.

La méthode de travail consciencieuse du secrétaire convient parfaitement à la tâche qui lui est assignée[28]. Tout d'abord, il a lu le dossier en entier et passé en revue les diverses thèses, argumentations, aide-mémoire, notes et documents. Puis il a coché les paragraphes importants à l'aide de stylos feutres de différentes couleurs : le rouge sert à souligner les points essentiels, puis, par ordre décroissant, le bleu, le vert et enfin le noir. Chaque texte annoté est mis de côté et constitue l'essentiel du dossier dont Ratzinger doit prendre connaissance en priorité.

Fink a isolé le paragraphe capital de la lettre pastorale qui a donné le coup d'envoi à la campagne pacifiste des évêques américains. Après avoir déclaré que la guerre moderne est tellement barbare, qu'elle ne peut plus être moralement justifiable, la lettre pastorale poursuit en ces termes : « Disposant d'un important arsenal nucléaire, nous devons être conscients qu'il est non seulement inadmissible de s'attaquer aux populations civiles, mais également de les en menacer sous couvert de stratégie de dissuasion[29]. »

Fink reconnaît aisément dans cette lettre la thèse du cardinal John Krol, l'influent archevêque de Philadelphie. Il finit même par se demander s'il n'en est pas purement et simplement l'auteur. Il sait que Krol, tout en étant conservateur sur le plan de la doctrine et de la discipline ecclésiastique, n'en professe pas moins des idées « de gauche » en ce qui concerne le désarmement. En outre, il ne s'est jamais écarté de la position qu'il a officiellement adoptée le jour où il a témoigné en faveur des autres évêques devant la commission sénatoriale des Affaires étrangères[30]. Fink a souligné en rouge les propos virulents que Krol a échangés avec les membres de la commission, lorsqu'il a catégoriquement rejeté l' « intention délibérée d'utiliser en certaines circonstances des armes nucléaires dans des régions où la population civile serait inévitablement anéantie ».

Le témoignage de Mgr Krol renvoie à la position traditionnelle des chrétiens à l'égard de la guerre, et trouve ses racines dans les thèses de saint Augustin développées dans *La Juste Guerre.*

Thomas d'Aquin — ainsi que d'autres théologiens — les avaient par la suite réexposées et précisées. Cette thèse, généralement admise avant l'ère nucléaire par toutes les confessions, soutient qu'une guerre peut être « juste » dès lors qu'elle est déclarée par une autorité « légitime », qu'elle défend une « juste cause », qu'elle part de « bonnes intentions », qu'elle a lieu « en dernier recours » et conduite avec des « moyens limités ». La bombe atomique a réduit à néant deux critères essentiels de la « juste guerre » : la « discrimination » (et non le massacre aveugle des civils), la « mesure » (les dévastations causées par la guerre ne peuvent en aucun cas surpasser les crimes qu'elle est censée empêcher). A partir du moment où une guerre nucléaire ne remplit pas ces deux conditions, Krol la trouve inexcusable.

Pour le secrétaire, l'attitude du cardinal fait également référence à celle de Pie XII. Neuf ans après Hiroshima, Pie XII a approuvé l'utilisation des armes atomiques, bactériologiques et chimiques sous réserve qu'elles « n'échappent pas au contrôle de l'homme et ne conduisent pas à l'anéantissement de toute vie humaine ». Pie XII avait également décrété qu'une agression destinée à punir une « mauvaise conduite » ou à reprendre un territoire n'était plus concevable avec un armement moderne aussi dévastateur. Cependant, les guerres d'« autodéfense » restaient admissibles[31]. Fink souligne cette phrase en rouge.

La position de Pie XII a encouragé les évêques américains et européens à rédiger un document qui n'a été approuvé qu'avec réticence par le concile Vatican II. Selon ce document, l'arme nucléaire devait rester exclusivement une arme dissuasive. Fink souligne en bleu l'important paragraphe de *The Pastoral Constitution on the Church in the Modern World* qui a été publié en 1965. La défense d'un pays dépendant de ses capacités de riposte immédiate, l'accumulation des armes constitue, à un degré jusqu'ici inconnu, une dissuasion contre toute agression. Beaucoup considèrent cette stratégie dissuasive comme le meilleur moyen de maintenir la paix dans le monde actuel.

Mais Vatican II a ajouté cet avertissement : « Tout acte de guerre visant à la destruction aveugle de cités ou de régions entières avec leur population est un crime contre Dieu et contre l'humanité. »

Fink souligne aussi cette déclaration et y joint des références que Ratzinger pourra éventuellement consulter.

L'évolution de la « théologie de la paix » a fait un pas en avant avec la formation d'un comité qui a donné naissance à la lettre pastorale. Ses cinq membres défendent les positions du haut clergé américain à l'égard des armes nucléaires.

Fink a établi un dossier sur chacun des membres de ce comité. Une documentation sérieuse y figure, illustrant le fossé qui sépare, par exemple, les positions de l'évêque John O'Connor, qui dirige l'aumônerie catholique américaine, de celles de l'évêque Thomas Gumbleton de Detroit. Gumbleton anime Pax Christi, un mouvement pacifiste comptant cinquante-sept évêques parmi ses membres. Il a la conviction que, même si l'Union soviétique refusait le désarmement, les Etats-Unis devraient malgré tout démanteler leur arsenal de missiles nucléaires. Selon O'Connor les armes nucléaires doivent être réservées à la destruction exclusive d'objectifs militaires.

Le dossier établi par Fink sur le président du comité, le cardinal Bernardin, est le moins volumineux. Fink approuve sans réserve la façon dont l'archevêque de Chicago a pris soin d'espacer ses déclarations publiques. Il a souligné en rouge le commentaire modéré de Bernardin : « Nous ne nous attendons pas à ce que nos positions soient approuvées par tous, mais estimons que nous devons les soutenir jusqu'au bout[32]. »

De même que le comité a été composé de façon à rendre compte de points de vue opposés, les opinions relatives à la politique nucléaire actuelle ont été recueillies auprès d'un large éventail de personnalités, y compris parmi des membres importants de l'administration Reagan. La plupart furent surpris par la connaissance approfondie du dossier nucléaire dont firent preuve les évêques au cours de leur enquête.

Fink a regroupé les critiques adressées à ce comité. Elles forment un volumineux dossier. On reproche en particulier à ses membres de violer le principe constitutionnel de séparation de l'Eglise et de l'Etat.

L'archevêque Roach, président de la conférence des évêques américains depuis 1980 et membre du comité, a répondu à l'accusation en ces termes : « Nous ne permettrons jamais que la séparation de l'Eglise et de l'Etat serve de prétexte à bâillonner l'Eglise[33]. » Fink a souligné cette citation en vert, indiquant ainsi que l'opinion de Roach n'a rien d'original : de semblables formules abondent parmi la demi-douzaine de dossiers entassés sur son bureau.

Ces derniers mois, on a surtout accusé le comité d'avoir consulté des documents préparés dans les bureaux de la Conférence catholique américaine, organisation d'ailleurs très contestée, dont le siège est à Washington et que beaucoup de conservateurs au sein de l'Eglise considèrent comme gauchisante.

Le Saint-Office a suivi de près l'action de cette organisation visant à obtenir l'amnistie des objecteurs de conscience, ses protestations contre les violations des droits de l'homme au Chili et en Corée du Sud. Il a conclu que ces positions étaient conformes à la doctrine officielle de l'Eglise et aux règles de conduite du clergé.

Fink a noté la tentative de William P. Clark, membre du Conseil national de sécurité, de faire pression sur les évêques. Clark a remis une lettre sévère à la conférence — qu'il avait préalablement envoyée au *New York Times* — et dans laquelle il affirmait que la politique nucléaire de l'administration était « morale et conforme aux principes évoqués dans la lettre pastorale ». « Nous croyons, disait-il, que notre armement (qui n'est pas conçu pour être utilisé en première frappe), que notre politique de dissuasion (qui est défensive) et que nos propositions de contrôle des armements (qui appellent à des réductions contrôlées et vérifiables) sont conformes à ces principes. »

Fink remarque que Bernardin a prudemment choisi de ne pas répondre publiquement à la lettre de Clark. Mais le secrétaire est certain que le cardinal ne restera pas silencieux devant ses pairs, lors de la réunion prévue au Vatican.

Fink est l'un des rares officiels du Saint-Office a être pleinement conscient de l'importance de cette opposition. Chaque jour, la secrétairerie d'Etat lui adresse des témoignages émanants de Londres, Bonn et Paris, reflétant l'inquiétude provoquée par la lettre pastorale. Des ambassadeurs accrédités auprès du Saint-Siège ont appelé la secrétairerie pour soutenir la position de leur gouvernement. Certaines hiérarchies européennes et quelques personnalités sont intervenues auprès du Saint-Siège.

Samedi matin à 9 heures, le personnel du Saint-Office traite les problèmes du jour : questions épineuses concernant la doctrine, problèmes sacerdotaux posés par un prêtre désirant quitter les ordres, la demande d'annulation d'un mariage... Fink ne peut s'empêcher de penser que ces problèmes, si importants soient-ils, sont insignifiants comparés au fardeau qu'il partage à présent avec le cardinal Ratzinger.

A la lumière de toutes ses lectures, Fink est convaincu que les évêques américains, quelles que soient leurs bonnes intentions, sont peut-être allés trop loin dans cette partie de bras de fer engagée avec leur gouvernement. Leurs réactions, comme celles de Fink, sont en grande partie déterminées par leur passé et leur éducation [34]. Sa maison natale en Bavière est à une minute de vol des plus proches silos nucléaires soviétiques en Allemagne de l'Est.

Fink est persuadé que personne, mieux que Ratzinger, n'est en mesure de dépassionner le débat qui s'annonce entre les évêques.

Secrétairerie d'État

Lundi, fin d'après-midi

Les premiers comptes rendus sur les réactions provoquées par le prochain voyage en Europe du vice-président Bush, sont parvenus à la secrétairerie et n'ont été distribués qu'aux personnes directement concernées.

Casaroli est en tête de liste, puis vient Mgr Audrys Backis, né en Lituanie, sous-secrétaire permanent au conseil des Affaires publiques de l'Eglise. Ce service traite en principe des affaires qui, à l'étranger, risquent d'entraîner de sérieuses répercussions politiques. Par exemple, la nomination de nonces dans les pays où le gouvernement est particulièrement sensible aux rapports entre l'Eglise et l'Etat ; le conseil traite aussi des concordats et des accords [35]. Un exemplaire de ces comptes rendus est remis à Mgr Achille Silvestrini, secrétaire du conseil. Sur un sujet aussi important que la visite de Bush, on sollicitera l'opinion de Mgr Backis et de Mgr Silvestrini.

Mgr Casaroli est depuis quarante-trois ans au service de la diplomatie vaticane. Il a été témoin de tous les événements qui ont marqué la dernière moitié du siècle.

Casaroli s'intéresse en priorité au rapport de l'archevêque Del

Mestri, son nonce à Bonn. Les excellents contacts de ce dernier ont une fois de plus fait merveille. Le chancelier Helmut Kohl a promis d'insister auprès de Bush afin que les Etats-Unis fassent preuve de plus de souplesse dans leurs négociations à Genève.

Mgr Del Mestri craint que le voyage du vice-président en Europe ne soit un échec si le chancelier n'obtient pas de lui la promesse d'un assouplissement de la position américaine.

Au conseil des Affaires publiques, Mgr Backis est responsable des Affaires britanniques et irlandaises. L'archevêque Gaetano Alibrandi, nonce à Dublin, a envoyé un rapport indiquant qu'une fois de plus, on exerce des pressions sur l'Irlande afin qu'elle renonce à sa neutralité[36]. Au cas où une guerre à l'échelon européen ou mondial éclaterait, le contrôle des zones atlantiques voisines de l'Irlande serait vital.

Certains responsables militaires irlandais prévoient d'utiliser l'aéroport de Shannon comme élément d'un éventuel pont aérien destiné à acheminer des renforts américains en Europe. Ceux-ci souhaitent même qu'on déploie des missiles en Irlande. Les diplomates américains et anglais continuent de livrer une bataille incessante à Washington afin de gagner l'adhésion des Irlandais influents au Capitole, tels que le sénateur Edward Kennedy et Tip O'Neill, leader du groupe démocrate à la Chambre des représentants.

L'Angleterre et les Etats-Unis pensent — et ce n'est un secret pour personne — que l'Irlande pourrait devenir un membre important de l'O.T.A.N. à condition d'éradiquer le terrorisme urbain en Ulster, aucun membre ne souhaitant voir s'étendre une partie de son potentiel de défense antisoviétique dans un pays déchiré par des luttes internes. En conséquence, l'Intelligence Service britannique et son organisation armée, le S.A.S., ont reçu un chèque en blanc sans limitation de fonds et quelles que soient les méthodes employées, pour liquider les « subversifs ».

Mgr Backis pense que, cette année encore, la situation en Irlande risque d'être très préoccupante. Par ailleurs, il sait qu'il lui faudra faire preuve d'une grande habileté pour contenir les membres influents de la « Mafia irlandaise » du Vatican qui réclament à cor et à cri une prise de position plus dure du Vatican en Ulster[37]. Il ne va pas être aisé de résister à leurs exigences. Les Irlandais, Backis l'a compris, sont à la fois têtus et persuasifs.

Mgr Backis laisse le rapport d'Alibrandi, nonce à Dublin et

parcourt celui de Bruno Heim, son envoyé à Londres, chargé de surveiller à la fois les activités de l'Eglise et celles de l'Etat. Il envoie de surprenantes nouvelles : Margaret Thatcher paraît un peu moins résolue à déployer des missiles à Greenham Common. Un groupe de femmes a installé un « camp de paix » à proximité et attiré ainsi l'attention du monde entier sur le site de lancement choisi. Heim rapporte que la grogne des militants antinucléaires, conduits par Mgr Bruce Kent, risque d'aboutir à des élections générales.

L'affaire de Greenham Common pourrait exacerber le désaccord entre Margaret Thatcher et le parti travailliste qui s'est engagé à mettre un terme au déploiement d'armes nucléaires sur le sol britannique.

D'autre part, on observe une dissension de plus en plus importante entre le Premier ministre et le Foreign Office sur la politique étrangère britannique.

Heim rapporte qu'un désaccord profond est survenu entre le Premier ministre et le ministre des Affaires étrangères. Il existe maintenant, conclut-il, deux centres de décision sur la conduite de la politique extérieure de la Grande-Bretagne : Downing Street et le Foreign Office. Ces dissensions au sein du cabinet britannique ont d'ores et déjà des répercussions sur son attitude à propos de la politique de désarmement. Margaret Thatcher a récemment exprimé son scepticisme à l'égard de la dernière proposition soviétique concernant le retrait partiel des SS-20 pointés vers l'Ouest. Elle a rejeté la suggestion des Russes. « Elle ne permet pas l'équilibre essentiel garantissant notre sécurité », a-t-elle expliqué.

Francis Pym, son ministre des Affaires étrangères, a adopté une position différente. Il a annoncé que la proposition soviétique était d'une grande importance en cette période de crise. Son attitude a incité Margaret Thatcher à modérer ses propos.

Cependant, Heim ignore s'il faut y voir une habile manœuvre politique en vue des prochaines élections ou si Margaret Thatcher s'engage réellement dans une nouvelle direction.

Le rapport du nonce Felici, en poste à Paris, apprend à Silvestrini que les Français ont, pour leur part, tranché sur la question du déploiement des missiles : le gouvernement est résolument pour. Felici prévoit que, dans quelques jours, le monde assistera à une grande première : François Mitterrand, le président de la France socialiste, adressera un discours au Bundestag en Allemagne fédérale, demandant instamment à ses membres de soutenir le déploiement des nouveaux missiles[38].

Mgr Poggi étudie la situation. Tout près du Vatican, de l'autre côté du Tibre, à quelques kilomètres de là, le gouvernement italien du Premier ministre Amintore Fanfani lutte pour sa survie et commence à comprendre qu'il a tout intérêt à modérer son enthousiasme au sujet du déploiement des cent douze missiles de croisière à Comiso[39]. Le parti communiste italien qui représente aujourd'hui 30 pour cent de l'électorat a demandé au gouvernement de différer toute décision concernant cette base et émaille ses discours de citations tirées de la lettre pastorale américaine.

Tous ces rapports, conclut le nonce, montrent que les Etats-Unis devraient tenir compte des propositions faites par les Russes à Genève.

6

Réactions de Rome

C'est le genre de situation dans laquelle les taupes installées au Vatican se sentent comme des poissons dans l'eau. Elles pourront vendre aux journalistes de passage à Rome, y compris nous, des détails savoureux sur le comportement de chacun des participants à la réunion, en principe secrète, qui se déroule dans la salle du synode et qui délibère sur la lettre pastorale de l'épiscopat américain. Elles excellent à rendre compte non seulement de ce qui s'est effectivement dit au cours de cette réunion, mais aussi à fournir ce qu'elles qualifient avec hauteur de « position du Vatican ». Elles rendent ainsi crédibles les informations les plus invraisemblables. La difficulté consiste ensuite pour nous à faire le tri dans ces « informations ».

Un jour, certains prêtres, bien avant notre arrivée à Rome, se sont aperçus qu'ils pouvaient tirer profit de ce qu'ils savaient ou prétendaient savoir. Leur tarif peut aller d'un bon repas à une forte somme d'argent. Ce goût du lucre chez certains membres du personnel du palais apostolique a de quoi surprendre. Ils ne se donnent même plus la peine d'invoquer de prétendues œuvres charitables. Il est maintenant admis qu'aucun renseignement ne vaut moins de cinquante mille lires. Le bruit court qu'à l'occasion de cette réunion, les informations relatives à un débat particulièrement serré auraient été vendues cent mille lires, soit environ soixante dollars.

Nous avons toujours eu pour principe de ne jamais payer un renseignement. D'un autre côté, l'existence de ce petit commerce nous a toujours paru amusante et édifiante.

La réunion se termine aujourd'hui et aucune information officielle n'a été communiquée. Les participants, dont la plupart des visages sont connus, arpentent les couloirs de la salle du synode. Ils se contentent de sourire devant les caméras et opposent un silence poli aux questions des journalistes. Ceux-ci sont les tâcherons de l'information, ils espèrent toujours qu'un évêque fera allusion à ce qui s'est dit au cours de la réunion. Les plus débrouillards ont pris contact avec une « taupe » afin d'essayer d'en savoir davantage sur la signification exacte de cette conférence que Radio Vatican s'obstine, imperturbablement, à qualifier de « consultation sur la paix et le désarmement », tandis que la presse italienne la décrit comme une lutte serrée entre hiérarchies européennes et américaines, arbitrée avec fermeté par Mgr Ratzinger (qui affectionne tout particulièrement ce rôle). Sans avoir déboursé une seule lire, nous *savons* que c'est une absurdité. On imagine difficilement une joute oratoire entre les délégations épiscopales des Etats-Unis et des principales églises européennes, conduites par trois cardinaux et treize évêques.

Au quatrième étage des studios de Radio Vatican, Clarissa McNair annonce au cours de son bulletin d'information de midi que les Soviétiques ont installé des missiles sol-air en Syrie avant d'évoquer brièvement la réunion du synode dont les délibérations se poursuivent [1]. Cette façon de minimiser l'événement a été immédiatement rapportée par Mad Mentor à l'envoyé américain auprès du Saint-Siège [2] ; elle viendra étoffer le dossier déjà épais que William Wilson constitue et qu'il intitule : « L'anti-américanisme notoire de Clarissa McNair. »

Son confrère, Henry McConnachie, vient de subir une déconvenue [3]. Le cardinal Gordon Gray, qui conduit la délégation des évêques britanniques, a opposé son veto à l'interview de l'archevêque de Glasgow, Thomas Winning, au sujet de la position de l'épiscopat écossais sur le désarmement. McConnachie attendait beaucoup de cette interview, compte tenu de la présence de sous-marins équipés de fusées Polaris dans la baie de Holly Loch, et des projets de l'O.T.A.N. d'installer un réseau de missiles aux abords de la route du loch Lomond. Mais Winning a eu un entretien avec Mgr Gray, après avoir accepté de passer à l'antenne.

Pour McConnachie, cet incident reflète bien ce qui se passe dans la salle du synode. Il en a conclu que « l'objectif était de gonfler l'importance de la lettre pastorale américaine et que l'épiscopat britannique n'appréciait guère que Radio Vatican la minimise[4] ». Cette interprétation nous semble peu plausible. La station est presque exclusivement consacrée à la retransmission de concerts et d'émissions religieuses destinées à un auditoire catholique particulièrement fervent.

Radio Vatican n'est qu'à dix minutes à pied de la porte Sant'Anna. En nous y rendant, nous réfléchissons à une affaire qui risque de faire du bruit. Elle est confirmée de bonne source par le secrétaire d'un cardinal et deux autres membres de la curie. Voici ce dont il s'agit : le pape, avant de nommer cardinal Mgr Bernardin, a beaucoup hésité et prié longuement. Il a demandé de nombreux avis avant de lui offrir le chapeau rouge. L'archevêque de Chicago en était-il digne ? Selon nos informateurs, le fait que Bernardin n'eût jamais caché en privé qu'il était favorable à un désarmement unilatéral renforçait les doutes du pape.

Dès notre arrivée à son bureau, nous interrogeons Greenan à ce sujet. Le directeur, qui vient de prendre sa tension, ouvre pour nous ce qu'il appelle l' « armoire du Saint-Esprit » : un des meilleurs choix d'alcools et de liqueurs qui se puisse trouver à Rome. Ce bar contribue à rendre son bureau fort accueillant.

Greenan a entendu parler de cette histoire. Il hausse les épaules. « Si le pape s'est trompé, c'est à vous dégoûter de la prière », dit-il avec un clin d'œil.

Nous comprenons qu'il ne tient pas à s'étendre sur ce sujet et l'interrogeons sur le déroulement de la réunion de la salle du synode. « Tout se passe bien, les gars, sans effusion de sang. Les Allemands nous ont réservé une surprise, mais n'est-ce pas toujours le cas ? »

L'entretien se termine sur cette pirouette...

Nous traversons le palais apostolique à la recherche de l'informateur qui nous a appelés une nuit à notre hôtel. Depuis, nous l'avons déjà rencontré deux fois. Il est très détendu et nous a spontanément offert de nous aider, estimant que les mystères dont s'entoure aujourd'hui le Vatican ne sont guère constructifs. Il est même allé jusqu'à nous confier, un soir où nous dînions chez lui, que le Vatican aurait bien besoin d'un porte-parole officiel rencontrant fréquemment le pape et informé de tout ce qui se prépare. Nous sommes d'accord avec lui. Le responsable actuel du service de presse du Vatican ne semble guère en mesure de répondre aux exigences de la presse moderne : il n'a pas d'autorité et se laisse facilement décontenancer par les questions très directes que lui posent les journalistes. Selon notre informateur, il pourrait bien se faire muter dans une paroisse éloignée avant la fin de l'année, ce qui ne chagrinerait sans doute personne[5].

Il nous propose de marcher un peu avec lui dans les jardins du Vatican. La journée est douce et lumineuse ; on voit de nombreux prêtres flâner dans les allées.

Notre interlocuteur connaît parfaitement le sujet qui nous préoccupe et ses sources sont tout à fait fiables[6], puisqu'il s'agit entre autres de Casaroli, Silvestrini, Bachis et de quelques membres du conseil des Affaires publiques chargés de représenter le Saint-Siège à la réunion de la salle du synode. A l'issue de la première session, Casaroli a réuni ses collaborateurs à la secrétairerie pour faire le point.

Hoeffner, cardinal d'un certain âge et doué d'une autorité peu commune, a dirigé les débats. C'était la surprise à laquelle Greenan avait fait allusion. Il a assoupli sa position et s'est montré moins dur au sujet des dernières propositions soviétiques sur les armements nucléaires. Notre informateur en conclut que Hoeffner devient plus réaliste en vieillissant. Il a même précisé qu'il n'était pas hostile à l'esprit de la lettre pastorale américaine.

Les Français sont restés très discrets. Ils ont pris une quantité de notes et se sont consultés en aparté. Les Britanniques ont prudemment déclaré que cette lettre constituait un document intéressant mais qu'il était nécessaire de la retravailler. Le leader de l'opposition s'est révélé être l'évêque auxiliaire de Rotterdam, aumônier des forces armées hollandaises.

Nous l'interrogeons sur la façon dont Ratzinger dirige les débats. « Exactement comme on pouvait le prévoir, nous confie notre homme avec un sourire malicieux : il n'a pas son pareil pour tirer les avantages maximaux des règlements et dispose en outre d'un dossier parfaitement préparé. Tout se passera donc comme lui — et Sa Sainteté — le souhaitaient. »

Nous lui demandons quels seront les résultats de cette conférence et sa réponse nous surprend : « Ils vont tous regagner leurs pénates, en discuter au cours des prochaines semaines et suggérer de modifier la lettre pastorale de sorte qu'elle convienne à la fois à Reagan et au pape. »

Dès le lendemain, nous avons pu vérifier le bien-fondé de cette prévision. La conférence est en effet à peine clôturée que Mgr Roach la qualifie de « consultation élargie » et ajoute qu'elle sera « indispensable » pour parvenir à compléter le document final qui sera rendu public à Chicago. Puis, regardant à travers sa boule de cristal, l'archevêque a ajouté : « Il y aura sans doute quelques divergences d'opinion, mais elles contribueront à nous aider à rédiger le document définitif[7]. »

7

La secrétairerie du pape

Lundi matin

Mgr Kabongo est débordé et c'est ce qu'il aime. Plus il a à faire, plus il est détendu et souriant. Sa vitalité est communicative et sa bonne humeur rejaillit sur ses collaborateurs. A peine Mgr Dziwisz et lui sont-ils à leur bureau que leurs téléphones ne cessent de sonner[1].

Officiellement simple auditeur de seconde classe à la section diplomatique du conseil des Affaires publiques, Mgr Kabongo est en fait le véritable ministre des Affaires étrangères de l'Eglise. Rattaché au service diplomatique de la secrétairerie d'Etat, Dziwisz fait partie des *ufficiali minori di II grado.* Ces titres modestes ne reflètent nullement le pouvoir et l'autorité réels de ces deux hommes. Travaillant et vivant dans l'intimité du pape, ils n'ignorent rien de ses engouements ni de ses aversions, connaissent les multiples facettes de sa personnalité, savent prévoir et désamorcer ses accès de colère.

Après leur petit déjeuner, comme chaque jour, ils ont rendez-vous avec le pape[2].

Une audience d'une demi-heure est prévue avec George Bush, le vice-président des Etats-Unis. Le pape l'attend avec impatience[3] et, depuis huit heures du matin, les deux secrétaires ont mis la dernière main aux dossiers concernant cette audience et celles qu'il va accorder aux cardinaux Pietro Palazzini, Laszlo Lekai et Michael Kitbunchu.

Dziwisz jette un dernier coup d'œil au rapport qu'il a préparé sur la situation en Hongrie depuis la mort de Brejnev. Pour prouver sa bonne volonté, Brejnev avait décidé de desserrer l'étau qui étranglait l'Eglise catholique hongroise et d'instaurer un relatif climat de détente dans ce pays. Cependant même avant son décès, le bureau politique s'interrogeait sur l'opportunité de ce libéralisme. Dans son rapport, Dziwisz suggère au pape d'interroger l'archevêque hongrois Laszlo Lekai sur la nouvelle attitude des Soviétiques en Hongrie.

Mgr Laszlo Lekai observe depuis sept ans l'évolution de cette politique : la fermeté de ses prises de position et l'habileté dont il fait preuve dans ses négociations « sur le tas » avec les communistes sont très appréciées au Vatican. Dziwisz a donc établi une liste de questions que le pape posera au cardinal hongrois.

Existe-t-il des signes concrets d'une évolution de la politique soviétique à l'égard de l'Eglise hongroise ? Comment le gouvernement hongrois interprète-t-il l'absence de progrès dans les négociations sur la limitation des armements stratégiques ? Les Hongrois n'ont-ils pas l'impression d'être coincés entre les deux superpuissances ? Que pense la Hongrie de l'invasion de l'Afghanistan par les Soviétiques ? Le pape n'aura peut-être pas le temps de poser toutes ces questions, mais le rôle de Dziwisz est de l'aider à se tenir informé de tout ce qui se passe dans le monde[4].

L'archevêque Kitbunchu de Bangkok fait partie des dix-sept prélats qui viennent d'être nommés cardinaux. Le pape l'interrogera sur l'attitude belliqueuse de la Chine à l'égard du Vietnam et sur la tentative de cet Etat de dominer l'Indochine, tentative qui a aggravé le conflit avec la Chine et entraîné la présence menaçante des Russes dans la région.

L'archevêque de Lisbonne sera interrogé sur la signification de la soudaine dissolution du Parlement portugais qui a mis un terme aux luttes internes des partis de droite et sur les mesures que se prépare à prendre l'Eglise portugaise en cas de succès électoral des partis socialistes et marxistes.

Puis viendra l'heure de la visite la plus importante, celle de Bush, le vice-président américain.

La préparation du dossier a commencé après l'audience accordée à un groupe de membres du Congrès américain. Il leur a demandé de ne pas oublier « les principes moraux édictés par les pères fondateurs » et de se souvenir « de leur devoir à l'égard de la communauté internationale ». Puis les collaborateurs du pape se sont mêlés aux membres du Congrès afin de savoir ce qu'ils attendaient de la prochaine visite du vice-président. Le pape a ensuite étudié, avec Bernardin, Laghi et Hehir, les réserves émises par l'administration Reagan à l'égard de la lettre pastorale[5].

Lorsque le voyage du pape en Pologne a été confirmé, ses collaborateurs ont manifesté une grande inquiétude. La vie du pape risquait d'être mise en danger.

Prévoyant que les implications politiques de ce voyage seraient sans doute étudiées par Bush, Mgr Kabongo a réuni un certain nombre d'éléments et de notes au sujet de l'attitude des Etats-Unis envers la Pologne.

A 10 heures et quart, une escouade de *sampietrini* en bleu de travail, les hommes chargés de l'entretien du Vatican, déroulent, pour l'arrivée de Bush, un tapis rouge de la porte Jean XXIII jusqu'aux pavés de la cour San Damaso, comme le veut le protocole du Vatican.

Sept minutes plus tard, un comité d'accueil se réunit avec, en tête, Mgr Jacques Martin, majordome du pape et préfet de la Casa pontifica. Sont présents, l'aumônier du pape, le grand vicaire de la cité du Vatican, les prélats de l'antichambre, l'assistant au Trône, le délégué spécial de la commission pontificale pour la cité du Vatican, le commandant des gardes suisses, les gentilshommes du pape, la suite de l'antichambre et le doyen du palais. L'orchestre pontifical n'est pas là. Il joue exclusivement pour les chefs d'Etat. Aujourd'hui, cette somptueuse suite, fastueusement vêtue de robes de cérémonie, accueille en silence l'important visiteur[6].

Non loin de cet impressionnant aréopage, se tiennent ceux que le code protocolaire du Vatican regroupe dans la rubrique « réceptions spéciales ».

William Wilson, l'envoyé spécial de Ronald Reagan, en fait partie. Il pourrait, dans la lumière incertaine de cette matinée, aisément passer pour le sosie du président. Wilson a le même teint hâlé de Californien, l'œil pétillant, toujours souriant et affable. Son costume sombre d'homme d'affaires est large. Très côte Ouest. Avec ses chaussures sur mesure, ses chaussettes

Brook Brothers et sa cravate en soie, tout en William Wilson, jusqu'à sa façon de parler et de se déplacer, évoque Reagan.

Agé de soixante-huit ans, cet ancien capitaine de l'armée américaine est encore très actif. Il fait des affaires immobilières et possède des intérêts dans le commerce du bétail aux Etats-Unis et au Mexique. Ces renseignements, fournis par les services de presse du Département d'Etat, ne donnent qu'un faible aperçu de sa considérable fortune. Wilson fait partie du conseil d'administration d'un hôpital et de celui de l'Université de Californie. C'est un catholique fervent, fier de pouvoir dire : « Ronnie Reagan est mon ami[7]. »

Wilson est le principal conseiller en politique étrangère du président. C'est ce qui explique sa présence aujourd'hui dans cette célèbre cour. Chargé des relations avec le Saint-Siège, il aime ce travail pour lequel il ne perçoit aucun salaire. A Rome, certains journalistes irrespectueux l'ont surnommé « M. Gaffe ». Il réplique en les traitant de « gauchos besogneux[8] ».

Wilson n'a pas reçu de formation diplomatique particulière mais il est secondé par deux experts en politique étrangère. Michael Hornblow, remarquablement intelligent, la quarantaine nerveuse, semble souvent déceler des intentions cachées sous les propos les plus insignifiants. Bien que son travail à Rome soit éreintant, il est désolé d'avoir à quitter son poste sous peu[9]. Don Planty, l'homme qui va remplacer Hornblow, est, en revanche, très flegmatique. Il arbore un sourire « digne d'une réclame » et porte des costumes hors de prix. Son expérience diplomatique l'a conduit au Chili à l'époque où la C.I.A. tentait d'empêcher Allende d'accéder au pouvoir[10].

A 10 h 20 exactement, l'escorte motorisée de Bush pénètre dans la cour San Damaso. La voiture du vice-président s'immobilise devant le tapis rouge. Les gardes suisses se mettent au garde-à-vous et présentent les armes (en l'occurrence, la hallebarde). Bush les salue à son tour ; Mgr Martin vient à sa rencontre.

Wilson et ses adjoints s'avancent également vers Bush et l'envoyé spécial du président échange quelques mots avec le vice-président. Ses gardes du corps s'agitent autour de lui et écartent certains prêtres (geste que le protocole ne prévoit pas[11]).

Mgr Martin conduit Bush au palais apostolique. Derrière eux, les ecclésiastiques en soutane noire bordée de rouge et les gardes du corps s'observent à la dérobée.

Comme beaucoup de politiciens, Bush a la parole facile. Il bombarde littéralement Mgr Martin de questions préparées à l'ambassade américaine à Rome. Mgr Martin est le spécialiste de l'histoire du Vatican [12]. Il sait qui a peint les fresques murales devant lesquelles ils passent, les scènes religieuses qui ornent les plafonds, le nom du pape qui a commandé tel chérubin ou tel satyre, ou qui a veillé à l'installation de ce triptyque. Le préfet renseigne son hôte avec l'humour dont il est coutumier.

Le parcours est accompli dans le temps prévu par le protocole. A 10 h 30, Mgr Martin et Bush pénètrent dans un petit salon qui communique avec la bibliothèque du pape.

Wilson et ses collaborateurs, Mgr Martin et sa suite ainsi que le service de sécurité attendront dans cette pièce que l'entrevue de Bush et du pape, prévue à 10 h 35, soit terminée.

Par la porte entrouverte, ils aperçoivent le pape assis dans un fauteuil. Derrière lui un tableau de Perugino et deux bibliothèques datant du XVIe siècle.

Après avoir introduit Bush, Mgr Martin se retire en refermant soigneusement la porte derrière lui.

Le pape et Bush s'entretiennent pendant près de quarante-cinq minutes de l'attitude des Etats-Unis sur le désarmement.

Bush souligne le « contenu moral » de la position de l'Amérique qui consiste à recommander la suppression de tout armement nucléaire à portée intermédiaire sur le sol européen [13].

Le pape partage ses vues sur ce sujet.

Bush rend compte des résultats de son voyage à travers l'Europe. Les Hollandais se sont montrés conciliants, les Belges et les Allemands réalistes, les Anglais d'une aide précieuse. Quant aux Italiens, chose surprenante, ils ont fait preuve de beaucoup d'enthousiasme [14].

Les réponses du vice-président aux questions du pape sont conformes à ce qu'attendait Jean Paul II [15].

Le pape lui demande si les Etats-Unis s'en tiennent toujours à la doctrine officiellement connue sous le nom d' « option zéro » et dont les objectifs proclamés prétendent « bannir une fois pour toutes de la surface du globe les missiles sol-sol de portée intermédiaire à tête nucléaire [16] ».

Bush répète ce qu'il a dit à Bonn : les Etats-Unis n'entreprendront rien de décisif avant les prochaines élections d'Allemagne fédérale prévues dans un mois, afin de ne pas compromettre les chances de réélection du chancelier Kohl.

Le pape parle à présent des risques potentiels de crise au sein de l'O.T.A.N., l'une des alliances militaires les plus efficaces que le monde ait connues à ce jour. Quelle serait la réaction des Etats-Unis si l'un, voire plusieurs, de ses partenaires européens refusait le déploiement des missiles sur son sol ? Que ferait l'Amérique si les gouvernements socialistes de Grèce ou d'Espagne réclamaient l'évacuation des bases navales et aériennes installées sur leur sol ? Quelle serait la réaction de Washington si un pays de l'O.T.A.N. se voyait contraint pour des raisons économiques à réduire sensiblement son budget défense ? Comment l'administration Reagan réagirait-elle si l'un des pays membres de l'O.T.A.N. refusait l'atterrissage des avions militaires américains ou même le survol de son territoire en cas de guerre au Moyen-Orient menaçant le golfe Persique et son pétrole ?

Toutes ces questions font allusion à des problèmes qui se sont déjà posés ou qui peuvent survenir à tout moment.

En 1966, la France a demandé aux Etats-Unis d'évacuer leurs troupes basées sur son territoire. Dans le climat politique actuel de l'Espagne, il est toujours possible que le gouvernement socialiste, sans consulter les membres de l'O.T.A.N., ordonne la fermeture de toutes les bases américaines sur le sol espagnol. Dans l'hypothèse d'un retour au pouvoir du parti travailliste en Grande-Bretagne, il pourrait décider de supprimer le bouclier nucléaire allié qui protège le pays et aller jusqu'à renoncer à son propre système de défense.

Le pape aborde maintenant un sujet qui le préoccupe : l'Europe de l'Ouest va-t-elle continuer d'accepter en bloc la suprématie américaine au sein de l'alliance, même si l'Union soviétique et les Etats-Unis gardent leurs positions respectives sur le désarmement et cherchent à tout prix à s'imposer dans le tiers monde ?

L'administration républicaine craint-elle — même secrètement — que l'Allemagne fédérale, la Grèce et le Danemark, voire d'autres nations européennes, ne s'éloignent de l'O.T.A.N. pour rejoindre la cohorte grandissante des nations non alignées ? demande le pape.

Bush quitte Jean Paul II à 11 heures et quart. Il connaît maintenant l'opinion du Saint-Père sur la lettre pastorale américaine. Il retire de cet entretien l'impression générale que Jean Paul II et le président Reagan sont d'accord sur tous les points importants de la politique américaine de désarmement.

Avant que la suite de Bush ne quitte la cour San Damaso, le vice-président peut en toute franchise confier à Wilson que « cet entretien a été très, très utile[17] ».

Prison de Rebibbia, Rome

Mercredi matin

Sirènes hurlantes et girophares allumés, les trois véhicules se fraient un passage au milieu de la circulation, très dense à cette heure.

Il y a quatre *carabinieri* dans la Fiat de tête : deux d'entre eux sont assis à l'arrière, une mitraillette chargée sur leurs genoux, tassés sur leur siège pour ne pas offrir de cible en cas d'attentat. Ile ne quittent pas du regard les fenêtres des immeubles minables qui bordent les deux côtés de la rue, attentifs à déceler le moindre mouvement suspect. Le carabinier assis près du conducteur baisse la vitre et brandit un disque rouge qui signale que voitures et piétons doivent s'écarter pour laisser passer le convoi.

La seconde voiture banalisée dispose d'un blindage spécial. Une épaisse plaque d'acier protège le plancher contre l'explosion d'une bombe au sol. La carrosserie a été renforcée pour résister à un tir fourni de mitraillettes. Les vitres sont à l'épreuve des balles et les pneus recouverts par des protections métalliques. Il faudrait au moins une arme antichars pour immobiliser cette voiture.

Deux policiers armés sont assis à l'avant. L'homme qui occupe la place du passager est en contact radio permanent avec le centre chargé de la circulation à Rome. La progression du convoi qui se dirige vers l'est de la ville est donc constamment suivie. En cas d'alerte, une douzaine de voitures seront immédiatement envoyées en renfort.

Le juge Martella et son adjoint sont assis à l'arrière de la seconde voiture.

Une troisième Fiat ferme la marche avec quatre *carabinieri* à bord, équipés comme ceux de la première voiture.

Ils se dirigent vers la prison de Rebibbia qui doit son nom à l'un des plus pauvres quartiers de Rome.

Martella a souvent emprunté cette route pour interroger des terroristes, des trafiquants de drogue et des criminels qui acceptent de coopérer en échange d'une remise de peine ou d'une libération. A gauche du convoi apparaît le grand mur en béton de la prison.

La circulation est faible à présent, car seules les voitures qui se rendent à la prison empruntent cette route ; les maisons qui la bordent sur la droite abritent les familles du personnel de la prison.

Le convoi franchit le premier contrôle mais s'arrête au second, près de l'entrée principale. Personne, pas même les voitures officielles, n'entre ici sans être soigneusement contrôlé. Des terroristes en tenue de policiers ont déjà tenté de forcer l'entrée d'autres prisons italiennes ; à Rebibbia ce serait impossible. C'est l'un des pénitenciers les plus sûrs du monde [18].

On laisse enfin passer les trois voitures qui roulent maintenant dans une allée bordée d'arbustes.

Le bâtiment ressemble à un vieux collège ou à un hôpital délabré. Le convoi s'arrête devant l'entrée.

Serviettes et attachés-cases doivent être déposés dans un chariot métallique et fouillés par les gardiens : Martella et son adjoint sont dispensés de cette formalité. Les deux hommes pénètrent dans le quartier de haute sécurité : les portes en sont blindées, le sol est en béton. Ils prennent l'ascenseur jusqu'au premier étage où se trouve le bureau du juge.

La pièce est sommairement meublée : deux vieux bureaux et trois chaises en bois [19]. Un homme les attend, assis entre deux soldats devant le bureau de Martella. Le juge et son assistant ouvrent leur attaché-case et en extraient des dossiers sans lui prêter la moindre attention.

Martella prend tout son temps : il feuillette ses papiers, sort de la poche intérieure de sa veste un stylo plaqué or, s'assure qu'il est rempli puis lève enfin son regard vers Serguei Antonov.

L'homme des lignes aériennes bulgares est dans cette prison depuis novembre 1982 : inculpé de complicité dans l'attentat contre le pape, il a été arrêté par le D.I.G.O.S. Après trois mois à Rebibbia, Antonov a maigri et perdu toute son agressivité.

Alors que son comportement avec Agca est très particulier, le juge Martella adopte une attitude plus traditionnelle avec Antonov ; leurs rapports sont ceux qui existent généralement entre un juge d'instruction et un prisonnier. Le juge est tour à tour méprisant et sceptique. Lorsque Antonov est trop prolixe, Martella l'interrompt brutalement ; lorsqu'il se tait, le juge le bombarde de questions posées d'un ton sec. Son objectif est d'obtenir des aveux complets mais cette attitude a conduit Serguei Antonov au bord de la dépression.

Cependant, aujourd'hui, Antonov a retrouvé toute son assurance, ce qui surprendrait Martella s'il ne connaissait déjà la cause de ce brusque revirement.

La *pista bulgara* a pris un tour qui déplaît fortement au juge Martella. A Washington, la C.I.A. a orchestré une campagne de presse selon laquelle ni les Bulgares ni les Soviétiques ne seraient à l'origine de l'attentat contre le pape. La C.I.A. prétend que le gouvernement bulgare connaissait sans doute l'existence du complot mais qu'il n'existe aucune preuve permettant d'affirmer qu'Agca ait été en relation avec les services secrets bulgares ou le K.G.B. La C.I.A. estime à présent qu'Agca voulait assassiner le pape et qu'il a agi seul[20].

Cette nouvelle version de l'Agence est curieusement semblable à celle que Vassil Dimitrov, le diplomate bulgare en poste à Rome, a essayé d'accréditer par tous les moyens.

Ce n'est pas la première fois qu'une enquête de Martella est entravée par des problèmes de politique internationale. Il en a cette fois pris conscience en recevant Alfonso d'Amato, sénateur républicain de l'Etat de New York[21]. Celui-ci fait partie de la commission de sécurité et de coopération d'Helsinki. C'est un spécialiste des problèmes de renseignements. D'Amato lui a confié qu'il avait eu l'intention de se rendre à Rome avec un membre de la commission sénatoriale d'enquête sur les activités des services secrets. Ce projet a échoué parce que la C.I.A. à Rome lui a refusé son aide. Désormais l'Agence ferait tout son possible pour décourager les enquêtes risquant de mettre en cause les Soviétiques ou les Bulgares dans le complot contre le pape.

Le juge a deviné sans peine ce qui se cachait derrière l'attitude de la C.I.A. L'Agence obéissait sans aucun doute à une intervention discrète de la Maison-Blanche ; Martella a entendu dire que l'administration Reagan considère son enquête comme « un cas où la poursuite de la vérité, quoique parfaitement louable, doit s'incliner devant la menace d'une aggravation de la tension dans les relations Est-Ouest[22] ».

Selon Washington, la liberté de manœuvre des Bulgares à l'égard des Soviétiques est tellement réduite qu'impliquer leurs services secrets dans l'attentat reviendrait à accuser directement le K.G.B. Des révélations sur la piste bulgare compromettraient sérieusement les chances de rencontre entre Reagan ou tout autre responsable occidental, et Andropov. Le climat hostile qui en résulterait remettrait en question toute négociation sur le contrôle des armements et rendrait improbable la possibilité de ratifier un accord éventuel[23].

Dans l'état actuel de leurs relations, la Maison-Blanche et le Kremlin considèrent donc cette affaire comme déplorable et même dangereuse.

Martella devine depuis longtemps que l'attitude dure du président Reagan à l'égard des Russes a des mobiles de politique intérieure et qu'elle est destinée à glaner des voix républicaines aux prochaines élections. La visite de Martella à Washington l'a convaincu que le président — et en tout cas ses conseillers — n'hésiterait pas à s'opposer ouvertement à son enquête — comme ils sont actuellement en train de le faire — s'ils estimaient qu'elle menace leur politique étrangère. Le juge comprend qu'il est impératif pour Reagan de rencontrer personnellement M. Andropov afin de reprendre les négociations sur le contrôle des armements dont dépend la paix dans le monde.

Martella ne serait pas surpris si on lui apprenait que, lors de son entretien avec le pape, le vice-président avait suggéré au Saint-Père de renoncer à cette enquête. Rien ne peut d'ailleurs plus l'étonner : il a passé trop d'années dans les milieux politiques et judiciaires pour ignorer leurs liens étroits.

Mais il y a un point sur lequel il reste intraitable : personne — qu'il s'agisse du président des Etats-Unis, du pape, du gouvernement italien, et encore moins de la C.I.A. — ne l'empêchera de rechercher la vérité.

C'est pourquoi il s'est rendu à Rebibbia ce matin. Il sait qu'Antonov, qui a toujours énergiquement nié avoir jamais rencontré Agca, espère être libéré.

Martella a décidé d'en avoir le cœur net. Il se retourne vers son assistant qui se lève et quitte le bureau. Le juge interroge à nouveau Antonov au sujet d'Agca.

Le Bulgare dément formellement l'avoir jamais rencontré.

Martella lui reproche de mentir. Antonov proteste.

L'assistant du juge revient dans le bureau et s'assied.

Martella et lui fixent Antonov qui ne s'est pas départi de son attitude arrogante.

Des bruits de pas résonnent dans le couloir.

Martella ordonne à Antonov de se lever et de regarder vers la porte. Agca pénètre dans le bureau entre deux gardiens. Le Bulgare est confronté à l'homme qu'il prétend n'avoir jamais vu.

Martella s'adresse à Agca.

« Ali, connaissez-vous cet homme ?

— C'est Serguei. Serguei Antonov. C'est lui qui m'a aidé.

— C'est un menteur ! » hurle Antonov.

Martella fait signe aux gardes d'emmener Agca.

Celui-ci a été transféré de la prison d'Ascoli Piceno à Rebibbia pour une confrontation qui a duré moins d'une minute. Mais ces soixante secondes ont été décisives.

Plus tard, Martella confiera à ses collaborateurs que la C.I.A. peut bien propager tous les bobards qu'elle veut, rien n'empêchera qu'il ait obtenu d'Agca la confirmation qu'il connaissait bien Antonov. Le juge a surpris dans les yeux d'Antonov une lueur qui ne trompe pas : il connaissait bel et bien Agca. Il est désormais convaincu de sa culpabilité.

« Il nous faut des preuves maintenant », conclut-il.

Le Vatican

Samedi

Sur le calendrier accroché dans le bureau de Cibin, une date a été soulignée de rouge. C'est la date limite à laquelle tous les préparatifs de sécurité touchant au voyage du pape en Amérique centrale devront être bouclés. Cibin fera le voyage, le dix-septième qu'il entreprend en quatre ans et demi au service du pape. Aucun n'a suscité une telle appréhension chez le responsable de la sécurité.

Jean Paul II parcourra trente mille kilomètres et, chaque fois qu'il paraîtra en public, il risquera sa vie. Le tueur se trouve peut-être en ce moment au Costa Rica, ou au Nicaragua, ce pays dirigé par un gouvernement dominé par les communistes et au sein duquel plusieurs prêtres occupent des postes clefs en dépit des mises en garde du pape. Jean Paul II risque également d'être abattu à Panama ou, plus probablement, au Salvador en proie à la guerre civile. Le risque n'est pas moindre au Guatemala, dont le régime anticatholique n'hésite pas à faire disparaître les opposants. Le Honduras, Belize et Haïti sont des pays tout aussi dangereux. Vingt-quatre ecclésiastiques, évêques, prêtres et religieuses ont été assassinés dans cette région depuis le début du pontificat de Jean Paul II, pour la plupart victimes des escadrons de la mort d'extrême droite.

La C.I.A. a préparé un dossier pour chacun de ces pays, détaillant les mesures de sécurité nécessaires à la protection du pape ; ceux-ci ne sont pas faits pour rassurer Cibin. Ce matin il a participé dans la bibliothèque du pape à une réunion au cours de laquelle l'archevêque Obando Bravo a présenté le voyage au Nicaragua comme un défi sur le plan diplomatique présentant un risque majeur pour la vie du Saint-Père[24].

Cette mise en garde est sans effet sur Jean Paul II qui a décidé de se rendre au Nicaragua et refuse toute modification à son programme.

Ce voyage donnera au pape l'occasion de rappeler aux catholiques d'Amérique latine que quelles que soient leur condition sociale ou leur position politique — conservateurs traditionnels, réformistes modérés, radicaux ou même révolutionnaires — ils doivent se sentir membres d'une seule et même grande famille.

Cibin sait que la sécurité du pape dépendra largement du concours que lui prêteront les forces de l'ordre locales : en effet, il ne disposera sur place que du service de sécurité ordinaire constitué par les gardes suisses et par deux *vigili.* Tous les gouvernements d'Amérique centrale ont répondu négativement à la demande du Vatican de se faire accompagner par ses propres tireurs d'élite. Aucune justification apportée à ces refus n'a convaincu Cibin.

Mgr Kabongo a déployé beaucoup d'énergie pour préparer ce voyage en Amérique centrale.

Il doit garder un contact permanent avec le coordinateur du voyage, le père Roberto Tucci, et avec le bureau des Affaires pour l'Amérique latine à la secrétairerie d'Etat. Résultat : des centaines de requêtes, suggestions et conseils émanant des huit pays où le pape doit se rendre, s'amoncellent en ce moment sur le bureau de Kabongo[25]. Le pape accepterait-il de rester deux minutes de plus à l'aéroport de Costa Rica afin de saluer personnellement les nouveaux membres du gouvernement ? Jean Paul II pourra-t-il évoquer à son arrivée au Guatemala la double croix d'acier érigée « pour toujours » au stade Campo de Marte où il doit célébrer l'une des douze messes prévues au cours des huit jours que durera sa visite ? Pourra-t-il remercier « de la façon qui lui plaira » l'orchestre qui jouera l'hymne national à son arrivée ?

Le secrétaire n'ignore pas ce que ces quelques minutes supplémentaires à l'aéroport de Costa Rica signifient : les jeunes ministres, Mgr Kabongo le sait par expérience, ont la fâcheuse habitude de parler pour ne rien dire. Ces deux minutes accordées pourraient facilement en devenir dix. Par ailleurs, le Costa Rica voit ce voyage d'un bon œil : pourquoi ne pas prouver la bonne volonté du Vatican à l'égard de la hiérarchie locale en acceptant quelques hommes politiques de plus au sein de la délégation qui accueillera le pape à sa descente d'avion ? Kabongo rédige une note sur le programme de la visite au Costa Rica. La cérémonie d'accueil sera prolongée à condition que ces deux minutes supplémentaires ne deviennent en aucun cas dix minutes.

Il lui est plus facile d'accéder à la requête concernant la croix du stade au Guatemala.

Mais il est hors de question que Jean Paul II remercie l'orchestre hondurien. Lors de sa visite en Grande-Bretagne, le pape avait accepté la collaboration d'un organisme qui habituellement s'occupe de promouvoir les vedettes du golf et du show-business. Cet organisme s'était chargé de la diffusion, en exclusivité, des ouvrages et des gadgets commémorant l'événement et l'Eglise avait été accusée d'avoir tiré bénéfice de ces activités mercantiles. Kabongo leur adresse une réponse polie mais néanmoins ferme : l'hymne national, les boutons de manchettes et le champagne local ne peuvent faire l'objet d'une bénédiction papale.

Il convient en outre de prendre certaines précautions élémentaires : le climat chaud et humide de ces régions est éprouvant et la malaria qui y sévit obligera le pape et son entourage à prendre des comprimés de Nivaquine. Le Nicaragua interdit l'importation d'allumettes, le Salvador a indiqué le taux de change de sa monnaie, le voltage du courant électrique et rappelé qu'il est défendu d'apporter plus de deux bouteilles d'alcool par personne.

Le point d'orgue du voyage sera la réunion quadriennale de la conférence des évêques d'Amérique latine pour laquelle le protocole prévoit un dossier spécial dont Dziwisz a la charge.

Mgr Kabongo porte une attention toute particulière aux régions dans lesquelles la vie du pape risque d'être plus spécialement menacée. Comme Cibin, il estime que le Salvador est le pays le plus dangereux à cet égard. A son bureau, Kabongo relit la note du gouvernement salvadorien qui vient de refuser, comme le lui demandait Casaroli, d'établir un cessez-le-feu pendant le voyage du pape[26]. Un autre document, préparé par l'évêque Rivera Damas de Santiago de Maria, analyse en détail et dans un style irréprochable le schisme qui divise l'Eglise salvadorienne et qui menace de la faire littéralement éclater[27]. Récemment, le nonce Lajos Kada a essayé de convaincre le gouvernement salvadorien de négocier avec les rebelles. Les prêtres conservateurs ont confié à Mgr Rivera Damas leur crainte de voir le pape intervenir en faveur d'un dialogue entre les guérilleros et les autorités. Les adeptes de la théologie de la libération redoutent, quant à eux, que l'intervention de Jean Paul II ne soit interprétée comme un soutien à l'oligarchie.

Kabongo sait qu'une telle intervention est écartée par le pape et surtout depuis qu'il a pris connaissance du dossier salvadorien préparé par la secrétairerie d'Etat.

Le secrétaire a reçu un rapport qui explique de façon détaillée la détermination d'une partie de la hiérarchie salvadorienne de ne plus soutenir l'élite privilégiée mais de se ranger aux côtés des opprimés. Ces prêtres ont organisé des « communautés de base » qui sont rapidement devenues des organisations politiques répandant la théologie de la libération.

Kabongo connaît les principes de ce mouvement qui compte désormais plus de cent mille *comunidades eclesiales de base* à travers toute l'Amérique latine. Ces théologiens travaillent dans l' « esprit de l'Evangile » et s'inspirent idéologiquement du marxisme : certains d'entre eux vont jusqu'à établir une corrélation entre l'Evangile des pauvres et le prolétariat de Marx. De fréquentes allusions aux victoires obtenues par la lutte des classes émaillent leurs sermons. Ils répandent la théorie communiste selon laquelle la violence est acceptable dès lors qu'elle répond à celle des régimes autoritaires. Le mouvement approuve l'interprétation communiste du capitalisme et considère que seule une révolution peut venir à bout de l'injustice sociale. Une fois ce but atteint, et alors seulement, un accord pourra être conclu avec le gouvernement sur les nouvelles bases que le mouvement aura mises en place.

Selon Kabongo et quelques autres, seul le rejet de l'athéisme différencie la doctrine de ces prêtres de celle des communistes.

Le Pape a condamné à plusieurs reprises les enseignements de ce mouvement.

Néanmoins, au Salvador, on lui a demandé de prier sur la tombe de l'archevêque Oscar Romero. Assassiné pour s'être ouvertement opposé au régime, Romero est devenu le martyr national des pauvres et de la gauche révolutionnaire.

Le document de la secrétairerie souligne — et de ce fait rejoint l'opinion du gouvernement salvadorien et d'une fraction de sa hiérarchie — que les guérilleros se sont détournés des principes auxquels Mgr Romero était fondamentalement attaché : la non-violence et le refus d'une réforme sociale partisane. Le gouvernement s'oppose formellement à ce que le pape se recueille sur la tombe de l'archevêque assassiné : ce geste aurait pour conséquence de conforter les insurgés, explique-t-il.

Le problème est si délicat que Kabongo préfère le soumettre directement au pape. Le secrétaire sait qu'à quinze jours de son arrivée au Salvador, cette question continue de tourmenter le souverain pontife.

Ceux que le père Roberto Tucci a baptisé les « cerveaux » de ce prochain voyage se sont réunis dans son bureau situé dans le palais de Léon XIII au Vatican. Du matin jusqu'au soir, un flot ininterrompu de gens lui ont exposé leurs problèmes et aussi leurs projets. Tucci est toujours d'excellente humeur, détendu et bienveillant. Directeur général de Radio Vatican, il a été relevé de ses fonctions afin d'organiser le voyage du pape. Assis en face de lui, Adriano Botta, un fonctionnaire d'Alitalia, est venu débattre du rôle de la compagnie aérienne dans ce pèlerinage.

Alitalia est décidé à ne rien laisser au hasard. La compagnie envisage de faire vérifier le système de sécurité de tous les aéroports qu'elle devra utiliser à cette occasion. Des terrains d'atterrissage supplémentaires sont également prévus en cas de nécessité. L'avion du pape dispose d'un service de sécurité armé et a été conçu selon différentes « mesures préventives appropriées », assez efficaces en tout cas pour permettre à Botta d'affirmer : « Nous offrons plus de garanties de sécurité que les pays d'accueil[28]. »

Il continue à développer les grandes lignes de son plan. L'aménagement interne de l'appareil a été totalement reconçu. Les premières classes ont été agrandies pour le confort du pape et de sa suite. Trente-quatre sièges de première classe sont à leur disposition. Les places en classe affaires sont réservées à la presse.

Tous les reporters qui ont sollicité une place dans l'avion du pape n'ont pas encore été acceptés. Les candidatures sont nombreuses et le nombre de sièges limité. Beaucoup d'entre eux souhaitent sans aucun doute être présents au cas où l'incroyable se produirait — un second attentat contre la vie du pape.

En fin d'après-midi, Casaroli apprend que la guerre en Europe est programmée pour éclater dans quatre jours.

L'observateur permanent du Saint-Siège aux Nations unies à Genève, l'archevêque Eduardo Rovida, a transmis à Casaroli un rapport de l'O.T.A.N. selon lequel l'U.R.S.S. estime que la guerre est nécessaire à sa survie. Depuis quinze jours, les troupes de l'O.T.A.N. — soit deux millions et demi d'hommes — sont passées de l'état de « vigilance », qui implique que les troupes et leur commandement soient consignés sur place, à celui d' « alerte renforcée » qui élève le degré de préparation de ces troupes à une mobilisation des réserves de l'Alliance, des bâtiments de guerre, des sous-marins (envoyés vers des destinations secrètes) et des bombardiers (équipés d'armes offensives bien que non nucléaires) basés en Turquie et en Grande-Bretagne. Les femmes et les enfants des militaires alliés seront évacués. Une brochure contenant des instructions a été remise à toutes les familles : garez correctement votre voiture afin de ne pas créer d'encombrement et laissez les clefs de contact sur le tableau de bord.

Supprimez tous les animaux domestiques « aussi humainement que possible ». Prévoyez des sous-vêtements, une torche, une trousse médicale d'urgence, une cuillère pour chaque membre de la famille et une ration de nourriture à haute valeur énergétique (bonbons, Coca-Cola, pommes et oranges) pour une durée de vingt-quatre heures. Cette brochure renferme également des instructions en allemand, en français, en italien et en espagnol sur la manière de prendre contact avec le poste de police ou le consulat le plus proche. Chaque famille se verra remettre une somme de cinq cents dollars pour l'aider à se reloger. On leur signale un surpeuplement probable sur les côtes françaises, étant donné que cent mille réservistes britanniques se dirigent actuellement vers l'Allemagne de l'Ouest. Le célèbre *Screaming Eagles* quittera Fort Bragg, aux Etats-Unis, pour l'embouchure du Rhin. Le Saint-Siège n'est même pas autorisé à offrir ses bons offices diplomatiques. Le téléphone rouge reliant Washington à Moscou est coupé.

Les forces armées du bloc soviétique progressent rapidement. La Hongrie et la Yougoslavie sont mobilisées. La Finlande, pays neutre, a d'ores et déjà capitulé. Deux divisions soviétiques ont été envoyées en Norvège avec mission d'attaquer les bases de l'O.T.A.N. et d'ouvrir une route maritime sûre à travers l'Atlantique.

L'escalade a commencé. La troisième guerre mondiale est sur le point d'éclater. Ce scénario de cauchemar n'est en réalité qu'un exercice militaire à grande échelle, par lequel l'O.T.A.N. teste sa capacité de défense contre le type d'invasion soviétique prévu par ses stratèges. Casaroli estime que le coût de ces deux semaines de guerre simulée sera supérieur aux sommes dépensées en un an par le Saint-Siège pour sa politique extérieure.

Le secrétaire d'Etat est de ceux qui estiment que des manœuvres de cette envergure démontrent la cohésion de l'alliance occidentale. Il pense que la course aux armements n'est due qu'à la volonté des Soviétiques d'établir leur supériorité militaire : s'ils acceptaient la parité avec les Américains, cette course cesserait immédiatement.

Pour s'être entretenu à plusieurs reprises avec William Wilson, l'envoyé de l'administration Reagan, Casaroli sait que le président estime les forces nucléaires de l'Union soviétique supérieures à celles de l'Europe[29]. De même, par les rapports de Luigi

Poggi, envoyés à l'issue de sa visite à Moscou, Casaroli a appris que les dirigeants soviétiques affirmaient qu'un équilibre existe à l'heure actuelle en Europe dans le domaine des fusées à moyenne portée, mais qu'il serait remis en cause par le déploiement intensif des nouveaux missiles pratiqué par les Etats-Unis. Casaroli pense qu'il est urgent de parvenir à un accord permettant d'évaluer la puissance nucléaire déployée de part et d'autre afin de définir clairement à quel niveau se situera l'équilibre[30]. A l'heure où se poursuivent de laborieuses négociations sur le contrôle des armements à Genève, les deux superpuissances se trouvent en désaccord sur le type d'armes qui doit faire l'objet du débat. Les Etats-Unis veulent limiter les têtes nucléaires. La Russie est préoccupée par la réduction des vecteurs. Washington voudrait que les Russes réduisent le nombre de leurs fusées à moyenne portée déployées à l'ouest de l'Oural et dont les têtes nucléaires menacent le Japon et peut-être même la côte ouest des Etats-Unis. Moscou est prêt à un accord concernant l'Europe mais entend garder les mains libres en Extrême-Orient.

Selon certains membres du cabinet de Casaroli, les dirigeants soviétiques considèrent leur force militaire non seulement comme une arme de dissuasion mais également comme le plus sûr moyen de réaliser leur rêve : « rattraper et dépasser le capitalisme ».

La puissance militaire a pour objectif d'établir un nouvel ordre dans le monde. D'après les conseillers de Casaroli, les Soviétiques considèrent que l'ordre instauré à la fin de la Seconde Guerre mondiale est probablement remis en cause et qu'il est temps d'établir un nouvel ordre mondial en termes économiques, politiques et militaires, dans lequel l'Union soviétique apparaîtrait comme le champion de la paix, le pays qui occupe le vide laissé par la perte de puissance des Etats-Unis.

Casaroli trouve ces théories aussi effrayantes que le jeu des petits soldats de l'O.T.A.N. Quoiqu'il ne soit pas, comme le pape, en proie à une suspicion maladive dès qu'il s'agit des intentions soviétiques, Casaroli pense qu'il serait intellectuellement naïf et politiquement désastreux de sous-estimer la puissance militaire soviétique et l'étendue de leurs ambitions.

Pour certains, dont les bureaux voisinent avec celui de Casaroli, les Russes ne sont pas compris et l'angoisse des peuples quant aux risques d'une confrontation nucléaire devrait être imputée aux gouvernements membres de l'O.T.A.N. et en particulier aux Etats-Unis.

C'est ce type de raisonnement qui a poussé William Wilson, l'envoyé du président, à intervenir. Il est véritablement traumatisé par l'attitude du Vatican à l'égard de l'administration Reagan. Il est notamment obsédé par la vision de Clarissa McNair diffusant à longueur de journée des « informations subversives » sur les ondes de Radio Vatican. Wilson n'a jamais rencontré McNair. En outre, il essaye de ne pas l'écouter — « elle est vraiment trop insupportable[31] ». Mais Mad Mentor a fourni à l'envoyé de Reagan les preuves dont il a besoin. L'homme du président sent qu'il doit agir. Et l'heure n'est pas aux finesses diplomatiques. C'est l'occasion ou jamais d'imiter Ronald Reagan dans ses films : Zorro s'apprête à voler au secours de l'Amérique en péril.

Quartier général de la police à Rome

Vendredi matin

A 10 h 35, le standard du quartier général de la police à Rome reçoit un appel téléphonique. Une voix masculine annonce que le pape sera assassiné dimanche prochain pendant la bénédiction qu'il donnera du balcon du palais apostolique, à la foule massée place Saint-Pierre. Le standardiste essaie de faire parler l'homme pendant que ses collègues tentent de repérer d'où vient l'appel. L'homme a raccroché mais l'appel est localisé et communiqué au D.I.G.O.S. La brigade antiterroriste a reçu au moins vingt appels de ce genre depuis le début de l'année. Menacer de tuer Jean Paul II semble être devenu le passe-temps favori des maniaques romains. Le D.I.G.O.S. doit malgré tout prendre des dispositions. Un officier appelle Cibin qui en informe immédiatement Kabongo. Le secrétaire prévient à son tour le pape. Jean Paul II ne dit rien. Ce dimanche-là, le D.I.G.O.S. postera des hommes supplémentaires sur la place Saint-Pierre. Personne n'a envie de prendre le moindre risque avec un autre Agca.

Radio Vatican

Dimanche, en début d'après-midi

Peu avant 13 heures, Clarissa McNair entre dans le bureau du sous-directeur des programmes de la station, le père Sesto Quercetti. Elle travaille depuis 7 heures du matin. Elle est pâle et paraît tendue.

Une nouvelle carte postale anonyme lui est parvenue ce matin à la station, l'accusant cette fois-ci d'antisoviétisme.

Quercetti l'avertit qu'il a encore de mauvaises nouvelles à lui annoncer. Beaucoup plus inquiétantes que cette carte postale[32].

William Wilson est venu voir le directeur des programmes pour se plaindre du journal de Clarissa McNair.

« Ce qui nous dérange, c'est qu'il soit venu nous voir, nous... Il aurait dû user de la voie diplomatique... Il aurait dû aller voir Casaroli. »

McNair blêmit. Elle a l'impression qu' « une veine grosse comme un tuyau d'arrosage bloque sa respiration ». Elle réfléchit : *Casaroli. Il est plus intimidant que George Shultz ou que George Bush. Je serais plus à l'aise devant Henry Kissinger.*

Elle s'aperçoit que Quercetti continue de s'adresser à elle.

« ... J'ai expliqué que vous n'êtes pas responsable de la ligne politique de notre station et qu'en outre je prenais connaissance de vos commentaires au préalable... »

Elle se ressaisit et lui demande ce qu'il pense de son travail : il la rassure, rien de ce qu'elle dit n'est tendancieux.

William Wilson vient d'envoyer à la station un florilège des prétendus abus de McNair, dont la traduction anglaise est signée Mad Mentor[33].

McNair est abasourdie : ce dossier fait allusion à un reportage sur Haïti au cours duquel elle mettait en cause certains aspects de la politique de l'administration Reagan dans l'île. On lui reproche également un reportage sur le Salvador et une enquête sur les problèmes de l'avortement et de la contraception en Inde. Wilson va jusqu'à déclarer qu'il n'aime pas la façon dont elle prononce les mots « administration Reagan » dans son journal. Les accusations s'amoncellent page après page.

« J'ai peur, avoue McNair à Quercetti. Je ne pensais pas avoir autant d'importance.

— Vous vous sous-estimez.

— Qu'allons-nous faire ? demande-t-elle.

— Ne vous inquiétez pas. Nous savons comment régler ce genre de problèmes. »

Elle se met à trembler tout à coup : « Wilson n'a pas agit seul. »

Elle lui parle de Mad Mentor. « La C.I.A. est derrière toute cette affaire », lui dit-elle.

Quercetti la regarde avec attention. « Je vais prévenir Casaroli. Il peut peut-être obtenir que Wilson soit rappelé. Cela ne peut pas durer. »

Il conseille à McNair de rentrer chez elle.

Une fois seule, McNair est prise d'un rire nerveux. Elle comprend soudain combien elle a peur.

Mad Mentor lui a dit un jour qu'il était capable de tuer si les circonstances l'exigeaient.

Elle se demande quelle sera sa réaction quand il s'apercevra qu'elle n'a pas modifié le contenu ni le ton de son journal. Elle en sait assez long sur les méthodes de la C.I.A. pour savoir qu'elle risque sa vie si elle s'obstine. Mais elle préfère prendre ce risque plutôt que de renoncer à son intégrité.

8

A bord de l'avion du pape le Dante Alighieri

Mercredi après-midi, six heures G.M.T.

Dans le cockpit, l'officier de quart règle la V.H.F. pour capter le dernier bulletin météo émis par l'aéroport du Costa Rica, Juan Santamaria. La menace de turbulence s'est éloignée au cours de la dernière heure.

Le copilote vérifie leur position : latitude neuf degrés cinquante-neuf minutes nord, longitude quatre-vingt-quatre degrés, douze minutes ouest. Le *Dante Alighieri* vole à dix mille mètres d'altitude et sa vitesse est de huit cent vingt kilomètres à l'heure. Il atterrira à l'aéroport de San José dans vingt-neuf minutes très exactement, soit 15 h 30, heure locale[1].

Le commandant de bord transmet cette information à ses passagers.

Le pape, son entourage et les cinquante et un journalistes assis à l'arrière de l'avion accueillent cette nouvelle avec soulagement. Après quatorze heures de vol, y compris une escale d'une heure à Lisbonne au cours de laquelle Jean Paul II a salué l'épiscopat local à l'aéroport, ils sont fatigués et ont hâte d'arriver.

Nancy Frazier, membre du service de la presse catholique américaine, a l'habitude de ce genre de voyage. C'est le dix-septième qu'elle entreprend avec le pape.

Pendant le vol, celui-ci a rendu visite aux journalistes. Mme Frazier et certains de ses confrères ont été déçus par la présence du père Roméo Panciroli à ses côtés. Le directeur de la presse vaticane a présenté, sur un ton glacial, chaque journaliste à Jean Paul II. Certains en ont profité pour demander au pape ce qu'il attendait de ce pèlerinage. Jean Paul II n'a répondu à aucune question. Panciroli, furieux de l'irrespect des journalistes, a précisé que le pape ne ferait aucun commentaire.

« Panciroli était déjà un mauvais journaliste, mais comme " relations publiques ", il est franchement nul, songe Nancy Frazier. On dirait un gardien de zoo venu accueillir des singes [2]. »

Les journalistes s'interrogent : le pape n'est-il pas irrité par l'indifférence avec laquelle l'Eglise et le monde considèrent ce voyage ?

Quelques heures avant d'embarquer, Jean Paul II a pris une décision concernant la partie la plus délicate de sa visite au Salvador. En dépit des mises en garde répétées du gouvernement américain, il a décidé de se recueillir sur la tombe d'Oscar Romero. L'archevêque a été assassiné il y a trois ans, selon toute vraisemblance par des progouvernementaux, alors qu'il disait la messe. Le pape a alors choisi de le remplacer par Mgr Rivera Damas, l'administrateur apostolique du Salvador, décision qui a exaspéré les autorités salvadoriennes. Mgr Rivera Damas a immédiatement incité le gouvernement à entamer des négociations avec les guérilleros d'extrême gauche. Forts du soutien assuré de ce nouvel archevêque, les rebelles ont proposé un cessez-le-feu de dix heures pendant la visite de Jean Paul II au Salvador [3].

Tandis que le *Dante Alighieri* amorce sa descente vers le Costa Rica, les journalistes discutent entre eux : Mgr Rivera Damas ne s'est-il pas mêlé trop directement des problèmes politiques du Salvador ? L'attitude du pape dans l'affaire du Salvador ne risque-t-elle pas d'avoir des conséquences sur son voyage ? Certains pensent qu'après ce geste, Jean Paul II aura du mal à convaincre les prêtres de quitter les maquis pour regagner leur paroisse ; d'autres estiment qu'il s'agit d'un tournant radical dans l'attitude, jusque-là intransigeante du pape, contre les tenants de la théologie de la libération.

Nancy Frazier pense quant à elle qu'en Amérique centrale les problèmes économiques, la violence politique et les conflits idéologiques ont instauré une crise morale et politique profonde. Ni les conservateurs ni la gauche ne voient sans doute d'un bon œil la visite du pape au Salvador. Pour Nancy Frazier, Jean Paul II, après seize voyages à l'étranger et plus de trente pèlerinages en Italie, est devenu un homme politique expérimenté tenant compte en permanence des rapports fournis par les fonctionnaires de la secrétairerie d'Etat.

En ce qui concerne la discipline de l'Eglise, elle suppose que Jean Paul II se montrera comme toujours très traditionaliste. Pour beaucoup, la seule présence du pape montrera à quel point il se sent concerné par leur misère, tandis qu'il affrontera directement au cours de cette semaine l'oppression qu'ils subissent.

Mais Nancy Frazier redoute que ce voyage n'aboutisse finalement à un « glorieux échec[4] ».

Selon elle, cet échec tiendrait au fait que le souverain pontife est trop marqué par l'attitude conservatrice des catholiques polonais, hongrois ou roumains qui n'a rien de commun avec celle des catholiques occidentaux à l'égard du contrôle des naissances, du divorce et du mariage des prêtres[5].

Elle craint que l'impact de ce voyage soit, au fond, négligeable.

En première classe, assis près d'un hublot, Mgr John Magee contemple la mer et les contours brumeux du Costa Rica. Il est convaincu que ces voyages à l'étranger sont utiles pour propager et renforcer la foi ainsi que pour promouvoir la dignité humaine et la paix dans le monde[6].

Il y a un an, Magee a été nommé maître des cérémonies. Cette fonction l'amène à se trouver constamment au côté du pape lorsque celui-ci est en public. Tous ceux qui l'entourent aujourd'hui, Casaroli, Kabongo, Dziwisz, le préfet Martin et le délégué de Casaroli, Eduardo Martinez Somalo, savent combien Magee est dur à la tâche. Pendant plusieurs semaines, il a travaillé dix heures par jour pour préparer cette visite en Amérique centrale.

Mais ce voyage a donné également lieu à des critiques. Selon Magee, elles émanent toutes de personnes obnubilées par le moindre geste du pape, prétexte à discussions sans fin. Le maître des cérémonies s'étonne que tant de gens aient du mal à accepter un pape polonais au Vatican. Cette idée fixe les empêche de s'intéresser à sa réelle personnalité, à sa spiritualité, à son courage, à son magnétisme ou à cette faculté qu'il a de comprendre les gens de toutes conditions[7].

A bord, Magee est l'une des rares personnes à avoir lu le discours que le pape s'apprête à prononcer. Il sait que tous ses gestes, la moindre de ses phrases seront analysés et soupesés.

Après avoir embrassé le sol du Costa Rica, une tradition instaurée par Paul VI, que Magee tient à ce que Jean Paul II perpétue, le souverain pontife évoquera cette « clameur s'élevant de ces terres... ce cri de douleur que je veux faire entendre au monde tout au long de mon voyage ».

Mais Magee se demande si le monde comprendra que Jean Paul II a réellement entendu les voix de tous ceux qu'on bâillonne, les plaintes des dépossédés, l'angoisse de ceux qui sont soulevés par la vague de passion qui submerge l'Amérique centrale[8].

Ou bien l'opinion publique ne verra-t-elle qu'un acte politique dans ces dénonciations de meurtre, d'enlèvement et de torture au Guatemala, lorsque joignant sa voix à celle de l'archevêque Damas, il plaidera en faveur d'un « dialogue » entre les dirigeants et les insurgés au Salvador ou lorsqu'il prêchera au Nicaragua pour la nécessité d'une Eglise unie et d'une hiérarchie plus ferme ? Le discours du Saint-Père demandant plus de justice sociale, dénonçant les dangers d'une manipulation idéologique et ordonnant aux prêtres de cette région d'éviter les querelles politiques, peut-il être considéré comme apolitique ? Magee sait qu'à travers ce geste symbolique, Jean Paul II veut obliger l'Eglise locale à prendre conscience de sa mission et à refuser toute compromission tant avec les oligarchies qu'avec les communistes. Il s'agit de rejeter ce que le pape dénonce comme un « capitalisme purement capitaliste » ainsi que le collectivisme des systèmes totalitaires.

Le maître des cérémonies espère que cette foule immense communiera avec Jean Paul II. Il sait qu'elle souhaite prouver sa fidélité à l'Evangile et montrer au pape qu'elle croit passionnément que lui, et lui seul, peut les aider et leur donner au moins des raisons d'espérer. Selon Magee, cela sera la meilleure réponse à toutes les critiques.

L'avion s'apprête à atterrir. Magee, pourtant si intuitif, ne parvient pas à se représenter les difficultés auxquelles va être confronté le pape tout au long de la semaine pour faire partager sa vision dynamique de l'Eglise.

Aéroport d'Aldbrook, Panama

Samedi matin

Un peu avant 11 heures, le père Sean McCarthy, radio-reporter professionnel, s'éclaircit la voix avant de prendre l'antenne[9]. Il se tient sur une plate-forme située à quinze mètres au-dessus de l'autel d'où Jean Paul II concélébrera la messe. Autour de lui, une équipe de techniciens de télévision procède aux dernières vérifications du matériel. McCarthy songe qu'il doit lui-même offrir un curieux spectacle, assis sous son parasol, un vieux chapeau de soleil blanc sur la tête. Sa soutane est constellée de badges officiels : l'un de Radio Vatican, l'autre du gouvernement panaméen, un troisième de l'épiscopat local, un quatrième du nonce apostolique. Depuis son arrivée à Panama, McCarthy collectionne méthodiquement les insignes. Il semble que ce soit le seul moyen d'impressionner l'armée et la police qui ont transformé cette base aérienne de la Seconde Guerre mondiale en une véritable citadelle armée, dans laquelle plus de trois cent mille personnes sont rassemblées aujourd'hui.

Depuis plusieurs heures, sous une chaleur accablante, les fidèles chantent des cantiques. McCarthy, perché au-dessus d'eux, observe cette foule exotique afin de la décrire à ses auditeurs. Pour lui, Jean Paul II a donné le ton de son voyage au Costa Rica en affirmant « nous sommes avec ceux qui souffrent ». Ces paroles vont permettre à McCarthy de rappeler à son auditoire dispersé aux quatre coins du monde (ce reportage en direct sera diffusé en Europe, en Afrique et à travers l'Asie), qu'il « est très difficile de dissocier la religion de la politique, mais que le Saint-Père apporte à tous ceux qui souffrent un message d'espoir, de paix et de fraternité ». McCarthy souligne aussi le caractère purement pastoral de ce voyage et rappelle que le pape s'apprête à guider fermement les fidèles et au besoin à ramener au bercail les brebis égarées.

D'une voix posée, il rend compte à ses auditeurs de la confrontation qui a eu lieu la veille entre le souverain pontife et le gouvernement révolutionnaire sandiniste du Nicaragua. McCarthy n'y a pas assisté personnellement — Radio Vatican dispose d'une équipe de journalistes qui se relaient pour couvrir le voyage —, mais ce qu'il a entendu dire de cette rencontre l'a profondément ébranlé.

Jean Paul II a passé seulement douze heures au Nicaragua. Il est revenu coucher au Costa Rica.

Dès son arrivée à Cesar Agosto Sandino, l'aéroport délabré de Managua, Jean Paul II s'est trouvé confronté aux problèmes politiques. Debout, un sourire contraint aux lèvres, le pape a dû écouter patiemment un membre de la junte se lancer dans une violente diatribe contre les Etats-Unis, mettant en garde son auditoire contre « les bruits de bottes impérialistes qui proviennent de la Maison-Blanche et du Pentagone ». L'orateur, interpellant Jean Paul II, lui a déclaré que le peuple du Nicaragua était « martyrisé, crucifié chaque jour » et que « les patriotes chrétiens et les révolutionnaires faisaient partie intégrante de la révolution populaire sandiniste ».

Puis le premier conflit eut lieu. Passant en revue les personnalités officielles, le pape s'est arrêté devant Ernesto Cardenal, ministre de la Culture, l'un des prêtres qui continuent d'occuper une fonction au sein du gouvernement, s'efforçant de concilier l'idéologie marxiste au christianisme. Cardenal portait l'uniforme des leaders sandinistes, une simple chemise blanche, un pantalon de coton bleu et un béret noir. Lorsque le pape s'est arrêté à sa hauteur, Cardenal a ôté son béret avant de s'agenouiller pour baiser l'anneau papal. Le souverain pontife a aussitôt retiré sa main et sévèrement blâmé le prêtre pour avoir, en dépit de ses objurgations, continué à occuper une fonction politique. Cardenal a tenté de protester mais Jean Paul II l'a interrompu d'un geste autoritaire et, le contraignant à rester à genoux, lui a intimé l'ordre de « régulariser sa position vis-à-vis de l'Eglise [10] ».

Le prêtre honteux est resté à genoux tandis que le pape poursuivait sa revue, le visage de marbre.

Au cours des douze heures qui suivirent, Jean Paul II s'adressa aux héros de la révolution et aux prêtres engagés dans l' « Eglise populaire », un mouvement religieux issu du peuple, les exhortant à cesser leurs activités. D'une voix tonitruante, il délivra un message sans équivoque aux théologiens de la libération du Nicaragua : ils s'engageaient dans un processus absurde et dangereux.

La réaction ne se fit pas attendre et fut d'autant plus spectaculaire qu'elle se produisit au cours de la messe pontificale célébrée sur la plus grande place de Managua. Des groupes de révolutionnaires perturbèrent l'homélie de Jean Paul II en scandant « Le pouvoir au peuple » et « Nous voulons la paix ». Le pape, furieux, leur cria « Silence ! » Mais les clameurs redoublèrent, amplifiées par les haut-parleurs. Pour la première fois de son pontificat, Jean Paul II faillit perdre son sang-froid en public. Il était encore hors de lui quand il regagna le Costa Rica.

Il reste à peine deux minutes avant le début de la messe. McCarthy s'efforce de ne plus songer aux événements du Nicaragua et de concentrer son attention sur la foule au-dessous de lui. Tout d'abord il décrit les fidèles accablés par une chaleur dépassant trente degrés. Ils observent à présent un silence recueilli tandis que le pape se dirige vers l'autel. Magee le conduit lentement vers le trône pontifical. McCarthy dépeint les cocélébrants de la messe : Casaroli, Martinez Somalo et le préfet Martin. De la plate-forme, Cibin surveille la foule et les hommes du service de sécurité qui se déploient sur la place.

La nonciature apostolique, San Salvador

Dimanche après-midi

A la nonciature apostolique, Avenida Norte, la sonnerie du téléphone réservé à cet appel retentit.

A près de dix mille kilomètres de distance, à Bonn en Allemagne de l'Ouest, il est 9 heures du soir. Guido del Mestri, nonce en R.F.A., demande à parler à Sa Sainteté.

Lajos Kada, le nonce en poste au Salvador, conduit Jean Paul II à la bibliothèque de la nonciature dont les étagères de bois tropical sont remplies de livres rares. Casaroli, Somalo, Dziwisz et Kabongo les accompagnent. Ils observent en silence le pape qui écoute Del Mestri avec attention.

L'attente de cet appel téléphonique perturbe le pape depuis le début de son séjour au Salvador. Les nouvelles que Del Mestri est chargé de lui communiquer ne concernent rien moins que le destin de l'Europe[11].

Le nonce transmet les premières estimations traitées par ordinateur des résultats des élections en Allemagne de l'Ouest. Chacun des quarante-trois millions quatre cent mille électeurs a participé à un scrutin qui prend des allures d'événements capital. Jamais, depuis l'époque hitlérienne, les électeurs allemands n'ont subi de telles pressions de la part de Moscou et de tels encouragements de la part de Washington, qui les exhorte à remplir leur « devoir » de citoyens et à ratifier le projet de déploiement des fusées Pershing sur leur sol.

Un grand nombre d'Allemands ont le sentiment qu'il s'agit pour eux de « choisir entre les deux superpuissances[12] ».

La campagne a été très personnalisée par les deux antagonistes en présence : le chancelier Helmut Kohl approuve l'installation des missiles et Hans Jocken Vogel, le social-démocrate, se déclare résolument contre.

Jean Paul II a suivi attentivement la campagne électorale[13]. Il a été frappé par la résurgence d'un nationalisme sourcilleux et par les efforts de Kohl, vers la fin de sa campagne, pour prendre ses distances vis-à-vis de Reagan, afin de remporter la victoire, tous les sondages d'opinion démontrant que même les plus farouches supporters du chancelier souhaitaient qu'il différât l'installation des fusées.

La perspective d'une crise économique et la montée du chômage ont été les thèmes majeurs de cette campagne. Mais le véritable enjeu des élections a été l'installation éventuelle des fusées de l'O.T.A.N.

Le pape est persuadé que la vague de pacifisme et de neutralisme que la campagne électorale a révélée va persister. Il est certain, et Casaroli partage cette opinion, que le mouvement pacifiste en Europe de l'Ouest, particulièrement puissant en Allemagne et en Grande-Bretagne, n'est pas téléguidé par Moscou : en fait, mis à part un soutien purement verbal, l'Union soviétique n'a pas facilité la tâche de ces mouvements en ne proposant ni limitation ni réduction des installations de ses propres fusées. Le mouvement pacifiste soutient une position diamétralement opposée à celle que le pape a maintes fois énoncée et selon laquelle le désarmement unilatéral n'est ni réalisable ni même souhaitable, surtout pas de la part des Etats-Unis.

Pendant la campagne, l'épiscopat ouest-allemand a, en de multiples occasions et en accord avec le pape, avancé la thèse que le désarmement, s'il était désirable en soi, ne pouvait être entrepris sur des bases irréalistes [14].

L'appel de Del Mestri répond à la question qui préoccupait le Saint-Père depuis son arrivée à San Salvador : de quel côté ont penché les Allemands de l'Ouest ?

Le nonce est catégorique : selon les premières estimations, le chancelier Kohl sera réélu avec une impressionnante majorité [15].

C'est la seule bonne nouvelle que Jean Paul II ait reçu depuis son arrivée dans ce pays déchiré. Les quelques heures qu'il a passées au Salvador lui ont permis de constater que la situation était encore pire que ne le lui indiquaient les rapports dont il disposait. L'épiscopat salvadorien est plus amer et désabusé que ne le laissaient entrevoir les dossiers de la secrétairerie d'Etat. Les prêtres sont écartelés entre ceux qui soutiennent le gouvernement et ceux qui penchent en faveur des insurgés, la majorité étant hésitante quant à la voie à suivre. A l'occasion d'une messe célébrée aujourd'hui, Jean Paul II a demandé aux adversaires de se rencontrer et de négocier. « Le dialogue que recherche l'Eglise ne doit pas être considéré comme une opération tactique permettant aux protagonistes de renforcer leurs positions, mais au contraire comme la recherche d'un véritable terrain d'entente », a-t-il conclu.

De même que l'appel téléphonique de Del Mestri confirme au pape que les électeurs allemands partagent son point de vue sur le désarmement nucléaire, Jean Paul II est convaincu que ses déclarations contribueront à réconcilier les évêques salvadoriens et inciteront le gouvernement et la guérilla à se rencontrer à la table des négociations.

A 18 h 15 précises, le pape quitte la nonciature. Il prend place dans le *popemobile* pour parcourir les trois kilomètres qui le séparent de la cathédrale. Là, il s'agenouille et prie sur la tombe de l'archevêque Romero. Puis il se relève et exprime le souhait que le souvenir de Romero soit toujours honoré et qu' « aucune idéologie ne cherche à récupérer le sacrifice de ce pasteur conduisant son troupeau ».

L'appel du pape, comme tant d'autres en Amérique centrale, restera vain.

Stade Campo de Marte, ville de Guatemala

Lundi matin

D'une voix onctueuse, McCarthy continue de décrire les lieux à ses auditeurs. Au-dessus de cette immense foule — « près de cinq cent mille personnes venues témoigner de leur foi » — flotte une immense bannière qui résume bien l'esprit de ce voyage : DONDE ESTA EL PAPA ESTA CRISTO, « Là où est le pape, est le Christ ».

Une gigantesque croix d'acier a été érigée dans le stade : McCarthy commente les difficultés techniques rencontrées par les organisateurs. Jusqu'au dernier moment, les fidèles ont cru que cette messe de même que la visite du pape seraient annulées.

Le commentateur ne parvient pas à concevoir qu'un gouvernement puisse être aussi grossier et aussi peu soucieux de son image que l'a été celui du président Rios Montt, à l'occasion du voyage officiel du pape au Guatemala.

Montt dirige une secte d'évangélistes protestants suffisamment puissante pour menacer la suprématie traditionnelle du catholicisme au Guatemala et dont le fanatisme n'est pas sans rappeler, selon McCarthy, l'intolérance des protestants de l'Irlande du Nord. Les catholiques reprochent aux membres de cette secte d' « être un danger pour la culture traditionnelle du pays, l'unité de la famille et la stabilité spirituelle du peuple ». Quant aux disciples de Montt, ils ont profité de la visite du souverain pontife pour rappeler à leurs adeptes que les sept cents prêtres du pays (pour six millions de catholiques) ont de tout temps soutenu les dictatures. Montt a refusé de verser les trente-deux mille dollars nécessaires à l'achat d'un *popemobile* et a suggéré que Jean Paul II se contente de la simple conduite intérieure mise à sa disposition par le gouvernement. C'est un catholique fortuné du Guatemala qui s'est procuré, en Europe, un *popemobile* d'occasion. Montt a fait pire : à seule fin d'humilier les catholiques fervents du pays, il a déclaré qu' « il lui était personnellement impossible de recevoir le pape en tant que chef de l'Eglise ».

Mais ce ne sont là que peccadilles, entorses mineures à la courtoisie diplomatique, comparées à la façon dont s'est conduit Montt quelques jours avant l'arrivée de Jean Paul II : le président a rejeté une requête officielle du Saint-Siège lui demandant de gracier six terroristes. Les six hommes ont été fusillés non loin de l'endroit où se tient aujourd'hui McCarthy.

Les chœurs entonnent un cantique espagnol. McCarthy se demande quelle sera la réaction du pape à l'insulte que lui a infligée le gouvernement guatémaltèque.

Evitant toute allusion directe à ces exécutions, Jean Paul II fustige les positions prises par la secte de Montt. Cette attaque est improvisée et ne figure pas dans le texte officiel de son allocution.

Le pape demande à la foule assemblée et au monde de prêter la plus grande attention à ses paroles : « Hommes de toutes conditions et de toutes idéologies, écoutez-moi. » Il dénonce vigoureusement les violations des droits de l'homme et condamne les discours qui ne sont pas en conformité avec les actes. La religion ne peut à elle seule garantir les droits de l'homme, cette tâche nécessite des institutions politiques adéquates.

Manifestement ému, McCarthy résume le discours du pape. « Jean Paul II vient de nous rappeler qu'il ne faut pas confondre religion et politique. L'essentiel, insiste-t-il, est de respecter, à travers l'une et l'autre, la dignité de l'homme. Tous ceux qui aujourd'hui ont entendu cet appel doivent se féliciter d'avoir fait le voyage. Je doute que le Saint-Père puisse délivrer un message plus important que celui-ci pendant le reste de son séjour dans cette partie si troublée du monde. »

Au Honduras, Jean Paul II lancera de nouveau un appel à la cessation des hostilités. A Belize, il plaidera en faveur de l'unité des chrétiens et, à Haïti, il évoquera l' « harmonie et la paix ».

A son retour, il dira à plusieurs reprises que ce voyage en Amérique centrale a été une « merveilleuse expérience pour lui » et qu' « il y retournera avec grand plaisir [16] ».

Personne n'a mis en doute sa sincérité mais certains se sont demandés si ce langage était approprié alors que le pape venait, selon les termes employés par Kabongo, d'« entrevoir l'enfer sur terre ».

Prison d'Ascoli Piceno

Mercredi matin

Trois mois après qu'Agca eut déposé sa requête, Martella lui a accordé la permission d'écrire au pape. Sur les conseils du psychiatre, on l'a laissé rédiger sa lettre dans sa cellule. Les feuilles de papier roulées en boule qui jonchent le sol témoignent de la difficulté d'Agca à trouver les mots justes [17].

Le psychiatre analysera ces brouillons dans l'espoir d'y trouver des indications sur l'importance de la schizophrénie de son malade. Il en sait déjà beaucoup sur les désordres émotionnels, les troubles de la volonté et de la motricité d'Agca et a noté chez lui une tendance à la mythomanie et aux hallucinations. Il estime qu'une connaissance plus approfondie de la maladie du prisonnier est nécessaire afin que le juge d'instruction sache quel crédit accorder à ses propos.

Agca ne sait pas comment s'adresser au pape. Il écrit : « Cher pape », « Saint-Père », « Saint-Homme », « Votre Excellence », « Votre Sainteté » et, mêlant le turc à l'italien : « Bay Papa ». Finalement, il se décide pour « Père de Votre Peuple ».

Il trouve tout aussi difficile de commencer sa lettre. Il a fait plusieurs tentatives : « C'est Mehmet Ali Agca qui vous écrit », « C'est votre prisonnier, Mehmet Ali Agca qui écrit », « Vous saurez qui je suis en lisant l'adresse », « J'espère que cette lettre ne vous surprendra pas ». Aucune de ces formules ne le satisfait pleinement. Les feuilles griffonnées tapissent le sol autour de sa chaise.

Il se lève et arpente sa cellule essayant d'exprimer ses idées à voix haute. Il ignore qu'il est enregistré. Par la suite, le psychiatre écoutera la bande afin d'y déceler les symptômes d'une pensée dénuée de séquences logiques.

Au bout d'un moment, Agca se remet à écrire.

La lettre, rédigée en italien, sera finalement brève et assez bien construite. Agca décide d'aller droit à l'essentiel, en demandant au pape de lui accorder son pardon. « Je sais maintenant que vous êtes vraiment un saint homme et je regrette ce que j'ai fait. » Puis il termine en souhaitant à Jean Paul II « tout ce que vous espérez de meilleur pour votre sainte année, votre travail et votre vie personnelle ». Il signe sa lettre : « Avec un profond respect, Mehmet Ali Agca. »

Il la glisse dans une enveloppe non cachetée, adressée à « Son Excellence le Pape, Père de Son Peuple » et la remet ainsi que les brouillons à un gardien.

Le tout est aussitôt confié au psychiatre qui en photocopie chaque feuillet. Les originaux sont envoyés au juge Martella qui les classe dans un dossier puis en fait parvenir une copie à Kabongo. Kabongo en prend connaissance avant de la porter au pape. Après lecture, Jean Paul II demande à son secrétaire d'informer Agca que sa lettre a reçu un accueil favorable [18].

La secrétairerie d'État

Vendredi après-midi

Une voiture du Vatican dépose Poggi dans la cour San Damaso. Il se précipite vers son bureau. Le nonce est de retour de son « poste d'écoute » de Varsovie [19].

Parmi ses informateurs à Varsovie figurent de hauts responsables soviétiques, proches d'Andropov. Le nonce garde leur identité secrète et même Casaroli ne les connaît sans doute pas tous. Selon certains membres de la secrétairerie, Georgi Arbatov, directeur de l'Institut des études américaines et canadiennes à Moscou et ami de longue date du leader soviétique, est l'une des sources de Poggi. Arbatov et Andropov passent régulièrement leurs vacances ensemble.

Que ce soit par lui ou par un autre, Poggi a appris que, contrairement à ce que certains bruits provenant de Londres, de Paris et de Bonn laissaient entendre, Youri Andropov ne pensait pas que la victoire de Kohl aux élections ouest-allemandes entraînerait un durcissement de la position de l'administration

Reagan à l'égard de l'Union soviétique[20], bien que la tonalité naturellement antisoviétique des propos du président Reagan se soit accentuée depuis la victoire électorale du chancelier Kohl. On a fait savoir à Poggi que les Soviétiques attribuaient ce durcissement du langage du président à la nécessité pour lui de se concilier l'appui des républicains conservateurs.

Selon les informateurs de Poggi, la stratégie soviétique reposera désormais sur l'analyse du K.G.B. qui entrevoit des désaccords au sein du gouvernement de Reagan. Le secrétaire à la Défense, Casper Weinberger, est opposé à tout compromis sur le déploiement des missiles en Europe[21], alors que le secrétaire d'Etat, George Schultz, est de plus en plus sensible au malaise qui règne dans certaines capitales européennes.

Dans l'état actuel des choses, n'étant pas en mesure d'évaluer précisément l'influence respective de Weinberger et de Schultz au sein de l'administration Reagan, Poggi ne veut pas conseiller le Saint-Siège sur la position qu'il devrait adopter. Mais sa longue expérience du « déchiffrage des signes[22] » l'incite à penser que désormais les Russes croient avoir acculé les Etats-Unis à la défensive.

9

Réactions de Rome

C'est sur le Campo di Fiori que le Saint-Siège faisait brûler les hérétiques. Une statue indique l'endroit où s'élevait autrefois le bûcher. Un sol pavé et un marché ont remplacé depuis longtemps les pelouses et les fleurs. Le Dr Rudi prétend que le poisson que l'on y vend est souvent congelé et que les pamplemousses proviennent d'Afrique du Sud. Il aime à recueillir ce genre d'information.

Nous traversons la grande place et il nous confie que le contenu de l'épaisse enveloppe qu'il tient à la main ne sera probablement d'aucune utilité. Il s'agit de la dernière version de la lettre pastorale américaine. Deux exemplaires viennent d'arriver des Etats-Unis. L'un est destiné au pape, l'autre à Ratzinger au Saint-Siège. Mais, avant que quiconque ait pu en prendre connaissance, elle a été photocopiée en secret pour Rudi.

Nous avons rencontré Rudi pour la première fois il y a un an à Vienne où nous avions un ami commun, Simon Wiesenthal, le chasseur de nazis. Nous n'avons jamais très bien su ce que Rudi faisait dans la capitale autrichienne. A Rome, il a une couverture diplomatique mais nous n'ignorons pas, bien qu'il soit très discret sur le sujet, qu'il travaille pour le B.N.D., les services secrets allemands. Tout ce que nous savons de lui c'est qu'il est intelligent, rusé, et qu'il est docteur en droit. Il connaît bien ce qu'il appelle l'*italienische Kultur* et la vie privée des Romains très en vue n'a pas de secret pour lui. Il ne raffole pas des *shekelles,* les Juifs de Rome, ni des communistes qui habitent le quartier où nous nous trouvons en ce soir de printemps. Ses méthodes de travail ne diffèrent guère de celles de Mad Mentor et de la plupart des agents que nous avons rencontrés, mais Rudi est sans doute le plus efficace.

Il prétend aller au-devant des ennuis en nous aidant, mais le fait est qu'il reste la source le plus sûre dont nous disposons en ce qui concerne Agca et la filière bulgare. Grâce à lui, nous pouvons vérifier les rumeurs qui courent sur la politique du Vatican, mais nous n'avons jamais pu savoir exactement d'où il tenait ses propres informations. Une chose est certaine : réussir à photocopier un document destiné au pape suppose des contacts que seuls une longue expérience et beaucoup d'argent permettent d'acquérir.

Rudi a choisi un restaurant un peu à l'écart pour notre *treff* (il utilise toujours ce vieux terme de l'*Abwehr* qui signifie rendez-vous). Ici il est connu et on nous installe au fond de la salle. Nous commandons de la bière allemande et des pâtes.

En sortant la lettre pastorale de son enveloppe, il désigne avec satisfaction le tampon très secret qu'elle revêt. Il parcourt pour nous le document qui ne compte pas moins de cent cinquante pages, y compris les annexes, dont il a déjà pris connaissance. Selon lui, cette lettre donnera à beaucoup l'illusion qu'ils ont avancé mais elle n'apaisera certainement pas ceux qui, dans chaque camp, ont intérêt à ce que le débat sur le désarmement s'enlise.

« Ici, dit-il en nous désignant un paragraphe, ici, ils déclarent être rigoureusement opposés à toute utilisation des armes nucléaires en première frappe ainsi qu'au bombardement des populations civiles. Bien. » Il tourne une autre page. « Et, là, ils disent que la dissuasion est " acceptable " dans la mesure où elle contribue à enclencher un processus de désarmement. Mais ils n'abordent pas le rôle que jouerait dans la dissuasion la menace d'une première frappe. A quoi rime la dissuasion si elle ne s'accompagne pas de la volonté de mettre cette menace à exécution ? »

Nous lui faisons part des informations que nous avons nous-mêmes recueillies au palais apostolique au sujet de la controverse suscitée par l'emploi, dans la lettre pastorale, des mots « arrêt » ou « réduction » appliqués à la fabrication et au développement des armes nucléaires.

« *Mensch !* jure-t-il, en prenant une gorgée de bière. Dans les deux premières versions, ils parlaient d' " arrêt ". Maintenant il n'est plus question que de " réduction ", probablement sous la pression des évêques européens et de l'entourage de Reagan. Peut-être dans la version définitive reviendront-ils à la formulation initiale. Quelle différence cela fait-il ? »

En parcourant la lettre, il commente avec mépris : « Un document bien écrit pour peu de résultats. »

Notre attention est attirée par un paragraphe où s'exprime le « profond scepticisme » des évêques sur la possibilité de circonscrire un conflit nucléaire : cette formulation sans équivoque n'est certainement pas destinée à faire plaisir aux militaires.

Rudi hausse les épaules. « Deux ans et demi de travail pour aboutir à de tels lieux communs ! »

On nous sert de copieux steaks florentins et du vin de Sardaigne, puis nous changeons de sujet.

Deux semaines auparavant, nous avions demandé à Rudi s'il pouvait exister un rapport entre un banal accident survenu sur une route irlandaise et l'attentat commis par Agca. Ce n'est pas la première fois qu'un incident apparemment banal révèle certains aspects imprévisibles et peu reluisants des activités des services secrets [1].

L'apparente simplicité des faits est trompeuse. Une B.M.W. immatriculée en Angleterre a traversé la mer d'Irlande en direction de Rosslare. Le conducteur, un Allemand nommé Gerrit Kusters, était accompagné de sa petite amie irlandaise, Marie McCarthy. Tous deux étaient intimement liés avec Frank Terpil qu'ils voyaient beaucoup à Beyrouth jusqu'à ce qu'il disparaisse en novembre 1981, soit huit mois après la tentative d'assassinat perpétrée par Agca.

Agca a toujours prétendu que Terpil l'avait aidé à préparer cet attentat. C'est ce que le milieu des renseignements romains appelle aujourd'hui la filière Terpil. Sous cette appellation se cache l'hypothèse extraordinaire selon laquelle la C.I.A. serait impliquée dans le complot fomenté contre le pape.

La B.M.W. que conduisait Kusters appartenait à Marilyn, la femme de Terpil. Après que celui-ci eut disparu de Beyrouth, enlevé par trois hommes qui, d'après certains agents des renseignements romains (mais pas selon Rudi), appartenaient à la

C.I.A., Marilyn Terpil s'était installée en Angleterre avec Kusters et Marie McCarthy dans leur appartement londonien.

Mme Terpil rentra soudain à New York sans donner d'explication, se contentant de demander à Kusters de revendre sa B.M.W. A son arrivée à l'aéroport Kennedy, elle fut arrêtée pour trafic d'armes avec l'Ouganda pendant la dictature d'Amin Dada, puis, selon l'usage, libérée sous caution.

Le lendemain, Kusters et Marie McCarthy partirent pour l'Irlande. Dans les bagages de Marie on trouva un dossier contenant une série de télex, un double du testament de Terpil, des formulaires de fret aérien et le carnet d'adresses d'un proche collaborateur de Terpil Gary Korkola, qui avait également travaillé pour la C.I.A. Il était alors détenu à la prison centrale de Madrid, recherché comme Terpil par la justice américaine : Korkola avait été condamné précédemment à New York pour contrebande d'armes.

Avant de revendre la B.M.W., Kusters décida d'emmener sa compagne voir sa famille. Ils se trouvaient à quatre-vingts kilomètres de Rosslare quand Kusters perdit le contrôle de sa voiture et heurta un talus. Il en fut quitte pour cinq cents dollars de réparations. Le couple décida de regagner Londres immédiatement. Peu après, Kusters s'envolait pour l'Arabie Saoudite où, étrange coïncidence, est réfugié Idi Amin Dada. Marie McCarthy demeura seule à Londres, avec ces documents compromettants.

Quatre jours avant qu'Agca n'écrive sa lettre pour implorer le pardon du pape, les agents du F.B.I. avaient obtenu d'un juge de Madrid l'extradition de Korkola. Deux jours plus tard, il comparaissait devant un tribunal de Manhattan, accusé d' « avoir avec la complicité d'un ancien officier des renseignements américains, vendu illégalement des armes à l'Ouganda ». Marilyn Terpil fut accusée d'être la complice de Korkola.

Rentrée à Londres, Marie McCarthy se sentait de plus en plus inquiète. Elle était convaincue que l'Intelligence Service, la C.I.A. ou d'autres services de renseignements étrangers essayaient de l'intimider. Elle pensait que son téléphone était sur écoute, qu'on la suivait et que sa vie était en danger. Elle finit par s'enfuir en Irlande afin d'y rejoindre la seule personne en qui elle pouvait avoir confiance en ces circonstances, son frère John, un publicitaire de Dublin qui nous a contactés.

Nous travaillons généralement ensemble, mais cette fois nous

nous séparâmes. L'un de nous deux resta à Rome ; l'autre partit pour l'Irlande.

John MacCarthy accepta d'enregistrer son incroyable histoire sur magnétophone. Il affirma que Terpil avait, de Londres, expédié des armes au Moyen-Orient. Il nous donna le nom d'un officier de Scotland Yard impliqué avec Terpil dans cette affaire, croyant manifestement que ce dernier travaillait encore pour la C.I.A. McCarthy donna des dates et des noms qu'il tenait de sa sœur Marie. Il avait dit et répété à sa sœur que sa seule chance de « survie » était de « rendre cette affaire publique[2] ». C'était donc avec son accord qu'il nous avait contactés.

Le lendemain, Marie nous fit une longue énumération du contenu de son dossier[3]. Il comprenait le carnet d'adresses que Korkola lui avait confié avant son arrestation en Espagne. Tous les numéros de téléphone des services de renseignements à Londres, New York, Washington, Mexico, Damas, Beyrouth, Paris et d'autres villes européennes y figuraient. Un autre document concernait un inspecteur haut placé de Scotland Yard. Marie accepta que tous ces documents fussent photographiés.

Puis, comme à Londres, elle fut prise de panique. Elle craignait, en rendant cette affaire publique comme le lui avait conseillé son frère, d'accroître la menace qui pesait sur elle. Elle nous raconta qu'un de ses amis, Kevin Mulcahy, s'était trouvé dans une situation analogue. Il travaillait pour la C.I.A. avec Terpil. Ils s'étaient revus à Beyrouth où ils s'étaient brouillés. De retour à Washington, Mulcahy déclara ouvertement qu'il se vengerait de Terpil. Peu après, il fut retrouvé mort*. Marie MacCarthy est convaincue qu'il a été assassiné et que le même sort lui sera réservé s' « ils » apprennent qu'elle a parlé. En proie à de sombres pressentiments, elle disparut de nos vies aussi vite qu'elle y était entrée.

Peu de temps après, un homme se prétendant inspecteur de l'Irish Special Branch nous informa par téléphone que nous étions sur le point d'être arrêtés pour « agissement contre l'Etat irlandais », mais sans nous préciser quel était exactement le chef d'inculpation[4]. Nous jugeâmes plus prudent de vérifier cette

* Kevin Mulcahy, officier supérieur de la C.I.A., avait à lui seul convaincu le gouvernement américain de poursuivre Terpil en justice. Il fut retrouvé mort en Virginie, au mois de novembre de la même année, dans des circonstances déconcertantes. (*N.d.T.*)

information auprès de la *garda* irlandaise et de nous assurer les services d'un avocat à Dublin. Tous deux nous certifièrent que nous ne courions aucun danger d'être arrêtés. Quand la *garda* eut étudié toutes les preuves fournies par John et Marie McCarthy, ils estimèrent que ce coup de téléphone insolite constituait une menace suffisamment sérieuse pour que ces derniers bénéficient d'une protection armée vingt-quatre heures sur vingt-quatre au cas où le faux inspecteur ou ses amis décideraient d'intervenir.

La police irlandaise, cependant, fut incapable de répondre à ces questions : pouvait-on croire les McCarthy lorsqu'ils affirmaient que Terpil faisait encore partie de la C.I.A. quand il entraînait Agca ? Marie McCarthy, interprétant les documents contenus dans son dossier, prétendait que « Frank était et est encore un agent de la C.I.A. [5] » Pouvait-on se fier à elle ? Fallait-il croire John McCarthy quand il rapportait en détail une conversation téléphonique remontant au mois de décembre 1982, entre Marilyn Terpil et son mari, au cours de laquelle il se plaignait d'être « à court d'argent parce que la " compagnie " l'étranglait [6] » ? En dernier lieu, les McCarthy pouvaient-ils être pris au sérieux lorsqu'ils déclaraient que Terpil continuait à jouer le plus dangereux de tous les rôles, celui d' « agent double » de la C.I.A. au Moyen-Orient [7] ?

Nous avons remis à Rudi la bande de John McCarthy ainsi que les doubles de tous les documents fournis par sa sœur afin de voir ce qu'il pourrait y découvrir.

Ce soir, après le café et la *grappa*, l'agent du B.N.D. devient plus loquace que ses confrères de la sécurité irlandaise.

Il est convaincu que l'appel téléphonique de l'homme se prétendant détective irlandais était une grossière mystification imaginée par l'un des membres des services secrets de Dublin à seule fin de nous inquiéter. Selon Rudi, « nous aurions sans doute mis le doigt sur quelque chose d'important ».

L'officier des renseignements nous confie que le B.N.D. commence à se demander avec intérêt pourquoi la C.I.A. a jugé nécessaire de gêner Martella dans son enquête, en essayant de faire passer Agca pour un « solitaire ». Rudi raconte qu'au quartier général de ses services, situé à Pullach dans les faubourgs de Munich, les experts envisageaient l'hypothèse d'un lien entre la C.I.A. et les Bulgares. « Il ne pourrait s'agir que d'un hasard et non pas de complicité », s'empresse-t-il d'ajouter. De tels incidents se sont déjà produits auparavant : il arrive parfois que des services rivaux partagent une information ou bien un agent double sans le vouloir. Rudi répète qu'il ne s'agit là que d'une simple hypothèse, mais, si Terpil avait réellement été un « agent double », il eût été indispensable pour lui de continuer à entraîner Agca afin de garder une couverture.

Nous nous regardons d'un air interrogateur. Rudi commande une seconde tournée de *grappa.* Il réfléchit à voix haute.

Si Terpil travaillait encore pour la C.I.A., aurait-il dit à l'Agence qu'il entraînait Agca ? Certainement pas. A ce moment-là, Agca n'était qu'un terroriste parmi d'autres. En réalité, il était recherché par la Turquie pour meurtre et faisait l'objet d'une mise en alerte codée en rouge par Interpol *. Mais cela n'aurait pas suffi à le distinguer des autres dans ce camp d'entraînement libanais. A cette époque, il n'était qu'une recrue parmi la centaine d' « étudiants en terrorisme » qui passaient entre les mains de Terpil.

Terpil était-il au courant de la mission dont Agca allait être investi ? C'est peu probable. Il a su de façon certaine qu'Agca devait tuer le pape peu de temps avant que cela ne se produise.

Après la tentative d'assassinat, Terpil a-t-il informé de son rôle ses supérieurs de la C.I.A. ?

« *Mensch !* s'exclame Rudi. C'est la deuxième question importante et qui découle immédiatement de la première : est-il possible que Terpil ait travaillé comme agent double avec l'accord de la C.I.A. ? Nous ne sommes pas en mesure de répondre. »

La C.I.A. sait-elle où se trouve actuellement Terpil ? S'il est encore vivant, elle ne peut pas l'ignorer. Question de prestige.

Mais alors, pourquoi la C.I.A. ne l'a-t-elle pas récupéré ? C'est là le plus grand mystère de toute cette affaire. La C.I.A. dispose, si elle le désire, d'innombrables moyens pour faire rentrer dans le rang quelqu'un comme Terpil. Mais supposons qu'il soit devenu trop gênant ? Bien qu'il puisse s'agir là de sa couverture, son comportement au cours de l'année précédant sa disparition a été pour le moins extraordinaire.

Cette année-là, Frank Terpil a accordé une étonnante interview

* Ce qui signifie que les forces de police d'Interpol ont pour ordre de tirer à vue, mesure réservée aux terroristes les plus dangereux. (*N.d.T.*)

à la télévision, dans une émission intitulée « L'homme le plus dangereux du monde » consacrée à ses activités terroristes. Il a raconté qu'il avait fait partie de l'escadron des tueurs d'Idi Amin Dada en Ouganda et qu'il avait créé un centre de torture au Moyen-Orient. Tout au long de ce film, Rudi a eu la nette impression que Terpil avait eu, au minimum, des liens étroits avec la C.I.A. Ce type de reportage, est-il nécessaire de le rappeler, est tout à fait inhabituel pour un agent de renseignement. Rudi est convaincu que, si Terpil était effectivement un agent double, il aurait reçu l'autorisation de la C.I.A. d'apparaître dans ce film. D'autre part, si Terpil s'était retrouvé en prison, il aurait sans doute parlé : ce reportage avait montré qu'il était capable de compromettre toutes sortes de gens. Cela conduit à deux autres hypothèses : ou bien Terpil n'a jamais été retrouvé parce qu'il a été réduit définitivement au silence, soit directement par la C.I.A., soit par l'un de ses satellites, ou bien, l'Agence utilise toujours Terpil sous une couverture quelconque au Moyen-Orient. Seule cette dernière conjecture pourrait expliquer que la C.I.A. tienne à donner d'Agca l'image d'un solitaire et d'un fanatique exclusivement motivé par ses passions religieuses. Rudi savoure sa *grappa.* « Voulez-vous mon sentiment profond ? Terpil est bien vivant et travaille comme agent double. C'est pourquoi Martella dérange tant la C.I.A. Si le juge croit Agca, la filière Terpil escamotera la piste bulgare. Et personne à la C.I.A. n'a envie d'en arriver là. Il se peut que Martella passe lui aussi un mauvais moment. »

« Pauvre Martella, dit l'un de nous.

— Amen », soupire Rudi.

Il y a une dernière question que nous désirons poser à Rudi.

Il s'agit de Clarissa McNair.

Rudi nous explique que l'Agence a un dossier en cours sur la speakerine.

« Comment pouvez-vous l'affirmer avec certitude ? lui demandons-nous.

— C'est mon boulot de savoir ces choses-là », nous répond-il.

Bien après minuit, nous rentrons à l'auberge Santa Chiara. Comme à l'accoutumée, nous mettons nos notes au clair, complétant celles prises au cours de l'entretien, essayant de nous souvenir du ton de Rudi. Quand nous en avons terminé, après nous les être mutuellement relues — vérifiant que nos interprétations sont justes et que nous n'avons rien omis —, nous commençons à préparer d'autres questions en vue de nouvelles interviews. Rudi nous a persuadés d'une chose : nous avons eu raison de laisser Kabongo emprunter les cassettes et les documents des McCarthy.

Ce n'est pas la première fois que nous fournissons des informations au Vatican. Lors de notre enquête sur le passé d'Agca, nous avons remis à Kabongo des copies des cahiers scolaires d'Agca, des dossiers médicaux et des rapports de prison, documents que nous nous étions procurés en Turquie[8]. A notre grande surprise, le secrétaire nous confia que le Vatican n'avait pas encore pris connaissance de ces documents. Il nous assura, cependant, qu'ils seraient remis au pape, « car le Saint-Père porte un intérêt légitime à tout ce qui concerne Agca[9] ». Le fait de fournir ces informations aurait pu nous valoir un avantage sur d'autres personnes, travaillant sur le même sujet, mais nous prenons soin de ne pas exploiter la situation. Seuls les faits dont nous pensions qu'ils présentaient un intérêt capital pour le pape avaient été portés à la connaissance de Kabongo et nous n'avons jamais tenté d'obtenir des informations en échange des nôtres.

En ce qui concerne la documentation des McCarthy, le secrétaire nous a demandé s'il pouvait la conserver quelques jours afin de la photocopier. Kabongo nous a appris par la suite que la secrétairerie d'Etat l'avait étudié. Jean Paul II lui-même a écouté certains passages de l'enregistrement de John McCarthy. Cibin a également examiné nos documents. Lorsque nous lui avons demandé quelles réactions ceux-ci avaient suscitées, Kabongo s'est montré des plus évasifs. Rudi a confirmé ce que nous pensions déjà. Selon lui, la réticence inhabituelle de Kabongo était due au fait que le contenu de cette documentation confirmait l'opinion de Cibin et d'un certain nombre de personnes à la secrétairerie : à travers Terpil, la C.I.A. aurait pu être mêlée à la tentative d'assassinat. Mais comment prouver maintenant que la C.I.A. est ou n'est pas impliquée dans cette affaire ? Le fait que l'Agence dispose d'un solide dossier sur Clarissa McNair n'a rien de surprenant. C'est le contraire qui le serait. Le problème est de savoir si elle constitue une exception. Ou bien de nombreux employés du Vatican sont-ils ainsi fichés dans les ordinateurs de l'Agence ? Et, si oui, quel usage en fait-elle ?

10

La secrétairerie d'État

Lundi matin

Le dossier qu'il est convenu d'appeler en abrégé l' « affaire chinoise » — un ensemble de problèmes apparemment sans rapport mais en fait étroitement liés — est de nouveau sur le bureau de Casaroli. Ce dossier voisine avec une étude sur la stratégie à court terme de l'O.L.P., une analyse du rôle actuel joué par le parti communiste italien, un rapport sur la controverse soulevée par l'avortement en Irlande, le point sur l'état de santé d'Andropov, un dossier sur les derniers rebondissements de la *pista bulgara*, un autre sur les activités de William Wilson et de Mad Mentor.

Comme dans tout ministère des Affaires étrangères, l'activité des fonctionnaires est alimentée par de tels dossiers. Chaque matin, le personnel de la secrétairerie — une trentaine de chefs de service, de conseillers et de secrétaires ainsi que l'ensemble de leurs collaborateurs, soit au total une centaine de personnes — trie les dépêches. C'est le premier passage au crible des informations dans le moulin de la diplomatie, dont l'objectif idéologique déclaré est de « soutenir la cause de la paix et de créer des conditions de vie favorisant le plein épanouissement de la personne humaine[1] ». En pratique, « ceux du troisième étage » se considèrent comme mandatés pour sauvegarder l'indépendance et l'influence du Saint-Siège : la majorité des dossiers qui passent entre leurs mains sont considérés sous l'angle des relations présentes et futures entre l'Eglise locale et l'Etat. Cette priorité reste la préoccupation constante de chacun, de Casaroli au plus modeste fonctionnaire.

Avant d'en venir à la question chinoise, très problématique, il reste un dernier point qui, à la demande du pape, doit être étudié en priorité. Jean Paul II tient à connaître l'opinion de Casaroli sur la dernière manifestation de Solidarité, le syndicat interdit en Pologne, afin de déterminer si elle peut inciter le gouvernement polonais à annuler une nouvelle fois le voyage du pape.

Près de deux mille membres de Solidarité s'étaient rassemblés devant les chantiers navals Lénine à Gdansk, à l'endroit même où le syndicat avait été créé. Les manifestants avaient chanté des cantiques, face au monument dédié aux travailleurs tués lors des affrontements avec les forces gouvernementales. Le service d'ordre les avait rapidement dispersés.

Le bureau des Affaires polonaises rapporte que l'ancien slogan provocant de Solidarité « L'hiver est à vous, le printemps sera à nous », est de nouveau placardé sur tous les murs du pays. Cependant, la position adoptée par Lech Walesa n'est pas claire. Il a publiquement demandé que Solidarité déploie des moyens de protestations plus efficaces[2]. Cependant son seul commentaire sur la manifestation fut qu'elle s'était déroulée sans le soutien officiel du syndicat et que toute l'affaire était une provocation montée par les autorités. Le bureau des Affaires polonaises voit dans cette manifestation, l'expression pure et simple d'un mécontentement.

La secrétairerie redoute que Walesa se conduise dans les semaines à venir de façon tout aussi imprévisible et que, les tensions s'aggravant en Pologne, le gouvernement décide d'annuler le voyage du pape. Selon le rapport de Casaroli préparé pour Jean Paul II, les intérêts de l'Eglise en Pologne seraient mieux servis si on expliquait à Walesa ce qu'une telle annulation signifierait.

L'affaire polonaise ainsi réglée, Casaroli peut se pencher sur la question chinoise. En gros, elle comporte deux aspects : comment instaurer des relations diplomatiques, capitales à ses yeux, avec la Chine populaire et, d'autre part, organiser le voyage du pape à Pékin, ce qui intéresse nettement moins le secrétaire. Jean Paul II souhaite effectuer ce voyage en tant que chef d'Etat mais aussi comme le pasteur venu reprendre possession de son troupeau égaré depuis 1957. C'est à cette époque que le gouvernement avait créé l'Association patriotique catholique chinoise afin de contrôler étroitement les catholiques chinois, déniant ainsi à Rome tout rôle dans la direction de l'Eglise et la consécration des évêques. Il y avait à ce moment-là quatre millions de chrétiens en Chine, pour la plupart catholiques[3].

Au cours des trois dernières années, deux cardinaux importants, Roger Etchegaray de Marseille, et Franz Koenig, de Vienne, avaient effectué une visite officielle à Pékin. Tous deux confirmèrent que le gouvernement chinois restait intraitable sur un point : il exigeait que le Saint-Siège rompe toute relation diplomatique avec la Chine nationaliste avant d'établir des relations officielles avec la Chine populaire[4].

Cependant l'Eglise catholique est toujours aussi florissante à Taiwan. On y compte plus de deux cent mille Chinois baptisés. Ils disposent d'un excellent système d'éducation et notamment de la seule université catholique chinoise du monde. De même que les Etats-Unis refusent jusqu'à présent d'abandonner Taiwan sur le plan politique, le Saint-Siège se sent tenu d'y maintenir son soutien religieux[5].

En 1981 le pape résolut de nommer un jésuite archevêque de Canton, alors qu'il venait à peine d'être relaxé au terme de vingt-deux années passées dans les prisons chinoises pour avoir refusé de se rallier à l'Association catholique patriotique. Cette décision n'arrangea pas les choses.

Le spécialiste de la Chine alors en poste à la secrétairerie prétendait que Pékin avait libéré le jésuite pour faire preuve de bonne volonté et accréditer l'idée que les dirigeants chinois étaient tout prêts à accepter que le Saint-Siège joue à nouveau un rôle prépondérant dans les affaires de l'Eglise catholique chinoise, comme avant 1957.

Cet expert se trompait. L'Association patriotique condamna cette nomination et le gouvernement critiqua violemment le Saint-Siège, accusant le pape d'ingérence dans les affaires intérieures de l'Eglise chinoise.

Casaroli en fut, paraît-il, mortifié. Il lui avait fallu près de deux ans, avec l'aide d'un nouveau conseiller, pour regagner le terrain perdu. Au cours des derniers mois, des rapports encourageants faisaient état de la réouverture d'églises catholiques dans les villes et d'une certaine tolérance à l'égard des réunions religieuses dans les campagnes. Tout cela indiquait un certain progrès dans la liberté du culte [6].

Ce matin, Casaroli tente une fois de plus de lier ces progrès aux problèmes économiques et démographiques auxquels la Chine populaire doit faire face.

L'agriculture, gérée selon le système des collectivités, ne parvient pas à fournir suffisamment de nourriture pour tous : les importations de céréales ont triplé [7].

Le spectacle des quais où un large éventail de produits de première nécessité importés est déchargé chaque jour illustre l'échec de la Chine à s'autosuffire. La vigoureuse campagne gouvernementale pour le contrôle des naissances n'a pas donné de résultats concluants : à la fin du XXe siècle, la population chinoise se sera accrue de deux cents millions d'habitants, soit à peu près l'équivalent de la population actuelle des Etats-Unis [8].

Sur le plan militaire, la Chine continue à consacrer à sa défense un effort insuffisant. Le présent budget ne comprend aucune augmentation sensible de l'effort d'armement par rapport à celui de l'année dernière. Casaroli a confié à son équipe que l'incapacité actuelle de la Chine à se protéger avec les armes et les technologies récentes explique dans une certaine mesure ses tentatives de détente avec l'Union soviétique, notamment pendant les dernières années du gouvernement Brejnev. Les ouvertures du Saint-Siège en direction de Pékin n'avaient donné lieu à aucune réaction hostile de la part de Moscou. Mais cela durerait-il ? Ou bien le « flirt » sino-soviétique inclurait-il une « clause » visant à tenir définitivement le Saint-Siège à l'écart [9] ?

Taiwan a soulevé une autre question préoccupante et qui place carrément le Saint-Siège entre les Etats-Unis et la Chine. Selon Laghi, à Washington, plusieurs congressistes républicains influents ont déclaré à Reagan que leur soutien dépendrait à l'avenir de son attitude à l'égard de Taiwan. Pour ces parlementaires, Taiwan est un exemple significatif de l'engagement des Américains à soutenir ses amis faibles mais fidèles.

Pour ne pas aggraver l'état actuel des choses, le secrétaire pense que le rôle actuel de la Chine en Europe doit être pris en considération. Pendant des années, même au plus fort de la détente avec la Russie, la Chine a cherché des appuis pour sa campagne antisoviétique en Europe, notamment en Allemagne de l'Ouest et en France, pays où l'influence catholique, quoique sur le déclin, n'en reste pas moins puissante [10]. Jusqu'ici les gouvernements de Paris et de Bonn menaient une politique étrangère dans laquelle de bonnes relations avec Moscou étaient considérées comme indispensables, ce qui annulait, de fait, tout espoir de réussite pour Pékin. C'est pourquoi la Chine vit d'un très bon œil l'arrivée de Mitterrand et de Kohl au pouvoir. Mais le président français a autorisé l'aide économique au Vietnam ainsi que la vente de Mirages à l'Inde, tandis que le chancelier allemand ne manifestait aucun désir de s'allier, même secrètement, aux Chinois contre les Russes. Cette attitude déplut à Pékin.

La secrétairerie suggéra alors au Saint-Siège d'user de son influence pour inciter discrètement Kohl et Mitterrand à adopter une ligne plus souple. Casaroli a rejeté cette idée : cela risquait de perturber les relations avec Bonn et Paris et d'éveiller des soupçons légitimes à Pékin sur les méthodes en usage dans la diplomatie vaticane.

Ce matin, une autre suggestion est émise pour tenter de convaincre la Chine populaire d'entamer des pourparlers concrets avec le Saint-Siège en vue d'instaurer des relations diplomatiques, mais en évitant que ces négociations ne s'éloignent du pragmatisme et ne versent dans les problèmes de principe et d'honneur national.

La proposition est séduisante. Radio Vatican devra la mettre en valeur non seulement dans ses émissions en langue chinoise, mais aussi en transmettant un compte rendu détaillé en anglais, traduit en plusieurs langues, sur la position du Saint-Siège. Cette émission aura pour but de minimiser l'importance des liens entre le Saint-Siège et Taiwan et de faire valoir la satisfaction qu'on éprouve au Vatican face aux récents développements de la religion en Chine populaire. Personne ne prétend que la politique étrangère du Saint-Siège ne dépende de l'impact d'un programme de radio. Néanmoins, une telle émission peut être interprétée à Pékin comme une preuve de la volonté déclarée du Saint-Siège d'engager des relations diplomatiques officielles avec la Chine.

Cette idée est née du récent voyage entrepris à Hong Kong par le père Sesto Quercetti, vice-directeur des programmes de Radio Vatican. Il s'y était rendu afin d'assister à une conférence sur la radiodiffusion. Cependant une partie de son équipe prétend que

Quercetti aurait eu des entretiens confidentiels avec des représentants de l'Association patriotique[11].

Cette proposition a été soumise à Casaroli, d'une part, en raison de l'extrême complexité de la question chinoise et, d'autre part, parce que l'idée d'utiliser Radio Vatican est intéressante. Il l'a aussitôt approuvée.

L'analyse du seizième congrès du parti communiste italien ne nécessite aucune intervention du Secrétaire. Elle se présente sous la forme d'un rapport destiné à l'informer sur *lo strappo* — la rupture — entre le P.C.I. et Moscou. Il y a plus d'un an, les dirigeants du P.C.I. annonçaient que le « rôle d'avant-garde » du communisme soviétique était terminé. Cette année, la conférence de Milan entérinait cette analyse avec une majorité écrasante. La rupture est plus totale que jamais[12].

Casaroli doit néanmoins prendre en considération un facteur important. Soucieux d'obtenir plus de voix qu'il n'en compte à ce jour (30 pour cent), le P.C.I. est décidé à évoluer de son rôle actuel de parti d'opposition à celui de parti de gouvernement. Le P.C.I. pense en particulier y parvenir en s'alignant sur les positions de l'Eglise dans les domaines où ils ont des intérêts communs : la lutte contre la drogue, la permissivité en matière sexuelle, la corruption municipale et la pollution.

Casaroli décide de communiquer cette décision à tous les échelons supérieurs de son secrétariat et d'en faire parvenir une copie au pape.

Le secrétaire devine que le pape a déjà lu une copie du rapport suivant. Il s'agit d'un nouveau rebondissement de la piste bulgare. Jean Paul II porte toujours un intérêt majeur à cette affaire.

Ce rapport émane de l'archevêque Felici, nonce en poste à Paris. C'est une tentative d'élucider ce que l'on pourrait appeler le mystère Mantarov.

Isordan Mantarov était attaché à l'ambassade de Bulgarie à Paris lorsqu'il est passé à l'Ouest le 11 avril 1981, un mois seulement avant l'assassinat manqué de la place Saint-Pierre. Mantarov vient d'être reconnu comme étant l'informateur qui, peu après sa défection, révéla aux services de renseignements français qu'un attentat contre le pape se préparait. Alexandre de

Marenches, alors directeur du S.D.E.C.E, prit cette information suffisamment au sérieux pour envoyer deux de ses principaux collaborateurs avertir le Vatican.

A l'époque, ils avaient été reçus, entre autres, par Cibin et John Magee, alors secrétaire du pape. Ils virent Jean Paul II en privé et Casaroli en fut informé. Peu après, l'antenne de la C.I.A. à Rome fut mise au courant de la démarche française, très certainement à la demande du pape. La C.I.A. fut dans l'incapacité de vérifier l'information des Français qui fut qualifiée de « vague [13] ».

Par acquit de conscience, Magee suggéra que l'hôpital Gemelli — le centre médical romain choisi par le Vatican pour faire face à toute urgence concernant le pape — fût mis en état d'alerte. Certains membres de l'entourage du pape jugèrent cette précaution inutile [14]. Un mois plus tard, Agca frappait et l'échec de la C.I.A. mit Casaroli hors de lui.

Aujourd'hui, une partie des révélations faites par Mantarov aux services de renseignements français nous est connue. Selon le Bulgare, il faut remonter à 1979 pour comprendre l'origine du complot ourdi contre le pape. Zbigniew Brzezinski, d'origine polonaise, était alors conseiller en matière de sécurité du président Carter. Le K.G.B. craignait qu'il ait influencé l'élection de Jean Paul II. A son tour, la C.I.A. aurait incité ce dernier à fomenter des troubles au sein de l'empire soviétique. C'était suffisant pour que le K.G.B. eût donné l'ordre d'assassiner le pape.

Tout cela paraît invraisemblable à Casaroli bien qu'il n'ignore pas les obsessions du K.G.B. D'autre part, l'histoire de Mantarov confirme des rapports qu'il n'a aucune raison de mettre en doute. Le complot dont celui-ci a fait état correspond aux faits connus. Les services de renseignement français insistent sur le fait que les informations fournies par Mantarov sur la piste bulgare mènent à Moscou.

Selon les contacts de Felici auprès des renseignements français, l'homme qui s'était enfui de la place Saint-Pierre, l'arme à la main, n'était pas là pour aider son complice, mais bien pour l'assassiner une fois sa mission remplie. Personne ne sait, écrit Felici, si ce tueur est toujours vivant ni quelles étaient ses véritables intentions.

Casaroli ne révélera pas, tout au moins en public, ce qu'il pense personnellement de cette affaire. Mais, au sein de la secrétairerie, beaucoup sont enclins à croire que l'intérêt bien légitime que le pape porte à tout cela tourne à l'obsession.

A la façon rageuse dont le pape a tracé de grands traits en marge de certains paragraphes, on imagine l'irritation qu'il a ressentie à la lecture de ce rapport.

Ce dossier a mis plusieurs semaines à lui parvenir, passant des mains du père Pasquale Borgomeo, le directeur des programmes à Radio Vatican, à celles de Mgr Sepe à la secrétairerie d'Etat. De là, il a été confié à Silvestrini, au ministère des Affaires publiques, avant d'être finalement envoyé à Casaroli.

Il s'agit d'un compte rendu détaillé des agissements de William Wilson, l'envoyé de Reagan auprès du Saint-Siège, et de Mad Mentor à l'égard de Clarissa McNair. Silvestrini demande s'il faut intervenir et comment.

La réponse de Casaroli est catégorique : aucune intervention n'est souhaitable pour le moment.

Le rapport sera renvoyé au troisième étage. Silvestrini enregistrera la décision du secrétaire. Sepe fera de même. Borgomeo en conservera un double sous clef au bureau du deuxième étage de la place Pia. La dernière copie sera glissée dans le dossier sur Clarissa McNair. Plus tard, lorsqu'elle en fera la requête, elle ne sera pas autorisée à consulter ce document. Son supérieur, le père Quercetti, lui affirmera qu'elle n'a désormais plus aucune raison de s'inquiéter [15].

Une fois cette affaire réglée, Casaroli peut de nouveau se pencher sur des problèmes plus importants.

Le secrétariat du pape/Le bureau du pape

Le même jour vers midi

Ce matin, les exemplaires du protocole distribués aux membres de l'équipe du secrétariat du pape mentionnent que six évêques zaïrois ont été reçus par Jean Paul II à l'occasion de leur visite annuelle à Rome. L'entretien a duré vingt-huit minutes : le protocole prévoit une minute supplémentaire au début et à la fin de chaque visite, pour les salutations. Leur audience a donc duré trente minutes très exactement, soit quinze minutes de moins que celle accordée, la veille, au roi Juan Carlos et à la reine d'Espagne Sophie.

Les évêques africains ont évoqué l'éventualité d'une visite de Jean Paul II en Afrique du Sud ; le roi est venu le remercier de sa visite en Espagne[16].

Chacun des visiteurs a été photographié avec le pape. Il a pris sa pose favorite : mains croisées devant lui, un léger sourire aux lèvres. Les évêques peuvent, s'ils le désirent, se procurer la photo pour quinze dollars, tandis que les visiteurs royaux se verront offrir, en souvenir de leur visite, un album de cuir blanc contenant les tirages couleur.

Comme pour toutes les audiences officielles, un bref compte rendu a été envoyé à l'*Osservatore Romano* et sera publié afin que le public soit tenu au courant des visites que reçoit le pape au cours de sa longue journée de travail.

Le protocole fournit rarement tous les détails. Des coupures sont presque systématiquement pratiquées dans l'emploi du temps de sa journée, parfois de cinq minutes seulement, d'autres fois un quart d'heure, une demi-heure, voire une heure entière. Ces coupures correspondent souvent à la présence de certains visiteurs dont on souhaite préserver l'anonymat.

Le cardinal Glemp, porteur d'informations ultrasecrètes concernant la Pologne, fait souvent partie de cette catégorie de personnes. De même que Luigi Poggi. Parfois, le samedi, cela peut être le directeur de l'antenne locale de la C.I.A. à Rome.

Ce matin-là, il s'agit de Mgr Eduardo Rovida, nonce apostolique et observateur permanent du Saint-Siège aux Nations unies à Genève. Il est accompagné de Mgr Giuseppe Bertello, son *auditore*.

Midi sonne à l'horloge française du XVIe siècle lorsqu'ils arrivent, ponctuels, au secrétariat du pape. Les deux hommes, en soutane et sentant bon l'eau de toilette, ont un porte-documents à la main. Ils n'auront pas à l'ouvrir en présence du pape, mais en partant ils remettront leur contenu au secrétariat.

Kabongo les introduit dans le bureau du pape. Le nonce et son premier assistant sont venus informer Jean Paul II de ce qui se passe dans la salle où se déroulent les négociations de Genève sur la réduction des armes nucléaires.

Il s'agit d'un exposé qui non seulement risque de surprendre le Saint-Père, mais qui en outre a peu de chance de lui plaire.

Les deux négociateurs — Paul Nitze pour les Etats-Unis, soixante-seize ans, ancien banquier milliardaire qui a derrière lui une brillante carrière de haut fonctionnaire, et Youli Kvitsinsky, pour l'Union soviétique, diplomate de carrière âgé de quarante-six ans et protégé d'Andrei Gromyko, promis à un brillant avenir si les négociations aboutissent — ne sont pas passés inaperçus à Genève. Ils ont dîné ensemble au bord du lac et se sont promenés en montagne. A une douzaine de reprises et de façon ostensible, ils ont laissé entendre que, bien que la négociation fût serrée, il existait une volonté commune de discuter mais qu'une rupture restait néanmoins toujours possible.

Rovida et Bertello concluent que le cynisme qui imprègne ces négociations dépasse encore celui des rencontres précédentes. Côté soviétique, on reste convaincu que dans le cadre des relations entre superpuissances, l'administration Reagan devra, même tardivement, renoncer à déployer les nouveaux missiles de l'O.T.A.N., en réaction contre l'armement soviétique. Cette attitude soviétique se fonde sur un raisonnement pour le moins surprenant. Etayant son discours de multiples données sur la portée, la capacité et même l'emplacement des missiles soviétiques — informations auxquelles les Américains ont accordé peu de crédit — Kvitsinsky a prétendu que les missiles n'étaient en aucun cas « stratégiques » puisqu'ils ne pouvaient atteindre directement les Etats-Unis ; en revanche, on peut qualifier de « stratégiques » les fusées Pershing et Cruise dont le déploiement est prévu dans les pays européens membres de l'O.T.A.N., puisqu'elles seront capables d'atteindre directement l'Union soviétique.

Kvitsinsky ne semble pas prendre en considération le fait que les SS-20 russes sont en mesure de détruire intégralement l'ensemble des seize pays membres de l'O.T.A.N. qui, sans les nouvelles armes américaines, ne peut compter sur un équilibre des forces nucléaires. Il a répété à plusieurs reprises à Nitze qu'en cas de conflit entre les deux superpuissances le sort des Alliés passerait au second plan.

Pour sa part, l'administration Reagan a usé d'une argumentation ambiguë sur plus d'un point. Nitze et son équipe ont conjugué leurs efforts pour se démarquer de ce que *Time* décrit comme des « diagrammes simplistes et des statistiques sélectives », utilisés par le président lui-même pour décrire l'étendue de la menace soviétique [17].

Rovida et Bertello savent tous deux que cela n'a guère aidé Nitze dans ses efforts pour obtenir ce que le nonce appelle l' « esquisse d'un début de compromis [18] ».

Les observateurs du Vatican, excluant l'apparition d'un élément nouveau, pensent que toutes ces discussions sur le « développement », la « limitation », le « marchandage bilatéral » et autres termes du jargon nucléaire en vigueur à Genève sont vouées à l'échec. Tout d'abord, les différences idéologiques, politiques et militaires entre les deux superpuissances sont trop importantes. Ensuite l'équilibre fragile entre l'idéalisme et le désir réel de parvenir à une solution juste dans des négociations difficiles a été remplacé par la méfiance qui a dominé presque totalement la dernière partie des entretiens.

A force d'observer les deux camps, le nonce Rovida et l'*auditore* Bertello ont pu constater combien le gouffre séparant les négociateurs était profond. Il ne s'agit ni de « nombres » ni d' « emplacements » comme l'avait cru Bertello au début des négociations [19]. Le vrai problème, expliquent-ils au pape, est bien plus profond et inquiétant. L'Europe est la zone tampon et une guerre limitée serait infiniment plus acceptable pour les deux superpuissances qu'une confrontation directe.

Il n'est guère difficile d'imaginer comment Jean Paul II, profondément polonais, accueille une perspective aussi inquiétante.

Radio Vatican

Mardi matin

A 6 h 30 précises, Clarissa McNair traverse la place Saint-Pierre, la tête comme toujours légèrement inclinée. Ses talons résonnent sur les pavés. Tous les quinze jours, quand elle fait partie de la première équipe, elle traverse la place à la même heure. Les policiers en faction la dévisagent toujours avec le même intérêt. Ils la connaissent. Leurs contacts au Vatican leur ont raconté toutes sortes d'anecdotes mystérieuses sur Clarissa McNair. Ils savent qu'elle habite seule dans un appartement luxueux, que son salaire est beaucoup plus élevé que celui de ses confrères et qu'en dehors de son travail elle semble mener une vie solitaire depuis sa rencontre avec Mad Mentor.

Cette histoire continue de la poursuivre[20]. Ce matin, *Newsweek* a publié un article sur la façon dont l'émission de Clarissa McNair avait été enregistrée.

Cette affaire sera portée à l'attention de Casaroli. Il devra décider si oui ou non le Saint-Siège doit faire une protestation officielle auprès de Washington. En fin de compte, Casaroli s'en tiendra à sa première décision qui était de ne rien faire.

A la Maison-Blanche et au Département d'Etat, on considère que cette affaire vise à embarrasser l'administration. A Washington comme à Rome, on décide de surveiller plus étroitement le travail de Clarissa McNair. La secrétairerie d'Etat continuera d'approuver discrètement Clarissa, tandis que Washington restera soupçonneux. Son rôle délicat, communiquer au monde le point de vue de Radio Vatican sur l'actualité lui confère une influence qui préoccupe ses employeurs et les gouvernements étrangers. La radio continue de lui accorder une liberté peu courante. Clarissa McNair sélectionne et diffuse ses propres informations, et choisit presque tous les sujets qu'elle décide de traiter en profondeur. Seul, Sesto Quercetti a un droit de regard sur son travail, mais elle n'est soumise à aucune censure.

Elle craint que l'histoire publiée par *Newsweek* ne soit gênante pendant un certain temps. De nombreux journalistes l'appellent pour obtenir des éclaircissements à ce sujet. Quercetti lui a demandé de ne pas répondre.

Clarissa McNair sait que son reportage sur l'Afrique du Sud, diffusé quatre jours plus tôt, a également été enregistré. Darnell, un diplomate en poste à l'ambassade d'Afrique du Sud à Rome, l'avait avertie que l'émission serait enregistrée et envoyée à Prétoria pour y être étudiée.

Ce reportage traitait d'un problème délicat : le droit de vote en

Afrique du Sud pour les Noirs et les Asiatiques. Le texte, bien rédigé, témoignait d'une analyse approfondie. Clarissa McNair notait que l'administration Reagan « cautionnait implicitement la ségrégation en Afrique du Sud[21] ».

Elle ignore qu'à la secrétairerie d'Etat, ainsi qu'au secrétariat du pape, on a écouté son reportage avec une attention toute particulière. Tous se sont demandé si cette émission aurait des retombées sur la visite du pape en Afrique du Sud avant la fin de l'année. Comme la plupart des voyages prévus dans les régions dites sensibles, le projet de visite du pape en Afrique du Sud est préparé dans le plus grand secret. Le cardinal Owen McCann du Cap et Edouard Cassidy, nonce en poste à Prétoria, ont entrepris des démarches auprès du gouvernement sud-africain. La réponse de Prétoria a été ambiguë. Les nonces en poste dans les nations voisines de l'Afrique du Sud sont à l'écoute des réactions de leur pays d'accueil face à la visite projetée. Là non plus, il n'y a pas eu de réponse définitive. Au palais apostolique, on pense que les pays concernés réservent leur réponse, désireux d'analyser tout ce qu'implique une telle visite, y compris d'éventuels avantages, avant de faire connaître leur opinion.

Sous bien des aspects, une visite du pape en Afrique du Sud pourrait se révéler politiquement aussi « explosive » que son futur voyage en Pologne. C'est pour cette raison que l'émission de Clarissa McNair a été passée au crible. Personne, au Vatican, n'a tenté de l'empêcher d'exprimer sa ferme conviction que le gouvernement sud-africain doit rapidement modifier sa politique. Elle a visité ce pays et les critiques qu'elle formule sur ce qu'elle a pu y voir donnent de la crédibilité à son reportage.

A 10 heures, ce matin-là, son petit déjeuner (une pizza et un Coca-Cola pris à la bibliothèque de la radio) est interrompu par un appel téléphonique de Darrell. Le diplomate est fou de rage. Clarissa McNair l'interrompt sèchement et lui demande d'appeler Quercetti. Elle est certaine que son supérieur va la soutenir.

Les réactions du gouvernement sud-africain à l'émission sont soigneusement analysées à la secrétairerie d'Etat. En donnant les coudées franches à Clarissa McNair pour son reportage, le Vatican a pris un risque calculé qui, au bout du compte, est payant. Le personnel peut ainsi étudier les protestations suscitées par ce reportage et voir quelles limites le pape devra s'imposer lorsqu'il abordera les sujets les plus controversés en Afrique du Sud.

Cet épisode démontre également que Clarissa McNair est parfois manipulée par le Vatican.

11

Les réactions romaines

Même pour un Romain, notre chauffeur conduit particulièrement vite. Nous sommes littéralement propulsés dans la ville, en tête du convoi papal.

Un dimanche sur deux, quand il n'est pas en voyage à l'étranger, le souverain pontife, évêque de Rome, visite une des paroisses. Aujourd'hui, il se rend à San Filipo Apostolo. D'après son entourage, il goûte autant ces visites pastorales que les grands voyages outre-mer[1].

Nous traversons les faubourgs de la ville à toute allure. Contrairement à la route de Rebibbia, celle-ci longe des maisons et des immeubles bourgeois. En approchant de San Filipo Apostolo, nous apercevons, le long de la route, des groupes d'enfants bien habillés, accompagnés de religieuses et de prêtres, et des adultes endimanchés. Mais la foule est moins dense que nous ne l'avions prévu. Nos contacts avaient peut-être raison : beaucoup de gens sont lassés de ces déplacements que le pape tient à effectuer dans la ville.

Les Romains reprochent surtout à ces convois officiels de compliquer considérablement les problèmes de circulation.

Les vingt-cinq kilomètres du parcours ont été interdits aux voitures pour des raisons de sécurité. La circulation s'en trouve perturbée sur des kilomètres et les Romains sont obligés de suivre des déviations.

Toutes les routes qui coupent l'itinéraire du pape sont bloquées. Les maisons susceptibles de servir de cachette à un tireur ont été fouillées. Le secteur grouille de carabiniers et de patrouilles du D.I.G.O.S. Des voitures radio sont stationnées à intervalles réguliers, reliées directement au quartier général de la police urbaine et prêtes à déclencher la *pope alert* au premier indice suspect.

Une ambulance et une équipe médicale suivent le cortège. A son bord, deux médecins dont un chirurgien, deux infirmières et un matériel d'urgence suffisant pour traiter sur place des blessures par balle. L'ambulance est en contact avec l'hôpital Gemelli où le pape serait transporté en cas d'attentat.

Tout a été prévu pour réduire les risques au minimum. La Fiat de Jean Paul II est un curieux compromis entre son désir d'être vu par ses ouailles et les impératifs de sécurité.

Le pape est assis à l'arrière de la limousine, sur un fauteuil en forme de trône dont les accoudoirs sont munis de boutons lui permettant de le faire pivoter à sa guise. Le dossier, recouvert d'une housse beige, est renforcé d'une épaisse plaque d'acier, comme le châssis de la voiture. Seule une puissante charge explosive pourrait défoncer cette plaque, mais toute la route a été balayée par des détecteurs afin d'éviter cette éventualité.

Les vitres de la voiture, très grandes pour permettre au public de bien voir le souverain pontife, sont à l'épreuve des balles et des tirs de grenade.

Le chauffeur bénéficie d'une protection identique à celle du pape afin d'éliminer tout risque d'attaque de la voiture. Cibin est satisfait : il n'est, théoriquement, pas possible d'atteindre le chauffeur et de prendre le contrôle de la Fiat.

Le convoi est en outre protégé par la police, des motards, des agents du D.I.G.O.S., et des carabiniers en voiture.

Ce spectacle évoque davantage les déplacements d'un dictateur d'Amérique centrale que ceux d'un pasteur suprême rendant visite à ses fidèles. Triste signe des temps.

En franchissant un poste de contrôle des carabiniers — une demi-douzaine d'hommes armés d'Uzis —, nous nous disons qu'une protection aussi poussée tend à confirmer ce que nous entendons depuis des semaines. Au fur et à mesure que l'année s'écoule, le nombre des menaces qui pèsent sur le pape ne cesse de s'accroître.

L'idée que tant de personnes veulent attenter à la vie de Jean Paul II n'a rien de surprenant : la papauté a toujours été une fonction dangereuse. Les dix-huit premiers souverains pontifes ont tous été victimes d'actes de violence : crucifiés, étranglés, empoisonnés, décapités ou étouffés. Des papes ont été écorchés vifs, leurs corps exhibés à travers les rues de Rome. D'autres ont été emprisonnés, exilés et destitués. L'un d'eux a même été déterré plusieurs mois après ses funérailles ; on a enveloppé son squelette dans ses vêtements sacerdotaux et on l'a attaché à une chaise afin qu'il soit jugé devant un tribunal ecclésiastique présidé par son successeur. Beaucoup durent affronter les révoltes, les hérésies, les défections massives et les schismes.

Mais nous n'en connaissons aucun, dans l'histoire récente, qui ait été autant menacé que Jean Paul II.

L'idée que, même par un paisible dimanche après-midi à Rome, le pape est en danger dès qu'il paraît en public est difficile à accepter. Cependant, Magee et Kabongo ont fini par s'y habituer.

Hier matin, assis avec Kabongo dans une pièce attenante à la chapelle privée du pape, nous avons discuté de cet état de choses.

Le secrétaire nous a confié qu'après sa visite en Amérique centrale, les risques encourus par le pape s'étaient encore accrus. « Quelquefois, nous pensons qu'il est trop facile d'imputer systématiquement ces menaces à l'Est et aux gauchistes, a-t-il admis, elles peuvent aussi bien venir de la droite[2]. »

Cette hypothèse multiplie le nombre des assassins potentiels, mais, en attendant, un tueur aurait bien des difficultés à San Filipo Apostolo.

En arrivant, nous aperçûmes Cibin. Il se tenait près de l'autel, devant le fauteuil à haut dossier où le pape allait prendre place.

Personne, à moins d'y être invité, ne peut approcher Cibin : ni le jeune prélat ambitieux qui place les assistants avant l'arrivée de Jean Paul II ni les enfants chargés d'offrir des fleurs et des cadeaux au pape, pas plus que les anciens religieux qui vont lui être présentés ou les prêtres locaux qui célébreront la messe avec le Saint-Père. Cibin semble beaucoup apprécier ce pouvoir. Il gronde un enfant qui écorche sa réplique, bouscule un dignitaire local qui s'approche trop lentement du siège papal, reprend un prêtre qui s'embrouille dans son discours.

De temps en temps, Cibin fait signe à l'un de ses *vigili.* Après un court entretien à voix basse, le garde sort en hâte. Parfois, le chef de la police romaine s'approche de Cibin. Il agite les mains en parlant, mais Cibin reste impassible. Le chef de la police s'éloigne.

Les deux kilomètres carrés qui entourent l'autel en plein air grouillent de *vigili.* Des policiers armés de carabines sont postés sur le toit de chaque immeuble qui donne sur l'estrade. Des carabiniers patrouillent. Près de cinq mille agents du D.I.G.O.S. se mêlent à la foule. Ils se sont donné l'apparence de jeunes gens en jean ou d'hommes d'une quarantaine d'années attendant patiemment Jean Paul II.

La foule est essentiellement composée de femmes et d'enfants. Ils prient en égrenant leur chapelet et, sur un signe impérieux du prélat, chantent les cantiques qui ponctuent la messe.

L'approche imminente du cortège papal est annoncée par une série de mouvements simultanés assez surprenants. Cibin quitte brusquement sa place et se dirige d'un côté de l'autel tandis que le chef de la police va vers l'autre. Ils sont maintenant prêts à mettre la « machine » en route au moindre signe de trouble.

Les policiers campés sur les toits couvrent Jean Paul II et sa suite, les tireurs d'élite pivotent lentement au rythme du cortège.

Les *vigili,* les carabiniers et quelques jeunes gens à l'air minable qui pourraient bien appartenir au D.I.G.O.S. font face à la foule pour ouvrir la route qui mène à l'autel.

Le prêtre sur l'estrade est brutalement poussé par un évêque surgi de nulle part, des invités de marque se précipitent vers leur fauteuil. Le chœur entonne un cantique à la Vierge. L'équipe médicale de l'ambulance qui avait suivi le cortège s'installe derrière l'autel. Plusieurs policiers commencent à chuchoter dans leur talkie-walkie. L'évêque hurle dans son micro que le pape sera là d'un instant à l'autre.

La foule commence à applaudir, les enfants crient hourra. Mais les applaudissements s'interrompent dès l'apparition du pape qui s'avance lentement entre une haie de paroissiens qui ont du mal, semble-t-il, à se rendre compte que le Saint-Père est parmi eux. C'est un moment très émouvant, un murmure respectueux s'élève de la foule.

Le discours du pape porte sur son thème favori : le démon est parmi nous et le monde n'a jamais connu de tels périls. Ces propos alarmistes ne sont plus systématiquement rapportés, exception faite de l'inévitable *Osservatore Romano* et de Radio Vatican.

Nous sommes assez près de Jean Paul II pour constater qu'il a l'air fatigué. Ces derniers temps, toutes sortes d'événements l'ont affecté.

La montée du terrorisme dans le monde continue, entre autres choses, de le préoccuper. L'idée que le Pakistan est sur le point d'avoir sa propre bombe atomique le bouleverse ; le Brésil enrichit son plutonium hors de tout contrôle international ; Israël et l'Afrique du Sud augmentent leur arsenal nucléaire...

Par ailleurs, le succès remporté par l'Association pour le planning familial italien, qui s'est traduit par une baisse considérable du nombre des naissances dans le pays, l'a beaucoup déçu. Jean Paul II a demandé que l'on mette tout en œuvre pour lutter contre cette nouvelle campagne du planning familial qui, par le truchement d'acteurs célèbres, encourage les gens à utiliser des moyens contraceptifs.

L'arrêt rendu par la Cour de cassation, le tribunal de plus haute instance d'Italie, autorisant le port du monokini sur les plages publiques, a également beaucoup irrité le souverain pontife. La cour a solennellement annoncé que les seins nus ne devaient plus être considérés comme un attentat à la pudeur mais que l' « exhibition des organes génitaux restait interdite, certaines parties intimes du corps devant être, selon des coutumes ancestrales, réservées aux relations physiques des couples ».

Une note a été mise en circulation pour rappeler aux familles vivant au Vatican que le port du monokini, du bikini, et de « certains maillots masculins » était interdit.

Ici, à San Filipo Apostolo, tout le monde est vêtu de façon décente. Il n'y a pas l'ombre d'un sein en vue...

Nous regardons le pape s'avancer dans l'allée centrale et serrer des mains. Il a un instinct infaillible pour repérer et saisir un enfant des bras de sa mère, l'embrasser et le lui rendre, pour bénir une vieille femme, une religieuse ou un prêtre. C'est un rôle dans lequel il excelle.

Magee, près de lui, se penche constamment pour lui murmurer à l'oreille le nom de quelque notable local, placé à l'endroit précis où le pape peut le saluer. Le maître des cérémonies remplit parfaitement ses fonctions et s'arrange toujours pour que le pape poursuive son chemin sans avoir à s'arrêter.

Précédé de prêtres et flanqué de gardes du corps, Jean Paul II, tenant fermement sa crosse, s'avance jusqu'à l'autel.

Il gravit l'escalier recouvert d'un tapis rouge en marquant un temps d'arrêt à chaque marche. Cette lenteur est-elle due à son rhume ou bien au désir de se mettre à la portée de la foule ? Ou encore s'agit-il là, tout simplement, d'un homme qui ne ménage pas sa peine et qui est fatigué ?

Nous savons que d'autres problèmes attendent Jean Paul II à la secrétairerie d'Etat.

Il est difficile pour un seul homme d'être à la fois le chef spirituel d'un milliard de catholiques et un chef d'Etat capable de se jeter à tout moment dans l'arène politique. Et il nous faut bien admettre qu'il remplit parfaitement ces deux fonctions. Mais à quel prix ?

Ainsi, cet après-midi, tandis qu'il prie pour les affamés du tiers monde, il rappelle à la foule, essentiellement composée de bourgeois prospères, qu'elle fait partie des « nantis », ceux qui ont la chance de vivre au-dessus du seuil de la pauvreté, par opposition au nombre sans cesse croissant dans le monde de ceux que l'on peut, à juste titre, appeler les « démunis ». Kabongo, qui est sans conteste possible la conscience sociale la plus proche du pape, nous a confié que l'éventualité d'un conflit entre les deux superpuissances bouleverse profondément Jean Paul II[3]. Il n'envisage pas tant une guerre entre l'Est et l'Ouest, le Nord et le Sud, qu'une guerre entre les vieux pays industrialisés et les pays complètement démunis du tiers monde.

Aujourd'hui, ce message forme la substance de son homélie de San Filipo Apostolo. Une fois qu'il l'a délivré, Jean Paul II remonte dans sa Fiat qui l'entraîne à vive allure vers le Vatican.

Nous rentrons au Cavalieri Hilton où Henry Kissinger s'apprête à tenir une conférence de presse pour la commission trilatérale, une sorte de club très fermé de la pensée libérale internationale, composé d'intellectuels et d'hommes économiquement ou politiquement influents.

Nous avons décidé de lui demander, à partir de ses propres découvertes sur l'implication du K.G.B. dans la tentative d'assassinat du pape, quel rôle il attribue maintenant à la C.I.A. dans cette même affaire.

Il connaît très certainement les curieux rebondissements de cette histoire. La C.I.A. continue d'entraver l'enquête de Martella et tente de donner d'Agca l'image d'un terroriste illuminé.

Mais, si Agca est si fou et si peu fiable, pourquoi la C.I.A. s'acharne-t-elle ainsi contre Martella ? Mad Mentor se promène dans tout Rome en disant à qui veut l'entendre : « Ce petit Rital comprend tout de travers, il n'y avait pas de complot. »

Nous savons que Martella est loin d'être stupide. Il est extrêmement méticuleux et besogneux, à l'affût de la moindre erreur dans l'interprétation des faits ; mais, bête, certainement pas. Il ne questionnerait pas Agca avec cette insistance si l'affaire était aussi simple que la C.I.A. le prétend.

Alors que se passe-t-il ? Il aurait été très utile d'avoir le point de vue de Kissinger. Mais cela ne fut pas possible. La conférence de presse a duré exactement vingt-neuf minutes, puis Kissinger s'est retiré dans sa suite au Hilton. Personne ne sait quand il doit quitter Rome. C'est *ça* la sécurité.

L'envoyé personnel du Président Reagan au Saint-Siège, William Wilson, parle franchement de ce qui l'inquiète[4].

« La Pologne, dit-il, est au cœur de mes préoccupations. Elle est là, omniprésente. »

Nous sommes dans son bureau, au numéro un de la place Della Citta Leonina, un square tout proche du Vatican. Géographiquement parlant, Wilson est l'envoyé étranger à Rome le plus proche du Saint-Siège.

La mission américaine se trouve au premier étage de ce bâtiment du XVIe siècle. Le bureau de Wilson vient d'être repeint et sent encore la térébenthine. La pièce est parsemée de cendriers blancs et les fauteuils et canapés modernes sont couverts de coussins beiges. Cette pièce ne déparerait pas un appartement de Bloomingdale.

Assis en face de lui, une position stratégique d'où il peut à tout moment intercepter le regard de son collaborateur, se trouve Michael Hornblow. Il semble encore plus tendu qu'à l'accoutumée, avec un sourire figé et ses paupières clignotent à la vitesse d'un obturateur d'appareil photo : clic, clic, clic. Il respire la méfiance.

Nous décidons de progresser lentement dans nos discussions. Nous ne sommes pas seulement intéressés par le fait que le représentant personnel du plus puissant des leaders du monde occidental soit captivé à ce point par les émissions de Clarissa McNair, mais nous souhaitons également découvrir de quelle manière Wilson agit en tant qu'homme du président à un poste d'écoute stratégique.

La présence de Hornblow est un indice. Avant de répondre à une question, Wilson se tourne invariablement vers le jeune diplomate et scrute son expression.

« Dans quelle mesure la Pologne est-elle vraiment au cœur de vos préoccupations ?

— Ira-t-il ou n'ira-t-il pas ? Voilà la question clef. En tout cas je le pense... »

Wilson regarde Hornblow, peut-être pour s'assurer qu'ils sont bien *tous les deux* d'accord sur ce point.

Hornblow cligne les yeux.

Apparemment rassuré, Wilson se jette à l'eau et se décide à émettre sa propre opinion.

« Le pape souhaite s'y rendre, il n'annulera pas son voyage. C'est à eux de décider.

— Eux ? »

Wilson regarde Hornblow. Clignement, clignement, on dirait du morse. Si c'est un signal convenu, il doit signifier que Wilson peut poursuivre.

« Eux... les Polonais. Le gouvernement. Les autorités polonaises devront trancher. C'est leur problème... c'est au gouvernement de faire le premier pas. »

Hornblow est assis, replié sur lui-même, circonspect bien qu'il s'efforce d'arborer une expression flegmatique.

Wilson prend de nouveau la parole. « Si le gouvernement polonais annulait le voyage, cela aurait des répercussions immédiates sur l'Eglise à l'intérieur du bloc soviétique. Mais il ne faut pas oublier que les Polonais sont un peuple fort. Ils ont une grande habitude de l'oppression et de l'adversité. Ils ne se laissent pas facilement abattre. C'est ce qui les rend si étranges pour... pour nous.

— Nous ? »

Hornblow intervient. « M. Wilson veut parler de notre gouvernement. Des Américains. Nous sommes très proches de la Pologne, nous l'avons toujours été. »

Le diplomate professionnel respire et paraît se détendre.

Nous nous tournons vers Wilson. Nous lui faisons observer qu'il est beaucoup plus proche du pape que les habitants de Washington : quels conseils donneriez-vous au département d'Etat, non seulement en ce qui concerne le voyage du Saint-Père en Pologne, mais également sur des questions d'ordre plus général ?

— Eh bien... J'essaie de leur expliquer... les problèmes. La situation va engendrer toutes sortes de difficultés jusqu'au départ du pape... s'il s'y rend... et peut-être même après...

— Quels problèmes en particulier ?

— Oh... eh bien... » Il se tourne vers Hornblow.

Celui-ci est catégorique. « Nous ne pouvons pas donner d'exemples.

— Effectivement », dit Wilson.

L'envoyé semble soulagé. Il continue : « Vous savez, quand l'histoire fera référence à toute cette affaire cela tiendra en une petite note en bas de page... »

Nous nous regardons, étonnés.

Hornblow reprend la parole. « Ne vous méprenez pas sur ce que vient de dire M. Wilson. Nous sommes bien évidemment tous concernés. Nous voulons que le pape se rende en Pologne et le gouvernement polonais ne doit avoir aucun doute sur les avantages qu'il peut en tirer. La présence du pape sera interprétée comme la preuve qu'il existe au Vatican une volonté réelle de reprendre le dialogue. »

Il semble qu'aucun des deux hommes n'ait rien à ajouter sur ce voyage.

Le silence se fait dans la pièce. Nous réfléchissons à la meilleure façon de poursuivre.

Il est temps de parler de *Newsweek :* nous avons interviewé Clarissa McNair, parlé avec ses supérieurs de Radio Vatican, à la secrétairerie d'Etat, ainsi qu'à plusieurs personnes dans différents services de renseignement. Maintenant nous aimerions entendre la version de Wilson.

Il hausse les épaules. « Cela ne m'empêche pas de dormir, c'est seulement un peu dur pour ma femme. »

Nous compatissons. « Mais pourquoi avoir impliqué votre service dans une telle affaire ? Il est certain que ce n'est guère édifiant pour un envoyé personnel du président américain d'être " mouillé " dans une affaire d'enregistrement d'émissions. »

Nous n'en finirons jamais. Hornblow nous interrompt. « M. Wilson n'a pas de problèmes à ce sujet. Simplement, certains journalistes sont en ce moment à la recherche de victimes. »

Wilson ajoute : « Des gauchos qui cherchent à gagner leur vie. »

C'est à notre tour de sourciller. Nous n'avons pas entendu l'expression « journaliste gaucho » depuis que feu le sénateur McCarthy tempêtait à Washington alors que Ronald Reagan était encore acteur de cinéma et que William Wilson amassait sa fortune dans l'immobilier.

Hornblow juge bon d'intervenir de nouveau. « Revenons-en aux vrais problèmes. »

Autrement dit, il ne veut pas entendre parler des activités de Mad Mentor dans ce bureau.

« Les vrais problèmes, répète Wilson, oui, parlons-en plutôt. Vous connaissez les points chauds. »

Il commence à les énumérer, en s'aidant de ses doigts.

« Il y a le Salvador » (il touche son petit doigt), « il y a le Liban » (il touche son index). « On peut aussi mentionner tous les pays d'Asie » (cette fois, c'est le tour de son majeur). Il continue ainsi à égrener les noms des pays en crise.

Nous sommes surpris, ces zones ne relèvent pas de sa juridiction.

Il sourit. « Non, mais de celle du Saint-Siège. »

Nous acquiesçons. « Voyez-vous dans ces zones des différences entre la politique de votre gouvernement et celle du Saint-Siège ? »

Silence. Le regard de Hornblow croise celui de Wilson, puis revient sur nous. Il est manifestement en train de réfléchir. Sa réponse tombe comme un couperet.

« Nous ne voyons pas de contradictions insurmontables », répond-il. C'est simple et sans équivoque.

Le pied droit de Wilson commence à marteler le sol, curieux réflexe.

« Aucune contradiction, confirme-t-il.

— Bien, alors peut-être quelques malentendus ? »

Le pied de Wilson accélère la cadence. « Pas du tout. Nous entretenons d'étroites relations avec le Vatican, nous exposons très clairement notre position et il nous écoute avec attention.

— Quels sont vos interlocuteurs au Vatican ? »

Hornblow reste sur la défensive. « Cela dépend.

— Cela dépend de quoi ?

— De ce que l'on a à dire.

— Exactement, renchérit Wilson, de ce que nous avons à dire. »

Nous laissons tomber pour le moment. Nous lui demandons comment il a obtenu ce poste, ce qui lui a fait abandonner l'immobilier en Californie pour venir grenouiller au Vatican. Naturellement, nous formulons plus poliment notre question.

Wilson sourit, apparemment soulagé, tel un homme qui viendrait de traverser un champ de mines.

Hornblow s'adosse à son fauteuil. Enfin une question simple.

Manifestement, l'envoyé aime à raconter son histoire. Une histoire qui donne un aperçu de la manière dont le président s'y prend pour choisir un envoyé à un poste aussi délicat que celui du Saint-Siège.

Wilson commence. « J'étais chez moi en Californie, juste après l'élection du président. Je me disais que c'était formidable qu'il soit à la Maison-Blanche. Le téléphone a sonné. C'était Ronnie... pardon, le président. » (Il n'y a aucune affectation dans sa façon de se reprendre, il se souvient simplement que, dorénavant, Reagan est pour tous « le président », sauf pour quelques intimes comme lui.) « C'était le président au bout du fil. " Bill, me dit-il, que penserais-tu du Saint-Siège ? J'aimerais beaucoup que tu y ailles pour moi. " J'étais ébahi et je lui dis : " Attends un instant, j'appelle ma femme. " Je lui ai crié d'écouter sur l'autre poste. Elle était dans la chambre à coucher et je devais être dans le bureau. Elle a pris le combiné et j'ai dit : " Monsieur le Président, pouvez-vous répéter ce que vous venez de m'annoncer ? " Il l'a répété et je lui ai répondu : " Tu parles que je vais le prendre ! " Et voilà. J'étais ici en moins de temps qu'il ne faut pour le dire. »

L'histoire valait la peine d'être racontée. « Si ami que vous soyez avec Reagan, vous n'aviez aucune formation diplomatique. Pensez-vous qu'elle vous aurait servi à éviter ce genre d'incidents ? »

Hornblow est, une fois de plus, en alerte.

« Non, dit-il, non, non et non. Aucune formation officielle n'aurait empêché l'ambassade soviétique à Rome d'accuser M. Wilson et le président d'avoir trempé dans la tentative d'assassinat de Jean Paul II. »

Curieux cette façon de détourner la conversation. Hornblow sait qu'il a un atout en main et le joue.

« Pouvez-vous nous en dire plus ?

— Certainement, dit Hornblow, cela s'est passé ainsi. C'est l'ambassade soviétique qui, la première, a porté ces accusations. Ensuite, l'Agence Tass s'est chargée de les diffuser. Nous avons protesté officiellement auprès du gouvernement italien. Le ministre concerné a convoqué l'attaché russe et a fait un scandale.

— Que s'est-il passé ensuite ?

— Nous avons enterré l'affaire, dit Hornblow.

— Protestent-ils souvent ?

— Eh bien... », Wilson hésite. « Cela dépend...

— Cela dépend de quoi ? »

Wilson et son assistant échangent un coup d'œil. En dépit du manque d'enthousiasme d'Hornblow, nous essayons de nouveau de parler de l'article du *Newsweek :* ont-ils fait une protestation officielle à ce sujet ?

« Cela n'en valait pas la peine, jette Wilson d'un ton irrité.

— Avez-vous été critiqué après la parution de cet article ?

— Par qui ? » Hornblow est de nouveau sur le pied de guerre. « Par le département d'Etat ? Peut-être par le Vatican ?

— Non, rien du tout. » Hornblow est manifestement pressé de passer à autre chose.

Nous poussons plus loin :

« Avez-vous une idée de la façon dont *Newsweek* a découvert cette histoire ?

— Radio Vatican l'a insinuée », dit Wilson d'un ton emphatique.

Hornblow en est moins certain. « Ce n'est qu'une hypothèse, mais elle paraît justifiée. »

Wilson : « Ecoutez-vous parfois leurs émissions ? Connaissez-vous leur ton ?

— Pouvez-vous être plus précis ? »

Hornblow : « Ils ont souvent une façon plutôt bizarre de présenter les choses. Cela dit, nous ne sommes pas en train de faire une critique de fond. Simplement certaines personnes semblent avoir beaucoup de liberté, là-bas. »

Wilson explose. « Oui, on pourrait appeler ça “ de la liberté gaucho ”. Dans le journal du matin, les types disent vraiment n'importe quoi. Il n'y a aucun contrôle sérieux.

— Avez-vous déjà enregistré des émissions que vous jugiez choquantes ?

— Euh... non. Mais je les écoute.

— *Newsweek* avait rapporté qu'un citoyen américain anonyme s'était plaint des émissions de Clarissa MacNair auprès de Wilson. »

Hornblow : « Nous avons effectivement reçu une plainte.

— Pouvez-vous nous dire de qui elle émanait ?

— Euh... non. » La voix d'Hornblow est glaciale.

« La personne qui a enregistré ces émissions a-t-elle agi de son propre chef ou bien pour le compte de la C.I.A. ? »

Hornblow se fâche : « Non, non et non, M. Wilson n'est pas décidé à parler de cette affaire. Avez-vous d'autres questions ? »

Nous demandons à M. Wilson quel est son rôle dans la lettre pastorale des évêques américains. Nous avons entendu dire qu'il avait rencontré Bernardin.

« Certainement, quand il est venu pour sa nomination. J'ai écouté son point de vue. Je lui ai organisé des rencontres avec des personnes influentes de la secrétairerie d'Etat. Je l'ai encouragé à prendre en compte toutes les opinions. En revanche, j'ai donné à Bernardin le point de vue de l'administration. Il n'y a rien de mal à cela. »

Nous lui affirmons que nous ne suggérions rien de tel.

L'envoyé hoche la tête, rassuré. « Les évêques ne peuvent pas parler des problèmes militaires sans avoir une connaissance complète de toutes les données.

— Evidemment pas. Comment les avez-vous conseillés ?

— De mon mieux, j'espère... »

Nous lui rappelons que tout ce qu'il pourra dire ne sera pas publié avant un an mais que ses propos tiendront plus de place que cette note en bas de page à laquelle il avait fait allusion tout à l'heure. Il semble rasséréné.

« D'accord. Les évêques ont commencé par soutenir une position. Nous, dans l'administration, nous en avons soutenu une autre. Une partie de mon travail ici, sur le terrain, consiste à les rassembler et à en faire une synthèse dans l'intérêt des Etats-Unis et de la défense de l'Occident. Cela vous paraît-il suffisamment clair ? »

Tout à fait clair, lui assurons-nous.

« Il y a eu des discussions franches. Il a parfois fallu expliquer à l'évêque Roach et à Bernardin, ce qu'était vraiment la situation. Et ce type, Gumbleton... de Detroit. Que peut-on faire avec un type comme ça ? D'où sort-il de telles idées ? »

On ne contestera pas à Hornblow son habileté. « Mais il n'y avait aucune agressivité, dit-il. Rien de tel. Il était simplement nécessaire que nous confrontions nos points de vue. Ils étaient assez grands pour écouter. Il suffisait d'un peu de compréhension, c'est pourquoi nous préférons aller ensemble au Vatican. »

Quand il est question du rôle de Wilson auprès des évêques américains, Hornblow prend la tangente.

« Oui, nous allons toujours au Vatican ensemble, les choses bougent plus vite quand on y est tous les deux.

— Avec qui vous entendez-vous le mieux ?

— Cela dépend, répète Hornblow.

— Cela dépend de quoi ?

— De ce que nous avons à dire. »

Il est temps que nous partions. L'après-midi touche à sa fin quand nous entrons au Vatican par la porte Santa Anna. Nous nous rendons au palais apostolique. Il semble que ce soit le meilleur endroit pour observer les tensions croissantes provoquées par la visite du pape en Pologne.

12

L'appartement du pape

Dimanche, tôt le matin

Il règne ce matin une atmosphère pesante[1].

On la sent même dans la chapelle privée où le pape célèbre la messe peu après le lever du jour. D'une voix remplie d'émotion il adresse une prière particulière pour la Pologne en ce qu'il appelle d'ores et déjà « ce jour de jugement[2] ».

Ce matin, la « famille » papale s'est agrandie avec Casaroli, Silvestrini, Somalo et Poggi. Ils sont agenouillés sur un rang et murmurent les répons. La messe achevée, ils accompagnent Jean Paul II dans son bureau.

Là, ils se penchent sur le rapport préparé par le bureau des Affaires polonaises sur les événements survenus en Pologne au cours de la nuit. Les nouvelles sont inquiétantes.

Tous les signes attestent que des affrontements entre le gouvernement polonais et le syndicat hors la loi se préparent. Pendant la nuit, d'importantes forces de police ont été déployées autour de Varsovie ainsi que dans une vingtaine d'autres villes polonaises. La plupart disposaient de véhicules blindés et de lances d'incendie. L'armée polonaise est en état d'alerte : le bruit des chars et des half-tracks s'entendait jusque dans les faubourgs des villes.

A la faveur de la nuit, les membres de Solidarité ont distribué des tracts appelant la population à se rassembler à l'occasion de la messe dominicale afin de manifester à travers tout le pays en faveur du syndicat interdit.

Les postes émetteurs clandestins de Solidarité, dispersés à travers la Pologne (du même type que ceux utilisés pendant la Seconde Guerre mondiale) ont réussi, avant d'être brouillés, à prévenir leurs auditeurs de ne pas tenir compte du communiqué diffusé par une mystérieuse station, intitulée « La voix clandestine ». Cette radio a annoncé à plusieurs reprises que les manifestations prévues en ce dimanche matin avaient été annulées.

Au cours de la nuit, l'infatigable Joseph Glemp, primat de Pologne, a téléphoné de son palais de Varsovie. Bien qu'il n'ignorât pas que son appel allait être enregistré par la police secrète polonaise, le cardinal n'a pas hésité à prévenir l'ecclésiastique assurant la permanence nocturne au bureau des Affaires polonaises que ce communiqué était une tentative de dernière minute des autorités destinée à faire échouer les plans de Solidarité.

Le communiqué annonçait que la police avait d'ores et déjà procédé à des arrestations en masse et rappelait aux Polonais que les forces de l'ordre pouvaient, le cas échéant, faire montre d'une extrême violence. « La seule façon d'éviter des affrontements sanglants est de suivre les dernières instructions de Solidarité et de ne pas bouger. Il faut considérer notre refus de marcher dans les rues comme une manifestation en soi et la meilleure forme de protestation que nous puissions opposer au gouvernement. Ne participez à aucun rassemblement ! »

Le pape répète ces mots aux prélats qui se trouvaient dans son bureau, précisant que ce genre d'initiative n'avait rien de surprenant de la part du gouvernement.

Il demande à Casaroli quelles sont les dernières nouvelles. Le secrétaire d'Etat lui répond que, deux heures plus tôt, vers 5 heures du matin, son téléphone a sonné.

C'était de nouveau Glemp. Le cardinal, sur le pied de guerre (des chars patrouillaient devant sa résidence), lui annonça que le premier ministre polonais venait juste de lui téléphoner, lui adressant, selon ses propres termes, « une ultime requête » destinée à convaincre l'épiscopat local d'annuler la messe dominicale dans tout le pays [3].

Jean Paul II demande comment Glemp lui a répondu.

« Très fermement, dit Casaroli. Notre frère, le cardinal, lui a fait remarquer que, même au plus fort de l'occupation nazie, jamais la messe du dimanche matin n'avait été annulée et qu'il ne voyait donc aucune raison pour qu'il en aille différemment aujourd'hui[4]. »

Le pape approuve d'un hochement de tête. Il fait remarquer qu'il ne s'attendait pas à autre chose de la part du gouvernement. Selon lui, tout cela fait partie de la campagne acharnée menée par les autorités polonaises pour écraser Solidarité.

Il prend le rapport et lit à voix haute : Varsovie pavoise. Ce ne sont partout que bannières et slogans du Parti. Un nombre croissant d'émissions de télévision et d'articles de journaux attaquent Lech Walesa ainsi que d'autres dirigeants de Solidarité. Ne peut-on rien contre cela ?

L'épiscopat polonais doit continuer à ignorer ces attaques, répond Poggi. Glemp a récemment rappelé à ses prêtres que, si tentés soient-ils, ils ne devaient en aucun cas prêcher contre le gouvernement, d'autant moins que la visite du pape est prévue dans moins de six semaines.

Jean Paul II souligne un autre point du rapport du bureau des Affaires polonaises. Il s'agit d'un compte rendu de Glemp sur la dernière friction survenue entre Walesa et les autorités. Quelques jours auparavant, le syndicaliste avait repris son travail aux chantiers navals Lénine. Mais, presque aussitôt, des soldats de la milice l'avaient arrêté pour l'interroger sur les derniers projets de Solidarité.

Glemp, chargé par le pape de rapporter tout ce qui concerne Walesa, commente cet incident comme une « grossière tentative d'intimidation ».

Jean Paul II fait remarquer que de tels procédés n'intimideront jamais Walesa. Il rappelle aux diplomates réunis autour de lui que Walesa a un « rôle difficile ». Le gouvernement le harcèle dans l'espoir qu'il commette une faute suffisamment grave pour pouvoir l'arrêter de nouveau, ce qui leur fournirait un excellent prétexte pour annuler la visite du pape. Libre, Walesa incarne tous les espoirs de Solidarité.

Le secrétaire d'Etat et ses assistants écoutent en silence le pape leur communiquer la dernière recommandation qu'il a faite à Walesa : bien que celui-ci ne doive signer aucun des communiqués concernant les manifestations prévues pour cette journée, il serait juste qu'il s'y associe[5]. Jean Paul II aborde ensuite son thème favori : Solidarité peut encore influencer considérablement les affaires polonaises, en proposant des programmes progressistes qui révéleraient la faiblesse du système communiste. Son voyage en Pologne obligera le gouvernement et, par voie de conséquence, Moscou, à admettre une vérité fondamentale : rien ne pourra désormais éteindre complètement le brasier allumé par Solidarité.

Désignant le rapport du bureau des Affaires polonaises, le pape déclare que la campagne lancée par le gouvernement contre Solidarité finira par échouer.

Puisque le gouvernement polonais n'a pu contraindre Solidarité à renoncer à sa manifestation à travers la Pologne, comment éviter les effusions de sang ? demande Silvestrini.

Casaroli rappelle que Glemp a prévu de lancer un appel aux autorités et aux manifestants afin d'éviter des affrontements sanglants.

Jean Paul II est catégorique : cela ne marchera pas. Le gouvernement veut cette confrontation. Il se tourne vers Casaroli. A ce stade, une intervention directe auprès du général Jaruzelski, afin qu'il permette à Solidarité de manifester d'une manière ou d'une autre, est-elle envisageable ?

Le secrétaire d'Etat soumet cette question à ses assistants. Un sujet aussi grave nécessite un consensus.

Silvestrini, Somalo et Poggi sont d'accord sur un point : intervenir auprès de Jaruzelski serait une erreur. Le général a déclaré qu'un « état de guerre » existait en Pologne ; toute intervention du pape apporterait de l'eau à son moulin et serait exploitée par le gouvernement.

Le pape convie alors les prélats à prendre le petit déjeuner. S'il est déçu, il n'en laisse rien paraître.

Dziwisz et Kabongo attendent dans la salle à manger du pape. Sur la table il y a des saucisses et du jambon polonais, des paniers de *chleb,* du pain polonais, des assiettes de *blinzes* de sarrasin et des pan-cakes arrosés de crème fraîche.

Le secrétaire polonais est exceptionnellement gai. Tôt ce matin, Dziwisz a été réveillé par un appel de Copenhague[6].

C'était le représentant du nonce en Scandinavie. Il venait de dîner en compagnie de plusieurs membres du jury du prix Nobel. Ceux-ci lui ont confié qu'ils pensaient le décerner à Lech Walesa.

Dziwisz annonce la bonne nouvelle au pape pendant le petit déjeuner. Jean Paul II sourit pour la première fois ce matin-là.

Bureau central de la sécurité du Vatican

Le même jour, au même moment

A 8 heures du matin, Camillo Cibin arrive à son bureau situé à proximité de l'imposant palais San Carlo, abrité par les tours de la basilique.

A cette heure matinale, exception faite des *vigili,* il n'y a pas âme qui vive dans cette partie du Vatican. Le col de son imperméable relevé, Cibin marche à pas mesurés sans se préoccuper de l'averse, il s'arrête de temps à autre pour surveiller les immeubles alentour. C'est une habitude qu'il a contractée à l'époque où il était détective et pourchassait les criminels dans le square Travestevere.

Une partie de l'équipe de Cibin considère ces radars ultrasophistiqués installés par la C.I.A. sur le toit du palais apostolique comme un exemple supplémentaire des relations ambiguës qu'entretiennent les services secrets et la papauté actuelle : Jean Paul II détient la puissance et la gloire tandis que la C.I.A. s'emploie à établir son pouvoir au sein du Vatican.

Ce matin, Cibin a l'intention de reconsidérer une question plus immédiate : que sait exactement l'Agence au sujet de l'attentat ? Dans douze jours précisément, ce sera le deuxième anniversaire de cet attentat qui, pour des raisons très différentes, continue d'obséder le pape et son chef de la Sécurité.

Cibin ne sait pas ce qui motive encore l'intérêt du pape dans cette affaire. Pour ce qui est de lui, sa conscience professionnelle l'incite à aller au fond d'une affaire toujours plus complexe et dans laquelle les frontières entre la politique internationale et la quête de la vérité restent mal définies.

Parvenu à son Q.G., il entre dans son bureau et s'installe à sa table de travail. Il sort d'un tiroir fermé à clef l'épais dossier de l'attentat. Avant même de commencer à l'étudier, Cibin sait que des considérations d'ordre politique l'empêcheront d'obtenir les réponses qu'il souhaite.

C'est en tout cas la seule explication plausible au refus poli mais ferme qu'on lui oppose chaque fois qu'il demande à voir la transcription intégrale de l'interrogatoire d'Agca par le B.K.A. — l'équivalent du F.B.I. en Allemagne de l'Ouest. En mai 1981, au lendemain de l'arrestation d'Agca, une équipe du B.K.A. de Wiesbaden était venue en secret à Rome et lui avait posé près de deux cents questions. Il avait répondu à un peu moins de la moitié.

Cependant ses réponses sont jugées si intéressantes que l'une des premières choses que fit le chancelier Helmut Kohl, lorsqu'il prit ses fonctions en mars, fut de ratifier un arrêt n'autorisant personne hormis ses directeurs ou les services secrets d'Allemagne de l'Ouest, le B.N.D., à prendre connaissance du rapport complet du B.K.A.

La copie d'un dossier des services de renseignements autrichiens, tombée entre les mains de Cibin, explique plus ou moins pourquoi Kohl est si désireux de garder ce rapport du B.K.A. strictement confidentiel[7]. Le dossier autrichien révèle que Horst Grillmeir est l'un des hommes du réseau qui a mené Agca jusqu'à la place Saint-Pierre. Il avait acheté en Autriche le browning 9 mm semi-automatique qu'a utilisé Agca. Immédiatement après la tentative d'assassinat, Grillmeir, ainsi que beaucoup d'autres impliqués dans cette affaire, s'était enfui, très certainement en Bulgarie.

Grillmeir a été arrêté à un poste douanier entre l'Autriche et la Tchécoslovaquie. Son semi-remorque était bourré d'armes. Il présenta des documents qui l'autorisaient à importer des fusils en Allemagne de l'Ouest et donna à la police autrichienne le nom d'un de ses associés qui vivait à Munich, Paul Saalbach. Grillmeir les pressa de téléphoner à Saalbach « afin de faire cesser cette absurdité ».

Au lieu de cela, un membre éminent des services de renseignements autrichiens avait contacté en Allemagne de l'Ouest le B.N.D. et le B.K.A. pour s'entendre dire par les deux services que Saalbach était un agent du B.N.D. basé au Q.G. des services à Pullach, près de Munich.

L'idée que le B.N.D. avait utilisé Grillmeir comme trafiquant d'armes — son camion contenait plus de sept cents armes et quinze mille pièces de munitions — non seulement rendit les Autrichiens furieux, mais les conduisit d'autre part à se demander si, au moment où ils avaient vraiment eu besoin de l'interroger sur ses activités avec Agca, Grillmeir ne se trouvait pas sous la protection du B.N.D. Il est clair qu'espérant traverser l'Autriche avec un tel arsenal en direction de l'Allemagne de l'Ouest, il devait avoir diablement confiance en ses protecteurs.

Cibin sait que cet épisode autrichien soulève des questions beaucoup plus importantes. Grillmeir était-il déjà en rapport avec le B.N.D. lorsqu'il fournit son arme à Agca ? Qui lui avait demandé de l'acheter ? Pourquoi se l'être procurée en Autriche ? Le pistolet était-il passé par l'Allemagne de l'Ouest avant de parvenir à Rome ? Agca avait-il dit aux agents du B.K.A., lorsqu'ils l'interrogèrent, qu'il avait un lien, même lointain, avec les services de renseignements d'Allemagne de l'Ouest en plus de ses relations, déjà prouvées, avec Grillmeir ? Les réponses à toutes ces questions ainsi qu'à d'autres tout aussi embarrassantes figuraient-elles dans le rapport complet du B.K.A. ?

Le chef de la sécurité du Vatican le pense. La C.I.A. semble avoir tout fait pour brouiller la piste ; il y a toutes les chances pour que les services de renseignements d'un des pays les plus puissants d'Europe occidentale en ait fait autant. Le dossier autrichien indique que le B.K.A. et le B.N.D. en savent beaucoup plus sur ce complot contre le pape qu'ils ne veulent bien le dire.

Il a passé des heures à étudier la version expurgée du rapport du B.K.A. que le gouvernement ouest-allemand a mis en circulation fin 1981. Cibin ne peut rien affirmer : sa façon quelque peu vieux jeu d'enquêter le pousse à ne rien croire qu'il n'ait personnellement contrôlé. Cependant, il soupçonne le document intégral du B.K.A. de contenir la preuve de l'implication du K.G.B. dans le complot et, en corollaire, celle du leader soviétique[8].

Comme il aime à le dire à ses amis, Cibin n'est pas « excessivement politique ». Mais il n'a pas eu besoin de ses contacts au B.N.D. pour comprendre que, si l'Allemagne fédérale accusait publiquement le leader soviétique de tentative d'assassinat sur la personne d'un chef d'Etat, cela déclencherait une véritable tempête politique.

Mû par une volonté tenace, Cibin avait essayé d'obtenir une

copie du rapport inédit du B.K.A. par l'intermédiaire de la C.I.A. à Rome. Le directeur de l'antenne locale prétendit ignorer son existence.

Son flair de détective lui fit subodorer une conspiration internationale et Cibin décida de s'adresser au M.O.S.S.A.D. Comme la plupart des services secrets occidentaux, les services israéliens se montrent en général coopératifs lorsque les requêtes émanent du Vatican. Cette fois, les Israéliens furent catégoriques : ils ne pouvaient rien faire.

Aujourd'hui, comme par le passé, Cibin utilise les mêmes méthodes apprises cinquante ans plus tôt à l'académie de police de Rome, car elles se sont toujours révélées efficaces. Il commence par mettre noir sur blanc toutes les données dont il est sûr. A partir de là, il va émettre différentes hypothèses, le probable, le possible et l'impossible. C'est un travail de longue haleine. Avant même d'avoir terminé, il est de nouveau confronté à un élément qui le gêne depuis des semaines : le B.N.D. et le B.K.A. n'ont pas de liens étroits avec le M.O.S.S.A.D., mais ces trois services en ont tous avec la C.I.A.

A partir de là, Cibin est en mesure de déduire que le blocage de l'information dont il a tant besoin a été ordonné par l'Agence. Cette attitude peut en partie résulter de l'enquête que le M.O.S.S.A.D. a lui-même effectuée sur la tentative d'assassinat contre le pape.

Le 17 avril 1981, le vendredi saint — un mois avant l'attentat —, Agca avait été repéré à Pérouse, une ville universitaire au nord de Rome, par un service de renseignements turc, le M.I.T. Ce renseignement émanait de l'un des informateurs que le M.I.T. maintient dans les ghettos turcs d'Europe occidentale. Agca était en compagnie de deux hommes.

Cette nouvelle fut communiquée au Q.G. du M.I.T. à Ankara. Là, un officier en informa le colonel Istahak Cahani, attaché à la Défense à la délégation israélienne. Cahani était aussi l'agent du M.O.S.S.A.D. en Turquie. Il avait constitué son propre dossier sur Agca et le classait parmi les plus dangereux terroristes que la Turquie eût jamais produits. Cahani craignait, et c'est légitime, qu'un jour où l'autre Agca ne s'attaquât à Israël[9].

La description des deux compagnons d'Agca à Pérouse alarma Cahani. Les ordinateurs du M.O.S.S.A.D. les identifiaient comme agents opérationnels du K.G.B., Teslin Tore et Maurizio Folini. Tard dans la nuit de ce vendredi saint, Cahani avertit Tel-Aviv par télex que les trois hommes se trouvaient à Pérouse.

Le 18 avril, samedi de Pâques, le bureau du D.I.G.O.S., installé au troisième étage du Q.G. de la police de Rome, reçut un télex du M.O.S.S.A.D. en provenance de Tel-Aviv. Ce message annonçait que « presque certainement » Agca voyageait sous son dernier pseudonyme, Faruk Ozgun. Jointe à la copie du télex du M.O.S.S.A.D. se trouvait un double de l'alerte codée en rouge lancée par Interpol ainsi que les portraits robots de Tore et de Folini [10].

Ce télex, comme on l'apprit plus tard, fut accueilli sans enthousiasme par l'officier de service au D.I.G.O.S. ce jour-là. Il faisait vraisemblablement partie de ces policiers qui considèrent que l'agence israélienne pousse un peu loin la conscience professionnelle.

Cette attitude peut en partie expliquer ce qui est arrivé [11].

L'officier téléphona au bureau du D.I.G.O.S. à Pérouse. Leurs enquêtes semblaient superficielles. Rome fut aussitôt informée qu'il n'y avait aucune trace du trio à Pérouse. La nouvelle fut télexée à Tel-Aviv. Il semble que les plus efficaces dans cette affaire, en tout cas parmi les Italiens, aient été les télexistes de la police. A Tel-Aviv, les télex s'accumulaient sur les ordinateurs du M.O.S.S.A.D.

Quelques heures après que le pape eut été blessé, le M.O.S.S.A.D. demanda l'autorisation d'interroger Agca. Un fonctionnaire du ministère italien de la Justice la lui refusa.

Un officier du M.O.S.S.A.D. à Tel-Aviv téléphona au ministre italien. L'Israélien fit courtoisement remarquer que le M.O.S.S.A.D. avait signalé au D.I.G.O.S. la présence d'Agca en Italie. Dans la confusion qui allait suivre l'attentat, les Israéliens tenaient à ce que le monde sût quel rôle ils avaient joué dans cette affaire. Et le meilleur moyen de s'en assurer n'était-il pas pour le M.O.S.S.A.D. de rendre public les télex échangés à ce sujet ? D'un autre côté, si le fonctionnaire consentait à la requête du M.O.S.S.A.D., il deviendrait évidemment superflu de révéler le contenu plutôt embarrassant de ces télex.

Le fonctionnaire permit immédiatement au M.O.S.S.A.D. d'envoyer deux agents parlant couramment le turc pour interroger Agca. Ceux-ci le questionnèrent pendant trois jours [12].

En analysant toutes les informations dont il dispose, Cibin peut reconstituer l'enchaînement plausible des faits.

Ayant fait du chantage dans cette affaire, le M.O.S.S.A.D. demanda le soutien de la C.I.A. L'Agence américaine s'efforça de calmer les Italiens qui devenaient nerveux. En contrepartie, le M.O.S.S.A.D. fournit à la C.I.A. la copie du long interrogatoire d'Agca — un exemple de la façon dont les différents services de renseignements gomment les frontières.

Avec la complaisance du M.O.S.S.A.D., du B.N.D. et du B.K.A., et peut-être même d'autres services de sécurité d'Europe occidentale, la C.I.A. peut tranquillement continuer à entraver l'enquête du juge Martella sur la piste bulgare. L'Agence s'apprête à faire appel à deux hommes redoutables pour gêner l'enquête de Martella. William P. Clark, conseiller pour la sécurité nationale du président Reagan et William J. Casey, directeur de la C.I.A., allaient bientôt déclarer à quelques journalistes triés sur le volet que la piste bulgare avait tourné court et qu'Antonov pourrait être libéré sous peu[13]. Déjà, l'antenne de la C.I.A. à Rome avait commencé à poser d'étonnantes questions. Pourquoi, si Antonov est vraiment un agent bulgare, est-il resté à Rome si longtemps après l'attentat ?

Le risque qu'Agca le trahisse était certainement très grand. Pourquoi Agca avait-il mis tant de temps à révéler le nom d'Antonov ? Quoi qu'il en soit, la C.I.A. affiche le plus grand mépris pour la piste bulgare. Pourquoi ?

Ayant considéré les preuves établies dans son dossier, Cibin est convaincu que la C.I.A. en fait vraiment beaucoup si elle n'a vraiment rien à se reprocher.

Le secrétariat du pape

Le même jour, plus tard dans la journée

Peu après 9 heures, le coursier du pape, Ercole Orlandi, vient au rapport. Les dimanches sont en général des journées sans histoire. Le coursier du pape introduit très peu de visiteurs dans les appartements du Saint-Père ou à son secrétariat et il y a peu de courrier à porter à la secrétairerie d'Etat. Le dimanche, Orlandi a tout le temps de lire les journaux ou de parler de ses enfants au personnel du pape ; c'est son occupation favorite[14].

Depuis vingt-cinq ans qu'il est père de famille, il n'a rien perdu de son enthousiasme à l'égard de ses fils et de ses filles. Ces temps derniers, pourtant, son inquiétude quant à leur avenir dans un monde de plus en plus incertain a quelque peu terni sa félicité. Récemment, sa fille aînée a perdu son emploi dans une fabrique romaine de cosmétiques ; un chômeur de plus dans une ville qui en compte déjà beaucoup. Comme des milliers d'autres Romains, elle ne trouve pas de travail. Elle est maintenant à la charge de son père dont les revenus sont modestes. Son fils aîné, sur le point d'achever ses études, trouve les perspectives de travail décourageantes. Une autre de ses filles vient de lui annoncer qu'elle projetait de se marier en septembre. Le jeune couple n'a pas le sou et Orlandi se demande s'il ne devrait pas faire l'économie d'un mariage traditionnel et de leur donner l'argent.

La fille préférée d'Orlandi, Emanuela, est tout à fait contre cette idée. Elle rêve d'un grand mariage où sa beauté serait remarquée par les photographes qui ne manqueraient pas de « couvrir » le mariage d'un membre d'une famille si proche du pape. Son père lui a gentiment rappelé qu'il n'était que simple coursier et que la presse ne s'intéresserait guère à ce mariage. Il n'a pas deviné qu'Emanuela attend de ces photographes qu'ils favorisent le lancement de sa carrière de mannequin... Orlandi a grand soin, ces derniers temps, de cacher à sa fille combien il est contrarié par ses projets d'avenir.

C'est Kabongo qui lui a conseillé de ne pas en parler[15]. Selon le secrétaire, en s'opposant ouvertement à sa fille jeune et emportée, Orlandi risquait de la voir s'entêter davantage.

Ce matin, Orlandi espère pouvoir parler de tout cela avec Kabongo. Dès il entre dans le secrétariat du pape, il comprend qu'il lui faut y renoncer.

Toute l'équipe est complètement absorbée par les événements de Pologne. Les membres du secrétariat téléphonent et reçoivent des appels de Varsovie et d'autres villes polonaises. Les nouvelles sont mauvaises. Des milliers de manifestants défiant les autorités sont descendus dans les rues et affrontent les forces de l'ordre. Les prêtres continuent d'appeler au calme mais personne ne les écoute.

Orlandi observe Kabongo qui, le visage fermé, le combiné coincé entre son oreille et son épaule, prend note du rapport que lui transmet d'une voix lasse le cardinal Glemp : « A Varsovie la situation empire de minute en minute[16]. »

Le secrétaire demande à Orlandi de placer ce rapport sur le plateau réservé aux communications dont le pape doit prendre connaissance en priorité.

Orlandi sent que cette journée va être l'une des plus chargées de l'année. Il s'apprête à faire un bon nombre de fois le trajet entre le secrétariat du pape et la secrétairerie d'Etat.

Après le petit déjeuner, Jean Paul II s'est retiré dans son bureau pour mettre la dernière main à son sermon de l'angélus. Il le fera à midi précis place Saint-Pierre devant une foule de quelques centaines de milliers de personnes et des millions d'autres dans le monde l'écouteront à la radio et à la télévision. Ses paroles s'adressent en priorité à ses concitoyens. L'homélie du pape est émaillée de mots émouvants tels que « solidarité », « fraternité » et « liberté[17] ».

En fin de matinée, Dziwisz et Magee entrent dans son bureau. Le maître des cérémonies apporte un tissu de velours rouge ourlé d'or.

Le pape ignore les deux hommes qui se dirigent lentement vers l'une des fenêtres de son bureau.

Le secrétaire l'ouvre. De la place s'élèvent des applaudissements. Dziwisz aide Magee à draper le rebord de la fenêtre avec le tissu de velours rouge avant d'installer le lutrin auquel Magee fixe le micro.

Les deux prêtres contemplent longuement la place afin de permettre aux cameramen et aux photographes de régler la distance et le temps d'exposition de leurs appareils. Derrière eux, le pape lit son sermon à voix haute[18].

Peu avant midi, ils retournent dans la pièce où Jean Paul II continue de lire. Il a souligné au crayon quelques mots clefs qu'il souhaite accentuer et a noté les endroits où il observera une pause, comme un acteur décidé à faire de son mieux.

A midi moins cinq exactement, le pape s'avance vers la fenêtre ouverte. Avant même qu'il l'ait atteinte, une immense clameur s'élève de la foule.

Chez Clarissa McNair

Le même jour, vers midi

Tout autour de la place Saint-Pierre, la voix amplifiée du pape résonne dans les haut-parleurs. C'est à peine si Clarissa McNair l'entend. Elle est plongée dans la préparation de son reportage sur le développement des relations entre le Saint-Siège et la République populaire de Chine [19].

Sa table de travail est jonchée de documents analysant la façon dont la Chine envisage ses rapports avec les superpuissances. Il y a aussi des articles tirés du *Quotidien du peuple* et de la *Pravda* [20], les derniers propos des leaders américains et russes sur la Chine populaire ainsi que les notes que Clarissa a prises en consultant le rapport ultraconfidentiel que lui a transmis le premier conseiller du pape. Son supérieur, le frère Quercetti, a été surpris que le prêtre mandarin eût accepté de la rencontrer. Les évêques spécialisés dans les affaires chinoises ont souvent bien du mal à s'entretenir avec le prélat.

En raison de la nature confidentielle de ces documents, Clarissa McNair a décidé de préparer son émission chez elle, au cinquième étage d'un immeuble situé dans l'un des quartiers les plus résidentiels de Rome, *via* San Telesforo.

L'appartement reflète la vie mouvementée de Clarissa. Les murs sont couverts de tableaux haïtiens, de photographies de l'Afghanistan, de colliers africains et de chapeaux de safaris qu'elle a portés au cours de son voyage autour du monde. Une place de choix est réservée aux enregistrements de ses émissions radiophoniques.

Elle sait que ses confrères trouveraient curieux qu'elle prépare son reportage sur la Chine un dimanche. Elle a été tellement frappée par la façon dont, selon le conseiller, les prêtres catholiques chinois se cramponnent à leur foi qu'elle consacre toutes ses heures de liberté à la rédaction de son texte. Elle s'est plongée dans la lecture d'un communiqué commun établissant l'existence de relations diplomatiques entre la Chine populaire et les Etats-Unis ; elle note que Washington entérine la position des

Chinois selon laquelle « il n'y a qu'une Chine dont Taiwan fait partie ». Cependant les Etats-Unis semblent décidés à maintenir des « relations officieuses » de nature culturelle et économique avec Taiwan.

Les deux pays ont été satisfaits de ces finesses diplomatiques. En marge de ce communiqué, Clarissa McNair a noté au crayon : « Puis-je suggérer que le Saint-Siège exprime une opinion analogue ? »

En août 1982, le président Reagan avait jugé nécessaire de publier un rapport plus complet sur la « délicate question de la vente d'armes américaines à Taiwan ». Il rappelait à Pékin « qu'il appartient au peuple chinois, des deux côtés du détroit de Taiwan, de résoudre ce problème eux-mêmes. Nous n'interférerons pas et ne contesterons pas la libre décision du peuple de Taiwan ».

En clair, la Chine prend soin d'éviter d'instaurer des « relations spéciales » avec les Etats-Unis, car cela irait à l'encontre du souhait de la République populaire de devenir le leader du tiers monde — ce vers quoi tend sa politique étrangère.

Le tiers monde est à présent au cœur des préoccupations du Saint-Siège. Ne pourrait-il y avoir là matière à confrontation dans la mesure où l'Eglise et la Chine prétendent toutes deux assumer un rôle de guide spirituel ?

McNair n'en sait rien, mais elle subodore que son reportage, qui sera placardé sur les murs de Pékin, devrait éviter ce genre de sujet. De même, la journaliste doit tenir compte de la politique du Saint-Siège qui souhaite un rapprochement réel avec la Chine. Peut-elle insinuer que le Vatican serait prêt à abandonner ce vieux rêve d'ouvrir une nouvelle ère missionnaire en Chine et de voir les religieux réintégrer les missions dont ils avaient été chassés ? Faut-il qu'elle évoque le problème des chrétiens chinois résidant à l'étranger ? Seront-ils jamais autorisés à regagner leur pays et à pratiquer librement leur religion ? Doit-elle mentionner le fait qu'aujourd'hui, en Chine, la religion affronte une société laïcisée depuis des siècles ? Peut-elle parler de l'opinion des prêtres en Chine qui estiment que Rome devrait abandonner la perspective d'une union étroite avec l'Eglise catholique chinoise ? Beaucoup de gens, à l'extérieur de la Chine, considéreraient cette proposition comme une trahison à l'égard de tous les missionnaires étrangers déportés après la révolution culturelle et de tous les prêtres chinois, fidèles à Rome, qui sont restés là-bas en dépit des persécutions dont ils furent l'objet.

Clarissa McNair est sûre d'une chose : la secrétairerie d'Etat sait à présent que le gouvernement chinois actuel, de même que le Saint-Siège, considère que tous les différends internationaux doivent être réglés par la voie diplomatique. Récemment, le premier ministre chinois, Zhao Ziyang, a déclaré au cours d'un voyage dans une dizaine de pays africains que la République populaire était sans doute la seule grande puissance bien accueillie dans des pays aux systèmes politiques et économiques très divers.

Le pape lui-même aurait eu du mal à définir avec plus de précision le but de sa propre mission.

Au fond, conclut Clarissa McNair, moi aussi j'ai des raisons d'espérer que mon reportage influencera de manière positive la politique du Saint-Siège.

Cette perspective est assez excitante pour l'inciter à chercher une façon à la fois objective et pondérée d'expliquer à ses innombrables auditeurs les problèmes fort complexes dissimulés derrière le désir du Saint-Siège d'échanger des ambassadeurs avec Pékin.

L'appartement du pape

Dimanche, début de soirée

Les forces de l'ordre polonaises chargent avec matraques, gaz lacrymogènes et lances à incendie. Les ouvriers de Solidarité lapident les véhicules de la police. Soudain, Lech Walesa paraît.

Jean Paul II augmente le son de son téléviseur. Dziwisz enregistre l'émission sur le magnétoscope.

Devant le chantier naval Lénine à Gdansk, l'équipe de la télévision qui tente de filmer Walesa est prise à partie par des miliciens. Une seconde équipe filme l'incident.

Dans le bureau du pape, tous restent pétrifiés devant le drame qui se déroule sur le petit écran. Les miliciens sont repoussés sans ménagement par les gros bras du chantier naval qui forment un cordon de protection autour de Walesa. Celui-ci regarde fixement la caméra et lance un défi au gouvernement de Jaruzelski : « Négociez avec nous. Vous ne pouvez plus ignorer notre pouvoir. »

Cet extrait est prolongé par une séquence montrant l'ampleur de la manifestation. En tout, on estime à sept millions le nombre des manifestants (les membres de Solidarité, leur famille et les sympathisants) descendus dans la rue dans toutes les grandes villes polonaises. Les défilés officiels du 1er mai n'ont même pas attiré deux cent mille personnes.

Jean Paul II ne dissimule pas sa satisfaction. Il se lève et dit à son équipe : « Il va être difficile aux autorités d'annuler mon voyage après cela [20]. »

La secrétairerie d'État

Vendredi, début de soirée

Emery Kabongo n'ose y croire, mais les choses « redeviennent normales [21] ». Pour la première fois cette semaine, la Pologne et Walesa n'occultent plus le reste de l'actualité. Ce soir, le bureau des Affaires polonaises n'a pas transmis son rapport quotidien aux autres services. Tout le monde s'en réjouit.

A la secrétairerie, ils sont également soulagés que ni le gouvernement polonais ni Solidarité n'aient songé à se livrer à des représailles de grande envergure qui auraient pu avoir des conséquences désastreuses, y compris l'annulation de la visite du pape. Les confrontations de dimanche dernier, qui laissaient augurer le pire, se sont transformées en escarmouches pendant la semaine.

Comme il était à prévoir, Walesa avait été arrêté après son communiqué à la télévision. Cependant, il fut relaxé assez rapidement et, pour preuve de son indéfectible optimisme, partit aussitôt taquiner le goujon.

A la lumière du rapport de Poggi, Jean Paul II a demandé à Mgr Glemp de réitérer à Varsovie son appel pour l'amnistie de tous les prisonniers politiques, la levée de la loi martiale, la restitution des droits civiques et « la réembauche des travailleurs licenciés en raison de leurs opinions [22] ».

Le ministre polonais des Affaires religieuses a promis que son gouvernement mettrait à l'avenir tout en œuvre pour « améliorer les relations entre l'Eglise et l'Etat[23] ». Cependant, au même moment, Jerzy Urban, le porte-parole du gouvernement, annonçait qu'il était « hors de question » pour Jean Paul II de rencontrer Walesa lors de sa visite et qu'en outre le pape ne serait pas autorisé à se déplacer librement dans les « bastions de la dissidence », Gdansk par exemple[24].

Selon Kabongo, cette réaction du gouvernement n'est qu'une pose[25]. Le secrétaire est certain que Poggi voit juste : Jaruzelski pense que la présence du pape va conférer au gouvernement une respectabilité dont il a le plus grand besoin aux yeux du monde.

Le mois dernier, Casaroli a été l'un des instigateurs d'une initiative concernant le Salvador. Il avait établi des contacts presque quotidiens avec le nonce Lajos Kada. Même au plus fort de la dernière crise polonaise, la secrétairerie d'Etat a trouvé le temps de s'entretenir avec Kada ainsi qu'avec un autre délégué du pape plus directement impliqué dans cette opération, Pio Laghi, à Washington. Il les a tous deux conseillés sur la manière de réagir à l'attitude actuelle de l'administration Reagan concernant la guérilla dont l'issue, ainsi que le président l'a clairement expliqué, est vitale pour la sécurité à long terme des Etats-Unis.

Reagan vient d'annoncer au Congrès que sa stratégie en Amérique centrale était analogue à celle qu'avait adoptée le président Truman pour empêcher l'Europe centrale de l'après-guerre de se tourner vers le communisme. Selon Reagan, le Salvador est un terrain propice à la subversion soviétique, cubaine et même nicaraguayenne. A moins de la contrôler, cette subversion gagnera le reste de l'Amérique centrale, s'étendra au Mexique et arrivera rapidement aux portes des Etats-Unis.

Le Saint-Siège convient que, si tel était le cas, cela pourrait être très grave. Mais il pense que l'administration Reagan réagit trop vivement à la situation actuelle.

L'attitude de Casaroli est à présent approuvée par beaucoup de congressistes.

Au Congrès, la grogne contre la politique de l'administration Reagan s'accroît de jour en jour. Reagan a récemment demandé un crédit supplémentaire de cent millions de dollars pour l'aide militaire au Salvador. La commission du Sénat pour les Affaires étrangères le lui a refusé. Le Sénat et la Chambre des représentants sont d'accord pour mettre un terme au financement de la guérilla au Nicaragua. En revanche, une aide militaire supplémentaire au Guatemala a été votée.

Le président, loin de s'avouer vaincu, a porté l'affaire devant une session commune du Congrès. Non seulement il a réclamé de nouveau cent millions de dollars pour le Salvador, mais en outre une rallonge de deux cent cinquante millions de dollars devant être affectée en 1984 à l'aide économique et militaire du plus petit pays du continent latino-américain, considéré comme un pays stratégiquement négligeable jusqu'à ce que l'administration Reagan s'y intéresse.

Tandis que le président insistait, à plusieurs reprises en public, sur le fait qu'il ne ferait jamais intervenir les troupes américaines en Amérique centrale, Laghi a appris qu'il envisageait, avec ses conseillers, une intervention militaire dans cette région.

Cette éventualité a attiré l'attention de Casaroli. La perspective d'un nouveau Vietnam l'épouvante. En outre, les conséquences d'une telle offensive sur une Eglise déjà très divisée au Salvador ne pourraient être que désastreuses.

Par la suite, Kada a rapporté que la présence de la C.I.A s'était intensifiée au Salvador et au Nicaragua. Des diplomates américains ont dit au nonce, assez sceptique, que dans le cas du Salvador la présence de la C.I.A. faisait partie du « bouclier » derrière lequel la démocratie chancelante du pays pourrait trouver le temps de s'établir.

Casaroli est décidé à essayer de convaincre l'administration Reagan que, bien qu'ayant de bonnes raisons pour le faire — le Saint-Siège considère également qu'une prise de pouvoir par les communistes au Salvador serait une catastrophe — l'administration Reagan soutient ce que Kada appelle un « ordre social corrompu solidement établi[26] ».

Selon lui, bien que la plupart des rebelles qui se battent pour renverser le gouvernement salvadorien soient des communistes durs, un nombre croissant de modérés prennent les armes. D'après Kada, ceux-ci ne croient plus en un changement pacifique par le biais d'élections démocratiques, à cause de l'attitude répressive du gouvernement.

Casaroli a confié à Kada la difficile tâche de convaincre les modérés de déposer les armes et de reprendre la lutte dans le cadre de ce qui est possible, compte tenu des conditions très dures qui prévalent actuellement[27].

A Washington, Casaroli a confié à Laghi une mission tout aussi délicate. Le délégué apostolique espère convaincre le cabinet républicain d'appuyer les négociations entre le gouvernement salvadorien et les rebelles ; ce serait le seul moyen de mettre un terme aux effusions de sang. A Washington, on considère que de tels pourparlers conféreraient aux guérilleros une importance qu'ils ne méritent pas[28].

Cependant, au-delà du discours belliqueux de Reagan devant le Congrès, Laghi a entr'aperçu une lueur d'espoir.

En fin d'après-midi, il en a informé le bureau des Affaires pour l'Amérique latine. Il s'est entretenu avec de hauts dignitaires du département d'Etat et de la Maison-Blanche. Tous lui ont confirmé que l'administration Reagan « serait prête à admettre l'idée que des guérilleros puissent prendre part aux élections salvadoriennes ».

Le prélat sait qu'il faudra du temps, dans ce cas précis, pour que les vues du Saint-Siège coïncident avec la politique présidentielle.

Mais cette information est encourageante, assez en tout cas pour que le diplomate de la secrétairerie rédige un télégramme à l'intention de Laghi. On lui demande de se renseigner, par l'entremise de ses contacts à Washington, pour savoir si, en admettant que les protagonistes acceptent librement d'arrêter les combats et de participer à des élections qui se dérouleraient selon les règles de la démocratie, les Etats-Unis useraient de leur influence pour mettre sur pied une force d'interposition neutre, composée d'hommes issus des différents pays latino-américains afin d'assurer la sécurité des candidats[29].

Un second télégramme est envoyé à Kada. Il résume les informations transmises par Laghi et les instructions qui lui ont été données. En outre, on demanda à Kada de rappeler au gouvernement salvadorien que, si celui-ci soutient une telle initiative, la responsabilité de la poursuite des combats incombera à ses adversaires. Le Saint-Siège pense qu'en bénéficiant d'une protection appropriée, les candidats de la guérilla ne pourraient refuser de participer aux élections sans risquer de perdre le soutien considérable qu'ils reçoivent actuellement d'Amérique latine, d'Asie, d'Europe occidentale et également d'un nombre croissant d'Américains.

Un autre dignitaire ecclésiastique du bureau des Affaires d'Amérique latine s'occupe du rapport du Nicaragua qui décrit la façon dont le gouvernement communiste fait pression sur l'épiscopat local afin d'obliger celui-ci à conférer une légitimité morale à sa politique. Le nonce en poste à Managua écrit, non sans amertume, que le gouvernement « insiste pour que l'Eglise associe le Nouveau Testament à l'idéologie marxiste, le Messie à leur leader, le Royaume de Dieu au " paradis socialiste " de leur pays[30] ».

Le rapport du nouvel archevêque de Managua, Obando Bravo, est également préoccupant. Cinq prêtres catholiques continuent d'occuper des postes gouvernementaux, défiant ainsi ouvertement Jean Paul II qui leur avait demandé de démissionner.

Obando Bravo désire savoir si leur conduite doit faire l'objet d'un rapport au Saint-Siège.

Le nonce et l'archevêque reçoivent la même réponse : tous les moyens doivent être mis en œuvre pour résister aux pressions du gouvernement sur l'épiscopat local. Le cardinal Ratzinger devra trancher en ce qui concerne l'avenir des cinq prêtres[31].

Un troisième prêtre du bureau étudie un rapport transmis par l'archevêque Ubaldo Calabresi, nonce en poste à Buenos Aires.

Depuis des mois, Calabresi a été chargé par le Saint-Siège de résoudre un problème difficile en Argentine.

Il s'agit de savoir comment ramener le pays à la démocratie au terme de sept années de dictature militaire — les élections sont prévues dans cinq mois — tout en justifiant de manière plausible le sort d'au moins six mille Argentins baptisés les « disparus », enlevés au plus fort de l'offensive antiterroriste militaire.

Calabresi, soutenu par les cardinaux et les évêques locaux, a plaidé en faveur d'une politique qu'il a qualifiée de « politique de vérité et de pardon », slogan qui a formé la substance d'innombrables sermons des prêtres du pays.

La campagne semblait avoir bénéficié d'un certain succès. Mais soudain, au cours des derniers jours, les chefs militaires ont demandé des garanties pour que ni eux ni leurs prédécesseurs n'aient à se soumettre à des enquêtes sur les disparus, une fois la démocratie rétablie.

Certains partis d'opposition qui avaient été dissous depuis longtemps ont refait surface et se refusent à accorder ces garanties.

Des deux côtés, on tente d'obtenir gain de cause auprès de l'épiscopat argentin.

Jusqu'à présent, Calabresi a refusé de prendre en compte les déclarations de la junte selon lesquelles les disparus étaient victimes d'une des conséquences regrettables d'une « guerre destinée à sauver la nation ».

Aujourd'hui, rapporte le nonce, le gouvernement lui a demandé d'essayer d'empêcher d'éventuelles enquêtes destinées à établir la culpabilité de certains de ses membres.

Ce dernier projet que Calabresi qualifie d'un ton méprisant de « loi d'auto-amnistie », revient à établir une législation douteuse qui rendra presque impossible le jugement de tout soldat ou de tout policier accusé d'avoir commis des actes visant à empêcher les activités terroristes au mépris des dispositions judiciaires [32] ».

En dépit de la répulsion qu'il éprouve pour une telle proposition, le nonce a appris qu'elle avait obtenu quelque crédit auprès d'hommes politiques civils à la tête du pays. Tous sont conscients du fait que tout gouvernement démocratique devra affronter suffisamment de problèmes sans chercher à créer en plus une confrontation avec les militaires, qui, si on les pousse trop loin dans leurs retranchements, pourraient organiser au dernier moment un autre coup d'Etat et reprendre le pouvoir. Quelques leaders de l'opposition ont annoncé qu'une fois au gouvernement ils oublieraient la question des disparus.

Le parti radical — qui, selon Calabresi, pourrait bien surprendre tout le monde en remportant les élections — tente aussi de convaincre l'épiscopat argentin de porter l'affaire devant les tribunaux. Le nonce pense que, compte tenu de l'inefficacité du système judiciaire en place et du manque de preuves dans la plupart des cas, peu de ceux qui sont soupçonnés dans cette affaire des disparus seront effectivement condamnés.

Selon l'archevêque Calabresi, l'épiscopat argentin devrait soutenir l'idée d'une consultation nationale afin de savoir si les militaires doivent être amnistiés après la venue au pouvoir d'un gouvernement civil. Il pense qu'avec l'arrivée de la démocratie, le peuple voterait vraisemblablement pour le pardon, ne serait-ce que pour mieux asseoir le nouveau gouvernement. Cela serait une solution acceptable à ce réel dilemme.

Le pape ne manquera pas de prendre connaissance d'un rapport préparé par les membres du bureau d'Eduardo Somalo, le remarquable adjoint de Casaroli. Ce rapport fait le bilan de six mois de socialisme en Espagne sous la direction de Felipe Gonzalez Marquez. Les évêques espagnols avaient été jusqu'à « conseiller » aux électeurs en 1982 (s'ils souhaitaient rester de « bons catholiques »), de s'abstenir de voter pour les sociaux-démocrates de Gonzalez, ce parti soutenant l'avortement légal. Ce « conseil » fut donné avec l'approbation du pape[33]. Mais l'électorat espagnol jugea à l'unanimité que le temps du changement était venu, ce qui, d'ailleurs, avait été le slogan électoral du parti socialiste. Dix millions d'Espagnols, sur vingt-six millions et demi d'électeurs, soutinrent Gonzalez. Il faut noter que 80 pour cent d'entre eux étaient catholiques.

Les évêques espagnols en furent tout d'abord abasourdis, puis ils étudièrent de plus près cet événement.

Gonzalez n'a pas hésité à prendre des mesures radicales. Il a dévalué la peseta et a augmenté le prix de denrées aussi nécessaires que l'essence et les cigarettes. Il a continué à combattre l'Eglise : une attitude ferme mais polie qui constituait sans aucun doute un défi lancé à l'Eglise dans des domaines que celle-ci avait toujours contrôlés.

Les vingt-deux mille membres de l'Opus Dei en Espagne ont exprimé la crainte de voir le nouvel enthousiasme pour l'Education nationale laïque réduire peu à peu à néant la mainmise traditionnelle de l'Eglise sur le système éducatif.

Des groupes de pression composés de catholiques de droite ont suggéré à l'épiscopat d'inviter Gonzalez à Rome afin qu'il ait une audience privée avec le Saint-Père. Cette proposition, transmise à la secrétairerie d'Etat, vient de parvenir au bureau de Mgr Somalo.

Giulio Einaudi, envoyé du nonce en poste à La Havane a pendant des mois réuni des coupures de presse extraites de journaux cubains. Selon ces articles, la C.I.A. aurait formé Agca.

Einaudi a trouvé une occupation plus digne de sa fonction diplomatique.

Le président Reagan a déclaré que la petite île caraïbe de La Grenade constituait une menace potentielle pour la sécurité des Etats-Unis. Il a personnellement autorisé la diffusion par le Pentagone de photographies prises par satellite du nouvel aéroport international en cours de construction sur l'île. Le président certifie que cet aéroport pourra recevoir les bombardiers soviétiques armés de têtes nucléaires dirigées vers les Etats-Unis.

Einaudi a expliqué à la secrétairerie d'Etat les raisons de la construction de cet aéroport.

Le rapport du nonce est plutôt rassurant. L'aéroport risque de coûter davantage que les soixante-dix millions de dollars prévus avant que sa piste de trois mille mètres ne soit terminée. Mais tout laisse supposer que cette entreprise ne dépend pas uniquement de la volonté du gouvernement révolutionnaire populaire de Grenade. En prenant le pouvoir en 1979, le gouvernement communiste était décidé à tenir ses promesses et à améliorer les conditions de vie des ouvriers de l'île. Beaucoup émigrent à la recherche de travail dans les autres îles caraïbes. Pour eux, quitter La Grenade signifie faire de longues escales à Trinidad et aux Barbades. Le nouvel aéroport leur facilitera la tâche. En outre, le commerce extérieur de l'île aurait tout à gagner si les avions gros porteurs pouvaient y atterrir.

Depuis plus de vingt-cinq ans les habitants de La Grenade réclament cet aéroport. Bien qu'il soit financé par Cuba et l'Union soviétique, et construit essentiellement par des ouvriers cubains, décréter que cet aéroport peut constituer une menace militaire pour les Etats-Unis est peut-être excessif, conclut Einaudi.

Le bureau pour les Affaires nord-américaines étudie les réactions provoquées par la lettre pastorale des évêques américains. Lors de leur réunion à Chicago, où ils devaient mettre la dernière main à ce document, les évêques américains avaient substitué, comme on s'y attendait, le verbe « arrêter » au verbe « freiner » en ce qui concerne les essais, la production et le déploiement des armes nucléaires.

La version définitive de cette lettre ne condamne plus seulement le concept très controversé de « première frappe », mais également les représailles nucléaires sur les villes ennemies après le bombardement des grandes villes américaines.

L'équipe du bureau pour les Affaires européennes analyse l'impact que pourra avoir la lettre pastorale sur la dernière partie de la conférence de Genève. Les prêtres de ce bureau se sont familiarisés avec les sigles des armements et les euphémismes diplomatiques qui émaillent les discussions. Ils pensent que la prochaine session sera une fois de plus consacrée aux débats sur les moyens de limiter les vecteurs nucléaires à moyenne portée en Europe. Le bureau pour les Affaires européennes estime que, parmi le flux incessant de propositions et contre-propositions soviétiques et américaines, un accord semble encore possible.

Cette opinion se fonde sur un certain nombre de facteurs.

Tout d'abord opposée à cette idée, la Russie a, à présent, fait connaître sa volonté d'inclure dans les calculs le nombre réel de têtes nucléaires équipant les missiles que le pacte de Varsovie pointe sur l'Europe occidentale au lieu de se limiter au décompte des seules fusées. Dans la mesure où l'on estime que l'Union soviétique possède beaucoup plus de têtes nucléaires que l'O.T.A.N., cette attitude représente un grand pas en avant[34].

La proposition d'un nouveau gel de l'armement nucléaire américain a finalement été acceptée par la Chambre des représentants. Le bureau pour les Affaires européennes considère ce vote comme un geste important, traduisant la volonté de Washington de trouver une solution au problème de la réduction des armements.

Il considère que la lettre pastorale renforcera considérablement le poids de ceux qui s'opposent à la politique nucléaire actuelle de l'administration Reagan. Ce jugement va plus loin que celui du bureau pour les Affaires d'Amérique du Nord.

Les deux points de vue seront soumis à Casaroli. Le secrétaire d'Etat en prendra connaissance et en extraira les points essentiels qui lui permettront de préparer son rapport pour le pape.

13

L'ambassade de Bulgarie, Rome

Vendredi matin

Depuis quelques semaines, Vassil Dimitrov appréhendait ce jour, le second anniversaire de la tentative d'assassinat du pape[1]. Il avait toutes les raisons de craindre que la presse se déchaîne à cette occasion contre la Bulgarie. « La vie ne vaudrait plus la peine d'être vécue », disait-il[2].

Aujourd'hui, ce communiste convaincu déclare à ses collègues que, grâce à la C.I.A., il a l'impression de renaître. Il a même décrété qu'il songeait à envoyer un bouquet de roses à l'antenne de la C.I.A. à Rome, « rouges, naturellement », accompagné d'un mot de remerciement de la part d'un compagnon de route de la piste bulgare. Toute plaisanterie mise à part, Dimitrov a encore du mal à comprendre comment tout a si bien tourné[3].

Trois mois plus tôt, le premier secrétaire était physiquement et moralement épuisé. Dimitrov craignait d'être rappelé à Sofia et de servir de bouc émissaire dans une affaire qui avait sérieusement entaché sa réputation ainsi que l'image de son pays.

Bien qu'il se fût toujours estimé irréprochable, Dimitrov était suffisamment réaliste pour savoir que de hauts fonctionnaires du ministère des Affaires étrangères avaient débattu de son sort, pendant les sombres journées d'hiver à Sofia. Le Kremlin était furieux que la piste bulgare eût à aboutir à Moscou et l'avait clairement exprimé à plusieurs reprises. Le ministre soviétique des Affaires étrangères avait demandé la tête des responsables bulgares[4]. Ses collaborateurs à Sofia jugèrent alors prudent de prendre leurs distances avec Dimitrov : quand ils avaient besoin d'entrer en contact avec lui, leurs télex étaient brefs et leurs conversations téléphoniques tout, sauf chaleureuses.

Et soudain, en une nuit, tout changea.

Dimitrov a souligné dans son agenda les dates clefs et griffonné ses impressions sur ce qu'il a baptisé le « miracle ». La presse occidentale à laquelle il s'est autrefois constamment opposé, diffuse désormais une version des événements qui corrobore en tous points la sienne. Les notes confidentielles du diplomate et les documents publiés sont à peu de chose près les mêmes et justifient le soulagement qu'on lit dans le regard de Dimitrov, dans la vivacité de ses gestes, dans son discours assuré.

Les commentaires de la presse et les notes du diplomate rapportent une curieuse histoire.

Il y a un peu moins d'un mois, Dimitrov et la presse ont appris que le juge Martella s'apprêtait à interroger deux témoins clefs : Donka et Kosta Krustev[5]. Il s'agit d'un couple de Bulgares qui aurait conduit la femme d'Antonov, Rossitsa, de Rome à Sofia, le 8 mai 1981. Or Agca a répété à plusieurs reprises que, le 10 mai 1981, soit deux jours plus tard, Rossitsa se trouvait dans l'appartement romain d'Antonov lorsque son mari, toujours selon Agca, lui avait expliqué ce qu'on attendait de lui.

Le juge Martella et ses assistants interrogèrent les Krustev pendant douze heures. Ceux-ci s'en tinrent à leur déposition initiale : ils avaient conduit Rossitsa à Sofia quarante-huit heures avant. Ils démentaient ainsi la déclaration d'Agca qui soutenait l'avoir rencontrée à ce moment-là.

Martella entreprit de longues vérifications afin d'établir s'il était possible que Rossitsa fût revenue à Rome pendant ces deux journées cruciales et conclut qu'il était impossible qu'elle eût regagné clandestinement l'Italie.

Le juge demanda aux Krustev de ne faire aucune déclaration à la presse. Mais il y eut des fuites et des journaux italiens aussi sérieux que *La Repubblica, Il Tempo* et *Il Giornale* affirmèrent catégoriquement que non seulement Agca mentait, mais que la piste bulgare « en avait pris un sérieux coup ».

De nouveaux éléments vinrent s'ajouter et réduisirent presque à néant la crédibilité de la piste bulgare. Trois policiers qui étaient de service à la frontière italienne à Trieste le 8 mai 1981 furent convoqués à Rome pour y être confrontés avec les Krustev. L'un d'eux déclara reconnaître le couple et une photographie de Rossitsa : c'était bien les trois personnes qui avaient franchi la frontière ce jour-là.

Des journaux italiens dignes de confiance, comme *La Stampa, Il Messagero* et *Il Corriere Della Sera,* commencèrent à mettre en doute l'existence de la filière bulgare et trouvèrent inexplicable l'obstination du juge Martella à la suivre. Il y eut une avalanche d'éditoriaux suggérant que la piste bulgare allait tourner court et qu'Antonov serait relaxé sous peu.

Ces pronostics et la violence des attaques dirigées contre Martella intriguent et ravissent à la fois Dimitrov. La façon dont les journaux rendent compte des événements a un air de « déjà vu », elle n'est pas très différente des campagnes orchestrées dans la presse du bloc soviétique à propos de tel événement ou de telle personne. Le tir nourri dont est victime la piste bulgare semble de même facture : un thème central, souvent même des phrases identiques attestent indubitablement une origine commune. Dimitrov est convaincu qu'il n'y a aucune chance pour que la Bulgarie, voire l'Union soviétique, soit à l'origine de cette campagne. Il est assez réaliste pour reconnaître les limites de la propagande communiste[6].

Utilisant ses contacts, dont il ne parlera pas (bien qu'il en ait assurément dans les services de sécurité italiens), Dimitrov est à présent certain, ainsi que Martella et Cibin, que ces attaques dans la presse sont l'œuvre de la C.I.A. Pour lui, aucun autre service de renseignements occidental n'a les moyens de coordonner aussi efficacement une telle campagne.

Dimitrov a noté que le *Guardian* prétend qu'Agca aurait reçu la promesse de « bénéficier d'un traitement de faveur » tant qu'il continuerait à accréditer la thèse de la piste bulgare. Cette information a été exploitée par les principaux journaux d'Europe occidentale.

Depuis l'incarcération d'Antonov, Dimitrov a tenté de convaincre les journaux de s'élever contre les conditions trop rigoureuses de sa vie en prison, de parler de sa santé délicate, de sa femme désespérée et de sa famille qui l'attend à la maison. Jusqu'à présent, il avait toujours échoué.

Et soudain, grâce à un simple appel téléphonique à un journaliste de sa connaissance, Vassil Dimitrov a vu paraître une série d'articles compatissants dans des journaux ordinairement hostiles à la Bulgarie. Toutes les informations qu'il avait vainement essayé de faire passer jusqu'à présent y figuraient.

Le premier secrétaire de l'ambassade n'a désormais plus aucun doute : il ne peut s'agir que d'une machination de la C.I.A. Il est également certain d'en connaître les motifs. « La C.I.A. cherche à éviter toute révélation embarrassante sur son propre rôle dans le complot contre le pape. Et, notamment, dans l'affaire Frank Terpil[7]. »

Comme beaucoup d'autres, le diplomate bulgare ne sait pas exactement quel était le statut de Terpil à l'époque où il entraînait Agca. Mais, convaincu que la C.I.A. est à l'origine de cette étonnante campagne de presse, il en conclut que Terpil devait encore travailler pour l'Agence lorsqu'il enseignait à Agca le moyen de devenir un terroriste accompli.

La première réaction du diplomate, instinctive et naturelle pour un homme habitué à ces méthodes, fut de tenter de transformer la filière bulgare en filière C.I.A. Dimitrov a suffisamment de contacts dans la presse romaine pour poser des questions très embarrassantes sur le rôle exact de l'Agence. Mais il a prudemment demandé l'accord de ses supérieurs à Sofia.

On lui a ordonné de n'en rien faire : il fallait en priorité anéantir la piste bulgare grâce à la libération de Serguei Antonov de la prison de Rebibbia. Quels que soient les objectifs qu'elle poursuit, la C.I.A. doit continuer à manœuvrer librement.

Pour Dimitrov c'était là l'ordre le plus inexplicable qu'il eût jamais reçu de la part d'un supérieur.

Ce matin, il en comprend la sagesse. Les coupures de presse réclamant la libération d'Antonov s'entassent sur son bureau. Il n'a jamais rien vu de semblable : des journaux qu'il a toujours considérés comme des « laquais du capitalisme » réclament à cor et à cri la libération de cet employé des lignes aériennes.

Son étonnement grandit encore lorsqu'il apprend ce qui s'est passé au-dessus de l'Atlantique.

Selon la chaîne de télévision N.B.C., dont les précédents reportages sur la piste bulgare exaspéraient Dimitrov, le directeur de la C.I.A., William Casey, a insinué que Martella ne possédait pas l'ombre d'une preuve qui pût soutenir les déclarations d'Agca impliquant les services secrets bulgares et, par voie de conséquence, le K.G.B. N.B.C. semble du même avis [8].

A son tour, la chaîne de télévision A.B.C. a diffusé à travers les Etats-Unis les résultats de sa propre enquête sur l'attentat contre le pape [9] que, pendant quatre mois les reporters d'A.B.C. ont menée dans une douzaine de pays.

Dimitrov a entre les mains une copie du texte de l'émission qui avait été enregistrée en différé à New York, transcrite puis télexée pendant la nuit à l'ambassade bulgare de Rome. Des télex analogues ont été envoyés à d'autres ambassades bulgares en Europe.

L'émission de télévision d'A.B.C. pose de nouveau le problème de l'authenticité de la filière bulgare.

L'un des reporters de la chaîne a découvert que la description faite par Agca de l'appartement d'Antonov — où il dit avoir reçu ses dernières instructions — était truffée d'erreurs. Agca aurait dit à Martella que le salon comportait des portes coulissantes en bois. Ces portes existent en effet dans les autres appartements de l'immeuble, mais Serguei Antonov les avait retirées et remplacées par un rideau, trois mois avant le moment où Agca prétend s'y être rendu.

De même qu'il a affirmé avoir rencontré Antonov plusieurs fois au cours de la semaine précédant l'attentat, Agca jure avoir vu deux fonctionnaires de l'ambassade de Bulgarie à des dates capitales : les 11 et 12 mai 1981, la veille de la tentative d'assassinat.

A.B.C. a établi que le soir du 11 mai — alors qu'Agca soutient qu'il est allé, en compagnie des deux Bulgares, place Saint-Pierre afin de reconnaître les lieux — l'un de ses complices se trouvait en réalité à l'aéroport de Rome pour y surveiller l'envoi par cargo de bicyclettes à Sofia.

Trois policiers romains, en faction devant l'ambassade de Bulgarie, ont certifié à A.B.C. que le 12 mai — date à laquelle Agca prétendait se trouver dans l'appartement d'Antonov où il avait rendez-vous à midi — ils avaient vu Antonov pénétrer dans l'ambassade en fin de matinée pour n'en ressortir que plusieurs heures plus tard.

Le jour de l'attentat, le 13 mai 1981, Agca affirme qu'il s'était rendu en compagnie de trois Bulgares, dont Antonov, place Saint-Pierre. Neuf Bulgares et un Italien ont juré à A.B.C.

qu'Antonov se trouvait à ce moment-là dans son bureau à la Balkanair.

A.B.C. a découvert une preuve encore plus accablante. Agca dit qu'il s'adressait à Antonov et aux autres Bulgares en anglais. L'équipe de télévision a prouvé qu'Antonov ne parlait pas anglais et qu'en mai 1981 Agca n'en possédait que de très vagues notions.

Finalement, comme N.B.C., A.B.C. conclut que la C.I.A. ne prend pas au sérieux l'hypothèse de l'implication d'Antonov dans l'attentat.

Vassil Dimitrov, après « tant de mois si sombres », trouve encore difficile d'accepter l'idée que « la C.I.A. vole à notre secours sur son blanc destrier ».

Cependant, dit-il, il ne semble pas y avoir d'autre explication. Ne mettant pas en doute le sérieux de l'enquête conduite par A.B.C., le diplomate est cependant assez lucide pour deviner qu'une partie des informations émane sans doute de la propre équipe de Martella. Par ailleurs, il pense que la seule organisation capable d'utiliser une « taupe » au sein des services du juge d'instruction ne peut être que la C.I.A.

Ce matin, la B.B.C. et la plupart des radios occidentales ont rendu compte des principales découvertes faites par A.B.C. La C.I.A. ne peut quand même pas être à l'origine de la diffusion de ces reportages, reconnaît Dimitrov.

Mais il en est moins sûr en ce qui concerne le Vatican. Il y a eu des fuites : la C.I.A. aurait récemment conseillé au pape de se démarquer de la piste bulgare en recevant, de manière ostentatoire, une délégation bulgare à la fin du mois de mai. Officiellement, cet entretien aurait lieu à l'occasion de la commémoration du jour de la Culture bulgare et de la fête de saint Cyril et de saint Méthode, créateurs de l'alphabet cyrillique.

Ce serait en outre une excellente occasion pour Jean Paul II de confirmer lui-même, et selon les termes qu'il aurait choisis, la position officielle du Vatican sur l'enquête du juge Martella : il s'agit d'une enquête conduite en Italie par la justice italienne et par conséquent d'une affaire relevant exclusivement des autorités italiennes.

Dimitrov n'a pas prêté grande attention à ces fuites. Il pensait que l'attitude obsessionnelle du pape à l'égard de la piste bulgare l'emporterait sur toute autre considération [10]. C'est pourquoi il a été heureusement surpris d'apprendre que le pape s'apprêtait à recevoir la délégation bulgare.

Encore plus satisfaisante a été l'étonnante décision du bureau de presse du Vatican de publier de nouveau la fameuse déclaration démentant que Jean Paul II eût jamais écrit une lettre capitale à Brejnev, en août 1981, le menaçant de rentrer dans son pays si les Russes envahissaient la Pologne [11].

Ces événements, pris dans leur ensemble, confirment Dimitrov dans l'opinion que la C.I.A. est en train de réussir là où les Soviétiques ont échoué jusqu'ici : anéantir la thèse d'une piste bulgare. Son seul problème, désormais, est de savoir si la santé physique d'Antonov lui permettra d'attendre et même de survivre à ce dénouement.

Trois experts italiens, deux médecins et un psychiatre, ont étudié le dossier médical d'Antonov établi par le professeur bulgare Ivan Temkov, membre du secrétariat de l'Organisation mondiale des psychiatres. Temkov a diagnostiqué une « dystonie neurovégétative » et une « dépression nerveuse [12] ». Il pense qu'Antonov a pu être drogué. Ces produits auraient affecté son équilibre mental et l'auraient rendu plus malléable au cours des interrogatoires.

Selon les confrères italiens de Temkov, la santé d'Antonov s'altère de jour en jour. Il est en piteux état et souffre de « psychose maniaco-dépressive » due à son isolement prolongé [13].

Dimitrov craint qu'Antonov n'essaie de mettre fin à ses jours, à moins qu'on ne réussisse à le convaincre à temps qu'il sera relâché. Par ailleurs, il sait que tout repose sur l'éventuel succès de la campagne orchestrée par la C.I.A.

Ce serait le tour le plus inattendu que nous aurait joué jusqu'à ce jour la piste bulgare, pense Dimitrov.

Quoi qu'il en soit, il fera tout ce qui est en son pouvoir pour assurer le succès de la C.I.A. Ni lui ni aucun membre du personnel de l'ambassade bulgare ne porteront la moindre accusation contre l'Agence et ne chercheront à faire la lumière sur les raisons que celle-ci peut avoir de souhaiter l'abandon de la piste bulgare.

Il en ira tout autrement, bien entendu, dès que Serguei Antonov aura été libéré.

Le secrétariat du pape

Même jour, même heure

Kabongo regarde Mgr Martin parcourir la liste des prochaines audiences du pape. Le doyen de la Casa pontifica, au nez en bec d'aigle, hoche une nouvelle fois la tête en signe de désapprobation. Il y a trop de monde, compte tenu du temps disponible, répète-t-il.

Le secrétaire sourit. Il ne se souvient pas d'un jour où Martin n'ait ainsi protesté. Les matinées du vendredi où ils passent en revue les audiences prévues pour la semaine à venir, et parfois même au-delà, ne seraient plus les mêmes sans les protestations du préfet.

Aujourd'hui, comme à l'accoutumée, ils se sont tous deux levés bien avant l'aube et, entre deux prières, ont écouté le journal de Clarissa McNair. Kabongo est soulagé qu'elle n'ait pas fait allusion à l'anniversaire de l'attentat contre la vie de Jean Paul II [14]. Le secrétaire craint que la publicité faite par la presse autour de cet attentat n'encourage de nouveaux actes fanatiques. Mgr Martin partage cette opinion.

La liste des audiences est un autre problème. Ils ne sont jamais d'accord. En tant que secrétaire du pape, Kabongo participe à son élaboration, mais Martin peut rayer certains noms de la liste. C'est l'une des nombreuses prérogatives de sa fonction. Il n'a, en fait, de compte à rendre à personne, sauf au pape.

La liste des audiences est préparée longtemps à l'avance et se compose presque entièrement des noms de membres éminents de l'Eglise, cardinaux, évêques et nonces. Certains ont fait un long voyage, par exemple l'évêque australien qui vient d'arriver ce matin et qui n'a passé que dix minutes avec le Saint-Père.

Le ministre de la Culture de la Corée du Sud a été reçu quinze minutes. Il a insisté pour que le souverain pontife se rende à Séoul. Jean Paul II a réservé sa réponse. Beaucoup de ses visiteurs font de semblables requêtes.

Mgr Martin trouve toujours les mots appropriés pour écarter les importuns.

Il continue d'étudier la liste. Pour la seconde fois en quelques semaines, Son Eminence le cardinal Pietro Palazzini, préfet de la sainte congrégation pour la béatification des saints, va rencontrer le Saint-Père. Pourquoi ? demande Martin.

Kabongo lui explique que le pape est sur le point de nommer un nouveau conseiller à la congrégation et souhaite discuter de sa nomination avec Mgr Palazzini.

Martin abandonne le sujet. Depuis quatre ans qu'il est au service de Jean Paul II, le préfet sait qu'il est préférable de ne pas intervenir dans ce genre d'affaire. Bien qu'il défende jalousement les privilèges inhérents à sa fonction (ils comportent notamment l'ancien droit de pouvoir entrer chez le pape sans être annoncé), il a appris à modérer ses tendances autoritaires.

Il veut savoir pourquoi on a accordé trente minutes d'audience au délégué apostolique en Angola, Mgr Fortunato Baldelli.

Kabongo rappelle à Mgr Martin que Mgr Baldelli vient d'entrer en fonctions. Il a récemment quitté Strasbourg, où il était l'observateur du Saint-Siège au Conseil de l'Europe ; le pape est désireux de connaître son point de vue sur la position de l'Eglise africaine à l'égard de son éventuelle visite en Afrique du Sud. Kabongo sait que Jean Paul II tient beaucoup à effectuer ce voyage pour essayer de changer ce que le secrétaire du pape appelle « leur mentalité d'assiégés [15] ». Le pape espère chasser l'angoisse sur laquelle se fonde l'idéologie des dirigeants. Elle renforce chez eux l'illusion d'une suprématie raciale et ferme leurs esprits à toute argumentation raisonnable.

Jean Paul II tient également à connaître l'opinion de Baldelli sur ce que les évêques noirs peuvent faire pour combattre la laïcisation, et, d'autre part, sur les causes récentes des mauvaises relations entre chrétiens et musulmans. Kabongo vient de rédiger un rapport à l'intention du pape confirmant qu'il n'existe aucun signe véritable d'un renouveau de l'islam en Afrique du Sud et que la foi musulmane traverse une crise depuis trente ans. A cette époque, l'islam, contrairement à l'Eglise catholique, n'a pas fait grand-chose pour promouvoir la scolarisation et a négligé en particulier l'éducation des filles à une période où l'Afrique du Sud entrait dans l'ère moderne.

L'archevêque Obando Bravo de Managua ainsi que quatre hauts dignitaires ecclésiastiques vont très certainement expliquer au pape ce que signifie la dernière déclaration du président

Reagan à propos du régime nicaraguayen : « Nous ne chercherons pas à enfoncer le gouvernement du Nicaragua, mais nous ne ferons rien non plus pour le protéger contre la colère de son peuple. »

Les amis de Mgr Kabongo au bureau des Affaires de l'Amérique latine lui ont donné un avant-goût de ce que la délégation de l'Eglise nicaraguayenne lui dira : l'administration Reagan fait tout ce qui est en son pouvoir pour renverser le gouvernement en place ; les opérations financées par la C.I.A. se sont multipliées après que le pape, au cours de son voyage eut qualifié à plusieurs reprises d' « absurde et dangereuse » l'Eglise du peuple, condamnation à laquelle souscrit manifestement la C.I.A.

Lundi matin, le pape doit recevoir les prélats de l'Equateur, d'Ethiopie, du Brésil, du Liban ainsi que les quatre ecclésiastiques nicaraguayens.

Le lendemain, la matinée est consacrée à un entretien du pape avec Mgr Glemp et à une importante délégation constituée d'évêques polonais qui doivent se rendre à Rome pour discuter du prochain voyage du pape en Pologne.

Si le préfet se livre à cet examen minutieux de l'emploi du temps du Saint-Père, c'est que la santé du pape le préoccupe. Comme la plupart des proches du souverain pontife, Mgr Martin estime que Jean Paul II se surmène. Le préfet sait que ses prédécesseurs jugeaient ces audiences très éprouvantes. Elles exigent une longue préparation et une grande habileté : certains évêques ont tendance à profiter de sa méconnaissance relative des dossiers pour entraîner le pape à soutenir les causes particulières qu'ils défendent. Au début de son pontificat, le préfet avait tenté de mettre Jean Paul II en garde contre ce genre de piège. Martin avait été fermement remis à sa place. Jean Paul II lui avait fait comprendre qu'il ne voulait pas qu'on lui mâche la besogne.

Jeudi, Laghi souhaite aborder, entre autres choses, les implications d'une affaire qui, en Amérique, a rejeté au second plan les controverses suscitées par la lettre pastorale.

Il s'agit de l'affaire Agnès Mary Mansour, une religieuse de Detroit, membre des Sœurs de Marie et de l'Union, qui fait partie de la direction des services sociaux du Michigan, un organisme qui dépense plus de cinq millions de dollars par an pour l'interruption volontaire de grossesse. L'archevêque de Detroit, Mgr Edmund Szoka, avait demandé à sœur Mansour de désavouer publiquement cet organisme. Elle refusa. Il lui rappela qu'en prenant le voile elle avait fait vœu d'obéir à la doctrine de l'Eglise qui considère l'avortement comme un « crime abominable ».

Bien qu'étant personnellement opposée à l'avortement, sœur Mansour refusa de condamner les activités de cet organisme qui s'appuie sur la légalité de l'avortement aux Etats-Unis et sur le droit des femmes, qui n'ont pas les moyens de payer une telle intervention, de subir l'I.V.G. aux frais de l'Etat.

Mgr Szoka avertit sœur Mansour qu'elle avait le choix entre quitter son poste et quitter les ordres. Elle refusa les deux propositions. L'archevêque soumit son cas au Saint-Siège. Mgr Ratzinger proposa qu'un expert en droit canonique, un évêque nommé par le pape, l'enjoigne de démissionner.

L'évêque ne réussit pas non plus à la convaincre. Au contraire, sœur Mansour demanda à l'Eglise de l'autoriser à abandonner les ordres afin de pouvoir continuer à jouer son rôle social. Sa requête fut repoussée.

Cette affaire fait aujourd'hui l'objet d'un débat passionné entre les catholiques américains. Laghi considère que la seule façon de faire cesser cette polémique serait d'autoriser sœur Mansour à quitter les ordres. Redevenue laïque, elle perdrait vite tout intérêt aux yeux du public[16].

Le pape souhaite par ailleurs que le nonce Angeloni lui communique ses dernières informations sur la situation du Moyen-Orient. Au cours des semaines précédentes, l'Union soviétique a accentué son emprise sur la Syrie, en insistant pour que ses missiles soient désormais directement entre les mains de ses soldats et de ses techniciens. Ce qui a pour effet de fournir aux Russes des bases autonomes en Syrie, décision qui ne peut qu'inquiéter Israël et accroître le danger d'une confrontation entre les superpuissances.

Et cela se poursuit : Mgr Martin s'interroge et propose d'abréger les audiences, Mgr Kabongo résiste et lui explique pourquoi c'est impossible.

Jeudi, le Saint-Père recevra une délégation de la République populaire de Bulgarie. Trente minutes lui sont accordées, le préfet se demande si ce n'est pas trop.

Cette fois, Mgr Kabongo est intraitable. Jean Paul II a lui-même précisé qu'il désirait que cette audience dure trente minutes.

Secrétairerie d'État

Même jour, début d'après-midi

Ce dont parle tout le palais apostolique, l'*affare inglese*, parvient une fois de plus sur le bureau de Mgr Andrys Backis. Le mois dernier, ses ramifications et ses développements n'ont cessé de le préoccuper. Backis a confié à ses collaborateurs que depuis qu'il était en poste au Vatican, il n'avait jamais vu pareil imbroglio diplomatique. L'*affare inglese* a pris une telle ampleur qu'on a demandé à la plupart des grands diplomates du conseil ainsi qu'à leurs confrères à la secrétairerie d'Etat, de trouver une solution à ce problème.

Leurs suggestions se trouvent aujourd'hui sur le bureau de Mgr Backis : l'une d'elles préconise le rappel d'un des principaux protagonistes du drame, l'archevêque Bruno Heim, *pronuncio* en Grande-Bretagne.

Backis estime en effet que cela permettrait de dénouer une situation à la fois nuisible pour le Saint-Siège et pour l'Eglise anglaise. Il pense qu'il existe plusieurs bonnes raisons pour rappeler Heim au Vatican ou pour le muter à un poste éloigné où il pourrait terminer sa carrière. L'archevêque est âgé de soixante-douze ans et, dans trois ans, il aura atteint l'âge de la retraite fixé par le Saint-Siège pour les représentants du pape.

Backis sait qu'une telle sanction paraîtra cruelle à ce diplomate qui a toujours servi le Saint-Siège avec fidélité. D'autant plus qu'elle ne mettra pas forcément un terme à toute cette affaire. Les deux autres protagonistes resteraient en scène : Mgr Bruce Kent et le cardinal George Basil Hume, respectivement archevêque de Westminster et primat d'Angleterre et du Pays de Galles.

Heim, Kent et Hume sont au cœur de toute l'*affare inglese* [17].

Cette histoire a commencé par une lettre personnelle, étrangement naïve, écrite par le *pronuncio* et publiée par les journaux. Dans cette lettre, Heim accuse Kent — le secrétaire général du

Mouvement britannique pour le désarmement nucléaire, le M.B.D.N., un très puissant groupe de pression opposé, entre autres, au projet d'installation de missiles de croisière sur le sol britannique — et reproche aux partisans du désarmement unilatéral « d'être soit des sympathisants de l'Union soviétique », soit des « imbéciles », soit des « idéalistes aveugles ».

Pour compliquer les choses, Heim a joint à sa lettre un extrait de l'allocution de Jean Paul II aux Nations unies, en juin 1982 : « Dans les conditions actuelles, la " dissuasion " fondée sur l'équilibre des forces ne constitue pas une fin en soi, mais elle est un pas vers le désarmement progressif et peut à cet égard être considéré comme moralement acceptable. »

En citant la déclaration du pape à l'appui de sa propre attaque contre Kent et le M.B.N.D., le *pronuncio* a commis une énorme « gaffe » diplomatique.

Backis n'arrive toujours pas à comprendre ce qui a pu pousser Heim à agir avec une telle légèreté. Mais il l'a fait. Et l'affaire continue.

Heim, en citant Jean Paul II, laissait pour le moins supposer que le pape soutenait son attaque contre Kent. Mais chose plus grave, l'intervention du *pronuncio* fait resurgir le spectre de l'ingérence du Saint-Siège dans les affaires intérieures d'un autre pays et, qui plus est, sur un sujet qui divise actuellement profondément les Britanniques. Finalement, en dénonçant Kent, Heim semble agir au nom du pape, et soutenir la politique de Mme Thatcher.

Après la publication de cette lettre, le cardinal Hume se trouva rapidement mêlé à la controverse. Il avait déjà averti Kent que « les récents développements de cette affaire » lui faisaient craindre que le secrétaire général ne soit obligé de démissionner de son poste au M.B.N.D. si les activités de ce mouvement prenaient un tour trop politique. On a également dit que Hume lui-même soutenait le point de vue de Mme Thatcher : la Grande-Bretagne doit conserver ses armes nucléaires tant que les Russes ne renonceront pas aux leurs [18].

Le cardinal a cru bon de déclarer publiquement : « Je n'ai pas eu de contact direct avec les conservateurs. Je sais ce qu'ils pensent. Tout le monde peut le lire dans la presse. Mais ils ne sont pas entrés en rapport avec moi. Je réagis assez mal lorsqu'un groupe, quel qu'il soit, essaie de faire pression sur moi [19]. »

Seul Mgr Kent a choisi de rester silencieux[20]. Cependant, le tumulte fait rage autour de lui.

De son lit d'hôpital en Allemange de l'Ouest où il se remet d'une opération chirurgicale, Mgr Heim refuse obstinément de rétracter ses attaques contre le leader du M.B.N.D.

Backis doit prendre une décision à l'égard du *pronuncio*. Mais laquelle ?

Il semble qu'il doive être sanctionné. Le fait d'avoir impliqué le pape dans une controverse aussi lourde de conséquences l'exige. Le Vatican pourrait prendre une mesure inhabituelle en déclarant publiquement que la lettre de Heim était une initiative « strictement personnelle », sans la moindre autorisation officielle. Backis pense que cette mise au point est nécessaire et il a déjà rédigé un communiqué en ce sens. Mais cela sera-t-il suffisant ? Doit-on muter Mgr Heim ?

A Londres, comme au Vatican, des voix influentes au sein de l'Eglise considèrent que l'intervention de Heim doit être sévèrement condamnée. Il va de soi qu'un représentant du pape doit refléter l'opinion du Saint-Père, mais en citant ses paroles dans sa lettre il a directement mêlé le souverain pontife aux affaires intérieures d'un autre pays, ce que le Saint-Siège est tenu d'éviter à tout prix.

Mgr Hume, dans ce qui sera considéré comme une volte-face de la secrétairerie, a finalement décidé de donner à Kent l'autorisation de continuer à diriger le M.B.N.D. [21]. Il semblerait également que le cardinal considère Heim comme le plus gênant des deux antagonistes.

Quoi qu'il en soit, Backis hésite encore à conseiller le rappel à Rome du *pronuncio*.

Au cours des quatre dernières années, Mgr Heim a joué un rôle prépondérant dans les activités secrètes du Saint-Siège pour essayer de ramener la paix en Irlande du Nord[22].

Hormis Backis et Casaroli, peu de gens au Vatican connaissent les implications de cette affaire. En raison de sa connaissance du problème, John Magee fait partie de ceux-là. Né en Ulster, secrétaire des trois précédents papes avant d'être nommé maître des cérémonies, Magee a tout fait, mais en vain, pour sauver la vie des grévistes de la faim de l'I.R.A. A présent, sa connaissance du peuple irlandais est mise à contribution pour mener à bien cette nouvelle initiative.

Le nonce à Dublin, Alibrandi, est chargé d'analyser la situation.

Mais la cheville ouvrière de l'opération est sans aucun doute Mgr Heim.

Travaillant hors du contrôle de Hume, le *pronuncio* a rencontré officieusement plusieurs membres importants du gouvernement britannique et de l'opposition. Certains d'entre eux ont été invités à dîner dans la résidence de Heim, face à Wimbledon Common au sud-ouest de Londres. Là, dans sa salle à manger, Heim a entendu beaucoup de choses et a prudemment émis l'idée que le moment était peut-être venu pour la Grande-Bretagne de retirer ses troupes de l'Ulster et de permettre aux Nations unies d'y envoyer des forces armées afin d'y assurer la relève.

Ses invités ont paru choqué. Il est manifestement inconcevable pour eux que des troupes étrangères puissent être basées sur le sol britannique. Une telle action pourrait entraîner des répercussions politiques graves. Mais il faut avant tout penser à l'avenir de cette région dévastée par la peur et le fanatisme, a insisté Mgr Heim. Tout ce qui peut être entrepris pour mettre un terme à cette tuerie doit l'être. L'idée d'une force d'interposition des Nations unies n'est pas nouvelle, bien sûr, et elle a même été catégoriquement rejetée dans le passé.

Mais, aujourd'hui, les choses sont peut-être différentes : le pape a laissé entendre qu'il soutenait cette proposition qu'il considère comme une étape vers le rétablissement de la paix en Irlande du Nord.

Jusqu'à ce qu'il quitte l'Angleterre pour se rendre dans cette clinique en Allemagne de l'Ouest, Heim a continué a maintenir sa proposition. Il a, dit-on, expliqué à la secrétairerie d'Etat — peu avant qu'il ne déclenche son attaque contre Kent — qu'elle suscitait des réactions encourageantes.

C'est sans doute pour cela que Mgr Audrys Backis hésite à le faire muter.

Si embarrassante qu'ait pu être la gaffe du *pronuncio,* son rappel de Londres pourrait nuire à l'objectif que s'est fixé Jean Paul II : être le pape qui contribuera à arrêter les tueries en Ulster. Mgr Heim, décide Backis, devrait avoir la permission de rester en poste à Londres.

La secrétairerie d'État

Vendredi matin

La journée commence mal.

Le bureau pour les Affaires d'Afrique du Sud a fait parvenir pendant la nuit deux télégrammes qui annoncent des nouvelles décourageantes. Le cardinal McCann du Cap et l'archevêque Cassidy de Pretoria, l'informent tous deux que le gouvernement d'Afrique du Sud n'est pas disposé, dans un avenir proche, à recevoir la visite du pape.

Les prélats invoquent la même raison pour expliquer l'attitude du gouvernement. L'Afrique du Sud blanche s'est soudain trouvée très divisée au sujet d'un projet d'amendement des lois qui régissent l'apartheid, destiné à donner le droit de vote aux Asiatiques et aux métis, officiellement classés dans la catégorie des gens de « couleur ». Ce projet a reçu l'accord du gouvernement mais les extrémistes blancs en sont scandalisés : il y a eu des manifestations choquantes et l'on parle de *broerertweis*, guerre civile entre Afrikaners. Ce groupe ethnique jusqu'ici étroitement solidaire, essentiellement composé de descendants des premiers colons hollandais, contrôle politiquement le pays, et se fige dans des conflits qui ne cessent de s'exaspérer.

La simple possibilité que le pape fasse un commentaire, même indirect, à ce propos et puisse aller jusqu'à condamner l'apartheid, est considérée maintenant comme un risque trop important pour que le gouvernement de Pretoria accepte de le prendre.

Le bureau des Affaires du Moyen-Orient a eu confirmation de ce que le nonce à Beyrouth, Mgr Luciano Angeloni, a dit au pape. Il avait informé Jean Paul II que les Soviétiques continuaient à se déployer militairement dans la région et que, d'autre part, ses propres tentatives pour obtenir d'Israël, de la Syrie, du Liban et de la Jordanie qu'ils approuvent le voyage du pape dans cette région, avaient échoué.

Ce matin, un prêtre du Moyen-Orient pour le moins singulier a téléphoné de son hospice de Beyrouth pour annoncer que, selon toutes ses sources de renseignements, c'était Israël qui s'opposait le plus catégoriquement à la venue de Jean Paul II au Liban et en Terre sainte.

La frêle silhouette du père Ibrahim Ayad est familière aux habitants de Beyrouth. Il sillonne depuis dix ans le quartier musulman de la ville, sa soutane élimée traînant dans la poussière. Mais ce petit homme (il mesure à peine un mètre cinquante-cinq et pèse moins de quarante-cinq kilos) n'est pas un prêtre ordinaire[23]. Il sert avec une égale dévotion le pape et l'O.L.P. Une grande photographie de Jean Paul II et un portrait de Yasser Arafat ornent les murs de sa chambre à Beyrouth. Il écoute régulièrement Clarissa McNair sur son poste de radio. Il pense que les voyages de la journaliste au Proche-Orient lui ont donné une vision objective de la situation dans cette région, qui fait souvent défaut aux autres commentateurs occidentaux[24].

Lorsque l'O.L.P. a été expulsée du Liban, Ayad a continué à jouer son rôle solitaire et dangereux, servant d'intermédiaire entre les factions en guerre et le Vatican.

Les contacts d'Ayad l'ont informé qu'Israël ne voulait pas de la visite du pape. Les raisons données à ce refus ne satisfont pas Ayad. Il sent qu'Israël soupçonne le pape, ou plus vraisemblablement l'O.L.P., de vouloir exploiter la situation et de réclamer à nouveau la création d'un Etat palestinien.

Les craintes d'Israël ne sont pas nouvelles, font remarquer les spécialistes des affaires israéliennes attachés au Saint-Siège. Elles ne sont pas non plus dénuées de fondement, compte tenu des efforts déployés par le père Ayad dans la région.

Les autorités israéliennes ont répondu au Vatican qu'ils s'opposaient au voyage du pape, car il leur était impossible d'assurer sa sécurité dans l'une des régions les plus troublées du monde. Si le pape était blessé, voire tué, dans l'un des lieux saints qui se trouvent sous la juridiction d'Israël, il y aurait sans aucun doute une nouvelle flambée d'antisémitisme dans le monde.

Le père Ayad pense qu'il y a d'autres explications au refus d'Israël. La plupart de ses dirigeants n'ont pas oublié l'attitude de Pie XII qui ne fit pas grand-chose pour s'opposer à l'envoi des Juifs dans les camps de la mort nazis[25] pendant la Seconde Guerre mondiale.

Le père Ayad est convaincu qu'aussi longtemps que les Juifs conserveront un tel ressentiment à l'égard du Vatican, ils ne pourront y disposer des mêmes sympathies que celles dont bénéficient l'O.L.P. grâce à ses efforts.

De son côté, le bureau des affaires d'Amérique latine apporte également des nouvelles préoccupantes.

Pendant la visite pastorale du pape au Guatemala, le gouvernement militaire du président Rioss Montt avait promis à Jean Paul II qu'il ferait procéder prochainement à des élections démocratiques.

Or le nonce en poste au Guatemala vient d'envoyer un rapport pour informer le Vatican que le président Montt était revenu sur ses promesses. Il semble désormais certain qu'il n'y aura pas d'élections libres jusqu'à ce que le président ait révisé les listes électorales, ce qui peut prendre des années.

Le nonce craint que ce délai n'entraîne une tension politique croissante dans le pays, situation qui risque d'exaspérer encore davantage les six millions de catholiques dont certains sont soupçonnés par Montt d'être à l'origine d'au moins quatre des plus récents complots fomentés contre son gouvernement. Un autre responsable des affaires d'Amérique latine est préoccupé par un rapport du nonce au Chili. Il concerne la journée de protestation qui s'est déroulée dans le pays. Il a déjà reçu plusieurs comptes rendus sur les manifestations qui ont eu lieu au Chili, dont un de l'ambassadeur du Chili au Saint-Siège, Hector Riesle Contreras. Celui-ci a suivi toute l'affaire. Il prétend que les informations au sujet des brutalités policières font partie d'un « vaste complot communiste contre le Chili ». Ce haut dignitaire a écouté Mgr Contreras sans mot dire. Par la suite, il a comparé le point de vue de l'ambassadeur avec les autres rapports, comptes rendus de presse et témoignages visuels de quelques prêtres chiliens qui ont pris part aux manifestations. Aucun ne correspond à celui de l'ambassadeur.

Le rapport du nonce confirme les pires craintes de l'ecclésiastique. Les manifestations ont été beaucoup plus violentes que Contreras ne le prétend. Cela prouve que l'Eglise chilienne n'a pas réussi à obtenir que ces manifestations, destinées à protester contre la situation économique déplorable du pays, ne conservent un caractère pacifique. Les injonctions de la hiérarchie catholique pour éviter des affrontements sanglants n'ont pas été suivies. Des centaines de milliers de catholiques — près de 90 pour cent de la population chilienne est catholique — sont descendus dans la rue.

Les forces du gouvernement de Pinochet les y attendaient. Cette journée de protestation a donné lieu aux bagarres les plus dures depuis que Pinochet est au pouvoir. Des milliers de manifestants ont été blessés ou arrêtés. Le rapport se termine sur une question qui préoccupe le prélat : jusqu'où ira l'Eglise chilienne pour protester contre Pinochet et, blâmer les manifestants qui ont ouvertement désobéi aux ordres de leurs prêtres d'éviter toute confrontation ?

Le bureau des Affaires polonaises a également reçu un coup dur. Peu avant de quitter Rome, la veille, le cardinal Glemp, d'humeur optimiste, a annoncé aux journalistes qu'il était prêt à essayer une nouvelle fois d'organiser une rencontre le mois suivant, entre Lech Walesa et le pape[26].

Certains, au bureau des Affaires polonaises, ont jugé cette déclaration publique pour le moins légère. Ils y ont décelé l'influence de Jean Paul II et ont pensé que le pape, une fois encore, insistait trop pour obtenir ce qu'il voulait. Ces prêtres diplomates craignaient un retour de bâton.

Il s'est produit ce matin même. Mgr Glemp a téléphoné de Varsovie pour annoncer que le régime s'opposait fermement à une rencontre entre Lech Walesa et Jean Paul II.

Mais le cardinal a reçu d'autres informations. Déjà, au cours des quelques jours qu'il a passés à Rome, l'attitude du gouvernement s'était durcie. Mgr Glemp les avertit que le gouvernement polonais allait adopter une ligne de conduite très dure : ce n'est pas le moment de chercher à obtenir des concessions. Mgr Glemp pense que, si on va trop loin, le général Jaruzelski pourrait annuler le voyage.

Le personnel du troisième étage ne se souvient pas d'avoir jamais vécu une matinée aussi sinistre. L'un d'entre eux, un diplomate chevronné, la qualifie en ces termes imagés : « C'est une de ces matinées où le Saint-Siège lutte contre le courant[27]. »

La salle du trône au palais apostolique

Jeudi dans la matinée

Jean Paul II observe de son trône les douze membres de la délégation de la République populaire de Bulgarie qui pénètrent dans l'une des quatre salles d'audience du palais.

Le préfet Martin conduit la délégation vers les chaises dorées, face au trône. Quelques Bulgares regardent les fresques du plafond et les tableaux qui ornent les murs.

Un suisse referme les portes à doubles battants.

Le chef de la délégation se lève pour les présentations protocolaires.

Jean Paul II et les Bulgares ont eu largement le temps de réfléchir à ce qu'ils se diraient au cours de cette première audience après la tentative d'assassinat et l'apparition de la piste bulgare.

14

Réactions de Rome

Le discours officiel des Bulgares et les réponses du pape n'en disent pas plus que la plupart des communiqués à l'issue de telles rencontres : un « échange fructueux » de points de vue sur des sujets d' « intérêt commun », un « dialogue constructif », une « profonde compréhension », etc. Ces phrases sont tirées du dictionnaire des clichés que les journalistes du monde entier consultent avant de rédiger leurs comptes rendus.

Avec leurs costumes de coupe « Europe de l'Est » et leurs « fedoras », ils ne semblaient pas très souriants lorsque leurs limousines ont franchi à vive allure la porte des Cloches.

Que s'était-il passé ?

Les appels téléphoniques au palais apostolique donnent l'impression d'une grande confusion. Des sources qui, d'ordinaire, fournissent des renseignements concordant et dignes de confiance se sont révélées, cette fois, complètement contradictoires. Un prélat a rapporté que le chef de la délégation, le vice-ministre bulgare des Affaires étrangères, avait indiqué au pape que la piste bulgare n'aidait pas la vie religieuse des catholiques de Bulgarie puisque Jean Paul II avait condamné sans retour tout pays impliqué dans une tentative d'assassinat contre lui. Un second prélat, tout aussi crédible, a affirmé qu'aucun des deux interlocuteurs n'avait parlé de la filière bulgare. Un troisième a affirmé que l'audience avait été consacrée à une autre sorte de filière bulgare : la quantité croissante d'héroïne en provenance de ce pays des Balkans, destinée aux marchés lucratifs de l'Occident. Ce prêtre dit que le pape aimerait savoir quelles mesures la

Bulgarie a l'intention de prendre pour fermer l'une des plaques tournantes les plus importantes du trafic mondial de la drogue. Ce pays est la route la plus directe par voie de terre entre les planteurs d'opium d'Asie et les marchés d'Europe occidentale ; 75 pour cent de tout le trafic de la drogue passe par la Bulgarie.

Un quatrième prêtre est tout aussi affirmatif : bien que n'étant pas en mesure de communiquer les sujets qui ont été abordés, il prétend qu'il n'a jamais été question de drogue.

Quant aux Bulgares, ils se murent dans le silence. Vassil Dimitrov, d'ordinaire plutôt loquace, reste bouche cousue. Il n'a strictement rien à dire sur cette audience.

Nous nous sommes rendus à Radio Vatican. Là non plus, pas le moindre tuyau, tout au moins en ce qui concerne Henry McConnachie [1]. Nous ne l'avions pas vu depuis plusieurs semaines et nous fûmes très surpris de constater à quel point il semblait tendu, fumant cigarette sur cigarette, avec un tic nerveux qui lui fait sans arrêt secouer la tête. Toute la station est polarisée sur le voyage du pape en Pologne et tous sont sur les nerfs.

Nous allons voir le père Lambert Greenan. Le rédacteur en chef semble également épuisé. Avec l'aide d'un prêtre assistant, il s'occupe d'un hebdomadaire de douze pages. Le père Greenan à la tâche, souvent difficile, de traduire les paroles du pape en anglais. Nous espérons qu'il se fait une idée précise de ce qui s'est passé entre le pape et les Bulgares.

Il secoue la tête. « Mes amis, je n'en sais rien. De toute façon, qu'est-ce que cela peut faire ? Ce n'est qu'une audience de plus [2]. »

Nous lui rappelons les implications de la filière bulgare, avec le K.G.B. et Andropov à l'arrière-plan. Des guerres ont été déclenchées pour moins que cela. Le rédacteur en chef reste ferme. En ce qui le concerne, cette audience n'occupera pas plus de deux lignes dans le bulletin du Vatican. Il semble que pour lui, elle n'ait rien d'exceptionnel.

Ce n'est pas notre avis. C'est pourquoi nous rendons visite à l'un des ambassadeurs accrédités auprès du Saint-Siège.

Sir Mark Heath est ambassadeur de Grande-Bretagne depuis avril 1982. L'ambassade est située *via* Condotti. C'est un homme de stature impressionnante (Heath mesure près de deux mètres quand il est coiffé de son chapeau de cérémonie), avec un flegme typiquement « Foreign Office ». Il a été en poste en Bulgarie. Ce qu'il a à dire sur ce sujet, comme sur presque tout, est strictement confidentiel, précise-t-il.

Un autre ambassadeur nous offre une étonnante version. Selon lui, le pape aurait « simplement fait comprendre qu'il savait que la Bulgarie avait été " poussée " par la Russie. Ce qui serait amplement suffisant ».

Nous sommes certains qu'un ministre de notre connaissance a un accès officiel aux informations de la C.I.A. ; son pays est considéré « avec amitié » et traité « avec égards » par l'Agence. De fait, les opinions qu'il émet sont rigoureusement celles de la C.I.A. qui continue de répandre l'idée à Rome, à Washington, à Londres et à Bonn que rien ne prouve que le Kremlin ait trempé dans cette tentative d'assassinat.

Cette campagne qui revient pour la C.I.A. à disculper Youri Andropov s'intensifie. Nous avons entendu dire que Moscou « n'avait pas caché sa colère à l'encontre de la Bulgarie » pour s'être retrouvée prise au piège de la piste bulgare[3]. Selon la C.I.A., Andropov aurait sermonné le leader bulgare, Todor Jikov, et le nouveau chef du K.G.B. se serait rendu peu de temps après à Sofia pour passer un deuxième « savon » au malchanceux Jikov.

Nous nous demandons comment la C.I.A. peut connaître tous ces détails : tel rapport, tel détail précis, par exemple l'histoire de Jikov, la fureur d'Andropov, ce qui s'est passé à Sofia ?

Nous interrogeons Rudi, notre contact au B.N.D., lors d'un dîner chez Rasella[4]. Avant de nous répondre, il choisit avec soin le meilleur chianti de la maison et un vin *spumante* pour continuer. Il se prépare pour une longue soirée.

La C.I.A. *sait*, dit-il avec une assurance qui n'autorise pas le moindre doute. Il ne nous reste qu'à le croire sur parole : la C.I.A. *sait* réellement ce qui s'est passé. Il ajoute, pour accréditer ses propos, que « si le K.G.B. peut s'infiltrer dans les services de renseignements occidentaux, de " notre côté ", nous pouvons également pénétrer place Djersinski à Moscou, au quartier général du K.G.B., dans la sinistre Loubianka ».

Rudi a commandé de fines tranches de jambon fumé, roulées en cornets et garnies de melon et de caviar, le tout arrosé de vodka glacée.

Une fois les cornets terminés, le niveau de la vodka ayant

singulièrement baissé dans la bouteille, Rudi nous confie qu'il a appris ce qui s'était réellement passé à l'audience.

« Le chef de la délégation bulgare s'est mis à débiter un flot de platitudes ayant trait à la fraternité entre les peuples et au respect envers le Saint-Père et notre Sainte Mère l'Eglise. Le pape commençait visiblement à s'impatienter. » Rudi nous adresse un sourire malicieux. « Ne me demandez pas comment je le sais. Je le *sais.* D'accord ? Le pape pianotait nerveusement sur les bras de son trône, signe certain qu'il n'était pas dupe de toutes ces balivernes au sujet d'une " longue histoire entre l'Eglise et l'Etat " en Bulgarie... ce genre de fadaises. Le Bulgare a parlé environ cinq minutes, puis ce fut au tour du pape. »

Rudi se sert de la vodka. Le moins qu'on puisse dire c'est qu'il a une bonne descente.

« Le pape s'est donc adressé à eux. Il a commencé par leur rappeler ce qu'il avait déjà dit à leur ministre des Affaires étrangères — je ne me souviens pas de son nom — mais c'était il y a quatre ou cinq mois [5]. Il est allé droit au but et a déclaré qu'il ne réclamait aucun privilège pour les catholiques de Bulgarie, sinon celui de pouvoir vivre décemment. Il désirait que la délégation rentrât dans son pays et en fît part à son gouvernement. Tout cela a été exprimé calmement, mais ne laissait aucun doute sur le sens véritable de ses paroles. De l'espace vital, a-t-il insisté, de l'espace vital, voilà ce qu'il désirait pour les catholiques de Bulgarie [6]. »

Rudi s'interrompt le temps qu'on serve le plat de résistance : une pièce de bœuf garnie de truffes, de petits oignons et de pommes de terre soufflées, le tout arrosé d'une sauce à la moutarde. Il commande une seconde bouteille de chianti, puis il reprend son histoire.

« Le pape, dit-il, a rappelé aux Bulgares que la tradition qui veut que le Vatican pense à l'échelle des siècles reste valable. Le Saint-Siège ne prétend pas être infaillible, continue-t-il, mais considère qu'on peut le croire quand il émet un jugement, car la charité chrétienne n'en est jamais absente. Il juge même toutes choses à partir de là, décide ce qui est supportable ou ne l'est pas, ce qu'il est prêt à sacrifier et ce qu'il n'abandonnera pas.

« En d'autres termes, poursuit Rudi, repoussant son assiette, le pape a déclaré aux Bulgares qu'il ne renoncerait pas à protéger non seulement cette poignée de catholiques qui vit en Bulgarie, mais également la grande masse des catholiques qui vivent au sein du bloc soviétique. Le message, vous comprenez, n'était pas uniquement destiné à Sofia, mais aussi à Moscou et bien sûr à Varsovie. Comme tout le monde, le pape connaît le mécanisme : il parle aux Bulgares ; ceux-ci rentrent chez eux et Sofia appelle Moscou. Moscou passe le mot à Varsovie. C'est un moyen pour le pape de faire pression sur Jaruzelski. Celui-ci reçoit un appel téléphonique de Moscou lui annonçant que là-bas, à Rome, le pape s'exprime avec sévérité. Jaruzelski, qui n'est pas au courant, se demande : " Comment le pape s'y est-il pris pour que Moscou fasse pression sur moi ? " Jaruzelski qui est très nerveux en ce moment, le devient plus encore. Ce que le pape vient de faire avec les Bulgares est digne d'un grand homme politique. C'est la politique papale d'aujourd'hui. Le pape n'a pas besoin de ces divisions dont parlait Staline. Il peut se permettre des choses que ni Reagan, ni Kohl, ni Mme Thatcher ne pourraient se permettre. »

Nous mangeons en silence et réfléchissons à ce que Rudi vient de dire. Bien entendu, il ne nous fournira aucune preuve de ce qu'il avance. Mais cela paraît plausible, ne serait-ce que parce que c'est bien dans la manière de Jean Paul II. C'est peut-être aussi la raison pour laquelle on s'était donné tant de mal pour garder l'audience secrète.

Par la suite, nous nous sommes tous les deux demandé qui, en dehors du pape et de la délégation, y avait assisté. Nous avons compté au moins six personnes. C'est sans aucun doute elles qui ont renseigné Rudi, peut-être indirectement. Si tel est le cas, cela prouve qu'il dispose d'excellentes sources d'information au sein de ce pontificat. Nous nous sommes également demandés pourquoi il divulguait quelque chose d'aussi confidentiel. Nous n'avons pas trouvé de réponse.

Jean Paul II a-t-il parlé de la piste bulgare ?

Non.

Y a-t-il fait la moindre allusion ?

Non.

A-t-il évoqué cette autre filière bulgare, le trafic de drogue ?

Non.

Comment la délégation a-t-elle pris ce qu'il a dit ?

Avec stoïcisme. Le pape leur a parlé des droits de l'homme. Ils n'aiment pas beaucoup cela.

Rudi s'interrompt et précise au maître d'hôtel qu'il veut ses crêpes arrosées de kirsch, flambées dans du jus d'orange et de citron, avec une cuillerée de grenadine et garnies de glace à la cannelle.

« Si les Etats-Unis et la Russie ne se réunissent pas pour régler le problème de l'armement nucléaire, la piste bulgare risque de faire à nouveau parler d'elle. Martella obtiendra de l'aide. Agca sera une fois de plus sous les feux de la rampe. Toute cette affaire rebondira et fera de nouveau couler beaucoup d'encre. »

Pense-t-il réellement que la C.I.A. ait une telle influence et, par ailleurs, Martella ne saura-t-il pas ce qui s'est passé ? N'oublions pas que c'est un excellent enquêteur.

« *Mensch !* Cela n'a rien à voir ! Vous pensez que Martella peut défier la C.I.A. ? Je vous donne ma parole qu'il n'a pas la moindre chance. Ils l'ont empêché de mettre la main sur la plupart des preuves. Et la situation n'évoluera pas tant que la C.I.A. ne sera pas décidée à ouvrir le robinet, ce qu'elle ne fera que si la rencontre au sommet n'a pas lieu. »

Quand cette rencontre aura-t-elle lieu, selon lui ?

Il ouvre les mains. « Peut-être à Vienne, en décembre ou même à Genève. »

Mais deux facteurs sont susceptibles de bloquer cette conférence, ajoute-t-il : si les rumeurs sur la mauvaise santé d'Andropov se confirment, il pourrait s'ensuivre un conflit interne au Kremlin qui forcerait l'administration Reagan à attendre le résultats des événements. Par ailleurs, l'une des superpuissances pourrait commettre un « acte stupide ».

Les crêpes arrivent. Rudi sert le vin et répond à notre question.

« Ce que j'entends par un acte stupide ? *Mensch !* Je pense aux Américains envahissant le Nicaragua ou Cuba. Aux Russes envahissant la Pologne ou la Tchécoslovaquie. Tout est possible, vous savez. Regardez ce que Weinberger a dit l'autre jour. Il a peur qu'une troisième guerre mondiale ne soit déclenchée par accident, précisément par un acte stupide. »

Et le pape, comment essaie-t-il d'éviter un tel événement ?

« Pour commencer, en n'insistant pas sur la filière bulgare. De toute façon, il serait idiot de sa part d'insister puisque la C.I.A. prétend qu'elle n'existe pas. Le pape sait ce qui est bon pour l'Eglise. »

Il termine ses crêpes et nous regarde avec attention. « Vous devez savoir que le pape redoute de voir la bonne vieille agence déblatérer sur sa Banque du Vatican. Ce serait un sacré problème pour lui. Avoir les Italiens sur les talons, passe encore, mais si la C.I.A. se mettait à répandre son venin au sujet de la banque, ce serait beaucoup plus ennuyeux. »

C'est sur cette note provocante que se termine le dîner. Si Rudi dit vrai, l'influence que la C.I.A. a sur ce pontificat est plus importante que nous ne le pensions.

Nous avons laissé Rudi à son ambassade ; il veut téléphoner à Pullach sur une ligne privée au sujet du dernier scandale impliquant le magazine *Stern.* Il s'agit du journal de Hitler, une escroquerie qui a sérieusement entaché la crédibilité des journalistes[7]. Nous décidons de rentrer à l'auberge Santa Chiara. A cette heure de la nuit, Rome est encore très animée. Il est facile de comprendre pourquoi les gens sont séduits et s'y attardent. La cité semble remplie d'écrivains et de peintres, fascinés par le mythe de la ville éternelle.

Le problème que nous avons à résoudre n'a rien de séduisant. Si tentant que cela puisse être (la saga est une manne pour tout historien) nous ne voulons pas nous enliser dans les méandres quotidiens de la filière bulgare et les intrigues des services de renseignements. Bien que nous ne mettions pas en doute la sincérité de Rudi, il est manifestement embarqué dans une sorte de croisade anti-C.I.A. Il peut s'agir d'une vengeance personnelle, mais il peut tout aussi bien obéir à des ordres. De toute façon, ces luttes clandestines ne nous passionnent pas. Pour nous, le rôle de la C.I.A. ne vaut la peine d'être approfondi que dans le contexte plus large des relations entre les pouvoirs séculiers et le Vatican.

Mais pour être juste, l'Agence n'est pas la seule à parasiter le Vatican. Selon le cardinal Franz Koenig, de Vienne, le K.G.B. possède aussi ses « taupes » dans le palais apostolique[8]. Cibin sait que les cinq micros clandestins de fabrication soviétique qu'il avait découverts au Vatican en 1978 ne sont sûrement pas les derniers qui y aient été posés, que ce soit par les Russes ou par l'un de leurs alliés. Il paraît que les services secrets français et anglais ont aussi leurs « taupes » à l'intérieur des murs Leonine. Et Rudi semble en mesure d'apprendre tout ce que le B.N.D. désire savoir. Nous soupçonnons fortement le M.O.S.S.A.D. d'avoir au moins un indicateur à la secrétairerie d'Etat, un dignitaire ecclésiastique capable de parler plusieurs langues au Moyen-Orient. La liste des services de renseignements paraît tristement longue.

Dire que, sur plus de cent représentants accrédités auprès du Saint-Siège, un bon nombre d'entre eux s'emploie à essayer de détourner les secrets du Vatican n'est pas pure malveillance. John Magee, quand il était encore secrétaire du pape, était constamment invité à dîner par les ambassadeurs ; il confia un jour à sir Mark Heath qu'il était obligé de les refuser presque tous parce que « les gens n'ont qu'une idée en tête : me tirer les vers du nez[9] ». Mgr Kabongo pense de même.

Les renseignements que glanent ces émissaires étrangers ne sont pas toujours pour leur propre usage. Un grand nombre de pays accrédités auprès du Saint-Siège sont islamiques ou viennent de républiques d'Afrique noire[10] ; ce sont souvent des pays à population catholique insignifiante, mais qui ont des liens étroits avec l'Union soviétique ou avec les Etats-Unis. Plusieurs pays communistes, notamment Cuba, le Nicaragua et la Yougoslavie, entretiennent des relations diplomatiques avec le Saint-Siège. Qu'une quantité impressionnante de renseignements passe par les bons soins de leurs diplomates est un secret de polichinelle à la secrétairerie.

Mais c'est la C.I.A. qui en sait le plus sur le Vatican.

De retour à l'hôtel, nous décidons de définir le rôle actuel de la C.I.A. au sein de ce pontificat. En additionnant tout ce que Rudi nous a dit au sujet de la filière bulgare et ce que nous en savons nous-mêmes — le rapport hebdomadaire de la C.I.A. à Jean Paul II, la conduite de Mad Mentor, la récente augmentation du personnel de l'antenne de la C.I.A. à Rome, la nouvelle commission d'étude installée à Washington pour « analyser » la tentative d'assassinat contre le pape, une étonnante décision si l'on considère la position de la C.I.A. qui veut qu'Agca soit un « solitaire » ou, tout au plus, un succédané des fanatiques religieux musulmans —, en additionnant tout cela, nous essayons d'évaluer l'influence de la C.I.A. sur le Saint-Siège, sur l'Eglise catholique romaine et sur son souverain pontife.

Nous réexaminons toute la documentation que nous avons accumulée. Elle provient de sources diverses : du cardinal Koenig, du major Otto Kormek des services de renseignements autrichiens, du *kriminalhaupkommissar* Hans-Georg Fuchs du

B.K.A. à Wiesbaden, de Rudi, bien entendu, de l'archevêque Alibrandi de Dublin et d'un certain nombre de personnes travaillant au Vatican. Il y a aussi la documentation que nos propres enquêteurs ont réunie. Et nos notes personnelles « ultra-secrètes », que personne ne connaît, obtenues auprès d'ambassadeurs en poste soit en Italie, soit au Saint-Siège. Dans l'ensemble, cette abondance de documents fournit une réponse plausible à notre question : où en est la C.I.A. aujourd'hui ?

Elle est aussi proche du pape que l'est le téléphone (qui n'est jamais bien loin) de son actuel directeur, William J. Casey.

Casey, plus que tout autre directeur avant lui, a systématiquement développé les liens entre la C.I.A. et le Vatican.

En dehors de la courte période particulièrement déprimante qui a suivi la tentative d'assassinat, la C.I.A. a maintenu sa position de conseiller principal de Jean Paul II à travers le monde ténébreux des services secrets.

C'est elle qui le tient continuellement informé de la situation en Amérique centrale, qui lui fournit des preuves précises sur le terrain gagné par la théologie de la libération, qui le renseigne sur les activités des prêtres de gauche au Nicaragua, au Salvador et dans beaucoup d'autres points chauds où les intérêts du Saint-Siège et des Etats-Unis se rejoignent. Jean Paul II reçoit des informations analogues de ses propres cardinaux, évêques et nonces, mais préfère se l'entendre confirmer par la C.I.A.

Au plus fort des émeutes du 1er mai en Pologne, Casey, a-t-on dit, téléphona à Jean Paul II pour le rassurer : cette montée de violence n'aurait pas de conséquence plus grave.

Nous savons que Casey est chevalier de l'ordre de Malte, un ordre glorieux du Vatican qui remonte à l'époque des croisades, quand les « moines guerriers » étaient le bras séculier de l'Eglise catholique.

Aujourd'hui, loin d'être un simple anachronisme historique, l'ordre de Malte a quasiment un statut d'Etat. Comme le Vatican, il émet de la monnaie et des timbres et possède un corps diplomatique accrédité dans quarante et un pays, exactement comme le Saint-Siège. L'Eglise considère le grand maître de l'ordre comme l'équivalent d'un cardinal. La croix de Malte avec ses huit branches est une réminiscence de sa tradition hospitalière d'origine : l'ordre continue de secourir les malades et d'apporter son soutien aux organisations d'aide internationale[11].

Parmi les dix mille membres que compte l'ordre de Malte, beaucoup sont des descendants des plus anciennes et des plus riches familles catholiques d'Europe. Les juifs, les musulmans, les protestants et les catholiques séparés ou divorcés ne peuvent pas devenir chevaliers de l'ordre. Son secret et ses rituels, ses uniformes de cérémonie rouges et noirs ; sa visite annuelle au Vatican pour renouveler son allégeance à la Sainte Mère l'Eglise : même s'il ne s'agissait que de cela, l'ordre serait néanmoins un peu plus qu'une organisation marquée par la tradition. Elle est constituée d'hommes et de femmes influents, qui se consacrent aux causes charitables.

Si, par bien des aspects, il s'agit d'une société bénévole jouissant d'une grande considération, l'ordre représente également un canal d'information fort commode entre la C.I.A. et le pape.

Si, officiellement, c'est l'antenne de la C.I.A. à Rome qui renseigne la papauté, l'ordre des Chevaliers de Malte représente une couverture idéale pour Casey. La C.I.A. et le Vatican savent maintenant qu'il est essentiel que le Saint-Siège ne donne pas ouvertement l'impression de poursuivre les mêmes objectifs politiques que la C.I.A. et l'administration Reagan.

En travaillant par l'intermédiaire de l'ordre, une société honorifique composée, en tout cas aux Etats-Unis, de personnalités catholiques du pays, la C.I.A. peut avoir, avec moins de risques, des contacts plus importants et à plus long terme avec la papauté que sa propre antenne romaine ne pourrait le faire.

Nous songeons à ce que nous ont dit deux ambassadeurs européens : que l'antenne de la C.I.A. à Rome envoie un rapport hebdomadaire à Jean Paul II est parfaitement acceptable. Mais il serait choquant et même inconcevable que le responsable de l'antenne « entre et sorte du bureau du pape tous les jours ».

Par le truchement de l'ordre de Malte, la C.I.A. peut, de façon indirecte et informelle, échanger des points de vue et des opinions avec le pape.

Finie l'époque où le directeur de la C.I.A., John McCone, lui aussi chevalier de l'ordre, devait s'envoler pour Rome afin de faire admettre, avec bien du mal, le point de vue de la C.I.A. à Jean XXIII.

De nos jours, Casey n'a plus besoin de prendre l'avion ni même de téléphoner au pape. Il y a, au sein de l'ordre, de puissants émissaires qui peuvent donner à Jean Paul II le point de vue de la C.I.A. de cette façon « informelle » primordiale, car elle respecte la notion de distance entre l'Agence et la papauté.

Casey a un grand choix de messagers parmi les quelque mille membres de la branche américaine de l'ordre. Le nom des chevaliers est censé rester secret. Mais certains d'entre eux sont devenus célèbres, comme Lee Iacocca, le magnat de l'automobile, Spyros Skouras, l'armateur milliardaire, Barron Hilton, le directeur de la chaîne d'hôtels du même nom, Robert Abplanalp, autre magnat des industries de l'aérosol, William Simon, autrefois secrétaire au Trésor, Robert Wagner, le précédent maire de New York et envoyé du président au Saint-Siège [12]. Il y a aussi Claire Boothe Luce qui, au terme d'une belle carrière dans la diplomatie américaine, est actuellement la *grande dame* du comité consultatif du président Reagan en matière de renseignements qui supervise les opérations secrètes de la C.I.A., bien que cette vénérable institution ignore, semble-t-il, que Mad Mentor enregistre les émissions de Radio Vatican.

Toutes ces personnes ont un point commun : elles peuvent appeler le standard du Vatican et demander le poste 3101. C'est le téléphone ivoire qui se trouve sur le bureau du pape.

A Rome, Casey a son chevalier sur place, William Wilson.

Les membres de l'ordre continuent de véhiculer auprès du pape l'opinion de la C.I.A. sur la théologie de la libération qui est, comme nous l'a dit Wilson, « le plus grand fléau que l'Eglise ait à affronter en Amérique latine [13] ».

La C.I.A. a également démontré, par ses rapports hebdomadaires et les conversations « informelles » de Jean Paul II avec les chevaliers de Malte, qu'il est plus que jamais indispensable de combattre les dissidences cléricales. Casey a insisté auprès de Jean Paul II sur le fait qu'il ne souhaitait que le « bien » de l'Eglise.

Cela semble difficile à croire, compte tenu de ce qui s'est passé, et a dû donner matière à réflexion au Saint-Père. Il existe de nombreuses preuves sur le rôle de la C.I.A. en Amérique latine : elle a entraîné et financé des forces de police qui ont torturé et assassiné des évêques, des prêtres et des religieuses.

D'autre part, par l'intermédiaire du précieux nonce à Washington, Pio Laghi, Jean Paul II doit certainement savoir que l'Institut américain pour la religion et la démocratie (I.R.D.), créé en 1981, a reçu de l'argent d'autres institutions américaines qui avaient autrefois financé en partie la C.I.A. L'I.R.D. est actuellement engagé dans une puissante campagne de propagande contre ceux qu'elle considère comme des « activistes de l'Eglise » et qui n'acceptent ni le rôle de l'administration Reagan au Salvador ni son soutien à des régimes répressifs de même acabit en Amérique latine [14].

Il nous est également difficile de croire que le pape ignore les liens de plus en plus étroits que tissent la C.I.A. et l'une de ses sociétés secrètes favorites, l'Opus Dei. Au Chili, où la société bénéficie du soutien de nombreux évêques, l'Opus Dei reçoit un support financier indirect de la C.I.A. L'Agence a, dit-on, fourni à l'Opus Dei la preuve que les jésuites défient les déclarations du pape et sont impliqués dans des affaires politiques auxquelles la C.I.A. est opposée. En outre, c'est elle, avons-nous appris, qui a conseillé à Jean Paul II d'encourager l'Opus Dei à travailler en Pologne [15].

En considérant toute notre documentation, nous constatons que, même si Jean Paul II voulait prendre ses distances avec la C.I.A., il ne le pourrait plus. A supposer qu'il renonce à son rapport hebdomadaire, qu'il interdise tout contact de la curie et de ses prêtres avec l'Agence, en fin de compte, cela ne ferait sans doute aucune différence.

La Central Intelligence Agency pourrait encore contacter le pape par le biais des chevaliers de l'ordre de Malte et des membres de l'Opus Dei.

Il pourrait, bien sûr, choisir de ne pas les écouter.

Mais cette éventualité fait naître une perspective encore plus troublante. La C.I.A., tout comme ceux qui étudient sérieusement les affaires religieuses, sait que l'Eglise catholique n'est plus un bloc unifié. Elle est divisée sur un bon nombre de questions. Jean Paul II se sent lui-même, et de plus en plus, le noyau central d'idéologies convergentes et compétitives. Jusqu'à présent, il a fort bien réussi à « négocier » avec tous, mais c'est un tour de force, un défi permanent pour sa grande intelligence.

Cependant, le jour peut venir, et peut-être plus tôt qu'on ne le croit, où le pape ne pourra plus le faire. Se sentira-t-il alors — considérant que la moitié des catholiques vivront dans le tiers monde avant la fin du siècle — obligé de dénoncer avec plus de virulence qu'il ne le fait actuellement toutes ces dictatures que la C.I.A. subventionne ?

Comment réagirait alors la C.I.A. ? S'arrangerait-elle — ce qui paraît inconcevable à l'heure actuelle — pour déstabiliser délibérément une papauté qu'elle soutient à présent avec une telle ardeur ? Confirmerait-elle le dicton latino-américain bien connu : « Quand la C.I.A. va à l'église, ce n'est pas pour prier » ? La C.I.A. traiterait-elle l'une des personnalités les plus révérées du monde chrétien comme s'il s'agissait d'un pantin dans un spectacle de marionnettes ?

Pour le moment, il n'existe aucune réponse à ces questions. En revanche, il nous est permis d'espérer une réponse à une question plus immédiate : comment le pape s'en sortira-t-il en Pologne ?

Pendant les jours qui précéderont son départ, l'humeur au Vatican sera uniformément morose, voire sinistre. « Nous prions tous », répète calmement John Magee[16]. Emery Kabongo parle d'une « épreuve pour le Saint-Père[17] ». Lambert Greenan la voit comme une « guerre des nerfs que le régime polonais nous impose pour essayer de nous décourager[18] ». Crescenzio Sepe, à la secrétairerie d'Etat, se sent simplement « trop nerveux pour en discuter[19] ». Le personnel du bureau polonais n'a pas le temps de discourir. Ils travaillent tous vingt-quatre heures sur vingt-quatre pour effectuer les dernières mises au point. Camillo Cibin, anxieux, s'assure que rien ne lui a échappé. A Radio Vatican, le père Sesto Quercetti se prépare pour « ce qui sera l'événement le plus important de sa vie[20] ».

Au-delà des murs du Vatican, une centaine d'ambassadeurs auprès du Saint-Siège passent leur temps à supputer l'humeur ambiante. Les reporters en font autant. Ils écoutent assidûment Radio Vatican pour se faire une idée de ce qui se passe. A la radio, le père Felix Juan Cabasés prépare une liste des numéros de téléphone personnels de tous les journalistes. Il en donne la raison à Clarissa McNair : « Je veux que vous restiez tous à Rome, de façon à pouvoir vous joindre rapidement. J'ai peur qu'il n'arrive quelque chose pendant le voyage. J'ai peur que quelqu'un ne tire sur le pape[21]. »

15

La cité du Vatican

Mardi, début d'après-midi

Peu après 1 h 30, Jean Paul II se rend dans sa chapelle privée pour prier. Il s'agenouille et l'on peut voir que les semelles et les talons de ses chaussures de cuir noir donnent des signes de fatigue. Mais ce sont les souliers qu'il aime mettre lorsqu'il prend l'avion : de bonnes vieilles chaussures, aussi confortables que des pantoufles. Son valet de chambre a également préparé ses vêtements de voyage. Jean Paul II porte une chemise de coton blanc sous une soutane ivoire, un mélange de soie et de linon.

Les parements ont été brodés à la main chez Gammarelli à Rome, le tailleur des papes depuis deux cents ans [1]. La soutane est un peu différente de celle que portaient ses prédécesseurs. Celle-ci est coupée large, de façon à dissimuler le gilet pare-balles [2]. Ce gilet le protège du menton jusqu'à l'aine et lui prend tout le dos. Il se trouve dans l'une des sept valises que le pape emporte en Pologne et qui contiennent des chasubles, des soutanes, des étoles, des *rozzetas* et des *zuchetti* (calottes) de rechange.

Une ceinture très spéciale est pliée dans l'une de ses valises. Elle a été trouée par une balle et la tache de sang est encore visible sur le tissu pourpre. C'est la ceinture que le pape portait le jour où Agca a tiré sur lui. Il a l'intention d'en faire cadeau au monastère Jasna Gora où sont conservées les plus saintes reliques de la Pologne. Ce sera, a-t-il dit à son entourage, la preuve tangible que la Vierge Marie lui a sauvé la vie et qu'elle continue à protéger la Pologne[3].

Le pape est coiffé d'une calotte. Une belle croix en or, suspendue à une chaîne, orne sa poitrine.

Quand il se relève après sa prière, on voit briller un instant ses boutons de manchettes en or, cadeau des prêtres de son ancien diocèse à Cracovie.

Accompagné de Dziwisz et de Kabongo, Jean Paul II sort de la chapelle. Son visage est grave. Les membres du secrétariat du pape qui le verront passer diront qu'il avait un « air décidé[4] ».

Malgré son emploi du temps surchargé, il passe à son bureau pour régler des questions de dernière minute qui le préoccupent depuis l'aube.

Après le petit déjeuner, il lit le rapport de la secrétairerie d'Etat sur le sommet économique — le neuvième — auquel participaient les dirigeants des sept pays les plus puissants de l'Ouest. La rencontre a eu lieu à Williamsburg, aux Etats-Unis.

Le rapport est rangé dans le porte-documents de Dziwisz, de façon que le pape puisse le consulter s'il veut en discuter avec Casaroli pendant le vol.

Ce porte-documents contient aussi un rapport que Jean Paul II n'a eu que le temps de parcourir : Andrei Gromyko a déclaré devant le Soviet suprême que la Russie était décidée à résister à toute tentative d'intervention de l'Ouest en Pologne. Il a souligné les « intérêts légitimes » de l'Union soviétique en Pologne et sa volonté de prendre les mesures nécessaires au maintien du pouvoir communiste dans ce pays. Avant que Gromyko ne fasse cette déclaration, Youri Andropov avait accepté la présidence du Soviet suprême, ce qui lui donnait une puissance équivalente à celle du chef de l'Etat.

Poggi avait immédiatement fait un rapport sur ce que les propos de Gromyko et la nomination d'Andropov pouvaient signifier.

Tout en considérant que, par cette mise en garde, Gromyko essaie surtout d'intimider Jean Paul II[5], Poggi sait aussi qu'elle doit être analysée dans un contexte plus large. C'est signe, bien sûr, que le Kremlin désapprouve le voyage du pape. Mais le discours de Gromyko au sujet du pacte de Varsovie prêt à tout pour défendre ses intérêts n'était pas, cette fois, entièrement destiné à l'Occident, ni même au pape, mais à la Chine, afin que celle-ci se remémore les réalités politiques des superpuissances.

Lors de son discours adressé au Soviet suprême, Gromyko n'a pas réussi à cacher l'inquiétude des Soviétiques à propos de leur voisin de l'Est. Il a même été d'une franchise inhabituelle : en clair, Moscou souhaite vivement mettre un terme à sa querelle avec Pékin et reprendre des relations sur une base « normale » qui permettraient à l'Union soviétique de développer avec la République populaire de Chine des liens et des contacts profitables aux deux pays.

A bien des égards, la requête de Gromyko rejoint les propres aspirations du Saint-Siège dont Clarissa McNair s'est fait l'écho dans son émission, tout au moins en ce qui concerne ses relations avec la Chine communiste. Son enquête avait été diffusée la veille sur Radio Vatican. La réaction des Chinois a été étonnamment rapide. A Dublin, Mme Gong, ambassadrice de la République populaire en Irlande, a transmis au nonce Alibrandi le message qu'elle avait directement reçu de Pékin : l'émission avait été « remarquée » dans la capitale chinoise. En langage diplomatique, « remarquée » signifie qu'elle a été prise en considération et n'a offensé personne. Mgr Alibrandi en a informé immédiatement Mgr Backis à Rome. A ce moment-là, le sous-secrétaire du conseil pour les Affaires publiques avait également reçu le point de vue du gouvernement de Taiwan par l'intermédiaire de son ambassadeur au Saint-Siège, Chow Shu-Kai. Lui aussi semblait satisfait de l'émission de Clarissa McNair[6] qu'il qualifiait d' « équitable ». Une copie retranscrite de son reportage se trouve actuellement à la secrétairerie d'Etat. Mgr Poggi en a pris connaissance avant de préparer son rapport pour le pape.

Poggi pense que, derrière les propos belliqueux de Gromyko au sujet de la Pologne, se cache autre chose que le désir de se réconcilier avec la Chine.

Selon lui, l'Union soviétique essaie comme toujours de se donner des airs pacifistes, tout en étant incapable de dissimuler son rôle d'agresseur.

Une fois de plus, Gromyko a proposé une conférence pour la paix au Moyen-Orient, insinuant que, si celle-ci n'était pas organisée dans les plus brefs délais, l'Union soviétique se verrait dans l'obligation de prendre des « mesures » dans cette région. Il a réclamé à nouveau le gel immédiat de l'armement nucléaire dans des termes que Washington a déjà rejetés. Pour Poggi, il n'y a rien de bien original dans les propos de Gromyko. Il pense même que les paroles du ministre des Affaires étrangères étaient inévitables le jour de l'arrivée du pape en Pologne. Le nonce aurait été bien plus étonné si les Russes n'avaient rien dit.

Toujours d'après Poggi, Andropov a été élu pour mettre un terme à ces rumeurs selon lesquelles celui-ci, pour des raisons de santé et autres, aurait perdu le soutien du Politburo et des sept cent cinquante députés qui constituent le Soviet suprême.

Poggi a appris que, le jour où il a accepté publiquement ses nouvelles fonctions, Andropov tenait à peine sur ses jambes et parlait d'une voix lasse.

Youri Andropov, le nonce en est certain, sera un leader mondial très diminué. Poggi compte expliquer tout cela à Jean Paul II pendant le vol.

Le pape va étudier plusieurs rapports au cours de la matinée. Une dépêche urgente émanant du nonce au Honduras vient d'arriver. Elle annonce que la démocratie chancelante du pays est sur le point d'être balayée par la vague de violence qui submerge l'Amérique centrale. Les combats à la frontière du Salvador et du Nicaragua ont empiré. Le rapport, même en ce jour si chargé pour Jean Paul II, a suffisamment d'importance pour passer à une allure record de la secrétairerie d'Etat au bureau du pape. Celui-ci autorise sur-le-champ l'épiscopat hondurien à transmettre aux chefs militaires sa propre opinion sur l'avenir du pays le plus pauvre de la région. Avant de quitter l'appartement pontifical, le pape veut prendre connaissance d'autres rapports.

Pour la seconde fois en moins d'un mois, le dossier des événements au Chili a atterri sur le bureau du pape. Les évêques du pays ont essayé et n'ont pas réussi à établir une ligne d'action à mi-chemin entre la politique du régime Pinochet et une nouvelle manifestation de protestation contre celui-ci. La violence a éclaté, plus gravement encore qu'au mois de mai. Le Chili, qui a une importante dette extérieure, a besoin d'un milliard trois cents millions de dollars pour payer les seuls intérêts des prêts qui lui ont été accordés. La Banque du Vatican est impliquée dans ces transactions. Si les émeutes continuent, la communauté financière internationale pourrait s'inquiéter et reconsidérer sa position. Le bureau des Affaires d'Amérique latine, soutenu par Mgr Casaroli, demande que l'épiscopat chilien adopte une position plus ferme et mette en garde le gouvernement contre les risques qu'encourt la stabilité du pays.

A présent, après des semaines tourmentées, il est temps de s'envoler pour ce que le bureau de presse du Vatican définit comme une visite pastorale destinée à célébrer le six centième anniversaire de la madone noire de Czestochowa.

Personne ne doute, et surtout pas Dziwisz et Kabongo qui sortent de l'appartement du pape avec Jean Paul II, que malgré tout cet apparat et ce symbolisme, réunissant l'histoire nationale et la foi religieuse, le pape dénoncera la contradiction fondamentale qui est au cœur des problèmes de sa patrie : son régime prétend être celui des travailleurs alors qu'il ne cesse de s'opposer à leur volonté au moyen de la force brutale.

Et Lech Walesa va aider Jean Paul II à stigmatiser cette étrange dichotomie.

A 13 h 33 précises, Jean Paul II arrive place San Damaso.

Le doyen du Saint-Collège des cardinaux, Carlo Confalonieri, l'y attend en tenue de cérémonie. Il a plus de quatre-vingt-dix ans, c'est un homme vénérable, ridé comme une noix, avec des yeux lumineux. Ces temps-ci, ses apparitions en public se font rares. Sa présence ici est une preuve supplémentaire de l'importance que tout le monde attache à ce voyage.

A côté de Canfalonieri, se tient le cardinal Paolo Bertoli, le camerlingue, qui, en l'absence du pape, est responsable de l'administration de l'Eglise. Bertoli est un homme pétillant de soixante-quinze ans, dont le but dans l'existence est de contribuer à trouver une solution pacifique au Moyen-Orient ; il fut pendant un certain temps nonce à Beyrouth et se rend à présent régulièrement au Liban pour rester en contact avec les factions en guerre.

Le pape et le camerlingue commentent les dernières nouvelles de la région. Une paix relative paraît s'y maintenir malgré les pressions auxquelles Yasser Arafat semble soumis au sein de l'O.L.P.

La voiture roule sur les pavés du square. Elle tourne à droite place Saint-Pierre et franchit une petite porte fermée. Ce chemin conduit aux tombes de presque tous les prédécesseurs de Jean Paul II disposées autour du monument de l'apôtre saint Pierre. C'est sans doute là que sera enterré le pape.

La voiture dépasse l'usine de mosaïque du Vatican et l'imposant bâtiment du *governatore*.

Trois minutes après avoir quitté la place, le pape arrive à l'héliport. La voiture s'arrête devant le tapis rouge déroulé jusqu'à l'hélicoptère.

Quatre gardes suisses se tiennent de chaque côté de la piste d'envol. Ils s'agenouillent lorsque le pape sort de la voiture et ne se relèveront que quand l'hélicoptère blanc aura décollé avec Jean Paul II à son bord et atteint son altitude (mille mètres) qu'il gardera pendant tout le vol.

Il faut dix minutes pour gagner l'aéroport de Fiumicino. La trajectoire de l'hélicoptère est surveillée en permanence par les radars de l'armée de l'air italienne à partir d'une base située à proximité de l'aéroport civil. Sur le terrain d'aviation militaire, un escadron d'avions de chasse se tient prêt à décoller au premier signe d'une tentative d'interception de l'appareil. Au sol, des voitures de police sont stationnées tout le long du parcours de l'hélicoptère. Une ambulance attend à l'aéroport de Fiumicino et une autre à l'hôpital Gemelli. Toutes deux sont équipées d'un important matériel médical, parfaitement superflu si l'hélicoptère venait à s'écraser, se disent les ambulanciers.

L'appareil atterrit à Fiumicino sans incident.

L'un des gardes qui se trouvent déjà à bord du 727 d'Alitalia se tourne vers Cibin au moment où l'hélicoptère arrive : « Ouf ! soupire-t-il. Une première étape de franchie[7]. »

Le chef de la Sécurité grimace un sourire. Il connaît mieux que quiconque les dangers qui peuvent surgir. Il les a imaginés et étudiés pendant des semaines. Depuis plusieurs jours, il souffre de l'estomac. Il se demande s'il n'a pas un début d'ulcère. Il n'en serait pas autrement surpris après ce qu'il vient de traverser.

Au cours des dernières semaines, les membres de la mission polonaise n'ont pas cessé d'appeler Cibin pour lui expliquer avec force détails la façon dont serait assurée la protection du pape en Pologne[8].

Les quatre téléphones installés sur le bureau de Cibin, les postes 3004, 3023, 3217 et 4612 au Vatican, sonnaient sans arrêt. Les appels ne provenaient pas seulement de la mission polonaise mais aussi de l'antenne de la C.I.A. à Rome et du cardinal Glemp à Varsovie.

Cependant, si les choses venaient à tourner mal, Cibin admet que la faute ne saurait en être imputée aux autorités polonaises. Un effectif de plus de cent mille militaires, policiers et responsables sera mobilisé partout où le pape doit apparaître en public[9].

La mission polonaise de Rome a annoncé sans détour à Cibin que cet incroyable déploiement — peut-être le plus important jamais requis pour protéger une seule personne et à plus forte raison un pape en visite pastorale — a deux fonctions : assurer la sécurité de Jean Paul II et éviter que l'immense foule qu'il ne manquera pas d'attirer n'organise des manifestations de soutien à Solidarité.

Cibin s'est entretenu à plusieurs reprises avec Mgr Glemp, bien que la ligne téléphonique de celui-ci fût prise d'assaut par le personnel du Vatican. Il est parvenu à la même conclusion que le primat de Pologne : un déploiement massif des forces de l'ordre risquait d'occasionner des émeutes que précisément l'Eglise et l'Etat souhaitaient tous deux éviter.

Le point capital du plan de sécurité polonais pourrait bien être une cause de troubles[10]. Il s'agit de la zone zéro. Personne ne sera admis à pénétrer dans un rayon de cinquante mètres autour du souverain pontife. Même Cibin et son garde auront besoin d'un permis pour entrer dans la zone zéro. En outre, tout individu se trouvant aux abords de la zone zéro devra être muni d'un permis spécial, signifiant qu'il a été accepté par l'Eglise et la sécurité polonaise. La foule entourant cette fameuse zone zéro (environ un millier de personnes) sera divisée en secteurs. Seuls les spectateurs munis d'une autorisation et accompagnés d'un prêtre seront autorisés à approcher le pape, et généralement à une centaine de mètres.

Cibin craint que la foule ne devienne agressive à force d'être tenue à distance et ne tente de forcer les barrages pour se rapprocher de Jean Paul II.

Selon le chef de la sécurité approuvé par Mgr Glemp, compte tenu de la nervosité du gouvernement polonais, l'épiscopat devrait demander aux fidèles de ne pas jeter de fleurs sur le passage de la voiture du pape, comme ils le firent en 1979, mais de se contenter de brandir leur bouquet au-dessus de leur tête ou de le déposer sur la route avant le passage du Saint-Père. Cibin a également suggéré qu'on prévienne les gens qu'ils seront passés au détecteur. Il sait que les porteurs d'objets métalliques seront refoulés, ce qui risque d'accroître la confusion.

Cibin s'est plié à une requête du gouvernement qui voulait que le Vatican expédiât le *popemobile,* fabriqué à l'occasion de la visite du pape en Espagne. C'est une voiture blindée surmontée d'un dôme de verre à l'épreuve des balles, très différente de la décapotable qui avait servi lors du premier voyage du pape en Pologne en 1979. Cibin accepta également que les autorités détruisent cette fameuse décapotable bien qu'une organisation de Polonais en exil aux Etats-Unis et qu'un monastère en Pologne eussent souhaité l'acquérir.

Au cours d'une conversation glaciale avec un membre du ministère de l'Intérieur à Varsovie, Cibin apprit que le *popemobile* était à présent devenu indispensable, « parce que les extrémistes du mouvement clandestin de Solidarité pourraient encourager la violence contre le pape dans le seul but de nuire au gouvernement [11] ».

Au cours de ses négociations avec le régime, Cibin trouva qu'en dépit de sa volonté évidente d'éviter tout conflit, celui-ci agissait de manière tout à fait déplaisante. Il fut choqué par l'insistance avec laquelle les Polonais se mêlaient de la conception de tous les autels construits pour les messes en plein air. A Poznan, les officiels du Parti rejetèrent un projet sous prétexte qu'ils trouvaient la croix trop importante.

Ce matin, avant de quitter Fiumicino, Cibin a reçu un télex de Mgr Glemp — Vatican N° 2024 DIRGENTAL VA, Varsovie 816550 SEPOL PL — contenant des nouvelles très troublantes : le ministre de l'Intérieur, en dépit de toutes les précautions prises, a trouvé le moyen de publier un communiqué provocant. Il prétendait avoir appris que des groupes non identifiés « avaient l'intention de troubler l'ordre public, de créer le désordre et l'agitation et, en conséquence, de diminuer l'importance de cette visite [12] ».

Cibin a un double de ce message dans sa poche. Il avait l'intention de le montrer à Jean Paul II pendant le vol, mais en voyant le pape dans l'avion le chef de la sécurité s'est ravisé.

Il papa, se dit-il, *è gia abbastanza preoccupato.*

Jean Paul II est encore plus soucieux que Cibin ne l'imagine. Juste avant de monter à bord du jet d'Alitalia, il a appris qu'avant son arrivée à Varsovie, Lech Walesa serait gardé en liberté surveillée chez lui.

A bord de l'avion papal

Le même jour, en milieu d'après-midi

A 14 h 40, point trois de l'itinéraire, le jet d'Alitalia s'élève dans un ciel sans nuages. Il va mettre deux heures vingt pour atteindre Varsovie. Cinquante-sept personnes et plus de soixante journalistes composent la suite papale ; plus d'un millier de reporters l'attendent en Pologne.

A bord, Jean Paul II partage son temps entre la prière (dans sa cabine privée située derrière le poste de pilotage, il a un prie-Dieu fixé au sol) et les discussions avec Casaroli et Poggi au sujet de leurs rapports sur le sommet de Williamsburg et les événements du matin à Moscou. Plus tard, Mgr Somalo et le préfet Martin les rejoignent pour s'entretenir de la Pologne.

Parmi les sujets abordés, figure la situation financière critique du pays. Depuis la loi martiale décrétée en décembre 1981, les sanctions économiques des pays occidentaux ont coûté à la Pologne environ douze milliards de dollars, élevant ainsi la dette extérieure à plus de vingt-cinq milliards de dollars. Le gouvernement vient d'annoncer qu'il avait l'intention de demander un moratoire de huit ans avant de commencer à rembourser ses dettes accumulées depuis vingt ans [13]. Personne dans l'entourage du pape ne pense qu'il s'agisse là d'une simple coïncidence. La moitié de l'argent est due à des institutions financières dont beaucoup ont des accords avec la Banque du Vatican [14]. Le solde a été prêté par des gouvernements occidentaux. Cependant, à Williamsburg, il a été décidé d'attendre la fin du voyage du pape pour se pencher sur la question de la dette polonaise.

Le message est donc limpide : si la visite du pape se passe bien, l'Occident sera plus enclin à l'indulgence. Casaroli a bien entendu encouragé cette stratégie lors de ses précédentes rencontres avec les ambassadeurs auprès du Saint-Siège des pays présents à Williamsburg [15].

Poggi confirme que le gouvernement polonais ne dissimule pas son désir de voir la visite du pape mettre un terme à l'isolement international de la Pologne et pousser les pays occidentaux à lever leurs sanctions [16].

Pendant le reste du vol, Jean Paul II et ses conseillers orientent leurs discussions sur d'autres projets que le régime polonais souhaite mener à bien. Ils tombent tous d'accord sur un point : les autorités espèrent que la présence du pape fera office de soupape de sécurité et désamorcera la colère du peuple. En outre, le régime va tenter de mettre à profit cette visite pour renforcer une argumentation qui a préoccupé l'épiscopat polonais et les pays occidentaux : le gouvernement Jaruzelski n'a d'autre alternative que d'intensifier la répression.

Ironie du sort, l'Eglise polonaise est la principale bénéficiaire de la tourmente politique. Elle a réalisé des gains sans précédent avec les publications catholiques dont la vente a pratiquement doublé depuis 1979. Le nombre des jeunes gens qui entrent dans les ordres a augmenté d'un quart par rapport à l'année précédente. On construit des églises et des chapelles nouvelles en plus grand nombre depuis les années soixante-dix. Mais, même ainsi, cela ne suffit pas à contenter tous ceux qui désirent pratiquer. Selon les derniers sondages, les catholiques pratiquants constituent près de 90 pour cent de la population [17].

Cependant, l'ascension et la chute de Solidarité ont provoqué des rapports conflictuels entre l'Eglise et l'Etat.

C'est, plus que tout, ce qui sépare Casaroli et la secrétairerie d'Etat de Jean Paul II de la « mafia polonaise ».

Bien entendu, rien ne transparaît de leur différend pendant le vol. Ce serait inconcevable. Mais c'est latent, comme cela l'a été depuis des semaines [18].

Dans l'entourage du pape, on est conscient que, sur plus d'un point, le désaccord entre les deux groupes a été concrétisé par la manière dont Joseph Glemp a changé de camp.

Cet expert en droit canonique, âgé de cinquante-trois ans, a été nommé primat à la suite du décès du cardinal Stefan Wyszynski. Ce dernier avait la charge des trente-deux millions de catholiques polonais mais sa fonction dépassait de loin les seuls problèmes spirituels de ses ouailles. Pendant près de trente-trois ans, dont trois passés dans les geôles communistes, Mgr Wyszynski a été, comme l'appelle Jean Paul II, le « primat du millénaire [19] ».

Mgr Glemp, avec sa contenance de prédicateur timide, fut très rapidement critiqué par ses prêtres pour n'avoir pas su défendre les acquis de Solidarité. Il répondit à ces accusations en alléguant que l'Eglise pouvait avoir des idées démocratiques, mais qu'il ne lui appartenait pas de changer les systèmes politiques.

Au printemps de 1982, le pape invita le primat au Vatican. Ils s'entretinrent tout un après-midi.

A partir de ce moment-là, Mgr Glemp durcit son attitude. Certains prêtres dans le Boeing 727 disent que le primat est à présent devenu un authentique membre de la « mafia polonaise », qui n'adhérera plus jamais à la politique de modération de la secrétairerie d'Etat.

Quoi qu'il en soit, tous pensent que Jean Paul II évitera de s'engager trop ouvertement en Pologne afin de ne pas nuire aux chrétiens dont la vie est déjà si difficile au sein du bloc soviétique. Ils espèrent que son discours sera modéré et qu'il se contentera de « suggérer » au régime un plus grand respect des droits de l'homme ; qu'il soulignera que l'Eglise polonaise, tout en restant bien sûr vigilante, doit agir dans le cadre du régime sans pour autant y participer ; qu'elle devra soutenir les valeurs morales représentées par Solidarité, mais seulement de façon qu'elles puissent resurgir à une date ultérieure.

Voici ce à quoi pensaient ces prêtres confortablement installés dans leur fauteuil de première classe, buvant des vins fins et dégustant du homard. Maintenant, ils n'en sont plus si sûrs. Ils se demandent si Jean Paul II ne va pas suivre une ligne radicalement différente.

L'avion descend vers l'aéroport d'Okecie. Rien désormais ne peut plus empêcher Jean Paul II d'exécuter le plan auquel il a réfléchi pendant des semaines.

Parmi ses assistants nombreux sont ceux qui pensent que Jean Paul II prend là le plus grand risque de son pontificat. Beaucoup ferment les yeux et prient pour lui en silence alors que l'avion se pose sur le sol polonais.

L'aéroport d'Okecie à Varsovie

Le même jour, début de soirée

Le père Robert Rush, un jésuite américain grisonnant de cinquante-cinq ans, décrit le spectacle d'une voix où subsistent encore des intonations de Brooklyn, sa ville natale.

Bien que le père Rush se trouve à dix kilomètres de l'aéroport, la scène se déroule littéralement sous ses yeux. Il est assis en face d'un écran de contrôle au quartier général de la télévision d'Etat polonaise où il passera plus de six jours à couvrir l'événement pour le Vatican.

Les commentaires du jésuite sont loin d'être dithyrambiques. Sa première impression de Varsovie n'est pas fameuse : « manque de vitalité, trop calme, triste même ». Il a décrit les devantures vides des boutiques ainsi que les longues queues à la porte des magasins contenant les quelques denrées disponibles. « On peut voir flotter les drapeaux du pays blanc et rouge, ceux jaune et blanc du Vatican et, enfin, les drapeaux bleu et blanc de la Vierge disposés tout le long de la route à trois voies que le pape va emprunter pour se rendre à la cathédrale de Varsovie[20]. »

A présent, le pape s'agenouille et embrasse le sol de sa patrie. Il est 17 h 30.

Jean Paul II serre la main des membres du corps diplomatique et c'est ainsi que s'achève la première partie des cérémonies.

Le discours du président polonais, prononcé dans un silence total, est poli et réservé.

La réponse du pape déclenche un tonnerre d'applaudissements.

« Je demande à ceux qui souffrent de rester très proches de moi. Je le leur demande au nom des paroles mêmes du Christ : “ J'étais malade et vous m'avez rendu visite. J'étais en prison et vous êtes venus à moi. ” Je ne peux moi-même rendre visite à tous les malades, les prisonniers, ni à tous ceux qui souffrent. Mais je leur demande de rester avec moi par l'esprit. »

Le père Rush rappelle à ses auditeurs que le pape vient de faire allusion à tous ceux qui ont été emprisonnés sous la loi martiale[21]. Le journaliste sait que les grandes lignes de la bataille viennent d'être définies.

16

Réactions de Rome

Suivre ce pèlerinage polonais à distance, comme nous avons choisi de le faire, est à la fois une décision délibérée et une gageure. L'un de nous est resté à Rome, effectuant de brefs voyages à Paris et à Londres, pendant que l'autre se rendait aux Etats-Unis et au Canada pour s'occuper du lancement de *Pontiff*[1]. Il nous a semblé possible de garder le contact avec la suite papale pendant qu'elle avançait « comme un rouleau compresseur » en Pologne. On nous a remis la liste des numéros de téléphone personnels des membres de l'entourage du pape. Nous nous téléphonions régulièrement en dépit de nos déplacements respectifs en Europe et en Amérique du Nord.

Notre décision de ne pas nous « fourrer » dans le chaudron polonais s'est avérée rapidement payante.

Vingt-quatre heures après le début de la visite, des signes de trouble apparaissent. Ils ne proviennent pas seulement du régime de Jaruzelski, mais aussi du palais apostolique, des bureaux de l'*Osservatore Romano* et de Radio Vatican[1].

Certains cardinaux déclarent avec une fermeté inhabituelle que le pape va trop loin lorsqu'il réclame les « droits des travailleurs » et le « rétablissement des syndicats libres ». Il vient de lâcher la seconde bombe de son voyage au cours d'un entretien télévisé avec le général Jaruzelski. Sur la cassette vidéo que nous avons de cet entretien, le général se tient très droit, le visage de marbre, le

* Il s'agit du précédent ouvrage des deux auteurs. (*N.d.T.*)

sourire figé. Il ressemble à un homme sur le point d'avoir une attaque et Jean Paul II donne l'impression de le sermonner.

Les discours du pape à Varsovie puis à Czestochowa condamnent sans équivoque tout ce que représente le régime. C'est d'autant plus surprenant qu'ils sont émaillés de nombreuses citations tirées des Ecritures. Le pape semble vouloir rappeler à tous que ses propos bénéficient non seulement du soutien moral du Saint-Siège mais que Dieu lui-même ne peut que l'approuver.

Jean Paul II a condamné la loi martiale et défendu le droit de protester contre l'injustice. Il a présenté sa visite comme un témoignage vibrant de la foi chrétienne et aussi comme un acte de soutien à un peuple écrasé par l'angoisse et les interdits.

Nous nous attendions que les porte-parole du gouvernement regimbent et c'est effectivement ce qu'ils firent. En revanche, nous n'avions pas prévu la violence de la réaction du Vatican qui présentait toutes les apparences d'une révolution de palais. Certains prélats, d'ordinaire réservés et prudents, fulminent littéralement. Pour eux, il est clair que Jean Paul II a dépassé les limites du message évangélique sur la dignité humaine et la justice pour verser dans la politique.

Un prêtre diplomate de la secrétairerie d'Etat qui a servi les deux précédents papes dit que celui-ci « agit davantage comme un primat de Pologne que comme le chef de l'Eglise universelle ».

Par ailleurs, il est certain que Jean Paul II ne peut protester contre les violations des droits de l'homme en Amérique centrale et les ignorer dans sa propre patrie.

Notre vidéo-cassette de son discours officiel à Jaruzelski montre un Jean Paul II physiquement en meilleure forme que nous ne l'escomptions. Il a un air résolu, une façon énergique de pointer l'index, une voix vibrante. Mais, si l'on écoute avec attention ses paroles, on découvre que derrière l'appel pour le rétablissement des syndicats libres et indépendants, les conventions collectives et un « réel » dialogue entre les travailleurs et le régime, derrière tout cela apparaît clairement la mise en garde de Jean Paul II : il serait fatal de brusquer le changement. Il parle de « solution pacifique » et de « discussions patientes ». Manifestement, il redoute un conflit direct avec un gouvernement communiste impopulaire. En d'autres termes, il souhaite avant tout éviter le déclenchement d'un psychodrame de masse qui conduirait à une révolution sanglante en Pologne. Ses paroles sont également destinées au leader de Solidarité.

A Radio Vatican, des journalistes chevronnés comme Henry McConnachie estiment le pape « trop provocant ; il en fait trop. Où veut-il en venir[2] ? ».

McConnachie se pose les mêmes questions que bien d'autres au Vatican : un « accord » a-t-il été conclu au préalable pour que le pape « ne dépasse pas certaines limites » ? Le pape essaie-t-il d'attribuer un « nouveau rôle » à la papauté en Pologne ?

Personne, actuellement, n'est en mesure de répondre à ces questions. Mais ce qui compte, c'est qu'elles aient été posées *à l'intérieur* du Vatican.

Cependant, le travail continue. Un prélat suit patiemment la campagne électorale italienne d'où sortira le quarante-quatrième gouvernement du pays depuis 1945. Le bureau des Affaires d'Amérique latine dispose d'un rapport annonçant que le président Rios Montt a rejeté la lettre pastorale de l'épiscopat guatémaltèque, bien que le pape eût donné son accord pour la publier. Cette lettre dénonçait l'utilisation faite par Montt des tribunaux militaires et les exécutions sommaires des « terroristes » dont il s'était rendu responsable. Le bureau des Affaires du Moyen-Orient prépare actuellement pour Casaroli un résumé sur la guerre Iran-Irak, un conflit qui dure depuis presque trois ans et ne semble pas trouver d'issue. Mgr Audrys Backis a reçu deux rapports sur les résultats des élections générales britanniques qui se sont soldées par une victoire écrasante du Premier ministre, Mme Thatcher. Le premier en provenance de Londres, le second de Dublin, préparé par le nonce Alibrandi. Celui-ci analyse en détail les conséquences que pourrait avoir le retour de Mme Thatcher en Irlande du Nord, où le Saint-Siège s'évertue à trouver une solution pacifique.

Tout cela, ainsi que beaucoup d'autres questions, est à étudier. Comme le dit un prêtre de la secrétairerie d'Etat : « A ce niveau, nous n'avons pas réellement besoin du pape. Nous sommes parfaitement à même de résoudre seuls un grand nombre de problèmes, tout au moins pendant quelques mois. »

Peut-être, en effet. Mais ce prêtre sera sans doute l'un des premiers à écouter la prochaine émission de Radio Vatican en provenance de la Pologne.

Aujourd'hui, quatrième jour de la visite du pape en Pologne, le pape se rend à Czestochowa où il célébrera la messe pour plus d'un million de personnes au reliquaire de la Madone noire, puis remettra aux moines de Jasna Gora sa ceinture tachée de sang et trouée par la balle d'Agca. A présent les questions affluent, l'une amenant l'autre et ainsi de suite... C'est tout à fait étonnant.

Certains prêtres, dont Lambert Greenan, disent qu'à Czestochowa « a eu lieu un combat direct entre le communisme et la Vierge. La Vierge a vaincu [3] ». Pour lui, c'est très clair. Mais il est moins catégorique sur d'autres sujets.

Le Saint-Siège et le régime polonais avaient-ils, comme le pense McConnachie, conclu un accord préalable ? Greenan peut-il répondre à cette question soulevée par certains de ses collègues : l'une des clauses de cet arrangement concernait-elle l'attitude de Lech Walesa qu'ils souhaiteraient plus discrète ? Glemp et peut-être Casaroli, avaient-ils sciemment évité des discussions avec l'entourage de Jaruzelski sur la réorganisation de Solidarité sous la tutelle de l'Eglise ? Et Poggi aurait-il entrepris, quand il ne concélébrait pas la messe, quelque négociation ardue sur la levée de la loi martiale ou, tout au moins, sur la nécessité de déclarer une amnistie partielle ?

Greenan hausse les épaules :

« Je ne lis pas dans le marc de café. Je peux cependant vous dire une chose, il n'y a sans doute personne au Vatican qui puisse répondre à ces questions. Les choses vont si vite ! Ce matin, j'avais mon idée là-dessus, maintenant j'en ai une autre. Je suis désolé, je ne sais pas... C'est comme si l'on écoutait des nouvelles d'un autre monde [4]. »

Il n'a pas tort à ce sujet. Toutes nos informations nous portent à croire que ce voyage en Pologne réserve des surprises même à ceux qui sont sur place.

« Le pape fait cavalier seul », nous dit un prélat lors d'une conversation téléphonique avec le monastère de Jasna Gora.

Nous donnons un autre coup de fil en Pologne. Cette fois, notre contact est plus explicite. Selon lui, Jean Paul II rehausse le niveau du débat public ; il rappelle également aux Polonais que l'Eglise se doit « de dire toute la vérité, ce qui n'est pas facile quand la police est partout ».

Nous lui demandons ce qu'il pense de ce qui s'est passé à Czestochowa. Il prétend que le million de personnes rassemblées pour entendre la messe représente probablement la manifestation de Solidarité la plus réussie jusqu'à présent.

Les drapeaux du syndicat flottaient partout si bien qu'il était difficile de savoir si l'on assistait à une manifestation religieuse ou politique. Ce rassemblement — parler simplement de service religieux serait un non-sens — confère en quelque sorte à Solidarité la caution officielle de l'Eglise dont l'organisation n'avait jamais bénéficié jusqu'à ce jour.

Cela aussi crée un malaise au Vatican. On s'accorde à penser que, si ces rassemblements sont fort utiles au moral des nations et tout particulièrement en Pologne, ils n'en demeurent pas moins des spectacles émouvants qui s'achèvent sitôt les autels démontés, le *popemobile* réexpédié à Rome et le Saint-Père reparti, pour ne laisser derrière lui qu'un grand vide, semblable au lendemain d'une fête ou d'un carnaval. Aussi, que se passera-t-il ensuite ? La répression ne risque-t-elle pas, au contraire, de s'intensifier ? Jaruzelski n'est-il pas l'un de ces leaders à l'esprit étroit qui cherchera à se venger (peut-être sur l'ordre de Moscou) de la façon dont le pape lui a forcé la main ?

Le matin du cinquième jour de son voyage (trajet en hélicoptère du monastère de Jasna Gora jusqu'à Poznan, de là à Katowice puis retour à Jasna Gora, six cent cinquante kilomètres d'un voyage éreintant, un record de cérémonies), une chose est claire : le pape fait exactement ce qu'il a prévu de faire. Son voyage entier est un paradigme de ses relations avec le système communiste qu'il abhorre entre tous.

Il est également clair que l'Eglise polonaise est la première surprise de son regain de vitalité et risque de ne pas savoir comment l'utiliser.

Cette hypothèse entraîne d'autres questions. Jusqu'à quel point l'Eglise polonaise doit-elle coopérer avec le régime ? Et jusqu'à quel point les paroisses doivent-elles soutenir les travailleurs activistes ?

Pendant ce temps, à Katowice, le pape prononce son douzième sermon. Comme dans tous les autres, il y condamne la loi martiale.

Finalement, Jean Paul II parvient à Cracovie, sa ville natale, l'apogée de son voyage triomphal. C'est là qu'il va donner l'estocade. En dépit de l'opposition officielle, il a décidé de rencontrer Lech Walesa.

Mais déjà des nuages s'amoncellent au-dessus de cette rencontre et, une fois de plus, ils proviennent du Vatican.

17

Le château de Wawell, Cracovie

Mardi, début de matinée

Camillo Cibin campe dans une pièce à peine plus large qu'un placard à balais [1]. Il y dort mal et se réveille fatigué, courbatu. A 6 heures du matin, on frappe avec insistance à sa porte.

Cibin sait de qui il s'agit. Ils viennent toujours à la même heure. Ce sont les deux officiers chargés d'établir la liaison entre le régime et lui-même pour les problèmes de sécurité. Cibin a encore du mal à prononcer leurs noms mais, à son étonnement, eux parlent couramment l'italien. Il enfile un peignoir de bain et les fait entrer.

Ce matin, le plus âgé des deux, un colonel, petit et grassouillet, aux yeux protubérants, affiche un air lugubre. Il a passé la majeure partie de la nuit à rédiger un rapport sur ce qu'il appelle le « regrettable incident de Wroclaw », explique-t-il à Cibin.

Il fait allusion à l'affrontement qui s'est produit après la messe célébrée sur le champ de courses de Wroclaw, entre des manifestants brandissant des banderoles de Solidarité et les forces de l'ordre ; un million de personnes environ étaient présentes.

Jean Paul II venait de quitter l'autel lorsque les troubles ont éclaté. Les manifestants, ceinturant la foule, entreprirent une marche vers la cathédrale de la ville, incitant les fidèles à les imiter. Des cars de police (les reporters occidentaux en ont dénombré au moins une trentaine), commencèrent à charger les manifestants. « Gestapo ! » entendait-on crier. Des journalistes étrangers furent malmenés.

De nouveau, le colonel exprime ses regrets. Cibin hoche la tête, désireux d'en finir avec ce sujet. Il est las des sempiternelles excuses de cet homme.

Son compagnon espère sincèrement que le comportement de cette poignée d'extrémistes n'a pas alarmé le Saint-Père. Le voyage se passait si bien, n'est-ce pas, tellement bien ! Bien sûr, il y a eu des tensions... mais c'est inévitable avec tous ces extrémistes qui n'ont de cesse de perturber les relations entre l'Eglise et l'Etat...

Ce voyage est le plus dur que Cibin ait jamais effectué. Dieu merci, si rien d'imprévu ne survient au cours des douze prochaines heures, il sera de retour à Rome ce soir. Il est impatient d'en arriver au point 4 du calendrier : « 17 h 15, l'avion du pape décolle de l'aéroport de Cracovie-Balice. »

Le colonel, cette fois tout sourire, regarde Cibin.

Il lui annonce que la rencontre a été organisée.

« Où ? » demande Cibin.

Le pape rencontrera Lech Walesa, sa femme et ses enfants à l'Ermitage du monastère, au sud de Cracovie, dans les monts Tatra. Le pape s'y est souvent rendu lorsqu'il était archevêque de la ville.

« Quand ? »

Le colonel consulte son agenda. Le rendez-vous est fixé à 11 h 30 ce matin. Il durera trente minutes.

« Quelles sont les dispositions prises pour la sécurité ? »

Le colonel lit à voix haute. L'entrevue sera privée. Le pape et les Walesa, personne d'autre. Il n'y aura aucun journaliste et, bien entendu, aucun photographe.

Cibin l'interrompt.

« Le pape peut vouloir une photographie en souvenir de cet événement.

— Aucun photographe. » Le colonel est inflexible. Il ne rit plus.

Il poursuit sa lecture. Le pape se rendra à l'Ermitage dans une limousine du gouvernement banalisée. Les Walesa l'y attendront. Ils y ont été conduits pendant la nuit à bord d'un avion militaire. Toutes les routes de la région, dans un rayon de quinze kilomètres, seront interdites à la circulation et surveillées. Quiconque essaiera de passer sera arrêté.

Cibin prend une décision. Il annonce au colonel qu'il accompagnera Jean Paul II.

Les officiers échangent un regard.

« Je n'ai reçu aucun ordre de ce genre », rétorque sèchement le colonel.

Cibin reste impassible.

« C'est possible, mais il vaut beaucoup mieux que j'y aille. Dans le cas contraire, le pape risquerait d'exiger des explications... »

Les deux hommes prennent congé en précisant qu'ils vont revenir.

Cibin s'habille rapidement. Il choisit le costume sombre qu'il a porté la plupart du temps au cours de ce voyage et qui semble tant plaire à ces messieurs de la sécurité polonaise. A sa grande surprise, ils lui en ont fait plusieurs fois compliment...

Les officiers reviennent. Le colonel est radieux. Cibin peut partir. Ils se donnent rendez-vous après le petit déjeuner.

Cibin fait sa valise et la remet au bagagiste du Vatican pour qu'il l'expédie à l'aéroport de Cracovie. Avant de sortir, il glisse un appareil de photo Minox chargé dans sa poche.

A 7 heures du matin, Jean Paul II offre un petit déjeuner dans la salle à manger du château aux quarante personnes de sa suite ainsi qu'aux membres de l'épiscopat polonais.

Beaucoup des invités réunis autour de la table papale accusent une grande fatigue. Même des hommes de robuste constitution comme John Magee ont trouvé ce séjour exténuant. La distance parcourue n'est pas seule en cause ; il y a aussi la tension permanente. Les membres de la suite papale sont restés du début à la fin sur le qui-vive : la ferveur religieuse des fidèles pouvait à tout moment dégénérer et se transformer en violence.

Magee estime qu'il ne faut pas non plus exagérer les choses : « Tous les voyages du Saint-Père sont éprouvants. Celui-ci l'est simplement un peu plus que les autres[2]. »

De même que tous les invités assis autour de cette table (les saucisses froides et le pain noir rappellent à Magee les petits déjeuner pris avec Jean Paul II à Rome), le maître des cérémonies a des souvenirs de ce voyage qui lui sont propres.

Il y a eu ce moment poignant à la messe célébrée dans le plus grand stade de Varsovie, le lendemain de son arrivée, quand le pape a demandé aux gens de rentrer tranquillement chez eux et de ne pas manifester. Magee se souviendra toujours de Jean Paul II, les bras grands ouverts, implorant : « Mes frères, je veux qu'aujourd'hui ainsi que tous les autres jours où nous nous emploierons ensemble à construire l'avenir, cet avenir qui par moments vous semble si sombre, soient vécus dans la paix et la sérénité. »

La nuit dernière, une foule de vingt mille personnes a défilé devant le quartier général du parti communiste de Varsovie en scandant des slogans de Solidarité et « Le pape est avec nous ». Puis, d'une seule voix, ils ont lancé un appel que Magee n'oubliera jamais : « Joignez-vous à nous ! Ils n'oseront pas nous taper dessus aujourd'hui ! »

Même Casaroli, d'ordinaire impassible en public, a été ému au point de manifester son approbation après que le pape eut suggéré sous forme de prière, au cours d'une messe à Czestochowa, qu'il était possible de pardonner au régime : « Pardonner ne signifie pas abandonner la quête de justice. Cela signifie *se diriger* vers la paix et la justice[3]. »

Pour les Polonais réunis autour du petit déjeuner, le voyage, selon les termes de Mgr Glemp, « est un réconfort pour le peuple. Les anciennes valeurs ont ressuscité. A présent, rien ne peut plus les faire disparaître[4]. »

Afin de renforcer ce sentiment, Jean Paul II a l'intention de raconter à ses convives son entretien, la veille au soir, avec le général Jaruzelski. Il avait demandé au leader polonais de venir lui rendre visite.

Mais, avant de leur résumer cet entretien, il demande à tous ses invités leur opinion sur ce voyage et les écoute avec beaucoup d'attention.

Tout au long de ce séjour, la C.I.A., par l'intermédiaire de l'ambassade des Etats-Unis à Varsovie, a tenu Jean Paul II informé des réactions de l'Union soviétique.

Même les membres de la suite papale qui n'ont pas eu connaissance du rapport des services de renseignement du pape savent maintenant (les valeurs boursières n'ont cessé de grimper pendant tout le voyage), que les Russes manifestent de grands signes d'inquiétude.

Cependant, leurs efforts pour réduire l'impact de ce voyage à l'intérieur du bloc soviétique n'ont été que partiellement couronnés de succès. Bien que les émissions de « La voix de l'Amérique » en Union soviétique eussent été brouillées et les discours du pape censurés par la presse polonaise, la radio d'Etat n'a pu faire autrement que de diffuser intégralement les paroles du souverain pontife, y compris ses propos acerbes sur le gouvernement.

Néanmoins, tout le monde autour de cette table estime que Jean Paul II devrait laisser à Jaruzelski un minimum de prestige.

Il semble qu'il l'ait fait.

Les monts Tatra, aux environs de Cracovie

Le même jour, fin de matinée[5]

Lech Walesa se tient devant l'Ermitage dont les hauts murs de pierre se dressent vers le ciel où brille un soleil d'été.

De temps à autre, il jette un coup d'œil vers le bosquet de sapins à l'ombre duquel un soldat a garé la voiture des Walesa. Adossé au capot, le soldat fume une cigarette. Comme convenu, Danuta et les enfants sont restés assis à l'arrière en attendant l'arrivée du pape.

Walesa surveille la route qui relie l'Ermitage à la vallée. Par la suite, il ne saura dire combien de fois il a regardé sa montre, rajusté le nœud de sa cravate, tiré sur la veste de son costume et vérifié la propreté de ses chaussures. De toute façon, lorsque plus tard les journalistes lui poseront ce genre de questions, Walesa ne répondra pas. Il déteste le culte de la personnalité qui l'éloigne du vrai but de sa vie. Il considère que cette rencontre marquera une nouvelle étape dans le combat héroïque qu'il a engagé.

Lech Walesa a trente-neuf ans mais paraît plus âgé. Son visage a une pâleur de cendre que même le soleil semble impuissant à colorer. Son regard aigu exprime intelligence et courage. Comme le pape, le syndicaliste sait depuis longtemps que sa vie est menacée. Il l'a confié à Danuta, sa femme : il est prêt à mourir pour la cause qu'il défend. Elle le comprend. Cette attitude leur permet de supporter plus facilement tout ce qu'ils endurent.

Tout en surveillant la route qui serpente au-dessous de lui, Walesa se demande si cette rencontre aura effectivement lieu et s'il ne s'agit pas d'une nouvelle invention du régime destinée à le décourager et à l'affaiblir psychologiquement.

Depuis l'arrivée du pape en Pologne, il est harcelé. Une cinquantaine de policiers et de miliciens le filent sans arrêt : ils l'ont suivi à l'usine, à l'église, à la pêche et même au bois quand il joue avec ses enfants. Les gardes ne bougent pas, ne parlent pas, mais leur seule présence est lourde de menaces. La nuit, ils sont postés devant la porte de l'appartement des Walesa, dans le hall de l'immeuble et dans la rue. Tous les jours, quand il se rend à son travail, le même manège se produit : ils sont omniprésents, devant lui, à côté de lui, derrière lui.

Walesa trouve effarant que l'Etat dépense tant d'argent ainsi. Malgré tout leur pouvoir, songe-t-il ce matin, je suis là et c'est la seule chose qui compte.

Il a encore du mal à y croire. Il y a juste vingt-quatre heures, le chef de la police de Gdansk l'a informé que sa rencontre avec le pape n'aurait pas lieu. La radio polonaise a diffusé la même information. Puis, hier en fin d'après-midi, une voiture de la police de sécurité s'est arrêtée devant son immeuble. Deux officiers ont sonné chez lui et ont annoncé à la famille qu'ils avaient un quart d'heure pour faire leur valise.

En souriant, Danuta leur a montré les deux valises qu'elle avait déjà préparées.

A la hâte, elle a demandé à sa voisine de s'occuper de ses trois plus jeunes enfants.

Puis Walesa, sa femme et les quatre aînés ont pris la route.

Il gardera toute sa vie l'image de Danuta, souriant tandis qu'ils roulaient à travers les rues de Gdansk vers l'aéroport militaire. « Lech, lui a-t-elle dit, Dieu a exaucé nos prières. » C'était exactement ce qu'il ressentait.

La famille embarqua à bord d'un avion russe en direction de Cracovie. Ils passèrent la nuit à l'hôtel, comme d'habitude sous haute surveillance. On avait pris soin de couper les fils du téléphone afin de lui rappeler, si nécessaire, qu'il lui était interdit de contacter quiconque et à plus forte raison un membre de

Solidarité. Les enfants partagèrent le même lit. Lech et Danuta parlèrent tard dans la nuit.

Réveillés à l'aube, ils prirent leur petit déjeuner, puis, sous bonne garde, empruntèrent la route des monts Tatra. Deux camions de la milice escortaient leur voiture. Quand le convoi traversa les montagnes, les Walesa constatèrent l'importance des mesures de sécurité : on avait installé des barrages routiers à intervalles réguliers et des camions remplis de soldats étaient garés tout au long de la route.

« Ce doit être vrai. Ils n'auraient pas fait tout ça pour rien », murmura Danuta à l'oreille de son mari.

Walesa lui rappela une vérité simple avec laquelle il avait pris l'habitude de vivre : « Les autorités sont prêtes à tout dès l'instant que ça les arrange. »

A leur arrivée, un officier de l'armée polonaise chargé de la sécurité les attendait.

Poliment, il leur demanda l'autorisation de vérifier les cadeaux qu'ils avaient apportés.

Les enfants lui montrèrent leurs dessins. L'un d'eux figurait leur père se rendant au travail, entouré de silhouettes raides et sombres. L'officier leur demanda qui elles représentaient.

« Des soldats », répondit l'enfant.

L'officier hésita un instant, puis lui tendit son dessin. Danuta lui montra un chapelet qu'elle désirait offrir au pape. Walesa déballa une petite sculpture en acier qu'il avait réalisé avec ses compagnons de travail aux chantiers navals Lénine.

L'officier l'examina et la lui rendit sans mot dire.

Ensuite, il demanda à Danuta et aux enfants de rester dans la voiture. S'il le désirait, Walesa pouvait attendre sur la colline. « Après tout, c'est vous l'hôte », dit l'officier en ébauchant un sourire.

Soudain, des voitures apparaissent sur la route en contrebas. Walesa consulte sa montre. Ils sont à l'heure. Il se retourne et fait signe à sa femme de venir.

Danuta et les enfants arrivent en courant et se groupent autour de lui. Vêtue du costume traditionnel des paysannes, Danuta enlace son mari par la taille. Les enfants, endimanchés, se tiennent devant eux.

Les voitures qui escortaient le véhicule de tête s'arrêtent et font demi-tour.

La longue limousine noire roule lentement vers eux.

Cibin est assis à côté du colonel aux yeux saillants.

Jean Paul II est à l'arrière. Il porte une soutane très simple, une calotte et une paire de grosses chaussures lacées.

La voiture s'immobilise. Cibin en descend et ouvre la portière au pape. Celui-ci sort en souriant.

Il s'avance vers les Walesa. La voiture fait marche arrière et s'éloigne.

Sous les sapins, le chauffeur des Walesa se met au garde-à-vous.

Cibin suit le pape.

Walesa et sa femme font s'agenouiller les enfants, puis s'agenouillent à leur tour.

Jean Paul II tend à Walesa sa main droite où brille l'anneau du pêcheur, symbole de l'autorité papale. Walesa puis Danuta baisent la bague.

Le pape leur fait signe de se relever.

Un bras autour de chacun des enfants, Walesa à sa droite et Danuta à sa gauche, Jean Paul II se dirige vers l'Ermitage.

C'est ici que, près de quarante ans plus tôt, il s'était caché des nazis. Il était jeune alors et ils voulaient l'enrôler dans un groupe de travail. Par la suite, devenu archevêque de Cracovie, il y revenait de temps à autre pour méditer.

Maintenant, les murs épais de l'Ermitage protègent le petit groupe des regards inquisiteurs des soldats polonais postés dans les bois alentour.

Ils passent dix minutes dans l'Ermitage à échanger leurs cadeaux. Le pape remet à Walesa une médaille en or qui lui appartenait personnellement et bénit le chapelet qu'il a apporté pour Danuta. Les enfants reçoivent de petites photographies encadrées du souverain pontife.

Jean Paul II et Walesa sortent de l'Ermitage et vont faire quelques pas dans les bois.

Cibin attend non loin de là. Il les photographie avec le Minox. Ainsi le pape aura un souvenir de cette rencontre.

Le souverain pontife et le leader de Solidarité s'entretiennent un long moment sous les arbres.

Puis ils regagnent l'Ermitage.

Un peu plus tard, Jean Paul II entreprend son voyage de retour vers Cracovie.

Les Walesa sont escortés jusqu'à Gdansk.

Ce qui a transpiré de ces quinze minutes décisives pendant lesquelles les deux hommes se sont parlé seuls dans les bois va fournir à un haut dignitaire travaillant depuis fort longtemps au Vatican la justification de sa démission.

L'aéroport de Balice à Cracovie

Le même jour, fin d'après-midi

La scène rappelle le précédent départ de Jean Paul II pour Rome. Le soleil tape en plein sur la carlingue de l'avion russe de la L.O.T., les lignes aériennes polonaises.

Jean Paul II arrive avec sa suite. Ils ont tous l'air fatigué sauf lui qui, au contraire, semble en excellente forme. C'est assez surprenant si l'on tient compte de tout ce qu'il a fait au cours de la semaine précédente. Il a prononcé quarante-trois sermons et discours, serré des milliers de mains, dormi en moyenne quatre heures par nuit et lancé un défi au gouvernement polonais, c'est-à-dire à la Russie.

Une foule énorme a envahi les abords de l'aéroport. Beaucoup ne peuvent retenir leurs larmes.

Des officiels du Parti, conduits par le chef d'Etat polonais, s'affairent autour de la piste.

Jean Paul II se dirige vers un podium. Le reste de sa suite monte avec Casaroli dans l'avion.

Le pape fait alors une chose positivement consternante pour les journalistes venus pour beaucoup de très loin pour l'entendre : il prononce un discours ennuyeux, émaillé de phrases qui semblent sortir tout droit d'un communiqué du gouvernement. Pour la première fois depuis le début de sa visite, le pape se réfère à l'Etat en le désignant par son nom officiel, la République populaire polonaise. Jusqu'à présent, il avait clairement laissé entendre que l'indépendance de la Pologne, et par suite son nationalisme, avait été volée par les nazis en 1939 et jamais restituée depuis lors.

Cette fois, il exprime son espoir de voir les autorités « accorder à l'Etat polonais, à la république populaire polonaise, la place qu'elle mérite parmi les autres nations européennes et dans le monde ».

C'est un appel à la cessation définitive de l'isolement international du pays.

Le général Jaruzelski a droit à un sursis. Cela rend son voyage à Cracovie (auquel il lui aurait été difficile de se soustraire compte tenu de l'insistance du pape), fort utile.

Ce n'est que bien plus tard, après que l'avion eut disparu dans le ciel, que la signification du discours de Jean Paul II commence à se faire jour dans l'esprit de ceux qui l'ont écouté. Tous se demandent ce qui va arriver à Lech Walesa.

Ils ne sont pas les seuls. Dans l'avion, certains assistants du pape émettent paisiblement l'idée que, selon les propres termes de l'un d'eux, « le Saint-Père a piégé Walesa. Il lui a probablement tout d'abord parlé de ses chances de gagner le prix Nobel de la paix, pour ensuite lui donner sa version de l'émeute ».

Pendant toute la durée du vol, les conversations portent sur l'avenir du chef de Solidarité.

La secrétairerie d'État

Vendredi matin

Le bureau des Affaires polonaises traite une affaire qui va occuper son personnel pendant plusieurs semaines[6]. Des analystes ont décidé de minimiser l'aspect émotionnel du voyage du pape et d'en rédiger le compte rendu en langage clair et diplomatique. Une approche qui, comme l'espère ces prêtres, devrait permettre de fournir des réponses significatives à des questions telles que : ce voyage aura-t-il pour effet d'affermir le régime en place ou bien d'accélérer sa chute ? Comment a-t-on accueilli ce pèlerinage à Moscou et à Washington ?

Pour le personnel du bureau, il est encore beaucoup trop tôt pour se prononcer, mais, grâce aux diplomates qui posent des questions, écoutent et lisent, il commence à se faire une idée là-dessus.

D'une certaine manière, ce voyage a été une réussite à la fois pour l'Eglise et pour le régime. Il y a eu un minimum de troubles. L'épiscopat a tenu sa promesse : il a mobilisé des foules considérables et les a gardées sous contrôle. Cela pourrait à l'avenir faciliter les relations de l'Eglise et de l'Etat ; l'épiscopat ne devait en aucun cas interpréter cette détente comme un compromis mais plutôt comme la volonté de l'Eglise de préserver l'intégrité du nationalisme et de la foi en Pologne, en permettant au pays de survivre le mieux possible en attendant des jours meilleurs.

Tout donne à penser que cette visite contribuera à réduire les dissensions à l'intérieur de l'épiscopat polonais[7]. Les prêtres du bureau savent que l'Eglise polonaise regroupe différents clans. D'un côté, il y a les « ultraprudents », soucieux avant tout de ne rien faire qui puisse amener le régime à prendre des mesures de rétorsion contre l'Eglise. Au milieu, on trouve les modérés, cramponnés à leurs acquis et peu enclins, pour le moment, à entrer en conflit avec le gouvernement. Vient enfin le groupe le plus engagé au sein de l'épiscopat polonais, les « contestataires », constitués pour la majeure partie de jeunes prêtres qui réclament une Eglise plus militante et estiment que trop de neutralité risquerait de lui faire perdre le bénéfice de son autorité morale et, en corollaire, de la livrer pieds et poings liés à l'Etat.

D'une certaine façon, Jean Paul II a fondu ces éléments disparates en un tout plus cohérent.

Ce matin, l'équipe du bureau est parvenue à une conclusion des plus encourageantes : la visite du pape a renforcé ce qu'ils considèrent comme l'une des fonctions les plus importantes de l'Eglise polonaise : être virtuellement le représentant de la nation en Pologne, car « sans l'Eglise, il n'y aurait tout simplement pas de nation[8] ». Les paroles du pape devraient modérer les « contestataires » et inciter les « ultraprudents » à plus d'audace. Dans les mois à venir, la clairvoyance politique de l'Eglise polonaise sera mise à l'épreuve comme rarement auparavant.

Les membres du bureau pensent qu'il est beaucoup trop tôt pour prévoir les conséquences éventuelles de cette visite sur l'avenir de Jaruzelski. Les rapports de Washington, en particulier, suggèrent qu'il pourrait être remplacé si le Kremlin juge que le contrôle de la Russie sur le pays se relâche. Une semaine auparavant, Luigi Poggi a estimé que l'avertissement brutal de Gromyko à la Pologne n'était que de l'esbrouffe.

Aujourd'hui, le bureau des affaires polonaises a une opinion différente. Le pape a redonné courage au leader de Solidarité, confiance et espoir à ses membres. Un regain de militantisme pourrait s'ensuivre qui pousserait l'Union soviétique à intervenir et à remplacer Jaruzelski par un chef plus autoritaire, un homme capable d'exécuter avec plus de fermeté les ordres de Moscou. Mais la Russie pourrait également envahir la Pologne. Dans l'un ou l'autre cas, les conséquences seraient dramatiques pour la population et pour l'Eglise.

L'une des principales fonctions du bureau des Affaires polonaises est d'informer le pape le plus rapidement possible des intentions soviétiques envers sa patrie.

Bien que la possibilité d'une intervention des Russes ne soit jamais à écarter, elle est maintenant moins vraisemblable qu'il y a trois mois, en raison des rumeurs persistantes faisant état d'une crise à la direction du Kremlin.

En dépit de la somme d'informations dont ils disposent, les prêtres du bureau sont incapables de prévoir le rôle de Lech Walesa dans l'avenir.

Les bureaux de l'*Osservatore Romano*

Le même jour, midi

C'est l'heure du bouclage, un moment toujours très tendu pour la rédaction du journal. Mais cela ne suffit pas à expliquer les luttes sourdes qui divisent la rédaction de l'*Osservatore Romano*[9].

Tous les membres de l'équipe ont lu l'éditorial de l'adjoint du rédacteur en chef, le père Virgilio Levi. Depuis cent vingt-deux ans que ce quotidien existe — ce qui représente plus d'un siècle de reportages sur les événements marquants de la vie de la papauté — jamais une histoire aussi terrible que celle proposée aujourd'hui par le père Levi n'a été publiée dans leur journal.

Ses collègues sont certains qu'à 15 heures, lorsque les premiers exemplaires sortiront de l'imprimerie — un tirage de cinquante mille en tout —, les médias du monde entier se saisiront de l'histoire du père Levi.

Certains membres de l'équipe se demandent si le père Levi ne devrait pas renoncer à cet éditorial[10].

D'autres, ouvertement hostiles à l'éditorialiste, espèrent bien que son article sera publié. Cela pourrait créer le « clash » qu'ils attendent depuis des mois et provoquer la démission du père Levi.

A l'origine de cette histoire, il y a une âpre rivalité qui divise le personnel en deux clans.

D'une part, ceux qui souhaitent la nomination du père Levi au poste de rédacteur en chef, une fonction qui lui permettrait de rendre plus progressiste la ligne politique du journal, ce pourquoi il se bat depuis que le pape Paul VI l'a fait venir de Milan. Sous le règne de Paul VI, le père Levi bénéficiait d'une liberté d'expression absolue. A présent, les choses sont différentes. On sait qu'il a été, à plusieurs reprises, sévèrement réprimandé par la « mafia polonaise » pour ses articles sur l'Europe de l'Est. Le père Levi pense, d'une manière générale, que l'Eglise et le communisme devraient trouver un terrain d'entente. Il est convaincu que la supériorité morale de l'Eglise l'emporterait dans un dialogue de ce type. Ni le pape ni aucun de ses proches collaborateurs ne partagent cette opinion.

D'autre part, certains membres du journal soutiennent fermement l'actuel rédacteur en chef, Valerio Volpini, un universitaire et un laïque. Il occupe ce poste depuis neuf ans. C'est un conservateur conscient du fait que l'approbation de la secrétairerie d'Etat, et notamment d'Agostino Casaroli, lui est indispensable.

Levi n'a pas dissimulé ses liens étroits avec Casaroli. Ils dînent souvent ensemble au Vatican et discutent politique pendant les repas. L'autorité de Levi provient en grande partie de ces rencontres. Le père Robert Tucci, directeur général de Radio Vatican, dîne souvent avec eux. Comme Levi, les opinions de Tucci sont souvent considérées au sein du palais apostolique comme hostiles au pape.

Par ailleurs, l'attachement du Pr Volpini pour Jean Paul II est connu.

La tension entre les deux clans a atteint un tel degré que le pape a récemment demandé au très respecté père Alfonso Stickler, le conservateur de la bibliothèque du Vatican, d'enquêter sur ce conflit qui a transformé ce journal en « champ de bataille[11] ».

Le rapport de Stickler, aujourd'hui sur le bureau du pape, est confidentiel. Il préconise purement et simplement le renvoi de Volpini et de Levi. Leur contrat n'ayant pas été renouvelé, cela ne devrait pas poser de problèmes.

L'éditorial de Levi risque de précipiter les choses.

Il concerne Lech Walesa.

Le rédacteur en chef adjoint l'a signé et intitulé « Eloge du sacrifice ».

Vers midi, il termine la lecture des épreuves, puis fait porter le tout à l'imprimerie.

Cet article sera publié à la une sous les devises du journal : *Unicuique suum* et *Non praevalebunt*.

Levi va déjeuner. Il sait que le journal est considéré comme le reflet fidèle de la pensée du pape.

L'appartement du pape

Le même jour, milieu d'après-midi

A 15 h 15, un exemplaire de l'*Osservatore Romano* arrive au secrétariat.

Kabongo aime beaucoup lire le journal[12]. Il apprécie particulièrement sa mise en page et ses analyses. Le secrétaire sait qu'un grand nombre de ses articles anonymes sont « inspirés » soit par un grand prélat, tel que Casaroli, soit parfois même par le pape.

Il se rend immédiatement compte que Jean Paul II ne peut être à l'origine de ce que Levi a écrit.

Levi prétend que Lech Walesa « a perdu la bataille » et va abandonner la politique.

« Parfois les gens gênants doivent savoir se sacrifier pour le bien de la communauté. Lech Walesa semble l'avoir compris, même si au fond de son âme meurtrie il garde toujours l'espoir que les choses changent dans l'avenir. »

Kabongo porte immédiatement cet article dans le bureau du pape. Jean Paul II le lira après sa sieste.

A 16 heures, le pape prend connaissance de l'éditorial et entre dans une violente colère [13].

Il appelle aussitôt Casaroli, Stickler et Volpini.

Jean Paul II précise sa position. Il ne veut pas savoir comment Levi en est venu à écrire un tel article, ni qui l'a « inspiré », mais celui-ci doit avoir quitté les lieux avant la parution du prochain numéro [14].

A 16 h 30, Camillo Cibin pénètre dans le bureau du pape. Il vient l'entretenir d'une chose grave qui s'est passée pendant que le pape et le chef de la sécurité étaient en Pologne. Il s'agit du messager du pape, Ercole Orlandi.

Sa fille, Emanuela, vient d'être enlevée.

Une fois de plus, Jean Paul II est pris dans les filets du terrorisme international.

18

Le Vatican

Lundi matin

Sœur Severia Battistino reçoit un appel : « Le Vatican, j'écoute... »

Une voix jeune et nerveuse résonne dans ses écouteurs. Elle lui demande à qui elle désire parler.

« Casaroli. »

Elle soupire. Chaque jour, le standard reçoit un certain nombre d'appels de maniaques destinés au pape ou à des cardinaux célèbres comme le secrétaire d'Etat. « Son Eminence est occupée pour le moment ; peut-être pourriez-vous lui écrire », répond sœur Severia[1].

« Je veux parler à Casaroli au sujet d'Emanuela, répond son interlocuteur d'une voix irritée. Passez-moi Casaroli... Si vous voulez la revoir vivante. »

Sœur Severia blêmit. Cibin avait prévenu le personnel du standard téléphonique de s'attendre à ce genre d'appel et laissé des consignes qu'elle se hâte d'appliquer. Chaque opératrice a un bloc-notes à sa portée. Sœur Severia griffonne rapidement le mot « Cibin » sur le sien et montre le papier à l'une de ses compagnes. Celle-ci compose sur-le-champ le numéro du poste 4617 que le chef de la sécurité a réservé exclusivement à cet effet.

L'un des quatre téléphones de Cibin sonne. On lui fait savoir que Cibin est absent pour le moment. La religieuse se souvient : le chef de la sécurité a téléphoné tout à l'heure pour prévenir qu'il se rendait au Saint-Siège[2].

Elle compose le 3296. Le père Bruno Fink annonce que Cibin vient juste de partir.

Pendant ce temps, sœur Severia suit à la lettre les instructions de Cibin.

Elle note l'heure, 9 h 57, et demande le nom de son correspondant.

La colère de l'homme semble augmenter : « Vous perdez du temps. Vous ne pourrez pas localiser mon appel. Parce qu'à ce moment-là je serai parti et Emanuela aussi. Passez-moi Casaroli ! »

En face de sœur Severia, une autre religieuse téléphone aux cinq corps de garde des vigiles du Vatican afin qu'ils retrouvent Cibin.

Sœur Severia essaie de calmer son interlocuteur : « Je vous en prie, comprenez-moi. Personne ne cherche à localiser votre appel. Mais il me faut un nom. »

Une autre religieuse a composé le 352496, le numéro du poste des carabiniers de la place Saint-Pierre. A son tour, l'officier de service téléphone à la *Questura, via* Genova, au quartier général de la police romaine. On lui passe le capitaine Nicola Cavaliere, chef de la brigade criminelle à la *Squadra Mobile,* un service qui s'occupe aussi des rapts. Cavaliere écoute sans mot dire l'officier de service lui expliquer que le standard du Vatican a en ligne quelqu'un qui prétend détenir Emanuela. Cavaliere ne peut rien faire tant que Cibin ne lui a pas officiellement demandé son aide. C'est un point du règlement qui le gêne chaque fois qu'il a affaire au Vatican. Il sait qu'il ne doit même pas essayer de localiser cet appel. Il ne peut qu'attendre et voir comment les choses évoluent[3].

Sœur Severia sent qu'elle ne pourra faire patienter encore bien longtemps son interlocuteur.

La religieuse à qui elle a demandé de contacter Cibin lui fait passer un mot sur lequel est écrit : *Connetere.*

Le chef de la sécurité a été retrouvé et va arriver d'un moment à l'autre à la secrétairerie d'Etat. Il a demandé qu'on passe cet appel à Casaroli.

Les trois lignes sont occupées.

Sœur Severia essaie alors de contacter le *sostituto*, Mgr Eduardo Martinez Somalo. Deux de ses lignes sont également occupées. La troisième, le 3125, sonne libre.

Mgr Somalo répond, puis se précipite dans le bureau de Casaroli.

Le secrétaire d'Etat termine sa conversation et le standard lui passe enfin l'homme.

Mgr Casaroli fait signe à l'un de ses assistants d'écouter sur une autre ligne. Le prêtre prend la communication en sténo[4].

Elle est aussi brève qu'étonnante. L'homme annonce à Casaroli qu'Emanuela Orlandi sera rendue saine et sauve à sa famille à condition que le gouvernement italien libère Mehmet Ali Agca.

« Qui êtes-vous ? »

La réponse est évasive : « Nous sommes des gens intéressés par la libération d'Ali Agca. »

Le secrétaire d'Etat commence à expliquer qu'il s'agit d'une décision qui ne dépend pas du Vatican ; Agca est emprisonné en Italie. Il suggère à son interlocuteur de s'adresser au ministre de la Justice italienne, cependant, s'il a quelques nouvelles au sujet d'Emanuela...

« L'Italie sait. Nous avons téléphoné à l'A.N.S.A. (Agence de presse italienne), c'est un échange simple : la fille contre Agca. »

Casaroli entend un déclic. L'homme a raccroché.

Quelques instants plus tard, Cibin arrive.

Casaroli lui explique brièvement la situation et le chef de la sécurité convoque immédiatement le détachement spécial qui a été formé à la demande de Jean Paul II pour s'occuper d'un crime pour le moins étrange.

Dix jours se sont écoulés depuis que Cibin a mis le pape au courant de cet enlèvement. Mais alors le dossier du chef de la sécurité ne contenait que très peu d'éléments sur cette affaire.

Aujourd'hui, ce dossier s'est étoffé de nombreuses dépositions individuelles, y compris celle de chaque membre de la famille Orlandi. Cibin a interrogé les amis d'Emanuela. Il s'est entretenu avec ses professeurs. Il a reconstitué tout son emploi du temps jusqu'à l'enlèvement. Le résultat de cette enquête minutieuse est à peu près nul.

Le nombre d'indices recueillis sur cette triste affaire est dérisoire.

Ce fameux vendredi après-midi — dix jours auparavant —, après que Jean Paul II se fut remis du choc causé par cette nouvelle — c'est la première fois qu'on enlève un citoyen du Vatican et la chose est d'autant plus bouleversante qu'en l'occurrence il s'agit d'une jeune fille —, le pape avait commencé à chercher avec Cibin les mobiles de cet acte insensé.

La famille Orlandi n'a pas suffisamment d'argent pour payer une rançon et le salaire d'un coursier du pape est insignifiant. D'ailleurs, aucune rançon n'avait été réclamée. De toute façon, si les ravisseurs avaient voulu de l'argent, ils ne se seraient pas adressés à Ercole Orlandi, mais au Vatican, ce qui semblerait déjà plus logique.

« D'après ce que vous m'avez dit, il semble qu'il faille également écarter l'hypothèse d'un *crime passionnel** », fit observer le pape à Cibin. En effet, le chef de la sécurité avait rapidement pu établir qu'Emanuela n'avait pas de petit ami. Restait la possibilité qu'elle eût été enlevée par un gang spécialisé dans le kidnapping des jeunes filles expédiées au Moyen-Orient, puis vendues ensuite dans des bordels arabes.

Jean Paul II ne pense pas que ce soit le cas d'Emanuela. Le pape est convaincu que l'enlèvement de la jeune fille a un rapport direct avec le poste de son père au Vatican.

En attendant dans son bureau l'arrivée des membres du détachement spécial, Camillo Cibin consulte pour la énième fois le dossier d'Emanuela, à la recherche d'un détail qu'il aurait pu laisser échapper.

Ce jour-là, Emanuela s'était rendue comme d'habitude à l'école de musique pour y prendre sa leçon de flûte. Ensuite, elle avait téléphoné à sa sœur pour lui annoncer qu'on lui offrait de travailler pour Avon — elle serait chargée de vendre les produits de la société pendant des défilés de mode [5]. Elle lui expliqua que c'était peut-être l'occasion qu'elle attendait depuis si longtemps : il y avait toutes les chances pour qu'un photographe ou un directeur d'agence de mannequins la remarquât au cours de l'un de ces défilés !

Jusqu'à présent, la presse s'était contentée de signaler sa disparition. Mais Cibin savait que tôt ou tard cette affaire ferait la

* En français dans le texte. (*N.d.T.*)

une des journaux. Il en avait informé les Orlandi et leur avait vivement conseillé de ne rien dire aux journalistes.

Puis, avec l'accord de Jean Paul II, le Vatican fit sa première démarche officielle pour retrouver Emanuela : deux mille affiches de la jeune fille, avec une description détaillée de son physique, furent imprimées et placardées dans toute la ville.

Dès lors, le standard du Vatican fut submergé d'appels téléphoniques émanant des journaux. Mais les ravisseurs ne se manifestaient toujours pas.

L'intérêt que portaient les médias à cette affaire se trouva accru par une décision délibérée de Jean Paul II. Après avoir consulté Cibin et prévenu la famille de ses intentions, le pape adressa pendant l'angelus une prière aux ravisseurs afin qu'ils libèrent Emanuela saine et sauve. Sa voix, intensifiée par les haut-parleurs, résonnait sur la place et son message fut diffusé dans plus de cent pays par Radio Vatican.

« Je partage l'angoisse et la peine de ses parents. Cependant, je fais confiance à l'humanité des hommes responsables de cet acte. »

Ensuite, Jean Paul II fit dire à la famille qu'il avait bon espoir que son appel fût entendu des ravisseurs et qu'ils y répondissent.

Personne n'imagina que cet enlèvement pût avoir un rapport avec Agca.

Cibin est parfaitement au fait des lois judiciaires et diplomatiques. Le Saint-Siège ne peut en aucun cas participer à un échange. Il est même inconcevable de poser le problème au gouvernement italien. Il est également exclu que le Vatican paie une rançon aux ravisseurs, en admettant que là soit leur objectif.

A cet égard, Emanuela Orlandi ne peut attendre grand-chose des employeurs de son père. Cela mis à part, le Vatican fera tout ce qui est en son pouvoir pour l'aider. Camillo Cibin, quand à lui, continuera d'utiliser ses contacts innombrables pour essayer de la retrouver.

Jean Paul II a personnellement ordonné à Cibin de tout mettre en œuvre pour y parvenir[6].

La secrétairerie d'État

Jeudi matin

Emanuela a disparu depuis quatorze jours et son enlèvement ne fait déjà plus partie des affaires courantes de la secrétairerie d'Etat. Les prêtres se montrent plein de prévenances et d'attentions à l'égard d'Orlandi, mais ne peuvent faire davantage que de lui offrir un peu de sympathie avant de se replonger dans leur travail[7].

Dans trois jours, le pape se rendra par hélicoptère dans son palais d'été, à Castel Gandolfo. Le personnel de la secrétairerie met la dernière main aux rapports qu'il consultera avant son départ.

Un prélat allemand prépare une analyse de l'avenir de *die Grünen*, les « Verts », en Allemagne de l'Ouest.

Beaucoup de ses militants sont d'anciens membres déçus de la gauche allemande — le S.P.D., le parti communiste allemand et les syndicats.

Le prélat explique qu'après moins de trois mois de participation au débat politique au niveau national, l'avenir des Verts semble compromis.

La raison en est simple. De la pile de rapports dont il dispose, l'ecclésiastique a tiré la conclusion qui s'impose : les Verts sont aujourd'hui irrévocablement divisés sur la manière d'empêcher le déploiement des missiles de l'O.T.A.N., point qui constitue leur principal argument dans le débat qui s'est institué en République fédérale.

Les Verts demandent une mobilisation énergique de la population. Ils exigent qu'une suite soit donnée aux prises de position du « tribunal international de Nuremberg contre l'utilisation en première frappe des armes nucléaires », un titre impressionnant dont les Verts rebattent les oreilles de leurs concitoyens sans grand effet[8].

Selon le prélat, cette dissension pourrait permettre aux communistes de dominer le parti, peut-être même de gagner une certaine influence au sein du Bundestag, ce à quoi ils ne sont jamais parvenus.

Il recommande que l'Eglise allemande garde ses distances vis-à-vis des Verts.

Le reportage de Clarissa McNair sur la Chine a provoqué une avalanche de nouvelles au bureau des Affaire asiatiques.

La plus importante de toutes confirme ce que le personnel soupçonnait depuis longtemps. Il existe bel et bien une Eglise catholique officieuse en République populaire. La moitié des cent mille catholiques recensés à Shangai appartiennent à cette église, « loyale et recluse », ainsi nommée parce que ses fidèles font vœu de loyauté à l'égard du pape mais pratiquent à domicile. Il apparaîtrait également que les catholiques constituent 80 pour cent des chrétiens chinois. L'année dernière, une centaine d'églises catholiques ont rouvert leur porte à la suite du reportage de Clarissa McNair, ce qui prouve que son documentaire a reçu un accueil favorable[9].

Le gouvernement de Pékin a donné son accord pour que l'on fasse imprimer un million de bibles au cours de l'année. Chaque exemplaire vaut cinq dollars soixante, ce qui représente un prix élevé dans un pays où le salaire d'un ouvrier d'usine ne dépasse pas quarante-cinq dollars par mois. Mais la demande est supérieure à l'offre.

Cependant, les catholiques de Chine populaire doivent affronter de sérieuses difficultés. Certains, parmi ceux qui ont écouté le reportage de Clarissa McNair, ont écrit au Vatican pour expliquer que, même si on ne les empêche pas de travailler ou de se loger, ils n'en ont pas moins de très grandes difficultés à jouer un rôle politique dans leur pays et à faire entrer leurs enfants à l'université. Beaucoup de correspondants semblent partager la même crainte : si les autorités décident que cette nouvelle liberté religieuse constitue une menace pour la stabilité du régime, elles risquent d'y mettre rapidement un terme. Par conséquent, concluent les experts du bureau asiatique, le danger principal d'une renaissance de la foi catholique pourrait être son succès auprès des jeunes.

Une semaine seulement après l'émission de Clarissa McNair, un journal de Pékin, *Le Quotidien du peuple*, publia un article pour glorifier l'athéisme, faisant valoir que la religion ne pouvait être autorisée à aliéner la jeunesse[10].

Le bureau asiatique replace ce regain de liberté religieuse en Chine dans le contexte global de l'évolution politique nationale. De toute façon, le pays ne compte que quatre millions de chrétiens de toutes confessions — soit environ 0,3 pour cent de la population —, bien que leur nombre ait augmenté depuis la prise de pouvoir par les communistes en 1949 [11].

Le clergé chinois se demande si cette tolérance religieuse participe de la détente générale qui a marqué la fin du règne de Mao Tsé-toung.

Il pense que de nos jours, la liberté religieuse en Chine peut être comparée avec la libre expression politique : dans les deux cas, il s'agit plus que d'une mesure en trompe-l'œil, mais cela n'ira pas bien loin faute d'une pratique sérieuse.

Les huit partis minoritaires d'opposition du pays qui avaient disparu sous Mao Tsé-toung sont maintenant à nouveau tolérés sans toutefois être autorisés à participer aux élections.

Par ailleurs, il est strictement défendu à toute forme de religion de s'opposer au Parti, notamment sur les questions d'autorité morale.

Les diplomates du bureau des Affaires asiatiques pensent qu'en dépit de quelques nouvelles encourageantes reçues le mois dernier, la Chine populaire continuera de repousser l'éventualité d'une visite du Saint-Père dans le pays.

Sachant que cette décision risque de décevoir le pape, ces diplomates essaient de la formuler de façon ambiguë, dans ces mêmes termes qu'il leur faut si souvent décrypter à leur tour quand ils ont à analyser une information communiquée par la Chine populaire.

Mgr Mounged El-Hachem, d'origine libanaise, réfléchit à un problème permanent : l'avenir de Yasser Arafat [12].

El-Hachem a recensé le nombre croissant des combattants de l'O.L.P. qui rejettent la politique de modération d'Arafat et prônent la guerre sainte contre Israël [13]. Ce prélat, parlant arabe, est l'un des nombreux diplomates qui ont discrètement encouragé Arafat à maintenir sa position modérée, l'assurant que c'était l'unique moyen pour l'O.L.P. d'espérer un jour réaliser son rêve nationaliste. Le mois dernier — face aux désertions massives — Arafat a commencé à douter du bien-fondé de l'analyse politique du Saint-Siège.

Arafat a récemment déclaré au *pronuncio* en Syrie que la politique de modération arabe avait été interprétée par Israël comme une preuve d'impuissance ce qui leur avait permis d'agir comme ils l'entendaient à Beyrouth-Ouest, dans l'ensemble du Liban et partout au Moyen-Orient.

Le rapport est parvenu sur le bureau d'El-Hachem peu après qu'Arafat eut été expulsé de Damas pour « s'être répandu en invectives » contre la Syrie.

Depuis lors, El-Hachem a reçu deux autres rapports. Tous deux l'ont profondément troublé. Le premier explique que l'expulsion d'Arafat en Tunisie préfigure quelque chose de beaucoup plus sérieux. La Syrie mobilisera les éléments extrémistes de l'O.L.P. en une force puissante, capable de déclencher une guerre sainte contre Israël. Le Moyen-Orient pourrait alors s'embraser [14].

Le second rapport émane du secrétaire d'origine chinoise, qui conduit la légation du Saint-Siège à Tunis. Le secrétaire s'était entretenu avec Arafat peu après son arrivée à Tunis. Arafat pense également que la Syrie est prête à utiliser l'O.L.P. comme fer de lance contre Israël. Le secrétaire n'a pu obtenir aucune indication claire sur les intentions du leader de l'O.L.P. dans l'avenir. Le président lui a paru pour une fois irrésolu, « porté sur la rhétorique mais dépourvu d'objectifs [15] ».

Ces deux rapports confirment en quelque sorte ce que d'autres dossiers laissaient déjà apparaître : le conflit au Moyen-Orient entre à présent dans sa phase la plus dangereuse.

Toutes les preuves dont dispose El-Hachem suggèrent que l'intensité des pressions dont le monde arabe est l'objet, combinée avec son indécision fondamentale, sont les deux facteurs qui entraîneront la chute définitive de son équilibre précaire. Il pourrait être balayé par une idéologie de gauche musulmane révolutionnaire, plus dangereuse que tout ce que la région a connu depuis le règne de Nasser.

Cependant, El-Hachem doute que cela se produise. « La situation fait penser à deux jeux de patience dont on aurait embrouillé les éléments. »

Rien, lorsqu'il s'agit du jeu politique au Moyen-Orient, ne correspond réellement aux apparences, a-t-il dit à ses confrères. C'est pourquoi il lui est impossible de se prononcer sur l'avenir de Yasser Arafat.

El-Hachem sait qu'il faut se garder de conclure prématurément la biographie d'un homme qui a survécu à tant d'épreuves [16].

Quartier général de la police romaine

Vendredi soir

Le capitaine Nicola Caveliere sait ce qui se passe et n'a pas lieu de s'en réjouir. Pour le chef de la brigade criminelle, cette histoire sent la *politica,* domaine dans lequel il perd très vite patience[17].

Dès qu'il a été chargé de l'enquête sur l'enlèvement d'Emanuela Orlandi, cet homme mince au regard perçant s'est trouvé dans la *politica* jusqu'au cou.

Pour commencer, il s'agit de déterminer qui est vraiment responsable de cette enquête. En principe, Cavaliere a la charge de tous les crimes commis dans les limites de la ville. Pas cette fois. Bien que le Vatican ne s'étende que sur cent huit acres en bordure du centre de Rome, Cavaliere a découvert qu'il s'agissait d'un monde à part — un monde dans lequel il ne peut pénétrer sans y avoir été invité.

Cavaliere aurait souhaité interroger la famille Orlandi, leurs voisins et les collègues du coursier ; s'entretenir avec un prêtre du Vatican qui connaît Orlandi, se promener dans les couloirs du palais apostolique, bref, conduire son enquête comme il l'entendait. Mais les choses ne se sont pas passées ainsi.

Au Vatican, Cavaliere fut autorisé à interroger la famille d'Emanuela. Cependant, toutes ses tentatives pour étendre son enquête à l'entourage d'Orlandi restèrent vaines.

Ces entretiens, ainsi que ceux qu'il eut avec les camarades d'école d'Emanuela, ne lui furent guère utiles. La vie d'Emanuela avait ceci d'exceptionnel qu'elle était désespérément banale. Hormis son désir de devenir mannequin, Cavaliere n'apprit rien sur elle qui pût mener à une piste. Ses détectives s'étaient rendus dans toutes les agences de mannequins : personne n'avait entendu parler de la jeune fille.

Il s'emporta contre ses assistants qui, comme d'habitude, l'informèrent au dernier moment que des portraits de la jeune fille avaient été affichés dans toute la ville. Mais le comble, c'est qu'il n'eut connaissance de l'appel du pape aux ravisseurs qu'en regardant le journal télévisé de 13 h 30.

Le lendemain, ces derniers demandèrent la libération d'Agca en échange d'Emanuela. Cette fois, le Vatican le prévint immédiatement et, ainsi, Cavaliere put prendre l'entière responsabilité de l'affaire.

Il demanda au juge Martella de faire transférer Agca au Q.G. de la police romaine afin de l'interroger.

Le juge Martella accepta et tous deux convinrent de garder le secret sur ce transfert.

A la fenêtre de son bureau de la *Questura,* Cavaliere se demande à nouveau comment la chose a pu s'ébruiter. Des équipes de la télévision, des journalistes de la radio et de la presse écrite sont réunis dans la grande cour qui entoure le Q.G. de la police.

Agca avait déjà quitté la prison de Rebibbia lorsque l'A.N.S.A. annonça son arrivée.

Pour le chef de la police, le fait que soient présentes non seulement la presse italienne mais également la presse étrangère n'est pas une coïncidence. Quelqu'un souhaite faire un maximum de publicité autour du prisonnier.

Pourtant Agca n'avait vraiment rien à dire sur l'enlèvement d'Emanuela.

Il arriva au Q.G. de la police à 19 h 40, quelques minutes avant les premiers journalistes. On le conduisit au troisième étage, dans une pièce réservée aux interrogatoires, attenante au bureau de Cavaliere. Là, deux juges questionnèrent Agca pendant vingt minutes et en conclurent qu'il n'avait aucun lien avec la disparition d'Emanuela.

A 20 h 15, Agca escorté de six carabiniers est reconduit au fourgon cellulaire qui doit le ramener à Rebibbia.

Le costume bleu électrique d'Agca brille d'un éclat surnaturel à la lumière du crépuscule.

Alors qu'il traverse la place, les journalistes se précipitent vers lui. Les carabiniers ne tentent aucun geste pour les repousser.

Si étonnant que cela puisse paraître, plusieurs journalistes penseront par la suite qu'Agca et ses gardiens donnaient l'impression d'être complices.

Agca lève ses poignets cerclés de menottes et crie aux journalistes ravis de ce scoop : « Relâchez cette pauvre fille ! »

Il lance bien entendu cet appel aux ravisseurs, mais sa voix sonne bizarrement faux.

Avec complaisance, les carabiniers s'écartent afin de permettre à l'équipe de la télévision de filmer la scène dans les meilleures conditions possibles. Les journalistes enregistrent et écrivent fébrilement le compte rendu de cette extraordinaire conférence de presse[18].

« Je n'ai rien à voir avec ces criminels et ces terroristes. je suis avec l'Italie ! Avec le peuple italien ! »

Tout en parlant, Agca ouvre et referme ses mains comme s'il priait.

« Je suis avec le Vatican ! Je le répète : je condamne cet acte criminel ! » Quelque chose « cloche » dans son discours... comme s'il l'avait répété avant de venir.

Les carabiniers aussi se comportent d'une façon étrange. Lentement — « laborieusement », note un journaliste — ils conduisent Agca vers le fourgon.

« Qui sont les ravisseurs ? » demande un journaliste.

Agca s'arrête devant la camionnette, aussitôt imité par ses geôliers qui poussent la prévenance jusqu'à reculer un peu afin de ne pas gêner la vision des spectateurs.

« Je ne sais pas ! Aucune idée ! C'est un acte inhumain que je condamne sans retour. Je suis résolument opposé aux pratiques terroristes. Je souhaite que le gouvernement italien y réponde avec fermeté ! »

Cette dernière phrase, prononcée dans un italien courant, est fréquemment utilisée par les porte-parole du gouvernement quand ils s'élèvent contre le terrorisme.

Agca lance un regard circulaire aux cameramen et aux journalistes. Plus tard, ils se rappelleront ses yeux cernés, ses paroles singulièrement hachées et ses gestes qui paraissaient eux aussi étudiés. Pour le moment, personne ne prête attention à ces détails car tous sont suspendus à ses lèvres.

« Je regrette vraiment d'avoir attenté à la vie du pape. J'admire le pape ! Je remercie sincèrement la justice et le gouvernement de ce pays. Je suis très bien dans les prisons italiennes ! Je réitère mon appel : relâchez cette pauvre et innocente jeune fille ! »

Agca et ses gardes font de nouveau quelques pas vers le fourgon cellulaire.

« Eh bien, je crois qu'il a fini de parler », fait observer June Dexter, une journaliste de la N.B.C.

Elle se trompe.

« Ce sont les Bulgares qui vous ont envoyé en Italie ? » crie un autre journaliste.

Agca paraît réfléchir puis hoche la tête.

« C'est exact. Ce sont les Bulgares. »

Un murmure de stupéfaction parcourt la foule.

« Oui, ce sont bien les services secrets bulgares qui ont voulu assassiner le pape. »

Agca hurle à présent. Il veut manifestement être entendu de tous. Il appuie sur les mots « attentat » et « services secrets bulgares ».

« Et le K.G.B. ? demande en anglais June Dexter.

— Oui ! Parlons-en du K.G.B. ! J'ai été spécialement entraîné par le K.G.B. Ce sont des terroristes internationaux !

— Où cela ? »

Les questions fusent de toute part. Les premiers mots de sa réponse sont inaudibles. Il lui faut crier de toutes ses forces pour dominer le vacarme.

« J'ai également reçu un entraînement en Bulgarie. Je suis allé en Bulgarie. Plusieurs séjours d'entraînement... »

La police le pousse dans le fourgon. Agca résiste. L'un des journalistes lui demande qui l'a entraîné.

« J'ai été formé par des experts du terrorisme international !

— De quel pays ?

— Syrie et Bulgarie. J'y suis allé plus d'une fois !

— Avez-vous été en Union soviétique ? interroge June Dexter.

— Non ! Je ne suis jamais allé en Union soviétique. Mais ça ne veut rien dire. Tout le monde sait que la Russie n'a pas de lien direct avec les terroristes. Elle préfère les utiliser au Moyen-Orient, en Syrie, en Europe et en Bulgarie. Mais j'ai déjà dit tout ça je ne sais combien de fois ! J'ai suffisamment de preuves contre elle en ce qui concerne cet assassinat et tous les crimes qu'elle a commis. »

June Dexter lui demande si Antonov était impliqué dans ce complot.

« Serguei Antonov était avec moi lors de l'attentat ! » clame Agca d'une voix triomphante.

Le fourgon a fini par démarrer.

« Antonov, mon ami ! » crie encore Agca avant de disparaître.

La filière bulgare vient de ressusciter au moment même où le Saint-Siège et la C.I.A. ont décidé d'un commun accord d'annuler le sommet entre les leaders des Etats-Unis et de l'Union soviétique.

19

Réactions de Rome

Nous aurions dû nous en souvenir, le plein été à Rome n'est pas un bon moment pour poser des questions.

Le temps n'y est pas étranger. Cette année, particulièrement, la ville est une vraie fournaise et la plupart des Romains ont fui dans les collines avoisinantes ou au bord de la mer.

Ceux qui, comme Casaroli et beaucoup de ses diplomates, l'équipe de Radio Vatican, de l'*Osservatore Romano* et nous-mêmes, sont contraints de rester à Rome, ont la désagréable impression d'habiter une ville morte sans boutiques ni restaurants ouverts.

Jean Paul II, accompagné de sa suite, a pris ses quartiers d'été à Castel Gandolfo.

Nous nous y sommes rendus à deux reprises au cours du mois dernier, essayant toujours de déterminer l'équilibre du pouvoir au sein d'un pontificat où le plus léger remous en dérange plus d'un. A Castel Gandolfo, le pouvoir s'évalue comme suit : il y a ceux qui sont autorisés à utiliser la piscine après que le pape a accompli ses trente longueurs de crawl et de brasse coulée ; il y a ceux qui sont invités à l'accompagner lors de sa promenade dans les jardins, ceux qui déjeunent en sa compagnie. Les proches du pape semblent attacher une grande importance à ces prérogatives. Naturellement, nous en avons pris note bien que ce genre de détails nous semblent négligeables et d'un intérêt relatif dans la grande fresque que nous nous efforçons d'évoquer.

Officiellement, le pape est en vacances. Cela signifie qu'il n'accorde qu'un nombre limité d'audiences, il ne reçoit que les émissaires étrangers, les évêques ou les nonces de passage à Rome. En pratique, un diplomate séculier ou un prélat ayant un problème très urgent à résoudre peut, s'il le désire, se rendre à Castel Gandolfo et voir Jean Paul II. Tous les vendredis soir sans exception, une voiture de l'ambassade américaine apporte le rapport hebdomadaire de la C.I.A.

Comme le dit très justement Kabongo : « Nous avons simplement déplacé le centre vital de l'Eglise, nous ne l'avons pas fermé[1] ! »

Jean Paul II, quant à lui, continue de travailler plus que n'importe lequel de ses assistants. Levé tous les matins à 5 heures, il célèbre la messe dans la chapelle attenante à sa chambre à coucher, puis consacre deux heures à l'étude de ses dossiers avant de prendre son petit déjeuner. Dans son récapitulatif, il note tous les points sur lesquels il souhaite de plus amples informations. Ensuite, il lit les rapports de la secrétairerie d'Etat, du conseil des Affaires publiques et des différentes congrégations.

Après le petit déjeuner, il nage environ une heure dans la piscine qu'il s'est fait construire. Un jour quelqu'un s'est étonné du prix élevé de celle-ci (la rumeur prétend qu'il s'agissait de Marcinkus). Jean Paul II a répliqué que cette piscine coûtait certainement moins cher que des funérailles papales et le conclave qui s'ensuivait[2].

Il consacre le reste de la matinée à étudier d'autres documents et à recevoir des visiteurs de marque : Casaroli, presque quotidiennement, Poggi, à deux reprises, et le père Tucci de Radio Vatican. Ils préparent notamment le prochain pèlerinage du pape à Lourdes.

Après le déjeuner, Jean Paul II se repose une heure. Puis il travaille quatre heures consécutives aux affaires de l'Eglise et de l'Etat. C'est à ce moment-là qu'il prépare, approuve et met la dernière main aux directives données à ses nonces sur ce qu'ils vont devoir entreprendre.

De 20 heures à 22 heures, le Saint-Père dîne en compagnie de Dziwisz et de Kabongo. Ils commentent généralement les informations télévisées du soir.

Jean Paul II passera encore deux heures à travailler avant d'aller se coucher, vers 1 heure du matin.

C'est un emploi du temps sévère pour le souverain pontife et ses collaborateurs. Kabongo insiste sur le fait qu'ils sont motivés par un désir commun qui les a soutenus tout au long de l'année, l'une des plus chargées qu'il ait jamais connues. Le secrétaire définit ce désir avec une naïveté émouvante : « Le Saint-Père essaie d'apprendre à tous les habitants de la terre à vivre en paix. Nous sommes tous là pour le seconder dans sa tâche[3]. »

Mais approchent-ils un tant soit peu de ce but louable ?

Allant et venant entre Castel Gandolfo et le palais apostolique qui, en l'absence du pape et de son secrétariat, semble étrangement désert et plus impressionnant que jamais, nous nous remémorons quelques vérités essentielles sur le rôle de ce pontificat dans la politique internationale.

Jean Paul II, certainement plus qu'aucun autre pape avant lui, s'est fait un devoir de faire connaître toutes les activités de l'Eglise catholique, sans négliger aucun aspect de la vie humaine.

A Castel Gandolfo, le pape et son entourage continuent d'utiliser toutes les ressources de la diplomatie afin de mener à bien ce qui, insistent-ils, fait partie de leur fonction immémoriale de « faiseurs de paix ».

Sur le bureau du pape, dans son palais d'été, se trouvent encadrés les mots qu'utilisa Jean Paul II lors de son discours à l'assemblée générale des Nations unies en octobre 1975 : « Plus de guerre ! Plus jamais de guerre ! La paix, c'est la paix qui doit guider la destinée des peuples et de toute l'humanité ! »

La question qui nous intéresse est la suivante : dans quelle mesure Jean Paul II a-t-il atteint son but ?

Bien entendu, il ne travaille pas seul. Si grande soit son influence personnelle elle ne peut être comparée au pouvoir de l'Eglise dans son ensemble. L'organisation de l'Eglise n'est pas seulement dédiée à l'éducation morale et spirituelle des catholiques et de la société occidentale au sens large, mais elle représente également une voix puissante dans la conscience politique de l'Ouest.

Là encore, Jean Paul II atteindra-t-il son but ?

Il y a, c'est certain, une vision catholique de la réalité qui est rafraîchissante. Dans ce pontificat, cette vision est essentiellement spirituelle et pratique. Le pape et ses prélats donnent le sentiment de croire réellement au ciel et à l'enfer et qu'il existe autant de mal que de bien sur cette terre. Ils semblent plus déterminés que jamais à vaincre le diable.

Il est clair que leur ligne politique n'a pas fondamentalement changé depuis le début de l'année. Le but qu'ils s'étaient fixé en janvier demeure le même : trouver une solution raisonnable au problème de l'armement nucléaire et supprimer la menace de guerre. Selon les termes de Kabongo, « ils s'efforcent d'établir la paix dans le monde dans ce siècle et jusqu'à la fin des temps[4] ». C'est leur credo. Mais dans quelle mesure prend-il en compte les faiblesses morales inhérentes à l'humanité ?

Si, en Allemagne de l'Ouest, la laïcisation se porte bien, l'assiduité religieuse en revanche laisse à désirer, surtout parmi les jeunes dont beaucoup pensent que l'épiscopat fédéral devrait manifester davantage son opposition au déploiement des fusées Pershing et des missiles de croisière.

En Irlande, le nonce Gaeteno Alibrandi continue de rendre compte du nombre croissant de ceux qu'il a baptisés les « grignoteurs d'hosties », c'est-à-dire les gens qui se rendent à la messe par pur souci des convenances. Le problème du chômage chez les jeunes Irlandais préoccupe aussi le nonce. La plupart, en quittant l'école, n'ont aucune chance de trouver un emploi. Cette situation, pense-t-il, risque de créer un climat d'insécurité. Dans l'un de ses récents rapports, Alibrandi prétend que, par bien des côtés, l'Irlande « s'apparente au tiers monde », économiquement appauvrie, mal gouvernée, avec des services sociaux ne répondant pas au besoin d'une population de plus en plus engagée dans le « travail au noir, ses membres ne payant pas leurs impôts et n'assumant pas leur devoir de citoyen ». En outre, le nonce semble craindre que l'épiscopat irlandais n'ait pas l'autorité qu'on serait en droit d'attendre de lui.

Par ailleurs, il s'est officieusement entretenu en Irlande du Nord avec le nouvel ambassadeur britannique à Dublin. Ce fut, semble-t-il, un dialogue de sourds. L'un des amis du nonce prétend qu'Alibrandi lui aurait confié : « Chaque fois que nous abordions un problème délicat, Son Excellence me parlait de la Sicile. Il semble qu'il ait une connaissance approfondie de ce pays. Malheureusement, j'espérais une discussion politique sérieuse sur l'Ulster, non un cours sur la Sicile. » Alibrandi ne voit pas d'autre solution au problème irlandais que l'évacuation des troupes britanniques du nord du pays.

Selon une rumeur persistante, colportée à Rome par des prêtres de Dublin, Alibrandi serait de nouveau mal vu de l'administration du Dr Garret Fitzgerald : certains membres de son cabinet continuent, semble-t-il, de considérer avec méfiance les contacts du nonce avec les membres du Sinn Fein, l'aile politique de l'I.R.A.

Des prêtres de la « mafia irlandaise » au Vatican nous ont dit que la seule autorité du gouvernement irlandais actuel ne suffirait pas à faire partir le nonce. L'un d'eux a même ajouté : « C'est un peu comme J. Edgar Hoover, il connaît un bon nombre d'hommes politiques irlandais qui ont des casseroles au cul. C'est un bon atout. »

L'archevêque Bruno Heim, remis de son opération et de retour à Londres, a invité sir Mark Heath à un « dîner *privé* ». Tous deux ont sans aucun doute fait part à leurs gouvernements respectifs de leurs échanges de vues sur l'Ulster. Bien que les détails précis relatifs à cet entretien ne soient consignés qu'au Foreign Office à Londres et dans l'un des fichiers de Mgr Audrys Backis au conseil des Affaires publiques de l'Eglise, certains indices nous donnent à penser que Mme Thatcher n'approuve pas la perspective d'une force d'interposition des Nations unies venant se substituer aux troupes anglaises en Ulster. Il semble que cette idée ne provoque pas non plus l'enthousiasme des milieux gouvernementaux de Dublin.

L'avenir de l'Eglise aux Etats-Unis continue de poser de graves problèmes au Vatican. Les récents rapports de l'archevêque Pio Laghi brossent un portrait consternant de la désobéissance qui sévit dans l'ensemble du clergé américain. Par ailleurs, en Amérique centrale et en Amérique du Sud, le mouvement de la théologie de la libération prend une ampleur inquiétante. L'obéissance au pape, sous Jean Paul II, est remise en question comme elle ne l'a peut-être jamais été auparavant.

C'est pourquoi il est difficile d'attribuer au Saint-Siège sa place véritable sur l'échiquier de la politique internationale actuelle.

Il se considère comme une organisation religieuse et non politique. Sa force est spirituelle et morale, elle n'est ni économique, ni financière, ni militaire. Cependant, Staline avait tort lorsqu'il ironisait sur les divisions du pape. Le Saint-Siège a une mission universelle qui transcende les frontières politiques. Un membre chevronné de la curie, le père Robert A. Graham, prétend que le Saint-Siège « ne veut s'identifier à aucun des deux blocs, mais cherche au contraire à préserver sa liberté d'action dans l'intérêt de sa mission surnaturelle qu'il estime avoir reçue directement du Christ, son fondateur[5] ».

Le rôle du Saint-Siège et de l'Eglise dans les affaires du monde, souffre en outre d'une vision stéréotypée.

La gauche considère la politique de Jean Paul II, selon les termes de Graham, « comme le bras religieux de la réaction, littéralement obsédée par le spectre du communisme et irritée de trouver en lui une idéologie rivale du salut. Cette politique est prête à soutenir le statu quo au nom de l'ordre. Elle accepterait la guerre, si nécessaire, afin de sauver le monde du communisme[6] ».

Pour la droite, poursuit cet éminent historien (Graham est coéditeur des documents du Vatican sur la Seconde Guerre mondiale), le stéréotype est plus flatteur. La droite utilise l'Eglise dans sa lutte contre le communisme, « bastion de l'ordre qui s'oppose fermement aux vagues révolutionnaires de notre époque. Elle n'a jamais été sensible aux slogans prétendument progressistes[7] ».

Jusqu'au règne de Pie XII, les gouvernements du monde libre pensaient pouvoir compter sur l'autorité morale du pape pour les soutenir. Les régimes communistes, en revanche, considéraient la papauté comme leur plus implacable ennemie.

Jean XXIII et même Paul VI ont contribué à réduire cette ligne de démarcation. Leur politique paraissait être celle du « non-alignement ».

En apparence, Jean Paul II semble de temps à autre faire un effort pour contenter les deux superpuissances. Sa critique de la société de consommation des pays occidentaux est aussi sévère que sa dénonciation des atteintes portées aux droits de l'homme dans les sociétés alliées. A cet égard, il est bien l'hercule spirituel dont parle Kabongo.

Selon le Père Graham, « ses actes, bien que motivés par des considérations humaines, n'en ont pas moins des implications politiques et s'inscrivent dans l'histoire du monde contemporain. Le pape a-t-il le choix[8] ? »

Deux semaines plus tard, Rudi accepte de nous parler de l'enlèvement d'Emanuela Orlandi et du nouveau coup d'envoi donné à la piste bulgare. Nous l'avons invité à dîner. Les prêtres, nous explique-t-il — et donc le Vatican — ont pris position à l'égard de cet enlèvement et de la piste bulgare. Avec une pointe de malice dans la voix, l'officier de renseignement nous dit que « les petits hommes de Dieu ne veulent pas s'en mêler et rappellent à tout bout de champ que ces deux affaires concernent exclusivement l'Italie. Dieu interdit à quiconque de penser que le Vatican puisse avoir la moindre influence sur cette affaire, exception faite du pape qui adresse quelques prières pour le retour de la jeune fille ».

Ce soir, chez Galeassi's, Rudi nous offre un festin ; c'est sa façon à lui de nous dire adieu. Il vient d'être muté et refuse de nous dire où. Dans une semaine, Rome ne sera plus pour lui qu'un souvenir. Nos chemins n'ont plus guère de raisons de se croiser.

Un mois après notre dîner d'adieu, nous l'avons rencontré par hasard à l'Excelsior, dînant en compagnie d'un diplomate français, vêtu d'un costume sévère. Rudi n'a pas fait mine de nous reconnaître. Chez Galeassi's, il porte une chemise hawaiienne, un jean et des sandales. Il a l'air d'avoir vécu toute sa vie dans ces quartiers malfamés de Rome.

Il va droit au sujet qui nous intéresse, c'est-à-dire l'enlèvement d'Emanuela. Tout comme l'affaire Aldo Moro, cinq ans plus tôt, la disparition de la jeune fille concerne en priorité son service.

« A Pullach, nous dit Rudi, ils ont pensé que le *Wunderkind* de nos groupes terroristes pourrait être impliqué dans cette affaire. C'est la demande de remise en liberté d'Agca qui a éveillé l'intérêt du B.N.D. et probablement d'une demi-douzaine de services de renseignements occidentaux. »

Habituellement Rudi se montre terriblement chauvin quand il s'agit de défendre ses services de sécurité. Cette fois, pourtant, il est féroce à leur égard.

« Ils n'ont fait que des conneries. »

La soupe de poisson est servie : queues de homard, limandes, crevettes, poulpes, truites de mer, pain grillé, le tout accompagné d'une sauce parfumée à l'ail.

Rudi ingurgite sa soupe jusqu'à la dernière goutte avant de commencer à parler.

Ce soir, il est plus italien que jamais : il hausse les épaules à tout propos et gesticule. Il appelle Giuseppe, le tenancier, et se lance dans une conversation animée sur les mérites des vins de Sardaigne. Après quoi, il redemande de la soupe de poisson. On lui apporte une assiette fumante. Ensuite, il réclame du pain frotté à l'ail... Cela tourne à la performance gastronomique. Entre ces différents mets, il nous fait part de ses réflexions sur l'affaire Orlandi.

« Il y a un mois, je la prenais pour une gentille gamine, c'est tout. Aujourd'hui, je n'en suis plus si sûr. Les gens pensent qu'elle a des amis vraiment bizarres. Des types qui se droguent, des types louches... Il est possible que ce soit quand même une brave gosse mais, à mon avis, elle jouait avec le feu. C'est sans doute pourquoi le Vatican préfère garder ses distances, pour ne pas être mêlé à cette histoire. »

Nous aurions trouvé ça dur à avaler si quelqu'un d'autre que Rudi nous l'avait raconté. C'est le contraire de tout ce que nous avons entendu jusqu'à présent. Cependant, nous savons que Rudi est toujours très bien renseigné.

« Deux semaines après sa disparition, poursuit-il, le D.I.G.O.S. a mis la place Saint-Pierre sous haute surveillance. Ils arrêtent tout et tout le monde. Même un gosse ne peut venir y prendre son vélo sans être fouillé ! Et pourquoi, à votre avis ? Pourquoi ce zèle ? Parce que c'est sous les fenêtres du pape. Il faut qu'il soit persuadé que les Italiens prennent cette histoire au sérieux ! » dit-il d'un ton sarcastique.

« Un journaliste — *Mensch !* — un journaliste reçoit un coup de fil l'invitant à venir chercher la carte d'identité d'Emanuela sous le nez d'une demi-douzaine de policiers. L'un des ravisseurs l'a déposée là, quasiment sous leurs pieds. »

Rudi secoue la tête d'un air méprisant.

« Puis le pape a lancé un autre appel. C'est l'acte le plus insensé que j'aie jamais vu. Qui a pu lui conseiller une chose pareille ? Impliquer le pape dans cette affaire confère soudain à celle-ci une importance qu'elle n'a pas. Les ravisseurs savent à présent qu'ils ont mis la main sur du gros gibier, une fille que réclame le pape, vous imaginez ! Ils ont nettement l'avantage dans les négociations maintenant. La règle la plus élémentaire qui s'applique à tout enlèvement est de minimiser son importance. Mêler le pape à cette affaire relève de la pure démence ! Le résultat, c'est qu'on a perdu tout contrôle sur cette histoire. »

Rudi n'avait-il pas eu l'occasion de donner son avis là-dessus ?

« Vous avez déjà essayé de donner des conseils au Vatican ? nous demande-t-il en haussant les épaules. Cependant, nous confie-t-il, l'ambassadeur ouest-allemand auprès du Saint-Siège a transmis à Casaroli certains “ conseils ” de son gouvernement... Mais passons. Le pape lance un autre appel qui déclenche une avalanche d'appels téléphoniques dont, bien entendu, les médias s'emparent aussitôt. La folie totale ! »

Il avale une cuillerée de potage avant de remplir nos verres.

« Je l'ai dit à mes collaborateurs. Cela ne concerne strictement que les Italiens. Même le plus nul de nos terroristes ne se conduirait pas ainsi. En particulier, après l'histoire de la cassette. »

Environ un mois après l'enlèvement d'Emanuela, l'un des ravisseurs a demandé à la police de se rendre place Saint-Pierre, non loin de la porte de bronze. Au pied de l'une des colonnes du Bernin, était censée se trouver une cassette contenant la preuve qu'Emanuela était en vie ainsi qu'un nouveau message des ravisseurs.

Le D.I.G.O.S. passa la place au peigne fin sans trouver de cassette. L'un des ravisseurs téléphona ensuite à divers organes de presse à Rome, en accusant le Vatican de l'avoir dérobée.

« Dément ! s'esclaffe Rudi. Absolument dément ! C'est aberrant de publier un truc aussi insensé. Ça ne peut qu'exaspérer l'opinion. La presse crie à la “ conspiration ”. Le Vatican devient complètement paranoïaque ! Et c'est pourquoi il accepte des conseils aussi absurdes et continue de lancer des appels. *Mensch !* »

Rudi descend tout le monde en flammes : le Vatican qui empêche les enquêteurs de faire correctement leur boulot ; le pape qui s'obstine à lancer des appels publics. On en compte sept à ce jour, y compris un *Ave Maria* pour la jeune fille disparue devant une foule de cinquante mille personnes rassemblées place Saint-Pierre. Il est revenu de Castel Gandolfo spécialement pour ça.

La soupe de poisson une fois terminée, Rudi commande un gorgonzola. On lui apporte le plateau de fromages et il les choisit pour nous. Il commande une bouteille de porto.

Pendant qu'il coupe le fromage, nous lui demandons ce que vient faire Agca dans toute cette histoire. Après le premier coup de téléphone à Casaroli, suivirent quatre autres appels demandant la libération d'Agca. Il est intéressant de constater, faisons-nous observer, que ces appels téléphoniques ont tous eu lieu pendant que le juge Martella enquêtait à Sofia sur la piste bulgare.

Coïncidant avec ces demandes de libération, un flot de nouveaux enregistrements et de messages écrits déferla un peu partout dans Rome.

Les cassettes reproduisaient les cris déchirants d'Emanuela soi-disant sous la torture. Mais des tests poussés en laboratoire ne purent établir avec certitude s'ils étaient vrais ou simulés. Des experts linguistiques estimèrent que parmi les voix entendues sur la cassette, certaines pouvaient appartenir à des Turcs, des Russes, des Bulgares, des Lettons ou même des Sud-Américains. Leur vocabulaire ainsi que la teneur de leurs messages témoignaient d'un déséquilibre mental patent.

« Sauf un, précise Rudi, un message rédigé en allemand, en bon *Hochdeutsch.* Bien construit. Mes collaborateurs inclinent à penser qu'il s'agit d'un professionnel. Il ne profère pas de menaces en l'air. Il promet simplement une “ action punitive ”. En d'autres termes, la vie de cette fille dépend de la libération d'Agca. C'est de la folie, bien sûr. Personne n'échangera Agca contre Emanuela. »

Alors, qu'espèrent-ils ?

Rudi nous surprend. Le restaurant s'est vidé. Il est tard, même pour le Trastevere. Il se redresse sur sa chaise et baisse la voix pour commencer un récit qu'il déclare d'emblée incroyable.

« Agca était, est et restera le seul élément exploitable de tous les événements qui ont marqué l'année, d'accord ? »

Nous acquiesçons.

Il poursuit d'une voix mesurée, presque didactique. « Nous pensons — je parle bien entendu au nom de mes collaborateurs —, *nous* pensons, donc, qu'il existe un lien évident entre l'enlèvement de la petite et la “ résurrection ” de la piste bulgare. La fille a été kidnappée pendant que le pape se trouvait en Pologne. D'ailleurs, nous savons qu'il en a été averti à Cracovie.

— Par Cibin, je présume », dit l'un de nous.

Rudi semble embarrassé. « Pas du tout. Cibin ne savait rien encore. Il est probable que Casaroli et le pape ont décidé de ne pas ébruiter la chose avant leur retour à Rome. Il n'était pas question de gâcher leur voyage en Pologne. Cela dit, l'affaire Levi a bien failli le compromettre. La façon dont il s'est volatilisé n'est pas catholique, si j'ose dire. Quelqu'un lui a donné un coup de main et nous pensons que ce quelqu'un était américain.

— Vous plaisantez, Rudi !

— Pas le moins du monde ! Ecoutez-moi... Certaines personnes à Washington n'apprécient pas du tout les rapports du pape et de Walesa. C'est également le cas d'un grand nombre de gens à la secrétairerie d'Etat. Vous me suivez ? »

Nous hochons la tête.

« Donc Levi raconte tout et découvre qu'il s'est fait piéger. Ça a bien falli marcher. Le Vatican a dû s'écraser. »

Nous attendons. Tout cela devient extrêmement intéressant. Mais quel est le rapport de cette histoire avec Emanuela et Agca ?

« Le mobile de l'enlèvement peut être le sexe, l'argent ou bien les deux réunis. Dans cette ville, les ravisseurs partent toujours du principe que toute famille possède au moins un proche susceptible de payer une rançon, ne serait-ce que quelques millions. Au début, il ne s'agissait pas d'autre chose, c'était un banal kidnapping. Donc, la gosse est poussée dans une voiture et embarquée Dieu sait où. A ce stade, elle a encore affaire à des amateurs. Mais les nouvelles vont vite. Un professionnel entend parler de cette " prise ". " Hé ! hé ! pense-t-il, voici quelque chose d'intéressant. " Les professionnels contactent les amateurs et concluent un marché avec eux. Il est possible qu'il n'y ait eu aucun arrangement entre eux et que les professionnels se soient contentés d'évincer leurs copains. Ce genre de chose arrive fréquemment et c'est pourquoi on ignore bien souvent la cause des crimes. Ou bien, la fille a été " cédée " aux professionnels. Quoi qu'il en soit, maintenant elle est entre leurs mains. »

Il se verse du café.

« Ils connaissent la valeur réelle de la fille et savent que son père travaille pour le pape. Ce qu'il fait exactement n'a pas d'importance. Il travaille pour le *pape,* c'est tout ce qui compte. Ils savent aussi qu'un grand nombre de gens souhaiteraient que l'on reparle d'Agca. Il ne s'agit pas des journaux. Je pense aux gens qui font mon métier. Agca faisant la une, la théorie de la conspiration est de nouveau accréditée pour le plus grand plaisir de beaucoup.

— Voyons, Rudi, où voulez-vous en venir ?

— *Mensch !* Allez-vous écouter à la fin ! Je " n'essaie pas de prouver " quoi que ce soit. Je vous donne l'explication la plus vraisemblable à l'implication d'Agca dans cette affaire. Et il y est sans nul doute impliqué. Il n'y aurait pas eu cinq demandes pour se remise en liberté s'il s'agissait d'une bande de détraqués. Sans

Agca, Emanuela perd tout intérêt. C'est lui qui confère toute sa dimension à cet enlèvement. Si vous croyez à une coïncidence, c'est que vous n'avez rien compris. »

Nous suggérons une pause. Noter ses propos au fur et à mesure est épuisant.

Rudi est pressé de reprendre. « Il y a six semaines, la filière bulgare était morte. Au point que les Bulgares ont autorisé Martella à se rendre à Sofia. Il y est allé le mois dernier. Ils ont été charmants avec lui et lui ont montré toutes sortes de choses. Mais, de même que la C.I.A., les Bulgares prétendent que la filière bulgare n'existe pas. Martella est rentré à Rome pour découvrir que son témoin vedette, Agca, occupe de nouveau le devant de la scène, Agca contre Emanuela. Vous pensez qu'il s'agit là encore d'une coïncidence ? Vous n'avez *vraiment* rien compris ! »

Il n'y a pas d'irritation dans la voix de Rudy, il est tout simplement pris par son sujet.

« Non, ce *timing* était voulu. Personne n'a cru une seconde qu'Emanuela pouvait être échangée contre Agca. Là n'est pas la question. Le but de l'opération, c'était de faire resurgir la piste bulgare du néant et, si possible, sous un jour dramatique. C'est Lazare sortant du tombeau. On peut se demander qui avait intérêt à ce qu'Agca reparaisse sous les feux de la rampe ? Pas les Bulgares. Cette histoire ne les arrange pas du tout. Les Turcs ? Possible. Ses vieux copains terroristes, les Loups gris, peuvent souhaiter le voir réapparaître. Le K.G.B. ? Possible aussi... Pour le descendre. Reste une éventualité, la C.I.A. »

Nous regardons la bouteille de porto quasiment vide. Rudi l'a bue presque à lui tout seul. Cependant, il ne paraît pas saoul. Mais que penser de ses derniers propos sur la C.I.A. ? Nous hochons la tête. « Rudi, tout ça est difficile à croire.

— Je n'ai pas dit que *c'était* la C.I.A., j'ai dit que cela *pouvait* être la C.I.A. Bon Dieu, qui, à votre avis, a prévenu la presse de l'arrivée d'Agca à la *Questura ?* Je vais vous dire quelque chose. Un type de la R.A.I. m'a dit qu'ils avaient obtenu cette information d'un contact que la C.I.A. utilise fréquemment. »

Rudi écarte la bouteille de porto. Les coudes appuyés sur la table, il se penche vers nous.

« Si vous ignorez que la C.I.A. a ses entrées dans l'*underground* italien, changez de métiez !... Avez-vous lu les minutes du procès de Sindona ? demande-t-il soudain. Elles démontrent, preuves à l'appui, que Sindona était un financier de la Mafia, et un relais utilisé par la C.I.A. pour certaines opérations lorsque celle-ci travaillait avec le Vatican. Lisez-les. Vous y trouverez toutes les preuves dont vous avez besoin[9] ! »

Rudi semble soudain fatigué. Il parle depuis près de deux heures consécutives. Il veut à tout prix nous convaincre de la justesse de son raisonnement.

« Ecoutez — faites-en ce que vous voudrez —, mais écoutez : mes collaborateurs pensent, à mon avis à juste titre, que la C.I.A. est très satisfaite qu'Agca soit mêlé à l'enlèvement d'Emanuela. L'Agence semble de nouveau croire que les Bulgares sont à l'origine de la tentative d'assassinat contre le pape. Et derrière les Bulgares... Le K.G.B., c'est-à-dire Andropov qui, bien entendu, n'a pas l'intention de s'asseoir au côté de Reagan pour discuter d'homme à homme du problème de l'armement nucléaire. Intéressant, *ja ?* »

Et, sur ce bouquet final, nous quittons tous trois le Trastavere sans échanger un mot, perdus dans nos pensées.

Il nous donne un numéro de téléphone à Francfort pour que nous puissions le joindre si nécessaire. Nous échangeons une rapide poignée de main, puis il disparaît.

Ce soir, nous sommes trop préoccupés pour comparer nos notes comme à l'accoutumée. Le lendemain, nous décidons que le mieux est de rapporter les propos de Rudi tels que nous les avons entendus. Il nous est impossible de vérifier l'authenticité de ses allégations. Par ailleurs, nous savons qu'il n'est pas du genre à gâcher son temps et l'argent de la maison. En outre, ses mots sonnaient justes. Mais reste la possibilité que nous ayons été trompés, consciemment ou non.

Décidément, Rome n'est pas une ville de tout repos !

20

La secrétairerie d'État

Jeudi, à l'aube

Au troisième étage du palais apostolique, le numéro de télex du Vatican : 2024 DIRGENTAL VA est sans cesse occupé.

De Beyrouth, le nonce Luciano Angeloni envoie des nouvelles qu'il vient lui-même de recevoir. Amin Gemayel, le président du Liban, a l'intention d'envoyer la totalité de son armée afin de reprendre possession des quartiers de la ville occupés par les druses et les miliciens chiites [1].

Angeloni craint que le Liban ne bascule une fois de plus dans la guerre civile.

Pour avertir au plus vite le Saint-Siège de cette alarmante nouvelle, cet homme courageux n'a pas hésité à traverser sous la mitraille les rues de Beyrouth pour se rendre chez le président, puis à l'hôtel intercontinental, l'un des rares endroits qui possède un télex relié à l'extérieur. Cet hôtel de Beyrouth est le Q.G. de toute la presse.

Angeloni a dû attendre que le télex se libère pour envoyer son rapport codé. De violents combats ont éclaté récemment et son téléphone est coupé depuis plusieurs jours à la suite d'une explosion. Ses conditions de vie empirent.

Cependant, le télex du nonce ne laisse rien apparaître de sa situation précaire. Son message est concis comme d'habitude : il est clair qu'à moins que les Etats-Unis n'intensifient leur soutien militaire au gouvernement de Gemayel, le Liban pourrait être rapidement divisé en enclaves contrôlées par Israël, la Syrie et les factions libanaises.

Angeloni analyse brièvement la situation et avertit le Saint-Siège que le temps semble mal choisi pour engager plus avant son action au Liban.

Lorsque l'équipe de jour du bureau polonais va venir à 8 heures prendre son service, elle constatera que la nuit n'a pas dû être de tout repos.

De Varsovie, le cardinal Glemp a envoyé un rapport sur les dernières manifestations de violence des forces gouvernementales contre Solidarité.

Cependant, Glemp ne pense pas que ces troubles annoncent un retour au climat d'insécurité qui avait précédé la visite du pape en Pologne.

Son analyse figure déjà dans le sommaire dont Jean Paul II prendra connaissance en premier lieu ce matin. Le pape insiste encore pour que tout ce qui se passe en Pologne lui soit immédiatement communiqué.

Depuis des semaines, une équipe de travail spécial du bureau des Affaires d'Amérique latine prépare un rapport sur l'Amérique centrale[2]. Pendant la nuit, les doubles du texte définitif ont été photocopiés et forment à présent une pile nette sur le bureau du directeur. Le rapport analyse la crise actuelle dans le contexte économique et historique du pays et donne un aperçu des options envisageables pour les Etats-Unis dans une région qui leur donne bien du souci tant sur le plan politique que militaire.

L'équipe a fait appel à un certain nombre d'autres experts pour guider ses recherches. Tous les nonces de ce pays ainsi que les ambassades accréditées auprès du Saint-Siège ont contribué à l'élaboration du rapport. Certaines informations proviennent de Washington.

De Washington, Pio Laghi a rendu compte de la décision de Reagan. Le président vient de donner à Henry Kissinger la présidence d'une commission bipartite composée de douze membres afin d'étudier tous les aspects de la politique de l'administration menée en Amérique centrale.

La nouvelle du retour au pouvoir de Henry Kissinger — depuis presque sept ans, le grand stratège des administrations

Nixon-Ford était exclu de la diplomatie — ainsi que celle du départ des forces navales ont créé un tollé au Capitole.

Laghi en conclut, en termes comme toujours fort mesurés, que la nomination de Kissinger traduit la frustration croissante du président Reagan à l'égard de l'Amérique centrale.

Le nonce sait que Kissinger connaît très bien cette région. Pendant ses huit ans au secrétariat d'Etat, Kissinger a visité l'Amérique centrale une douzaine de fois et y a même passé sa lune de miel à Acapulco en 1974. Il est considéré à travers la majeure partie du continent sud-américain comme l'instigateur du renversement du gouvernement socialiste de Salvatore Allende au Chili.

Son opinion sur le Nicaragua et le Salvador rejoint à présent celle de Reagan : tous deux considèrent que ces pays constituent une menace pour les Etats-Unis du fait de leur dépendance vis-à-vis de Cuba et de l'Union soviétique. Dans une récente déclaration, Kissinger a renouvelé son désir d'aider les contre-révolutionnaires du Nicaragua qui veulent renverser leur gouvernement et rejettent l'influence soviétique et cubaine.

Pour analyser l'effet que l'engagement de Kissinger pourrait avoir et déterminer la nature exacte de ses relations actuelles avec Reagan, Laghi a fait appel à un grand nombre de ses contacts.

Le président a déclaré un jour qu'il tenait le premier conseiller de Nixon « pour responsable de la perte de la suprématie militaire des Etats-Unis ». De toute évidence, Reagan a changé d'avis. De fait, lors de leur rencontre à la Maison-Blanche, lorsque le président avait invité Kissinger à présider cette fameuse commission, les deux hommes s'étaient comportés comme de vieux amis.

Cependant, Laghi sait que cela ne veut rien dire. Beaucoup considèrent ces deux hommes comme des opportunistes prêts à collaborer tout autant qu'à s'exploiter mutuellement. Aux yeux du nonce, le président a besoin du prestige incontesté de Kissinger, toujours aussi considérable en dépit du rôle qu'il a joué (et qu'on connaît à présent), dans la chute de Nixon. Kissinger, quant à lui, aime suffisamment le pouvoir pour considérer la présidence de cette commission comme l'occasion idéale de rétablir son influence dans la politique nord-américaine[3].

La démission soudaine de Rios Montt, président du Guatemala, n'est pas étrangère aux conclusions de Laghi. Les seize mois de l'étrange dictature de Montt se sont soldés par un bref règlement de compte à main armée à l'extérieur du palais national de la ville de Guatemala. Montt a été remplacé par un catholique fervent, Oscar Humberto Mejia.

Cependant, en dépit des liens étroits de Mejia avec l'Eglise catholique, le nonce apostolique a envoyé une note de mise en garde qui figure maintenant dans le rapport définitif du bureau d'Amérique latine.

L'envoyé du pape craint, en effet, que Mejia ne soit rien de plus qu'une marionnette manipulée par les militaires. Les catholiques du pays pourraient alors faire l'objet des mêmes persécutions qu'auparavant.

L'étude estime que, si l'intervention cubaine a indubitablement allumé les brasiers de la révolution en Amérique centrale, elle n'a pas, à proprement parler, attisé l'incendie et il est presque certain que débarrasser la région des influences cubaines et soviétiques n'éteindrait pas les flammes.

Ce qui ressort de ce rapport, c'est que les mouvements révolutionnaires en Amérique centrale se nourrissent des sentiments anti-impérialistes, comme l'ont expliqué eux-mêmes les Etats-Unis. Ce rapport cite l'exemple du Honduras : l'épiscopat local estime que l'année précédente, la gauche révolutionnaire du pays a attiré plus de sympathisants qu'au cours des trente années passées. Cela est certainement dû à la position de client du gouvernement du Honduras dans ses relations avec les Etats-Unis.

La dernière partie du rapport — *Les Etats-Unis et l'Amérique centrale : une analyse des options envisageables* — commence par une déclaration sans équivoque : le président Reagan croit sincèrement que son devoir consiste avant tout à défendre les Etats-Unis contre ce qu'il décrit comme « la paralysie rampante du communisme » qui s'infiltre dans la région. Selon ce rapport, le président Reagan considère cette région du monde « comme la chasse gardée des Etats-Unis » : tout ce qui s'y passe les concerne légitimement.

Les prêtres diplomates qui ont préparé cette étude considèrent que le président Reagan a raison de tirer la sonnette d'alarme : les dangers de l'infiltration communiste sont réels. Cependant l'implication militaire américaine de plus en plus importante dans la région pourrait avoir des effets pervers. Le bon vieux temps de la diplomatie de la canonnière est révolu.

Une approche plus nuancée est nécessaire. Plutôt que de persister dans une politique qui jette les révolutionnaires dans les bras du communisme, ne vaudrait-il pas mieux reconnaître « les réalités de la révolution » ? Seul, ce changement de mentalité, permettrait à la politique de l'Union soviétique d'apparaître enfin sous son vrai jour : une politique répressive et aussi désastreuse que la pire des dictatures d'extrême droite.

On devrait inciter les Etats-Unis à « normaliser leurs relations » avec Cuba afin de réduire la dépendance actuelle de l'île vis-à-vis de l'Union soviétique. Il est urgent de rechercher un « dialogue » avec les groupes révolutionnaires (c'est le terme même employé par le pape lors de son dernier voyage en Amérique centrale), plutôt que de les réunifier par la répression militaire ou bien de les exclure de la vie politique du pays. Ce rapport reconnaît qu'il s'agirait pour les Etats-Unis d'une remise en question totale de leur politique en Amérique centrale.

Par ailleurs, Reagan, tout en souhaitant par-dessus tout éviter que sa politique ne conduise l'Amérique centrale à un nouveau Vietnam, n'a aucun désir d'être considéré comme celui qui a « perdu l'Amérique centrale ».

Le Saint-Siège ne doit pas pour autant renoncer à son rôle traditionnel qui est de contribuer à chercher une solution aux inégalités sociales et économiques de ce pays.

L'esprit qui anime l'action du Vatican dans le reste du monde est le même, ici — la conviction qu'on peut imposer l'amour, la justice et la liberté sur la terre.

Si louables que soient ces convictions, elles ont malheureusement peu de chance d'aboutir dans l'une des régions les plus troublées du monde.

Au bureau des Affaires du Moyen-Orient, on attend une série de nouveaux rapports sur l'implacable avancée libyenne au Tchad. L'armée de l'air et l'armée de terre du colonel Khadafi disposent des derniers modèles d'armes soviétiques pour attaquer les forces gouvernementales tchadiennes.

Selon le délégué apostolique à Alger, la dernière incursion du colonel Khadafi témoigne une fois de plus du rêve du leader libyen de diriger un empire panislamique qui s'étendrait de la côte atlantique du Maroc à la corne d'Afrique, le long de la mer Rouge.

L'envoyé papal avait averti le Vatican des intentions de Khadafi à l'égard du Tchad. Depuis, lui et d'autres nonces, en Europe, au Moyen-Orient et en Afrique, continuent à surveiller Khadafi et à essayer de prévoir ses actes.

Son attaque contre le Tchad a été stoppée par l'arrivée d'un millier de parachutistes français. Les conseillers du président Mitterrand ont fait savoir au nonce Angelo Felici, ainsi qu'à d'autres diplomates en poste à Paris, que le président était décidé à honorer ses engagements envers ses alliés africains en leur apportant l'aide traditionnelle de la France, même au prix d'une confrontation avec Khadafi[4].

Le rapport de Felici rend compte de la tempête politique que les discours et la décision de Mitterrand ont déclenchée des deux côtés de l'Atlantique.

Ses partenaires communistes et certains membres du parti socialiste traitent le président de « néo-colonialiste », une accusation particulièrement blessante pour le gouvernement.

Malgré tout, Felici pense que Mitterrand bénéficiera du soutien de l'opinion publique. En outre, le nonce interprète l'engagement militaire au Tchad comme le signe avant-coureur d'une initiative diplomatique, à laquelle se joindrait peut-être le Saint-Siège, ne serait-ce que pour apaiser la tension qui monte entre Paris et Washington à propos du Tchad.

Les conseillers de Mitterrand ont décidé de garder le silence sur cette affaire. Mais, dans les cercles diplomatiques étrangers, y compris à l'ambassade américaine à Paris, la Maison-Blanche a fait savoir qu'après une consultation « au plus haut niveau » avec le gouvernement français[5], les Etats-Unis avaient envoyé des avions de reconnaissance Awac pour survoler le Tchad dans le cadre de son « étroite et très ancienne coopération avec la France[6] ».

Le président français a formellement nié que cette consultation ait jamais eu lieu. Il est furieux car l'Union soviétique accuse à présent son gouvernement d'être un « outil de l'impérialisme américain[7] ».

Mitterrand a aussi récusé publiquement les déclarations qu'auraient faites certains membres de son gouvernement en privé à Felici et à d'autres diplomates[8]. Le président a insisté sur le fait qu'en intervenant au Tchad, il ne faisait que protéger l'intégrité territoriale de ce pays ainsi qu'il s'était engagé à le faire. Selon Mitterrand, le soutien militaire de la France au Tchad, ne peut en aucun cas être interprété comme une tentative pour renverser le régime de Khadafi.

Peu avant 2 h 30 du matin, le télex du palais apostolique reçoit un message de VVOUN 429502, l'un des télex du Q.G. de la mission du Saint-Siège ; il émane du représentant permanent aux Nations unies à New York. De sa résidence du 20 East, 72e Rue, l'archevêque Giovanni Cheli, observateur apostolique auprès des Nations unies, transmet un message bref mais important.

Il est 21 h 30 à New York, et Cheli vient juste de rentrer d'un cocktail à Manhattan. Là, parmi les diplomates, il a rencontré un assistant de Jeane Kirkpatrick, l'ambassadrice américaine aux Nations unies.

Les deux hommes ont discuté de la réaction de l'administration Reagan à l'assassinat de Benigno Aquino. Rentrant de son exil au Etats-Unis, le leader philippin du seul réel parti d'opposition au régime répressif du président Ferdinand Marcos a été assassiné dès son arrivée à l'aéroport de Manille.

Aquino était l'unique opposant désireux de rassembler les divers courants politiques aux Philippines et d'instaurer la démocratie. Il a été victime de la violence qui caractérise le régime du président Marcos.

A ce cocktail, explique Cheli, l'assistant de Mme Kirkpatrick s'est refusé à tout commentaire sur cet assassinat. En revanche, les diplomates étrangers ont affiché leurs opinions : ce meurtre a sans aucun doute été préparé et exécuté par des hommes de l'entourage du président Marcos[9].

Cette hypothèse a suscité un certain malaise à Washington. Reagan a ordonné une enquête approfondie sur ce meurtre. Néanmoins, en privé, ses conseillers lui ont instamment demandé de ne rien dire ou faire qui puisse compromettre les « relations particulières » qu'entretiennent les Etats-Unis avec Marcos. La moindre allusion à l'éventuelle implication du président des Philippines dans cette affaire risquerait de mettre en péril les deux bases militaires américaines installées aux Philippines, vitales pour les Etats-Unis, celle de Clark Field et celle de Subic Bay.

Ces bases permettent une surveillance rapprochée des manœuvres soviétiques dans l'océan Pacifique.

Les conseillers du président Reagan craignent que toute manifestation d'hostilité des Etats-Unis à l'égard de Marcos n'amène ce dernier à reconsidérer sa position à l'égard de ces bases. La C.I.A. a récemment établi le profil psychologique de Marcos : il s'agit d'un homme malade et perturbé. En d'autres termes, une réaction de Washington, si minime soit-elle, pourrait entraîner de sa part des mesures de rétorsion [10].

Cette analyse, si importante soit-elle, n'est pourtant pas l'unique raison qui a incité Cheli à envoyer ce télex à Rome.

A ce cocktail, l'envoyé du pape a entendu parler d'une affaire bien plus intéressante.

Le message est adressé directement à Casaroli : de source sûre, on sait que Reagan doit donner à Nitze, aujourd'hui même à Santa Barbara, de nouvelles consignes de négociation [11].

L'éventualité d'un retour à Genève de Nitze muni d'instructions récentes constitue un événement capital si l'on tient compte de l'indécision, des intrigues bureaucratiques et du conflit de personnalités qui ont tellement nui aux négociations américaines sur le contrôle de l'armement — une situation qui a malheureusement permis à l'Union soviétique de conserver son attitude intransigeante, menaçante et mensongère lors des débats [12].

Bien que le chancelier de l'Allemagne de l'Ouest, Helmut Kohl, et Mme Thatcher demeurent les plus farouches partisans du déploiement des missiles en Europe, ils pensent — et l'ont fait savoir récemment par l'entremise de leurs ambassadeurs à Washington — que les Etats-Unis devraient peut-être reconsidérer l'idée d'une « solution intermédiaire », issue jugée raisonnable par l'ensemble des conseillers de la Maison-Blanche : les Russes conserveraient un nombre limité de SS-20 pointés vers l'Europe de l'Ouest, tandis que les Américains réduiraient dans les mêmes proportions le déploiement des missiles de l'O.T.A.N.

M. Clark, Mme Kirkpatrick et Casper Weinberger tâchent d'imposer cette solution à l'administration Reagan.

Cheli a semblé consterné par les propos directs de M. Weinberger : « Nous ne voulons pas donner l'impression que la gauche allemande nous mène par le bout du nez. »

Lorsque Nitze a demandé à Reagan des instructions sur la manière dont il devrait répondre à son homologue russe à

Genève, celui-ci lui a dit : « Eh bien, Paul, faites comprendre aux Soviétiques que vous roulez pour un dur-à-cuire qui ne se laisse pas faire. »

Bien que cette boutade comporte une part de vérité, Cheli a appris par ses contacts que Reagan commençait à prendre en considération l'opinion des modérés de son administration. Ils pensent qu'un déploiement nucléaire réduit, solution tout juste acceptable pour les Etats-Unis, serait un formidable coup de pouce pour la réélection du président. Selon Cheli, la décision de Reagan de se représenter aux prochaines élections amènera sans doute le président à remettre en cause les conseils des faucons.

Le fait que Reagan ait convoqué Nitze à son ranch de Santa Barbara laisse présager de nouvelles propositions quand les débats reprendront à Genève.

Mais, au moment où le palais apostolique reçoit le télex, un accident qui vient de survenir à une dizaine de kilomètres au-dessus de l'océan Pacifique va réduire tous ces espoirs à néant.

Radio Vatican

Le même jour, à l'aube

Les employés de Radio Vatican commencent à arriver et pointent. Clarissa McNair trouve que cette station de radio ressemble à une usine. Cependant, en cette matinée ensoleillée — la période des grosses chaleurs est finie et la ville est redevenue supportable — d'autres sujets la préoccupent [13].

Clarissa vient de faire un reportage sur la situation aux Philippines qui ne pouvait tomber plus à propos ni être mieux conçu pour provoquer une réponse de Marcos, connu pour sa paranoïa. Le reportage critiquait violemment la façon dont l'Eglise était traitée aux Philippines.

Clarissa a également réalisé une émission sur la guerre du Tchad. Son reportage est un plaidoyer pour que la France et les superpuissances restent en dehors de ce conflit.

Les deux émissions qui avaient été préalablement visionnées par la secrétairerie d'Etat et ses nombreux diplomates, Kabongo et Sepe inclus, n'ont, en fin de compte, suscité ni critique ni protestation de la part du gouvernement Marcos ou des factions tchadiennes.

Clarissa McNair en conclut que ces deux reportages ont été jugés objectifs.

Elle hésite à présent entre plusieurs sujets d'émissions.

Dans deux jours, les jésuites vont tenir un conclave pour élire leur nouveau supérieur général. Cela pourrait donner lieu à un reportage intéressant.

Un groupe d'évêques américains se trouve actuellement à Rome. En soi, il n'y a pas là matière à sensation. Cependant, peut-être serait-il instructif de discuter avec eux de la lettre pastorale. Ce document fait encore l'objet de controverses animées.

La gauche catholique, croyant avoir enregistré une grande victoire en substituant le fameux verbe « arrêter » au verbe « freiner », exulte littéralement. Mais certains prêtres américains ont surnommé la lettre pastorale le « bêtisier ».

D'autres encore prétendent que la lettre contient des principes, des mises en garde, des jugements et une argumentation qui constituent un petit chef-d'œuvre de rhétorique.

Clarissa sait qu'il serait certainement très intéressant d'en étudier le contenu avec les évêques en visite. Mais un simple coup d'œil à la liste de leurs noms suffit à l'en dissuader. La plupart d'entre eux sont verbeux, didactiques, incapables d'exprimer leur pensée avec concision. Elle abandonne cette idée.

Reste un troisième reportage possible : l'archevêque Luigi Poggi doit se rendre en Bulgarie dans quelques jours. Elle est certaine que son voyage est lié à la situation des catholiques les plus opprimés du bloc soviétique.

En montant au quatrième étage, elle réfléchit au meilleur moyen d'entrer en contact avec le nonce pour l'interviewer. Elle pénètre dans la salle des télex.

Clarissa avise une copie sur la machine A.P. et, médusée, lit : « Le Boeing coréen, New York-Séoul, aurait disparu en plein vol des écrans de contrôle japonais. »

« Je parie qu'il ne s'agit pas d'un accident, dit-elle à un collègue. Pas cette fois ! »

Travaillant à toute allure, elle commence son reportage sur le vol 007 et ses deux cent soixante-neuf passagers.

En une heure — à 8 h 20 à Rome — elle sera l'une des premières journalistes à donner au monde des détails sur le scandale qui va geler les relations Est-Ouest pendant les mois à venir.

21

Le Vatican

Mardi, à l'aube

Peu avant 5 heures du matin, le téléphone sonne dans la chambre de Cibin. Il décroche à la hâte, appréhendant quelque terrible nouvelle au sujet d'Emanuela. Cependant, son interlocuteur, un officier des quartiers généraux de la *Questura*, ne l'appelle pas à propos de la jeune fille. Il s'excuse de déranger Cibin à cette heure matinale, mais la chose en vaut la peine.

Cibin écoute l'officier de police et s'abstient de lui poser les questions qui lui viennent à l'esprit : pourquoi le Vatican n'a-t-il pas été informé plus tôt de cette histoire ? A-t-on considéré qu'il s'agissait d'une de ces affaires auxquelles le pape refuse d'être mêlé ? A quoi rime tout cela ? Cibin remercie l'homme, se lève et s'habille : il lui faut prévenir un certain nombre de gens.

Il appelle le vigile de garde au Vatican et lui rapporte les faits. Il lui demande d'alerter tous les postes de garde. Toute personne concernée par cette affaire doit pouvoir pénétrer au Vatican sans être inquiétée.

Puis il compose le numéro 3204, le poste du commandant des gardes suisses.

Ensuite, il appelle Stanislas Dziwisz et lui explique toute l'affaire.

Le secrétaire jette un coup d'œil par la fenêtre de sa chambre.

La place Saint-Pierre est encore trop sombre pour y apercevoir quoi que ce soit. Dziwisz prévient Kabongo. Tous deux s'accordent à penser que Jean Paul II ne va pas apprécier cette histoire.

L'ambassade de Bulgarie à Rome

Même jour, même heure

Le premier secrétaire, Vassil Dimitrov, continue de sermonner ses deux compagnons [1].

Ils sont plus âgés et appartiennent depuis plus longtemps que Dimitrov au parti communiste. Les juges Jordan Olmakov et Marcov Petkov sont membres de la Cour suprême de Bulgarie, la plus haute instance judiciaire du pays. Tous deux sont trapus, enveloppés de larges manteaux, la fédora enfoncée sur le front.

Vassil Dimitrov est habillé comme un turfiste : pantalon beige, veste bleu marine, stupéfiante cravate pourpre. Il porte d'épaisses chaussures de marche et des chaussettes jaune citron. Il fait davantage penser à un bookmaker qu'à un diplomate. L'ambassadeur de Bulgarie a été rappelé en consultation par son gouvernement au sujet de la filière bulgare.

Dimitrov s'adresse aux juges avec assurance. Seul un homme très sûr de lui peut se conduire ainsi et, en dépit de sa tenue quelque peu excentrique, les juges l'écoutent avec la plus grande attention.

A la suite de la visite de Martella à Sofia en juin dernier, les deux juges bulgares sont venus à Rome pour étudier les preuves justifiant l'incarcération de Serguei Antonov.

Chaque soir, après avoir passé le plus clair de leur temps dans le bureau de Martella, les juges se rendent à l'ambassade de Bulgarie pour faire leur rapport à Vassil Dimitrov. Ce dernier leur donne alors les dernières instructions en provenance de Sofia.

Ce matin, en sortant de l'ambassade, Vassil Dimitrov a conseillé aux juges une absolue discrétion sur leurs activités à Rome, s'ils voulaient éviter d'être un sujet de dérision pour les « chacals de la presse capitaliste » (qui vont certainement apprendre ce qui se trame). Avec un sourire qui découvre ses dents jaunies par le tabac, Vassil Dimitrov précise qu'il a déjà donné un certain nombre d'appels téléphoniques pour s'assurer de la présence des journalistes. Les juges le regardent avec respect.

« Mais pas de citations, insiste-t-il, pas un mot. La seule chose qui compte, c'est que la filière bulgare se soit éteinte d'elle-même. Serguei Antonov est pour ainsi dire libre[2]. »

Il a de nouvelles raisons de se montrer optimiste. Un mois plus tôt, le juge Martella a annoncé publiquement qu'Antonov avait été « calomnié » par Agca.

En effet, Agca accusait Antonov de l'avoir aidé à préparer une tentative d'assassinat contre Lech Walesa en 1981, lorsque le chef de Solidarité s'était rendu à Rome pour voir le pape.

Martella reconnaît aujourd'hui que cette accusation était fausse, comme l'a confirmé le jugement du tribunal.

Une autre action va être lancée pour tenter d'anéantir définitivement la crédibilité d'Agca.

Vassil Dimitrov, tout en raccompagnant les deux juges à la porte de l'ambassade, insiste : « Surtout pas un mot. Le juge Martella est sur la défensive. Qu'il le reste[3]. »

Assis à l'arrière de sa voiture blindée, escorté par des carabiniers, Martella surveille les rues désertes de Rome. Même ainsi, le convoi doit emprunter un chemin détourné, afin d'éviter les embuscades terroristes. Il descend en trombe la *viale* Giulio Cesare, une large avenue qui mène au Tibre, puis tourne à droite, traverse le pont Marguerite et le pont Cavour, avant de passer à vive allure devant le château Sant'Angelo.

Martella a fait de son mieux pour respecter ces deux impératifs : maximum de sécurité, minimum de publicité[4].

Cette idée n'est pas de lui, mais des juges bulgares. Ils ont beaucoup insisté pour qu'il accepte. Martella ne fonde pas grands espoirs sur les résultats de cette opération. Mais il tient à se montrer coopératif avec les Bulgares. Il ne veut pas que l'on puisse lui reprocher par la suite d'avoir fait preuve de mauvaise volonté dans cette enquête.

Au terme de dix mois de travail sur cette affaire, il lui reste encore à rédiger le dossier d'instruction définitif qui permettra de déterminer si Antonov et les suspects appréhendés doivent être jugés pour complicité dans le complot contre le pape[5].

Le problème — et le juge Martella le sait fort bien — reste

Agca. En dépit de l'aide des psychiatres et des soins dont il est l'objet, Agca demeure, sous bien des aspects, un personnage mystérieux. Même pour ce juge chevronné, il est très difficile de savoir jusqu'à quel point il peut croire son témoin vedette.

Mais il est certain qu'Agca dit la vérité lorsqu'il jure qu'il n'est, en aucune manière, impliqué dans l'enlèvement d'Emanuela[6].

Cependant, le pape, la jeune fille et le terroriste n'en demeurent pas moins inextricablement liés dans cette affaire.

Au cours des dernières semaines, Martella a été contraint d'interroger Agca sur les étranges développements de cette affaire.

Un mystérieux groupe terroriste turc avait soudain fait surface, demandant à Jean Paul II de faire la déclaration suivante : « Ali Agca est un être humain et doit être traité comme tel. »

Cette requête a mis le Vatican au supplice. La mort dans l'âme, le pape s'est contenté de dire qu'il « continuait de prier pour Agca ».

L'avocat choisi par la famille Orlandi déclara que ce groupe turc était « bidon ». Cependant, le chef de la brigade criminelle à Rome, Nicola Cavaliere, un officier de police qui respecte le juge Martella, pense au contraire que ces Turcs doivent être pris au sérieux.

Puis un message posté à New York arriva à Rome, annonçant qu'Emanuela allait être « liquidée ». Le texte était un tel charabia que même Agca ne put le déchiffrer. Par la suite, plusieurs autres messages provenant de Phoenix dans l'Arizona, remplis de propos incohérents sur Agca et Emanuela, leur parvinrent.

Le Vatican décida de faire pression sur le ministère italien de la Justice. Dans l'entourage de Casaroli, on se demanda s'il existe un lien entre l'enlèvement d'Emanuela et la piste bulgare.

Le juge Martella a remarqué que cette question surgissait au moment même où la C.I.A. accréditait à nouveau la thèse de la filière bulgare. Selon l'Agence, c'est à présent au juge de leur donner un coup de main.

Une fois encore, Martella se demande où tout cela va le conduire. De toute façon, rien ne peut plus le surprendre.

Tout au moins le croit-il : ses efforts pour garder secret ce que cache cette course folle à travers Rome vont être anéantis dans la matinée.

A plus de quatre-vingts kilomètres à l'heure, un fourgon blindé de la police fonce à travers Rome en direction du sud.

Neuf hommes sont à bord. L'un est assis à côté du chauffeur, deux autres portent des gilets pare-balles et des casques à visière. Ils ont posé leur mitraillette Uzi entre eux sur la banquette. Six de leurs compagnons, assis à l'arrière, sont équipés de la même façon. Ils ont à eux tous une puissance de feu suffisante pour tirer quatre mille coups à la minute.

Agca est le neuvième homme du fourgon.

Il porte un sweat-shirt à col roulé bleu ciel. La griffe du fabricant, Stefanel, est cousue sur sa poitrine. Les vêtements de sports Stefanel sont les plus populaires d'Italie. Il est vêtu d'un blue-jean et chaussé de tennis blanches.

Le barbier de la prison de Rebibbia a rasé Agca. Avec ses cheveux coupés très court, il ressemble à un jeune étudiant des années soixante. C'est un « look » sympathique dont il se déclare satisfait.

Le fourgon emprunte l'une des plus grandes artères de Rome, le *corso* Vittorio Emanuele. Des voitures de police, girophares allumés, sirènes hurlantes, prennent alors place devant et derrière lui.

De divers coins de la ville, d'autres voitures escortées par la police, foncent aussi vers la *via* della Conciliazione, le large boulevard qui conduit à la place Saint-Pierre.

L'appartement du pape

Le même jour, à l'aube

Pour Kabongo, la situation est frustrante[7]. De sa fenêtre, au dernier étage du palais apostolique, il entend tout mais ne peut encore rien voir. Les immeubles qui bordent la *via* della Conciliazione l'en empêchent. Cependant, à deux reprises, pendant la demi-heure qui vient de s'écouler, Cibin lui a décrit ce qu'il voyait. Ce dernier est descendu sur la place Saint-Pierre et observe la grande avenue. Il se rend à la maison des gardiens pour y faire son rapport et en profite pour téléphoner à Kabongo.

Dziwisz a déjà informé Jean Paul II de ce qui se passe. Le pape lui a sèchement demandé : pourquoi *maintenant ?*

Kabongo a trop de travail pour se permettre de regarder par la fenêtre.

Le pape, ses collaborateurs et la secrétairerie d'Etat, sont encore sous le choc de l'accident de cet avion de ligne coréen abattu par un avion de chasse soviétique. Jean Paul II a immédiatement demandé si Andropov était impliqué dans cette odieuse affaire. Dès que Poggi obtient de nouvelles informations, il les communique au pape.

Kabongo a rédigé avec ses collaborateurs la première déclaration de Jean Paul II sur l'incident.

Kabongo est satisfait de constater que le pape a conservé sa phrase : « L'affaire de l'avion de ligne abattu, plus que tout autre événement survenu cette année, met le monde dans une situation si dangereuse qu'elle pourrait déboucher sur un conflit nucléaire. » A la fin du discours, Jean Paul II invitera le monde entier à prier pour éviter une telle catastrophe.

Kabongo a également contribué à clarifier une déclaration de l'Académie des sciences du Vatican qui appelait, dans un langage d'une surprenante fermeté « à un désarmement total de tous les pays ».

D'après Kabongo[8], le Vatican ne croit pas une seconde à la thèse soviétique selon laquelle l'avion de ligne coréen était en mission d'espionnage ni que cet incident « fort regrettable » soit entièrement imputable à la C.I.A. Le chef de l'antenne de la C.I.A. à Rome, se conformant aux directives du directeur William J. Casey, avait assuré personnellement au pape que la C.I.A. n'était pour rien dans cette tragique affaire.

Jean Paul II a déclaré que l'équilibre politique du monde était dangereusement menacé. Il a parlé de la situation précaire due à l'avidité des gens à l'égard des biens de consommation, aux transgressions des lois morales et au danger latent d'un conflit nucléaire.

Ce discours a été l'un des plus durs jamais prononcés à l'encontre de l'Union soviétique.

Kabongo venait à peine d'en finir avec l'incident qu'il considérait comme un acte « atroce à tous égards[9] », qu'il se retrouvait confronté aux événements libanais.

Le cardinal Franz Koenig de Vienne avait téléphoné pour faire part de l'appel désespéré qu'il venait de recevoir de l'épiscopat libanais. Le cardinal a consacré sa vie à renforcer les liens de l'Eglise avec le Moyen-Orient et s'est trouvé mêlé aux événements tragiques du Liban. Il rapporte ceux-ci directement soit à Casaroli, soit à Jean Paul II lui-même. La position du cardinal Koenig lui permet de s'assurer de l'authenticité des informations que le Vatican reçoit de cette région du monde.

Les chefs de la communauté chrétienne libanaise ont demandé à Koenig d'inviter tous les catholiques à prier pour la sauvegarde des chrétiens de cette région.

Kabongo a transmis cette requête au pape. Jean Paul II a demandé un autre rapport sur le Liban afin de préparer une déclaration appropriée. Mais il a clairement fait comprendre à Koenig qu'il ne parlerait que s'il l'estimait utile. Selon Kabongo, « le pape est avant tout soucieux d'intervenir à bon escient, surtout lorsqu'il s'agit d'affaires aussi délicates [10] ».

L'appel de Koenig a coïncidé avec une série de rencontres, organisées par Kabongo, entre le pape et certains nonces. Sur la liste des audiences du jour, celles-ci sont intitulées « Echanges d'informations et de points de vue ». Il s'agit en réalité de longues discussions sur des affaires qui concernent le Saint-Siège en France, au Mexique, en Syrie, au Kenya et en Colombie.

Une fois ces entrevues préparées, Kabongo a dû faire face à l'événement sans doute le plus important du calendrier annuel de l'Eglise, le synode international des évêques.

Plus de deux cents prélats, les doyens de l'Eglise, se sont rassemblés à Rome pour discuter des conséquences directes du thème de la conférence : le rôle de la réconciliation et de la pénitence dans la mission de l'Eglise. Un titre assez vague qui permet d'aborder entre deux discussions doctrinales, la politique internationale.

Le synode en est à sa troisième semaine. Une partie du travail de Kabongo consiste à s'assurer que le pape approuve sans réserve les propos de ses évêques.

Regardant pensivement la place Saint-Pierre, le secrétaire se demande si les événements qui se déroulent *via* della Conciliazione ne différeront pas les rendez-vous matinaux des évêques étrangers au Vatican.

Via della Conciliazione

Le même jour, tôt le matin

L'aube s'est levée. Un vent froid souffle du Tibre, agitant les fanions rouges et blancs accrochés aux barrières, qui isolent l'avenue du reste de Rome. Des policiers en civil et en uniforme patrouillent. On en compte déjà au moins deux cents et d'autres continuent d'arriver.

Des *capi* leur ordonnent de dresser des barrages supplémentaires à chaque carrefour le long de la *via* della Conciliazione. Le juge Martella, furieux, fait remarquer à l'un d'eux qu'il est un peu tard pour installer les barrières.

Le magistrat dénombre au moins une quarantaine de représentants de la presse derrière les barrières. Il y a là les équipes de télévision des principales chaînes américaines et européennes, des journalistes de la radio et de la presse écrite. Déjà, ils cherchent à forcer les barrages en criant : « Presse ! »

Martella se tourne vers un officier : « Ce n'est pas possible ! Comment l'ont-ils su ? »

Un journaliste l'entend et lui lance : « On est en démocratie, monsieur le juge. Il n'y a plus rien de secret ni de sacré de nos jours ! »

Ce truisme n'est pas fait pour adoucir l'humeur de Martella. De même qu'il n'a pas compris comment la presse avait été prévenue de l'arrivée d'Agca à la *Questura* (le juge refuse d'accréditer la thèse selon laquelle l'antenne de la C.I.A. à Rome aurait glissé le tuyau aux médias), il ne comprend pas comment tous ces journalistes ont réussi à déjouer ses plans.

Il a envie d'annuler toute l'opération. Mais il craint que cela ne crée encore davantage de problèmes avec les Bulgares, le ministère de la Justice et les autorités romaines, qui de toute façon vont se plaindre des énormes problèmes de circulation que la fermeture de la *via* della Conciliazione va occasionner à cette heure d'affluence. Non. Il est décidé aujourd'hui à ne pas tenir compte de la présence de la presse.

Martella remonte frileusement le col de sa veste et se dirige d'un pas résolu vers la barrière principale qui bloque la grande avenue. Les journalistes continuent de passer.

Le juge entre à nouveau dans une colère noire. Se tournant vers l'officier le plus proche, il hurle : « Vous pourriez tout de même les arrêter, bon Dieu ! A quoi servent ces barrières si n'importe qui peut les franchir ? »

L'officier hausse les épaules. « Que voulez-vous qu'on fasse ? Ils ont tous une carte de presse. Imaginez le scandale si on nous filmait en train de les refouler ! » D'un geste, il montre le Vatican : « C'est l'année sainte, certains de ces journalistes prétendent qu'ils ont rendez-vous au Vatican. On risque de gros ennuis en empêchant la presse de faire son boulot. »

Martella explose : « Et moi, comment je fais le mien ? »

L'officier ne répond pas.

En haut du boulevard, Olmakov et Petkov, assis à l'arrière de la voiture de l'ambassade, feignent d'ignorer les équipes de télévision qui les entourent. Leurs projecteurs inondent la voiture d'une lumière froide et ses occupants sont filmés sous tous les angles.

Les *paparazzi* prennent toutes les personnalités en photo.

Un officier tente de les refouler : « *Via ! Via !* Place ! Place ! » Il hurle, mais personne ne l'écoute.

Martella lance à l'officier : « Calmez-vous. Ça ne sert plus à rien maintenant ! » Et il s'en va, écœuré.

Via della Conciliazione

Même jour, même heure

Un homme étonnamment beau, grand, blond, les yeux bleus, genre acteur de cinéma, atteint la barrière que les journalistes viennent de franchir.

Un policier nerveux le met en joue. Un officier hurle à la sentinelle trop zélée de baisser sa mitraillette.

Tout sourire, Giuseppe Consolo passe le barrage et félicite le policier pour la rapidité de ses réflexes. Puis, gratifiant l'officier d'un clin d'œil amical, Giuseppe Consolo remonte l'avenue.

De temps à autre, il sourit aux cameramen et s'arrête pour dire un mot aux journalistes.

Tous sont contents de le voir. L'avocat de Serguei Antonov est sympathique et il a toujours quelque bon mot en réserve.

L'avocat regarde autour de lui, l'air amusé. « Martella doit être au bord de la dépression nerveuse ! »

Les journalistes rient. Ça, c'est Giuseppe Consolo ! Toujours prêt à tourner la loi, mais toujours dans les limites de la légalité. Il a la réputation d'être le meilleur avocat de Rome mais aussi le plus cher. Ses honoraires pour la défense d'Antonov, à la charge du gouvernement bulgare, sont, paraît-il, exorbitants. D'après certains, il toucherait l'équivalent de cinq mille dollars par semaine. Giuseppe Consolo ne confirme ni ne dément ce chiffre. A présent, il désigne les policiers. « Il y a là de quoi faire sauter la planète ! plaisante-t-il. Tout ça pour donner de l'importance à mon client. C'est une guerre psychologique destinée à affaiblir la défense. »

Un journaliste lui demande ce qui va se passer. Giuseppe Consolo hausse les épaules et, d'un geste théâtral, montre le bas de l'avenue.

Les barrières ont été écartées pour laisser passer le fourgon blindé et son escorte.

L'avocat se dirige vers un autre groupe de journalistes et s'exclame : « Quel cirque ! »

Consolo s'approche de la voiture de l'ambassade et demande aux deux juges de le rejoindre. Il les met au courant et les deux hommes l'écoutent avec respect. Il leur demande de ne rien faire et de ne rien dire.

Le fourgon est garé à une trentaine de mètres des barrières de police. Martella fixe d'un air maussade la porte arrière du véhicule.

Il est accompagné d'un homme de petite taille portant des lunettes : Pietro d'Ovidio, l'avocat d'Agca, mesure un mètre cinquante et ses vêtements trop larges le rapetissent encore. Il a une bille ronde de clown.

Le visage d'Agca apparaît soudain à la lucarne arrière du véhicule et Pietro d'Ovidio lui adresse un sourire d'encouragement.

Un officier s'avance et frappe à la porte du fourgon. Les portes arrière s'ouvrent, livrant passage aux carabiniers qui forment un cordon serré autour du véhicule.

Agca sort à son tour.

Un journaliste de la radio commence à décrire la scène dans son micro.

« Agca a l'air d'un animal traqué, à la fois terrifié et ravi. Terrifié par tous ces policiers armés jusqu'aux dents, mais ravi de la présence des médias. Cependant, que peut-il bien éprouver là, à quelques mètres du pape ? De même, que ressent le pape, sachant que son assassin est aujourd'hui à sa porte ? »

Giuseppe Consolo s'avance vers Martella. Tous deux observent Pietro d'Ovidio qui s'entretient avec son client. L'avocat ponctue toutes ses phrases d'un « Comprenez-vous ? »

Agca hoche la tête.

Martella regarde sa montre. Il fait signe aux deux juges bulgares et à Giuseppe Consolo. Les quatre hommes rejoignent Agca et son avocat.

Le journaliste de la radio continue son reportage.

« Le juge Martella explique qu'il s'agit d'une reconstitution. Il désire qu'Agca répète tous les gestes qu'il a accomplis sur les lieux mêmes de l'attentat. C'est très spectaculaire, mais comment Agca pourrait-il se souvenir de tout cela deux ans plus tard ? Et pourquoi la reconstitution a-t-elle lieu si tardivement ? Mais, pour le moment, là n'est pas la question. Nous y reviendrons dans l'avenir. »

Martella prend Agca en aparté. Le juge lui communique les dernières instructions d'une voix calme et rassurante : « Ali, souvenez-vous bien... prenez votre temps. Ne faites pas attention à tous ces gens. Concentrez-vous sur cet après-midi-là. »

Agca hoche la tête.

Martella donne un ordre à un officier de police. Le fourgon remonte la *via* della Conciliazione. Le cordon compact de policiers autour d'Agca se desserre et reforme un cercle plus large au centre duquel se tiennent Agca, Martella, les deux avocats et les deux juges bulgares.

Agca regarde autour de lui. Pour le journaliste, c'est le moment de reprendre la description de la scène.

« Il semble hésiter sur la direction à prendre. C'est compréhensible, cela fait si longtemps. Ce doit être dur pour lui. Non : on dirait qu'il sait où il va. Il avance à présent, très sûr de lui. »

Agca marche d'un pas décidé. Martella et les autres restent derrière lui, soucieux de ne l'influencer en rien sur la direction à prendre. Le cordon de police et les journalistes règlent leurs pas sur celui d'Agca.

A présent le soleil brille, mais les équipes de la télévision utilisent leurs éclairages artificiels qui découpent des ombres chinoises sur les immeubles.

Agca s'arrête devant le café San Pietro. C'est là, comme il l'a mentionné dans sa déposition, qu'il a pris un café avec Antonov avant de commettre sa tentative d'assassinat.

Martella et les autres le rejoignent. Le cordon de police se resserre. Un officier crie aux journalistes : « Reculez ! Reculez ! » Mais ils refusent d'obtempérer.

Martella se retourne et fait signe à quelqu'un dans la foule.

Une grande femme aux cheveux courts et un homme s'avancent vers lui. Elle est interprète. L'homme qui l'accompagne est un assistant du juge.

« Demandez-lui ce qui s'est passé à cet endroit », dit Martella à l'interprète.

Elle se tourne vers Agca et lui répète la question en turc. Agca répond rapidement, d'une voix assurée.

Giuseppe Consolo se fige.

« Il dit qu'il a acheté un rouleau de pellicule ici », traduit la jeune femme.

Giuseppe Consolo se détend et adresse un grand sourire aux deux juges bulgares. Agca vient d'ajouter un nouvel élément à sa première version des faits.

Le journaliste de la radio commente la scène. « Martella paraît soucieux. Agca semble à présent se concentrer. Il poursuit son chemin. »

Chacun reprend sa position initiale et le groupe s'ébranle à nouveau. On dirait une étrange chorégraphie.

Devant la banque du Crédit italien, Agca s'arrête, indécis.

Giuseppe Consolo lance une plaisanterie aux journalistes : « Je vous parie que c'est là qu'il a planqué l'argent qu'il prétend avoir touché pour ce travail ! »

Agca lance un regard noir à l'avocat.

A son tour, Martella regarde Consolo d'un air furieux : il ne permettra à personne de faire échouer cette reconstitution.

Agca repart.

Juste après la banque, il y a un café. Il s'immobilise.

« C'est là qu'Agca prétend s'être arrêté une deuxième fois avant d'arriver place Saint-Pierre », explique Martella aux deux juges bulgares. L'interprète passe de l'italien au turc, du turc au bulgare et ainsi de suite... L'assistant du juge prend sans arrêt des notes.

La procession poursuit son chemin pour faire une nouvelle halte devant l'ambassade canadienne du Saint-Siège.

Selon Agca, Antonov et un autre Bulgare l'ont quitté ici-même et c'est également ici qu'il devait retrouver ses complices après l'assassinat.

Le journaliste de la radio reprend une nouvelle fois le fil de l'histoire : « Pourquoi ont-ils choisi cet endroit qui est à deux cents mètres de la place Saint-Pierre ? Ce jour-là, l'ambassade devait être noire de monde. Agca aurait eu les pires difficultés à y revenir. Il est possible que ce point obscur soit éclairci aujourd'hui. »

Les voitures bloquées dans les rues adjacentes klaxonnent sans interruption. Le vacarme est tel que même les micros directionnels des ingénieurs du son ont du mal à capter les discussions entre Agça et ceux qui l'entourent.

Martella et Consolo commencent visiblement à s'impatienter. Les juges bulgares continuent à opiner du chef. L'interprète aussi en a plus qu'assez.

« Vous avez traversé là ? » Martella est obligé de crier pour se faire entendre. « Est-ce bien là que vous avez traversé ? » répète-t-il.

Agca fronce les sourcils et hoche la tête.

Giuseppe secoue la tête d'un air dubitatif.

Martella fait demi-tour. Impossible de deviner ce qu'il pense. Il dit encore quelques mots à un officier avant de remonter dans sa voiture et de disparaître.

Agca est reconduit dans le fourgon qui s'éloigne à vive allure et sous bonne escorte.

Quelques instants plus tard, les barrages routiers sont levés et la *via* della Conciliazione se retrouve complètement embouteillée.

Il faudra deux bonnes heures avant que la circulation ne redevienne fluide.

Rome

Mercredi matin

Dans divers bâtiments, pour la plupart du XVIIIe siècle et magnifiquement restaurés par leur gouvernement, les ambassadeurs accrédités auprès du Saint-Siège commencent une nouvelle journée de travail qui consiste, en gros, à interpréter sans fin à l'intention de leur ministre des Affaires étrangères les subtilités diplomatiques glanées à l'intérieur et à l'extérieur du palais apostolique.

Dans son splendide hôtel particulier de la place d'Espagne, Son Excellence Don José Joaquin Puig de la Bellacasa y Urdampilleta, à l'allure aussi noble que son nom, rédige un rapport sur les réactions du Vatican aux démarches entreprises par le gouvernement socialiste espagnol afin d'empêcher une grave confrontation avec l'épiscopat espagnol et, peut-être même, avec Jean Paul II.

Après moult pressions de la part de la secrétairerie d'Etat et de l'ambassadeur espagnol (qui préfère bien entendu parler de « consultation avec ceux qui occupent les postes adéquats [11] »), le pape a finalement accepté de recevoir le Premier ministre, Felipe Gonzalez.

Au cours de leur entretien qui a duré trente minutes, les deux hommes ont fait preuve de beaucoup de réalisme.

Le pape a exprimé son inquiétude à propos des nouvelles lois libérales sur l'avortement. Il a également reproché à Gonzalez de vouloir exercer un contrôle plus important sur les écoles catholiques du pays. Gonzalez l'a poliment écouté, puis a proposé d'augmenter les subventions accordées aux écoles et aux institutions catholiques.

Dans les rapports quotidiens qu'il envoie à Madrid et qui sont fondés sur les visites que lui ou ses attachés effectuent presque chaque jour au Vatican, l'ambassadeur affirme que le Saint-Siège ne soutiendra pas l'épiscopat espagnol si celui-ci cherche à mobiliser l'armée et le monde des affaires — ces deux piliers de la société espagnole — contre le gouvernement.

A la chancellerie du Liban, *via* Emilio de Cavalieri, le

représentant diplomatique auprès du Saint-Siège, le premier secrétaire Chucri Abboud, prépare une compte rendu sur l'audience privée que Casaroli lui a accordée la veille. Pendant une heure, les deux hommes ont discuté de la meilleure façon dont le Saint-Siège pourrait intervenir au Liban. M. Abboud avait demandé à Casaroli si, à ce stade, Jean Paul II envisageait encore de se rendre dans cette région. Casaroli lui a répondu que la présence du pape ne mettrait pas fin au carnage. Selon le secrétaire d'Etat, seule une nouvelle initiative diplomatique permettrait au Saint-Siège de faire peser son autorité morale. Puis ils ont étudié un certain nombre de possibilités que M. Abboud essaie maintenant d'exposer clairement [12].

Dans les bureaux de la Mission polonaise, *via* Castiglione del Lago, le consul Jerzy Kuberski synthétise les informations fournies par ses contacts au Vatican, au sujet des réactions suscitées par l'attribution à Walesa du prix Nobel de la Paix.

Personnellement M. Kuberski est « surpris » que Lech Walesa ait obtenu cette récompense [13]. Mais il sait que son gouvernement se fiche complètement de son opinion à ce sujet. Ce que l'on attend de M. Kuberski, c'est qu'il éclaircisse un étrange rapport qui circule à Varsovie. Celui-ci laisse entendre que sur cette question la palais apostolique est divisé : jusqu'à quel point le Saint-Siège doit-il approuver cette récompense ? Jean Paul II, dit-on, souhaiterait inviter le leader de Solidarité à Rome. Il est persuadé que le gouvernement polonais ne pourra refuser à Walesa le droit de rentrer dans son pays. Cependant, M. Kuberski a appris que certains membres de la secrétairerie d'Etat n'étaient pas favorables à ce projet.

En dépit de tous ses efforts, Kuberski n'a pu trouver de preuve pour étayer cette histoire. Il se contente donc, pour le moment, d'écrire une lettre à son gouvernement, l'assurant que l'enthousiasme du pape à l'égard du syndicaliste est loin de faire l'unanimité. Il n'en veut pour preuve que la polémique dont le père Levi est l'objet. L'ancien rédacteur adjoint de l'*Osservatore Romano* a confié à ses amis : « Mes jours à Rome sont comptés [14]. »

M. Kuberski a appris (par deux prêtres polonais de ses amis), que le père Levi avait eu le choix entre démissionner ou être renvoyé. Il se rend compte maintenant qu'il aurait été préférable pour lui de choisir le renvoi ; en démissionnant, il a perdu tous droits à une indemnisation.

Ce sont ces incidents mineurs que le gouvernement polonais utilise pour tenter de semer la discorde au sein de l'Eglise catholique polonaise.

Il y a quelques jours, Son Excellence l'ambassadeur de Turquie, Sulhi Disliogl u, a effectué l'une de ses rares visites au Vatican. Il est rentré à sa chancellerie, place della Muse, avec la ferme conviction que Mgr Battista Giovanni, *assessore* à la secrétairerie d'Etat, avait apprécié son analyse des prochaines élections en Turquie.

L'ambassadeur a expliqué que la création d'un parlement constitué de quatre cents membres et doté d'une seule chambre mettrait un terme au règne des militaires qui ont pris le pouvoir en 1980 afin d'en finir, entre autres choses, avec l'anarchie qui a produit des hommes tels qu'Agca[15].

Via Giacomo Medici se trouve la splendide villa Spada qui abrite la résidence et le bureau de l'ambassadeur d'Irlande au Saint-Siège. Pendant trois ans, François Coffey a transmis à la papauté les points de vue de son gouvernement sur les affaires irlandaises. Plus que n'importe quel ambassadeur, Coffey estime que son pays entretient des relations privilégiées avec le Saint-Siège. L'Irlande catholique, tout au moins officiellement, demeure l'un des principaux fiefs de l'Eglise en Europe. Et, contrairement à d'autres diplomates étrangers, Coffey n'a aucune difficulté à convaincre John Magee, d'un naturel peu sociable, à venir dîner. Le maître des cérémonies reste l'un des personnages les plus puissants de ce pontificat. Il faut dire que les dîners de Coffey sont renommés au Vatican pour la finesse des mets servis et pour l'intérêt des convives, choisis pour leurs connaissances des problèmes de l'Eglise.

Mais ce n'est pas l'organisation d'une nouvelle réception qui préoccupe Coffey ce matin. Il doit communiquer à Dublin, en termes appropriés, le résultat de son dernier entretien officieux avec ses contacts au Vatican[16]. Ces derniers lui ont clairement laissé entendre que la Grande-Bretagne était impuissante à résoudre la situation en Irlande du Nord.

Pendant des semaines, on a pensé avec un certain optimisme qu'en unissant leurs efforts Londres et Dublin pourraient parvenir à une solution acceptable, maintenant que l'homme politique irlandais favori de Mme Thatcher, le Dr Garret Fitzgerald, a repris ses fonctions et survécu aux retombées politiques du référendum sur l'avortement qui a provoqué une véritable tempête dans les milieux politiques en Irlande.

Selon les sources de Coffey, le gouvernement de Mme Thatcher serait plus que jamais déterminé à garder le contrôle de l'Ulster. En outre, elle sait pouvoir compter sur le soutien du Dr Fitzgerald dans cette affaire.

Depuis 9 h 30, William Wilson est penché sur la dernière fournée des rapports du département d'Etat.

L'un d'eux traite de la décision que vient de prendre l'administration Reagan : en dépit de la tragique affaire de l'avion coréen, les relations commerciales entre les Etats-Unis et l'Union soviétique se poursuivront et la livraison des céréales américaines, vitale pour la Russie, s'effectuera comme prévu. Un nouvel accord commercial entre les deux pays a été signé en août. La décision du président Reagan d'honorer ses engagements malgré l'affaire du Boeing provoque la stupeur à l'étranger et lui vaut des commentaires acerbes de ses concitoyens.

Le département d'Etat a établi à l'intention des envoyés du président, tels que Wilson, une liste de questions que leur gouvernement d'accueil ne manquera pas de leur poser à ce sujet.

Cette lecture permettra à Wilson d'opposer des arguments solides à tout interlocuteur — fût-ce un homme aussi perspicace que Casaroli — plaidant en faveur d'un embargo sur les céréales.

Il est encore plongé dans ce document, lorsque son assistant, Don Planty, entre dans son bureau. Dans les cocktails diplomatiques, Don Planty est surnommé « M. Shotgun ». C'est un bon professionnel qui tente d'éviter à Wilson les pièges diplomatiques. Aujourd'hui, Wilson reconnaît bien volontiers que Don Planty « en connaît un bout sur la question [17] ».

« Ils nous attendent à la secrétairerie d'Etat », annonce Planty d'une voix neutre.

Cette convocation soudaine étonne Wilson. Peut-être désire-t-on lui communiquer certaines nouvelles ayant trait à un sujet qui, en ce moment, lui tient particulièrement à cœur : la possibilité que les Etats-Unis établissent des relations diplomatiques continues avec le Saint-Siège, ce qui aurait pour effet, entre autres, d'élever Wilson au rang d'ambassadeur.

Cette éventualité fait déjà l'objet de sérieuses discussions depuis des mois à Rome et à Washington. Wilson a tout lieu de penser que le Saint-Siège approuvera sa nomination. Cependant, cette décision ne peut être prise que par les Etats-Unis [18].

En parcourant les quelques mètres qui séparent son bureau du Vatican, Wilson discute avec Don Planty des conséquences d'une telle décision si elle survenait avant que l'envoyé ne parte se reposer, comme chaque hiver, sous le soleil californien.

Un ecclésiastique les accueille à la secrétairerie d'Etat et les conduit chez Casaroli.

Sans préambule, le secrétaire d'Etat aborde le sujet qui les intéresse. Il tend à William Wilson une lettre que le pape souhaite remettre de toute urgence au président Reagan.

L'enveloppe est ouverte.

Casaroli invite Wilson à en prendre connaissance immédiatement.

Jean Paul II a décidé d'intervenir personnellement dans le débat sur la réduction des armes nucléaires et demande instamment à Reagan de ne pas interrompre les négociations avec la Russie.

Wilson replie la lettre et la glisse dans son enveloppe.

Casaroli a une dernière information à lui transmettre. Un peu plus tard dans la matinée, la même lettre sera remise à l'ambassadeur soviétique afin qu'il la fasse parvenir à Moscou.

En envoyant ces lettres aux leaders américain et soviétique, le pape les met en garde contre « une guerre nucléaire plus proche qu'ils ne le soupçonnent ».

22

Réactions de Rome

Le juge Martella désire nous voir [1].

Nous prenons un taxi pour nous rendre à la *piazalle* Clodio. Il a un bureau au tribunal. L'immeuble ressemble à une H.L.M. : on pourrait se croire dans un pays de l'Est. Leurs villes regorgent de ces tribunaux lugubres.

Pour le moment, Agca et Antonov y occupent chacun une cellule dans le quartier de haute sécurité.

« Voici un an que vous avez pris cette affaire en main, lui rappelons-nous en nous asseyant en face de lui. Où en êtes-vous ? Pensez-vous avoir atteint la date limite que vous vous étiez fixée et pouvoir remettre le dossier de l'instruction dans les deux mois à venir ? »

Il sourit et hausse les épaules : « Ça avance. »

A force de nous entretenir avec les prêtres du Vatican, nous sommes passés maîtres dans l'art d'interpréter leurs propos. Il faut faire de même avec Martella. Ce n'est pas seulement ce qu'il dit, mais la façon dont il le dit et ses gestes qui ont de l'importance.

Ce matin, Martella n'a plus rien du personnage irascible qui pestait l'autre jour contre les médias, *via* della Conciliazione. Il est très aimable au contraire et nous répète combien il est content de nous voir. Il ajoute qu'il se réjouit d'étudier la copie du dossier des services de sécurité autrichiens que nous nous étions procurée en décembre 1981 à Vienne. Après y avoir jeté un coup d'œil, il nous confie avec une pointe d'amertume que les Autrichiens se sont abstenus de le lui montrer et se demande s'ils en possèdent d'autres.

La majeure partie de ce dossier traite des activités de Horst Grillmeir, le trafiquant d'armes qui a fourni le pistolet dont Agca s'est servi pour tirer sur le pape.

Avant d'étudier le dossier, le juge nous demande de lui faire part de ce que nous savons sur Frank Terpil.

Nous lui parlons des quelques points obscurs qu'a révélés notre enquête : les liens de Terpil avec la C.I.A. avant, peut-être pendant et après la tentative d'assassinat. Que penser, dans ces conditions, des déclarations de l'agence qui prétend tout ignorer de Frank Terpil ? Quelle crédibilité peut-on accorder à John et Mary McCarthy ? Que vaut leur déposition sur Terpil ? Et à quel moment Gary Korkola, agent de la C.I.A. ayant travaillé avec Terpil au Moyen-Orient, intervient-il dans cette affaire ?

Martella nous écoute avec attention. Il reconnaît que toutes ces questions sont troublantes et qu'elles ne recevront peut-être jamais de réponse.

Il espère trouver dans ce dossier autrichien la preuve de la présence, non seulement de Grillmeir, mais aussi de Frank Terpil et d'Agca en Syrie en 1978-1979.

Est-il possible qu'ils se soient rencontrés ? Et se sont-ils *effectivement* rencontrés ? Cela est fort possible, mais le juge et nous-mêmes aimerions en avoir la certitude.

Il a hâte de prendre connaissance du dossier afin de trouver une réponse à la seconde question. Ces documents sont en langue allemande, autant dire incompréhensibles pour lui. Mais il cherche des noms qu'il pourrait identifier.

Beaucoup de gens sont cités : des Turcs, membres des cellules des Loups gris en Autriche, l'organisation terroriste à laquelle appartenait Agca ; des officiers de renseignement autrichiens dont les rapports constituent la majeure partie de ce dossier ; des officiers d'Interpol ; des agents du B.N.D. et du B.K.A. Et Horst Grillmeir. Son nom apparaît tout au long du dossier. Martella note les lieux et les dates. De temps en temps, il hoche la tête. Il est manifestement très intéressé.

Nous examinons son bureau. Les dossiers sur la tentative d'assassinat s'empilent sur deux bureaux. Celui d'Agca fait au moins vingt-cinq centimètres d'épaisseur et se divise en années. Il est posé sur le bureau du juge, à côté du téléphone.

Martella nous demande s'il peut photocopier notre dossier. Nous acceptons.

« Mon problème est de trouver qui a vraiment fourni l'arme à Agca », nous confiera-t-il. Au terme d'un an d'enquête, cet aveu est surprenant !

Sa franchise est déroutante ; il semble sorti tout droit d'un roman d'Agatha Christie.

Le juge espère que ce dossier lui fournira au moins une piste : par exemple, le nom de quelqu'un dont il aurait tout ignoré jusqu'alors. Il veut reconstituer les voyages de Grillmeir en Syrie, depuis l'époque où il servait dans la force d'interposition des Nations unies sur le Golan. Peut-être a-t-il connu Terpil et Agca à ce moment-là.

Nous lui demandons s'il lui serait utile d'obtenir par les Autrichiens des informations sur Grillmeir.

« Utile ? » Il savoure le mot, hoche la tête et sourit. « Oui, très utile.

— Et la C.I.A., est-elle prête à vous donner un coup de main ? »

Il nous regarde en silence.

Qu'avait dit Rudi un jour ? « Pauvre Martella, il n'a pas de chance avec l'Agence. »

Nous examinons toutes les ramifications de la piste bulgare. Martella ira aussi loin qu'il le peut dans le cadre de la légalité.

Il a une curieuse manière de parler par saccades. Les mots se bousculent, puis soudain il s'arrête net pour s'assurer que ses paroles ont été bien comprises. C'est la technique des avocats : laisser aux gens le temps d'assimiler leurs propos.

Il nous explique qu'une fois son dossier d'instruction bouclé, un autre magistrat se chargera d'en vérifier soigneusement le contenu. Cette procédure risque de prendre des mois. Ensuite, il sera certainement soumis au ministre des Affaires étrangères, puis au ministre de la Justice.

« C'est une longue démarche administrative », soupire-t-il.

D'autant que cette affaire n'est pas facilitée par son arrière-plan politique. Martella sait que, s'il parvient à prouver l'existence de la filière bulgare, il impliquera du même coup Iouri Andropov. Il n'a pas d'alternative. Et *cela* pourrait avoir des répercussions auxquelles même Martella préfère ne pas penser.

« Je suis un juge d'instruction, plaide-t-il, pas un homme politique. »

Il revient à Frank Terpil. Notre dossier contient un grand nombre d'informations sur Terpil et sur ses associés. Martella se penche sur la déposition de John et de Mary McCarthy sur Gary Korkola.

Nous racontons toute l'affaire au juge. Il secoue la tête. « Incroyable ! la police irlandaise m'a caché tout cela... »

Le magistrat nous demande si nous savons à quel moment Frank Terpil s'est rendu au Liban ainsi qu'en Syrie et où il aurait pu rencontrer Agca.

Nous lui conseillons de se reporter aux déclarations enregistrées de John MacCarthy et à nos notes détaillées sur la déposition de sa sœur : selon eux, Terpil aurait dit à Mary qu'il avait entraîné Agca en 1980.

Martella insiste : « Quand exactement ? Je dois savoir *quand.* Les dates sont extrêmement importantes. »

Mais l'examen des preuves fournies par les McCarthy ne les révèle pas. Il a du mal à cacher sa déception. « C'est toujours la même chose. Je n'arrive jamais à obtenir de dates précises. Seul Agca se souvient des dates. »

Le téléphone sonne et Martella prend l'air accablé. Sa secrétaire entre précipitamment pour lui annoncer qu'un colonel des services secrets militaires est en ligne.

Le juge soupire et décroche. Il écoute longuement, marmonne quelque chose entre ses dents avant de raccrocher brusquement.

L'un de ses assistants entre dans la pièce. Il a une trentaine d'années et arbore une grosse moustache à la gauloise.

Martella lui désigne les dossiers que nous avons apportés. Le jeune homme les feuillette. « Un homme singulier, ce Terpil », dit-il pensivement.

Nous poursuivons notre discussion et retraçons pour Martella nos enquêtes en Europe. Il écoute et de temps à autre, hoche la tête.

Il regarde soudain sa montre. « Désolé, nous dit-il, mais j'ai un rendez-vous. Pouvez-vous revenir mardi prochain ? »

Nous fixons une heure. Martella semble très content. « Terpil, murmure-t-il, faisant écho à son assistant, c'est vraiment un singulier personnage... »

Le mardi suivant, nous arrivons au rendez-vous un peu en avance, mais Martella nous attend. Il semble très excité et nous explique qu'il a eu le temps d'étudier à fond le dossier autrichien. Il se demande encore pourquoi on ne le lui a pas communiqué plus tôt.

Il commence par passer soigneusement en revue les sujets que nous avions abordés le samedi précédent : Korkola et ses relations avec Terpil ; Mary McCarthy et ses relations avec Agca et Terpil ; qu'avait exactement prétendu Mary McCarthy ? Jusqu'à quel point son frère avait-il confirmé ses propos ? Dans quelle mesure peut-on se fier à eux ? Pouvons-nous certifier que Terpil et Korkola étaient encore en rapport avec la C.I.A. après la tentative d'assassinat ?

Non, nous ne sommes sûrs de rien.

Mary McCarthy avait-elle un lien avec la C.I.A. ?

Nous l'ignorons.

Et selon nous, quel est le rôle de la C.I.A. dans cette affaire ?

Nous lui donnons le maximum d'informations, mais bien entendu sans citer Rudi.

Il nous sourit d'un air entendu.

Martella nous prévient qu'à partir de maintenant notre conversation doit rester secrète. Nous acquiesçons. Toutefois, après deux heures passées en sa compagnie, nous sommes certains d'une chose : la filière bulgare n'a pas besoin de la C.I.A. pour ressusciter. Martella, au cours de tous ces mois, ne l'a jamais perdue de vue. De même qu'un an auparavant il avait étonné le monde en affirmant qu'elle existait bel et bien, il se prépare à lancer une nouvelle bombe qui, espère-t-il, va exploser rapidement.

23

La secrétairerie d'Etat

Jeudi matin

Depuis un mois, la secrétairerie baigne dans une atmosphère de drame. « Nous prions, dit Kabongo. C'est finalement la seule chose que peuvent faire les prêtres [1]. »

Il fait allusion à l'arrivée des premiers missiles de l'O.T.A.N. en Europe, à Greenham Common en Angleterre. Au dernier bain de sang au Liban où l'O.L.P. semble sur le point d'être anéantie et où Yasser Arafat lutte pour sa propre vie. Au nouveau gouvernement argentin récemment élu et qui prétend bénéficier d'une technologie lui permettant de produire de l'uranium enrichi pour fabriquer des bombes nucléaires. A l'invasion de la Grenade par les Etats-Unis. A l'effroyable famine qui ravage l'Afrique. A la tension accrue au Nicaragua entre le gouvernement marxiste et l'Eglise. Au dernier tremblement de terre qui vient de tuer plus de mille enfants en Turquie. A la mésentente croissante entre l'Eglise américaine et le Vatican.

Cela et bon nombre de situations tout aussi préoccupantes inquiètent et démoralisent le secrétaire du pape et les diplomates du palais apostolique. Tous sont pourtant habitués aux vicissitudes du monde mais ce mois-ci a vraiment été terrible.

Pour Kabongo, « la menace de guerre n'a jamais été aussi

présente qu'actuellement, ni plus urgent le besoin d'œuvrer pour la paix[2]. »

Le synode épiscopal a clos ses délibérations en déplorant « l'agressivité, la violence et le terrorisme, l'accumulation des armes conventionnelles et nucléaires et le commerce scandaleux de toutes les armes de guerre[3] ».

A la clôture du synode, Jean Paul II s'est déclaré lui-même « très préoccupé » par la situation internationale[4], et il a envoyé des messages alarmistes aux leaders américain et soviétique.

Leurs réponses sont tout sauf optimistes et le pape n'a pas caché sa déception à son entourage.

Pour la première fois depuis des mois, c'est ce qui se passe à Genève et non à Varsovie qui obsède le pape. Chaque matin, il lit attentivement le dernier rapport de l'archevêque Eduardo Rovida, le nonce apostolique du Saint-Siège aux Nations unies, à Genève.

Mgr Rovida annonce que les entretiens entre Russes et Américains sont devenus sporadiques et se déroulent dans une atmosphère « rigide et irréelle ». Ils affectent tous un grand calme, explique le nonce, mais un simple coup d'œil au journal télévisé et aux titres de la presse écrite suffit à nous convaincre du contraire[5].

Ces rapports inquiétants ont incité le cardinal Basil Hume, primat d'Angleterre et d'Ecosse, à parler des « problèmes complexes et menaçants » qui, plus que jamais, ont été mis en relief au cours de cette conférence[6] ».

Hume soulignait que son opinion concernant le débat nucléaire était strictement personnelle et ne devait en aucun cas être interprétée comme une réponse aux récentes déclarations de Mgr Bruce Kent, lors du congrès du parti communiste britannique.

Le leader de la campagne pour le désarmement nucléaire avait une fois de plus réussi à faire la une des journaux et causé une douloureuse surprise au Vatican. Casaroli aurait d'ailleurs ouvertement critiqué Kent devant ses collaborateurs, l'accusant de « naïveté politique ». D'autres, à la secrétairerie, prétendent que Kent n'est pas seulement léger, mais dangereux et doit être traité avec sévérité.

Il ne s'agit pas seulement de sa présence au congrès du parti communiste. Kent continue de susciter une polémique sans précédent au sein de l'actuel épiscopat britannique. Il a déclaré que les soldats manipulant des armes nucléaires pourraient être jugés comme « criminels de guerre », et a attaqué sans ménagement la politique du gouvernement conservateur.

A la secrétairerie, on se demande si Kent aime avant tout créer des incidents comme le laisseraient supposer ses propos provocants, ou s'il est vraiment décidé, quelles qu'en soient les conséquences, à obliger Hume, et finalement le pape, à jouer cartes sur table.

Au cours de l'été, Kent a publiquement remis en cause le jugement de Jean Paul II. Il semblait presque réclamer le départ du pape. Par la suite, il prétendit regretter de n'avoir pas fait allusion à son courage qu'il admire beaucoup.

Depuis lors, Kent n'a cessé d'embarrasser l'Eglise par ses propos sur la politique nucléaire et surtout par sa présence au congrès communiste.

Personne ne met en doute la sincérité de ses opinions, mais beaucoup, à la secrétairerie, estiment qu'il défend avec un zèle excessif la thèse du désarmement unilatéral.

Mgr Hume, qui n'est pas prêt d'oublier les critiques qu'avait suscitées dans la presse son intervention lors de la précédente dispute entre le nonce, Mgr Bruno Heime et Mgr Kent, est soucieux de clarifier les opinions qu'il émet depuis des mois sur le problème nucléaire.

Il veut, insiste-t-il, dépasser la contradiction entre « l'impératif moral qui interdit l'usage d'armes inhumaines et la politique de dissuasion nucléaire qui en impose l'utilisation en cas d'attaque ».

Ces propos, Hume le sait, sont tenus par une grande partie de l'Eglise catholique. La dissuasion nucléaire ne peut être moralement acceptable que dans des conditions très strictes et ne saurait constituer plus qu'un expédient dans l'attente d'un désarmement progressif.

Compte tenu de la situation internationale, le cardinal considère la dissuasion comme un moindre mal, mais certainement pas comme une fin en soi.

Il reconnaît que les mouvements pacifistes jouent un rôle important, « ils nous obligent à nous pencher sur ces questions angoissantes auxquelles il est de notre devoir de répondre. Ils nous mettent en garde contre les dangers de l'escalade et de la prolifération des armes nucléaires. Ils nous forcent à nous demander si les nouvelles armes sont vraiment destinées à dissuader ou à couvrir une politique agressive. Malheureusement, poursuit-il, les mouvements pacifistes ne font pression que sur les gouvernements occidentaux, et pour cause. Dans les régimes communistes, toute critique de la politique officielle est rarement tolérée. On n'a pas à l'Est et à l'Ouest, la même perception des menaces qui pèsent sur la paix ».

Nous devons être fermement résolus à sortir de cette situation effrayante le plus vite possible, conclut-il.

Accepter la politique de dissuasion nucléaire, « malgré les risques qu'elle comporte », pose de graves problèmes. Pour sa part, Hume en voit au moins quatre : tout gouvernement qui ne tentera pas de réduire son armement nucléaire doit s'attendre à de violentes critiques de la part de ses concitoyens. Il faut, par ailleurs, établir une différence entre la dissuasion nucléaire et son utilisation contre des objectifs civils. Quant aux militaires, ils doivent être considérés comme les défenseurs de la sécurité et de la paix mais « eux aussi sont confrontés à de graves problèmes moraux ». La dissuasion doit toujours être envisagée comme un moyen d'éviter la guerre, non de la déclencher.

Le cardinal conteste l'intérêt d'accumuler les armes nucléaires. Il y voit des dépenses excessives qui pourraient être diminuées. Selon lui, « le secret d'Etat en matière de sécurité tend à compliquer encore davantage une situation déjà complexe, mais cela ne nous autorise pas pour autant à défier la loi. Nous devons prendre en considération le processus démocratique et les institutions d'une société libre ».

Basil Hume a conclu son intervention dans une atmosphère aussi sombre que celle qui règne aujourd'hui au palais apostolique.

« La situation est grave. Ceux qui détiennent le pouvoir doivent avoir la volonté de trouver enfin un moyen de sauvegarder la paix autre que celui qui consiste à amonceler des armes nucléaires. L'avenir de l'humanité en dépend. »

L'équipe du bureau des Affaires du Moyen-Orient se préoccupe du sort de Yasser Arafat[7]. Le chef de l'O.L.P. se trouve actuellement dans le port libanais de Tripoli, assiégé par l'armée syrienne et par les membres de son organisation qui l'ont abandonné.

Pendant ces trois dernières semaines, les diplomates de la papauté, responsables des affaires du Moyen-Orient, ont tenté, au cours d'ultimes négociations, d'obtenir qu'Israël et la Syrie permettent l'évacuation en toute sécurité d'Arafat et de ses hommes [8].

Travaillant soit avec ses nonces, soit avec des intermédiaires, le Saint-Siège a fait part de sa position à la quasi-totalité des gouvernements arabes, exception faite de la Libye [9]. Le colonel Khadafi a clairement laissé entendre qu'il souhaitait tout comme la Syrie expulser Arafat du Moyen-Orient où il a joué un rôle décisif depuis des années.

Jour après jour, les efforts conjugués du Saint-Siège, de la France et des Etats-Unis se sont poursuivis alors que le périmètre de défense d'Arafat à Tripoli se réduisait comme une peau de chagrin, qu'il perdait ses camps de réfugiés l'un après l'autre et voyait ses forces diminuer jusqu'à être, finalement, acculées dans une partie du port.

Puis l'obstination de la diplomatie vaticane commença à porter ses fruits.

Luigi Poggi utilisa ses contacts au sein du bloc soviétique pour inciter les Russes à faire pression sur le président Assad. Moscou promit d'en débattre avec son « protégé » au Moyen-Orient [10].

Pendant ce temps, Casaroli avait suggéré à Pedroni de discuter du sort d'Arafat avec Assad. Pour les Syriens, exterminer Arafat revenait à en faire un martyr, ce dont, précisément, ils ne voulaient à aucun prix. De sa tombe, Arafat pourrait encore inspirer un successeur, prêt à reformer l'O.P.L. qui crierait alors vengeance contre la Syrie. Tandis que permettre à Arafat de s'enfuir, avec quelques partisans, prouverait qu'Assad jouit dans la région d'un pouvoir et d'une confiance absolus.

Assad en convint et accepta que son ministre des Affaires étrangères rencontrât à Damas son homologue d'Arabie Saoudite afin d'étudier ensemble la situation. Le ministre des Affaires étrangères d'Arabie Saoudite est considéré par le bureau des Affaires du Moyen-Orient comme l'homme politique le plus modéré des pays arabes. Le bureau a eu des contacts officieux avec lui au sujet d'Arafat.

Pendant ce temps, d'autres envoyés du pape continuaient d'examiner dans le plus grand secret une autre initiative qui préoccupe le bureau des Affaires du Moyen-Orient.

L'archevêque William Carew, délégué apostolique à Jérusalem depuis 1974, avait envoyé un rapport selon lequel Israël était désireux d'échanger des milliers de prisonniers arabes contre six soldats israéliens capturés par l'O.L.P. et détenus à Tripoli.

Par l'intermédiaire de Carew, le Saint-Siège a incité les Etats arabes amis à faire pression sur la Syrie pour qu'elle obtienne la libération des prisonniers israéliens.

Le président Reagan a lui-même usé de son autorité pour influencer le nouveau Premier ministre israélien, M. Yitshak Shamir. Casaroli, contrairement à son habitude, a clairement défini sa position dans cette affaire en téléphonant à M. Shamir pour le féliciter de son élection. Par cet appel, il entendait faire comprendre au Premier ministre que le Saint-Siège souhaitait resserrer ses liens avec Israël.

Pio Laghi a appris à Washington — où Shamir avait rencontré Reagan — que le Premier ministre israélien avait été favorablement impressionné par le geste de Casaroli.

Laghi est resté en contact permanent avec le département d'Etat pendant la crise, ce qui lui a permis d'envoyer à Rome des informations sur la position américaine. En contrepartie, il a reçu les derniers rapports sur les activités du Saint-Siège.

A travers toute l'Europe occidentale, les nonces ont reçu des consignes identiques : ils doivent se tenir prêts à communiquer immédiatement tout rebondissement. En se fondant sur l'expérience passée, on pouvait imaginer que des antennes aussi sensibles que les nonciatures de Vienne et de Bonn seraient les premières informées de toute évolution positive.

Le bureau des Affaires du Moyen-Orient ne peut, hélas, rien faire d'autre qu'attendre le prochain rapport de Pedroni, de Damas. Il n'a que très peu d'informations sur les négociations en cours au ministère syrien des Affaires étrangères.

Puis le nonce Felici a téléphoné de Paris. Le gouvernement israélien a demandé à Air France d'envoyer un certain nombre de jets à l'aéroport Ben Gourion à Tel-Aviv.

Peu après, Carew a appris par Jérusalem que plus d'un millier de Palestiniens, pour la plupart détenus au camp de prisonniers d'Ansar, au sud du Liban, étaient en route pour l'aéroport Ben-Gourion.

Dans l'heure, ce bureau des Affaires du Moyen-Orient a eu confirmation par Pedroni de la transaction. Arafat acceptait que les six Israéliens embarquent à bord d'un navire français qui mouillait au large de Tripoli. De là, ils seraient transférés sur un bateau israélien. Une fois les six hommes en sécurité, Israël relâcherait quatre mille cinq cents Palestiniens et Libanais, capturés au Liban, qui partiraient ensuite pour Alger sur des avions d'Air France.

Le chef de l'O.L.P. a accédé à la demande de l'Arabie Saoudite et de la Syrie — vérifiée et approuvée par le bureau des Affaires du Moyen-Orient — et décrété un cessez-le-feu permanent à Tripoli, ainsi que l'évacuation de toutes les forces de l'O.L.P. du port en ruine[11].

Cependant, l'échange des prisonniers qui paraissait réglé il y a à peine une heure semble à nouveau compromis.

Pedroni, à Damas, et Carew, à Jérusalem, signalent que de nombreux indices attestent que la Syrie et Israël hésitent à laisser Yasser Arafat s'échapper.

Les diplomates du bureau des Affaires au Moyen-Orient discutent de la meilleure façon de faire face à ce rebondissement totalement imprévisible.

La réaction du Saint-Siège à la dernière crise du Moyen-Orient a été influencée en partie par son attitude à l'égard de l'invasion américaine à La Grenade. Cette opération tout à fait inattendue dans les Caraïbes a profondément choqué le pape et son entourage. Jean Paul II ne l'a appris que quelques heures après qu'elle eut commencé[12] et il n'a pas apprécié la tournure prise par les événements. En outre, ni la C.I.A. ni William Wilson n'ont jugé bon de l'en avertir, ce qui l'a beaucoup contrarié.

En conséquence, les discussions concernant Arafat entre le Saint-Siège et Washington se sont déroulées dans une atmosphère tendue.

Depuis lors, la C.I.A. et William Wilson (toujours flanqué de son éminence grise, Don Planty) ont pris soin de tenir le pape et la secrétairerie d'Etat au courant[13].

En fait, lorsque Jean Paul II et ses diplomates apprirent les raisons qui avaient incité Reagan à intervenir à La Grenade, ils approuvèrent la décision du président.

On regrette, au palais apostolique, que le *pronuncio* à Cuba qui rendait compte de la situation de La Grenade au début de l'année, ait été intoxiqué par le régime communiste de l'île, au point d'indiquer que, d'après lui, on disposait de peu d'éléments laissant supposer qu'elle pût constituer une menace militaire pour les Etats-Unis [14].

D'après les preuves que Wilson continue d'obtenir de Washington et les données, beaucoup plus inquiétantes, fournies par l'antenne de la C.I.A. à Rome, il semble que La Grenade soit devenue un autre « satellite » de l'Union soviétique.

En conséquence, les diplomates du Vatican travaillant avec Wilson, lui ont clairement fait comprendre qu'ils espéraient bien, à l'avenir, être informés de toute intention américaine d'entrer en guerre [15].

En dépit de cette requête, les prêtres du bureau des Affaires d'Amérique latine n'ont obtenu aucun renseignement de Washington sur une curieuse information qui leur a été communiquée par des sources habituellement sûres d'Amérique centrale. Il s'agit des intentions du président Reagan à l'égard du Nicaragua [16].

Les relations de l'Eglise avec le gouvernement marxiste de ce pays se sont encore refroidies. Le rêve de coexistence qui avait suivi la visite du pape en mars dernier s'est évanoui. Le régime sandiniste ne se soucie plus de dissimuler sa fureur lorsque des prêtres condamnent sa politique. Des rapports quotidiens de Managua, parvenant au bureau des Affaires d'Amérique latine, font état des menaces brutales dont sont quotidiennement l'objet de hauts dignitaires de l'épiscopat nicaraguayen.

Les intentions américaines se précisant, les menaces augmentent. En apparence, c'est logique. En réalité, les implications du projet américain dépassent largement tout ce que les précédentes administrations avaient entrepris jusqu'à présent dans la région.

Selon ce rapport, le président Reagan souhaiterait voir un « gouvernement provisoire » s'installer dans la ville de Nicaragua reprise aux sandinistes par environ douze mille *Contras*, l'aile droite de la guérilla financée par les Etats-Unis, équipée et entraînée selon les dernières techniques de la guerre subversive.

Les *Contras* auraient l'intention d'établir un gouvernement provisoire dans la ville reconquise. Celui-ci serait immédiatement reconnu par Washington et par les gouvernements d'Amérique latine soutenus par les Etats-Unis. Pour garantir sa survie, l'Amérique leur fournirait une aide militaire massive, renforcée, si nécessaire, par le débarquement des troupes américaines au Nicaragua.

Les diplomates du Vatican savent que ce plan aurait de graves répercussions, par exemple un affrontement entre superpuissances dans la région, si le régime communiste parvenait à s'assurer le soutien de la Russie [17]. Le Nicaragua pourrait basculer alors dans une guerre civile et l'Amérique centrale devenir le théâtre d'affrontements sanglants.

Pour toutes ces raisons, lorsque ces rumeurs leur parvinrent, même sous la forme d'un rapport, les experts du bureau des Affaires d'Amérique latine ne leur accordèrent pas grand crédit. Mais, après les événements de La Grenade, ils comprirent qu'il valait mieux les prendre au sérieux.

Pio Laghi a signalé que Washington était disposé à engager une action répressive contre les sandinistes. Ses collègues du bureau des Affaires d'Amérique latine se sont rendu compte que, si Laghi n'avait pu obtenir de confirmation ou de démenti quant à l'existence de ce plan, c'était sans doute parce qu'il était encore discuté dans le plus grand secret, comme ce fut le cas lors de l'invasion de La Grenade.

Les nonces au Salvador, au Guatemala, à Panama et au Honduras pensent que ce projet sera examiné à la session d'octobre du Condeca, le Conseil pour la défense de l'Amérique centrale. De même que les Etats de l'Est caraïbe ont « invité » les Etats-Unis à intervenir à La Grenade, le Condeca pourrait jouer le même rôle à l'égard du Nicaragua.

De fait, sur ordre du Pentagone, le général Paul Gorman, responsable du commandement américain pour la région du Sud, a assisté à la réunion du Condeca afin de discuter de l'élimination des sandinistes [18].

Le général a même, dit-on, donné un nom de code, Pégase, à cette opération. Rappelons que Gorman a mis au point l'invasion réussie de La Grenade.

Il aurait, dit-on, mené le débat pendant toute la réunion et il fut convenu, toujours d'après ce même rapport, que le Condeca soutiendrait militairement le « gouvernement provisoire » afin de venir à bout des forces sandinistes très supérieures en nombre [19].

Si l'on compte l'armée régulière et la milice, le régime se trouve à la tête de quelque cent mille hommes. Ce chiffre est l'un des rares points confirmés par la C.I.A. à Rome. L'agence, ainsi que

William Wilson, répugnent à aborder le sujet d'une intervention américaine au Nicaragua. Cela tend à confirmer le pressentiment du bureau des Affaires d'Amérique latine : quelque chose se prépare.

Les experts du bureau sont convaincus que toute action militaire au Nicaragua aurait de graves conséquences, mais ils n'en reconnaissent pas moins qu'une telle intervention pourrait réussir. Les forces du Condeca, soutenues par un détachement spécial des forces navales américaines, croisant depuis plusieurs mois au large des côtes du Nicaragua, pourraient anéantir les forces du gouvernement marxiste. En cas de difficultés, le président Reagan réglerait le problème en envoyant quatre mille marines pour renforcer le détachement spécial.

Les rapports des nonces de la région confirment que l'opération est imminente : la C.I.A. a fait en sorte de persuader les différentes factions antisandinistes à l'extérieur du Nicaragua, d'accepter la mise en place d'un gouvernement *Contras* constitué, entre autres, d'un homme d'affaires milliardaire, d'un ancien ambassadeur sandiniste à Washington, de l'ex-président de la Banque centrale du Nicaragua et de deux ministres du précédent régime sandiniste.

En fait, le gouvernement provisoire n'a que peu d'importance, le principal étant qu'il soit installé assez tôt pour mettre un terme aux querelles politiques, au moins à l'intérieur des Etats-Unis, avant les élections présidentielles.

Pour achever de compliquer la situation, le bureau des Affaires d'Amérique latine vient d'apprendre que les sandinistes avaient commencé à renvoyer chez eux (ils sont plus de mille) certains « conseillers » cubains et entrepris des démarches pour le moins inattendues afin de rétablir des relations amicales entre le régime et l'épiscopat local. Leur premier geste a été de diminuer la rigueur de la censure à l'égard de l'unique journal d'opposition soutenu par l'Eglise : *La Prensa*.

Ces rebondissements soulèvent de nouvelles questions auxquelles les prêtres diplomates vont devoir répondre. Cette évolution indique-t-elle un changement de la part d'un régime qui bafoue cyniquement les droits de l'homme ? Sans ses conseillers cubains, l'armée sandiniste est-elle en mesure de repousser l'envahisseur ? D'autre part, ces tentatives tardives de réconciliation avec l'épiscopat ne sont-elles pas un moyen pour le régime de gagner du temps, sachant que chaque mois qui passe diminue le risque que Reagan ose déclencher l'opération Pégase à l'approche des élections américaines ?

Les experts du bureau d'Amérique centrale, des hommes qui ont fait leurs preuves et qui sont dotés d'une grande perspicacité, ne savent aujourd'hui que penser. Une bonne part de leur incertitude est due au silence de Washington.

De ce silence, les prêtres ne sont pas autrement surpris, étant donné le refroidissement des relations entre le Vatican et l'Eglise catholique américaine.

Cette attitude de Washington n'affecte pas seulement la marge de manœuvre du bureau des Affaires d'Amérique latine mais inquiète tout le monde au palais apostolique.

L'appartement du pape

Le même jour, en fin de matinée

Le coursier du pape, Ercole Orlandi, accompagne trois évêques américains le long d'un couloir surveillé par les gardes suisses... Ils parviennent à la première des deux antichambres qui mènent à l'appartement[20]. Les prélats, dans le cadre de leur visite *ad limina*, viennent rendre compte au pape des événements survenus dans leur diocèse au cours de l'année et discuter avec lui des différends qui l'opposent à l'Eglise catholique des Etats-Unis.

Orlandi les précède et traverse de vastes salles au plafond voûté. Le coursier du pape est perdu dans ses pensées. Il réfléchit à ce que vient de lui dire Cibin[21]. Le pape a l'intention de rendre visite à Agca à la prison de Rebibbia. Par ce geste, Jean Paul II espère fléchir les ravisseurs et obtenir d'eux des informations sur le sort de la jeune fille.

En apprenant cela, Orlandi a fondu en larmes : si le pape se propose de faire ça, c'est qu'il pense que sa fille est morte. Au cours des dernières semaines, les recherches de la police n'ont rien donné. Le pape a cessé de supplier publiquement les ravisseurs mais plusieurs fois, en croisant Orlandi dans les couloirs du palais apostolique, Jean Paul II lui a dit qu'il continuait de prier pour son enfant[22].

Le pape a également dit à Orlandi que, si on retrouvait le corps d'Emanuela, ses obsèques seraient célébrées dans l'une des chapelles de la basilique et qu'on l'enterrerait au Vatican[23].

En dernier ressort, Jean Paul II est prêt à rencontrer l'homme qui a essayé de le tuer. Il a l'intention de se rendre seul dans sa cellule et de s'entretenir avec lui, en privé. Bien que le fanatisme d'Agca ait diminué, il n'en demeure pas moins un musulman convaincu. Cela n'empêche pas Jean Paul II de lui donner sa bénédiction.

Le coursier sait que le pape agit ainsi par affection pour lui et pour sa famille. Ercole Orlandi sent, une fois encore, les larmes lui monter aux yeux[24].

Il confie les évêques à Kabongo et se sauve[25].

Le secrétaire les introduit auprès du Saint-Père.

Le secrétariat du pape

Le même jour, un peu plus tard

Kabongo retourne à son bureau et se prépare aux prochaines audiences.

Le pape attend deux visites. Il doit recevoir le Premier ministre italien, Bettino Craxi, puis Melina Mercouri, actuellement ministre de la Culture et de la Science en Grèce.

Les rapports concernant ces deux audiences ont été remis à Jean Paul II depuis longtemps.

Cependant, alors que Kabongo attendait les évêques américains, deux nouvelles questions à poser respectivement à Craxi et à Melina Mercouri ont été communiquées au bureau des Affaires étrangères au Moyen-Orient.

Selon toute probabilité, la question qui concerne Craxi entraînera une réponse simple, sans doute « oui », ou « non ». Le gouvernement italien a-t-il l'intention de retirer sa force d'interposition du Liban lorsque l'O.L.P. aura évacué Tripoli ?

Ce même jour, le bureau des Affaires du Moyen-Orient a

appris que les Italiens se préparaient à se retirer. Les prêtres diplomates veulent très rapidement obtenir confirmation de ces informations car elles peuvent nuire à leur propre action pour sauver Arafat et ses hommes.

La question que le pape va poser à Melina Mercouri est liée à cette action. Mais, là, on n'attend pas de réponse immédiate. Au contraire, le bureau des Affaires du Moyen-Orient souhaite qu'une fois rentrée en Grèce, Melina Mercouri transmette cette requête à son gouvernement : la Grèce serait-elle prête à fournir des bateaux, naviguant sous pavillon des Nations unies, pour évacuer du Liban Arafat et ses hommes ?

Les diplomates du bureau des Affaires du Moyen-Orient ont tout lieu de croire que même les Israéliens n'oseront pas s'attaquer à des navires aussi protégés. Mais le nonce Felici à Paris préfère s'assurer tout d'abord que le gouvernement français est prêt à fournir une escorte de bateaux de guerre destinés à venir en aide aux navires grecs en cas d'agression israélienne.

Kabongo pense que Jean Paul II consacrera une grande partie de ces audiences à discuter de la situation avec Craxi et Melina Mercouri.

Plus qu'aucun autre, ce pontificat subit de constants bouleversements. C'est ainsi qu'au début de l'année le Saint-Père craignait que la Pologne ne devînt le prétexte d'une guerre entre les Etats-Unis et l'Union soviétique alors qu'aujourd'hui il attribue ce rôle au Liban.

Il a rappelé à son entourage que seule une Eglise forte et unie peut jouer un rôle décisif, non seulement au Moyen-Orient, mais également partout où les Etats-Unis et l'Union soviétique s'affrontent. « C'est pourquoi, ajoute-t-il, ce qui se passe actuellement au sein de l'Eglise américaine a une très grande importance pour moi.

« Or elle semble se démarquer de Rome chaque jour davantage. Des heurts éclatent constamment. L'Eglise américaine croit demeurer catholique et romaine, mais tend en réalité à devenir de plus en plus américaine[26]. »

Cette évolution indigne le pape. Si le Vatican n'est plus en mesure de contrôler la branche la plus importante du catholicisme (avec cinquante-deux millions de fidèles), après le Brésil (cent onze millions), le Mexique (soixante-sept millions), et l'Italie (cinquante-six millions), comment le Saint-Siège peut-il s'attendre à être pris au sérieux quand il oppose à l'éventualité d'un conflit nucléaire sa seule autorité morale ?

Ce matin, au cours de son audience avec les trois évêques américains (les derniers prélats américains qu'il doit rencontrer), Jean Paul II va tenter de comprendre, une fois encore, ce qui affecte l'enseignement catholique traditionnel aux Etats-Unis.

De même qu'il ne se lasse jamais d'entendre parler d'Agca et des derniers rebondissements de la piste bulgare, Jean Paul II est aujourd'hui également déterminé à comprendre les causes de cette incompréhensible évolution de l'Eglise américaine.

Mais comment, a-t-il demandé à ses collaborateurs (tout aussi effarés que lui-même), un évêque catholique américain peut-il expliquer autrement que par une désobéissance flagrante ce qui s'est passé à Chicago ?

Pas moins de mille deux cents femmes (laïques et religieuses), venant de trente-sept Etats, ont organisé avec succès un rassemblement à Chicago pour manifester contre les restrictions apportées au rôle de la femme dans l'Eglise. Elles sont à l'origine du « nouveau mouvement des femmes catholiques ». Les religieuses ont quitté Chicago avec, agrafé sur leur habit, le badge : « Je suis fatiguée du pape[27]. »

Ce fameux badge a été envoyé anonymement au secrétariat du pape. Inutile de préciser que cela n'a fait rire personne[28].

Mais c'est le récit d'un autre rassemblement qui a vraiment irrité le pape. Un tiers des évêques catholiques du pays ont apporté leur soutien à une association réclamant l'ordination pour les femmes, en participant à une réunion à Washington organisée en partie par ces activistes. Les évêques s'y rendirent en dépit de l'interdiction de Jean Paul II qui condamnait « toute action en faveur de la prêtrise des femmes ». Cependant, sur les quatre-vingt-dix-sept évêques réunis à Washington, beaucoup ne cachèrent pas leur sympathie pour les revendications des femmes[29].

Jean Paul II songea tout d'abord à les réprimander publiquement pour avoir désobéi ouvertement à ses ordres. Puis il décida de n'en rien faire. Cela risquait de creuser le fossé entre Rome et les Etats-Unis.

Mais il y a une chose dont personne ne réussit à le dissuader : chaque ordre religieux de plus de cinq cents membres aux Etats-Unis — y compris leurs trois cents séminaristes — devront se soumettre à une « enquête ». Les évêques en qui Jean Paul II a toute confiance ont reçu l'ordre d'inspecter plus de huit cents établissements religieux et de signaler à Rome toute dérogation à l'enseignement religieux orthodoxe[30].

Cependant, en interrogeant les trois évêques américains afin de connaître leurs opinions sur l'évolution de l'Eglise américaine, le pape va subir un nouveau choc.

Pendant la matinée, le père Bruno Fink a rapporté du Saint-Siège au secrétariat du pape la copie d'un rapport établissant qu'un prélat américain a dépassé la mesure.

Ce document a même réussi à ébranler le cardinal Ratzinger dont le sang-froid est pourtant proverbial.

Fink a remis le rapport à Stanislas Dziwisz qui le donnera à Jean Paul II dès la fin de l'audience avec Melina Mercouri.

Comme au Saint-Siège, la stupéfaction a envahi le secrétariat quand il a eu connaissance de son contenu.

Il s'agit de la façon dont le très révérend Raymond Hunthausen, archevêque de Seattle depuis 1975, s'occupe de ses deux cent quatre-vingt-sept mille ouailles[31].

Depuis le début de l'année — depuis ce jour de janvier où le secrétariat du pape et la congrégation pour la doctrine de la foi eurent vent de cette incroyable histoire qu'ils intitulèrent le ballon funèbre —, une vague de protestation s'est élevée contre les agissements du respectable Mgr Hunthausen. Ses détracteurs assuraient qu'il ne faisait rien moins que de récrire le droit canon afin de l'adapter à sa propre conception du catholicisme.

Jamais le palais apostolique n'a connu de prélat aussi controversé depuis le cardinal Cody de Chicago.

Comme avec Cody, Ratzinger et Jean Paul II se sont réunis à plusieurs reprises pour statuer sur le sort de Hunthausen. Tout d'abord, sa réputation d' « archevêque de la paix » grandit aux Etats-Unis. Il émaille ses sermons d'appels pour un désarmement unilatéral, s'opposant ainsi à la politique préconisée par le pape. Par ailleurs, Hunthausen a mis l'Eglise dans une position très délicate en refusant de payer la moitié de ses impôts pour protester contre la politique nucléaire de l'administration Reagan. Enfin, l'archevêque ne perd pas une occasion de dénoncer la base nucléaire sous-marine située près de son diocèse, qu'il appelle l' « Auschwitz de Puget Sound ».

Ces faits ne sont pas discutables. Cependant, le pape et

Ratzinger savent que rappeler Hunthausen pour des raisons d'ordre purement politique, créerait encore plus de problèmes. Pour 90 pour cent de ses prêtres, l'archevêque est un héros et le manifeste qu'ils viennent de signer le confirme. En outre, un nombre considérable de ses paroissiens lui sont dévoués.

Cependant, sa position à l'égard des questions religieuses préoccupe Jean Paul II et Mgr Ratzinger à un tel point que le pape a décidé de passer à l'action.

Il a signé un ordre autorisant l'archevêque James Hickey de Washington D.C. à rendre une « visite apostolique » à Seattle afin d'établir un rapport sur le « ballon funèbre » et recueillir les points de vue des disciplines de Mgr Hunthausen sur les rituels liturgiques revus et corrigés par l'archevêque.

Le rapport de Mgr Hickey sur l'épisode du « ballon funèbre » dépasse tout ce que l'on pouvait imaginer. Cette histoire avait pour cadre l'église Saint-Michel d'Olympia, l'une des paroisses de l'archidiocèse de Hunthausen. On célébrait les obsèques d'un homme de trente-sept ans laissant une veuve, deux jeunes enfants et des parents, fervents catholiques, qui pleuraient leur fils unique. En dépit de leur chagrin, ils éprouvèrent un véritable choc en pénétrant dans l'église.

Le père Paul Dalton, le prêtre chargé de dire la messe, était vêtu d'une chasuble à la dernière mode. Debout sur les marches de l'autel, il encourageait d'un ton joyeux les fidèles à se présenter. On se serait cru à un « cocktail à la chambre de commerce ».

Les pauvres parents n'étaient pas au bout de leurs surprises. Au cours d'une homélie pleine de verve, le père Dalton révéla que l'extrême-onction avait été administrée au malheureux non par un prêtre, mais par l'amant de la veuve.

Les parents se remettaient à peine de cette stupéfiante entorse à la tradition que le père Dalton invitait déjà toute l'assemblée — catholiques et non-catholiques — à recevoir la sainte communion.

Mais Dalton avait gardé le meilleur pour la fin : alors que la communion s'achevait, une danseuse apparut tout à coup et se mit à virevolter dans le chœur. Derrière elle, surgit une silhouette en costume de clown, tenant un bouquet de ballons gonflables.

Le clown commença à caracoler autour du cercueil en chantant à tue-tête : « Aujourd'hui mon frère et ma sœur dansent ensemble au ciel. »

La mère du défunt atterrée, reconnut la voix de sa propre fille qui attachait maintenant les ballons aux poignées du cercueil de son frère. Puis, sans cesser de chanter, elle esquissa quelques entrechats et sortit de l'église.

Les porteurs en manches de chemise prirent place autour du cercueil et le transportèrent dans le corbillard.

Les parents écrivirent au pape pour lui décrire ce dont ils avaient été les témoins horrifiés.

Le rapport de Hickey confirmait en tout point leur description. L'archevêque chargé de l'enquête passa une semaine à Seattle pour interroger les prêtres, les religieuses et les paroissiens.

Cependant, la plupart d'entre eux soutinrent Hunthausen avec ferveur. Ils le décrivirent comme l' « homme de Vatican II » et rappelèrent à Mgr Hickey que « la culture de Rome n'a rien à voir avec celle des Etats-Unis ». L'archidiocèse de Mgr Hunthausen était décrit comme « représentatif de la tension qui sévit entre la gauche et les conservateurs [32] ».

Ceux qui, dans le bureau du pape, ont pris connaissance du rapport de Mgr Hickey, sont convaincus que le fossé se creuse entre le Vatican et l'Eglise catholique des Etats-Unis.

La consternation s'accroît au palais apostolique en constatant qu'au terme d'une année de discussions ininterrompues avec l'Eglise américaine, l'un de ses membres les plus éminents ne lève pas le petit doigt pour arranger les choses.

Quelques jours plus tôt, l'archevêque Rembert Weakland, du Milwaukee, vint grossir les rangs des critiques. De nombreux catholiques américains considèrent que Rome les traite comme les membres d'une Eglise missionnaire du tiers monde. Mgr Weakland pense qu'en raison des origines polonaises du pape, ce dernier « ne comprend probablement pas bien le sens américain du dialogue et du pluralisme [33] ».

Bien que certains archevêques américains ne partagent pas cette vision des choses — notamment pas le cardinal Bernardin de Chicago ou l'archevêque Roach de Saint Paul —, ils reconnaissent tous la gravité de la situation : le nombre des religieuses ne cesse de baisser. Plus de soixante mille d'entre elles ont quitté les ordres au cours de ces sept dernières années et n'ont, jusqu'à présent, pas été remplacées. En outre, le nombre d'hommes ordonnés prêtres est insuffisant par rapport à celui croissant des catholiques dans le pays.

Cette semaine, le pape a fait publier un décret demandant aux religieuses et aux prêtres de l'Eglise américaine de souscrire, tout comme leurs homologues étrangers, au nouveau code de droit canon dont l'élaboration avait demandé vingt-quatre ans. Ils auront en conséquence à se plier à certaines règles : prêtres et religieuses devront, dans la mesure du possible, vivre dans un couvent ou dans une communauté religieuse. Les fonctions publiques leur seront interdites et les religieuses seront tenues de porter l'habit clérical.

Si le pape rencontre un nombre aussi important d'évêques américains, c'est qu'il souhaite leur faire clairement comprendre que, s'ils continuent à désobéir à ses ordres, il sera contraint de procéder à un « grand nettoyage[34] ».

Tout le monde, et plus particulièrement Kabongo, sait qu'il en est capable. Il considère l'influence de l'Eglise américaine comme « primordiale en ces temps troublés. Elle peut faire beaucoup dans de nombreux domaines[35] ».

Le secrétaire songe à la terrible famine qui sévit en Afrique.

Les vingt-deux pays du continent africain en souffrent actuellement[36]. De la Somalie à la Zambie, du Mozambique à la Mauritanie, la famine s'étend partout. La sécheresse, les maladies qui anéantissent les récoltes, l'épidémie qui ravage le bétail et le redoutable vent d'Harmattan, assez violent pour dessécher tout sur son passage, ont fait un grand nombre de victimes.

La plupart des cent cinquante millions d'Africains vivant dans ces zones sinistrées sont victimes de la faim et de la malnutrition[37]. Au Tchad et en Ethiopie la guerre civile aggrave encore les choses.

En fin de compte, la croissance démographique africaine excède largement ses ressources alimentaires. Ce continent détient la croissance démographique la plus élevée des pays du tiers monde.

Récemment, le Vatican a organisé une réunion à Rome entre les représentants de ces vingt-deux pays africains sous-développés, les trente-cinq pays qui leur viennent en aide et les organisations humanitaires internationales. Tout le monde est tombé d'accord sur la nécessité d'intervenir de toute urgence.

Mais, pour le moment, Kabongo constate qu'ils ne se sont pas encore décidés à le faire [38].

On a livré moins de 20 pour cent des trois millions de tonnes de céréales et autre nourriture de base. Certains pays, qui ont promis des vivres, prétendent ne pas pouvoir financer leur acheminement dans les zones sinistrées [39].

Le Vatican — par l'intermédiaire de la secrétairerie d'Etat, de nombreuses congrégations et des épiscopats africains — s'efforce activement de soulager la famine. Toutes les organisations d'aide catholique ont été mobilisées. De l'argent a été débloqué à la Banque du Vatican pour acheter des produits de première nécessité et permettre leur transport. Malgré tout, c'est loin d'être suffisant [40].

Kabongo, entre autres, reconnaît que l'énorme influence de l'Eglise américaine, bien dirigée par Rome, sera indispensable pour persuader l'administration Reagan de contribuer à empêcher la mort de dizaines de milliers d'Africains [41].

Cependant, si les membres influents de l'épiscopat américain continuent d'être à couteaux tirés avec le pape, il ne sera pas facile pour l'Eglise américaine de s'appuyer sur l'autorité de Rome dans ce domaine. C'est pourquoi Kabongo qui, rappelons-le, est zaïrois, souhaite à tout prix éviter une confrontation entre Rome et l'Eglise américaine [42].

La secrétairerie d'Etat

Vendredi, en fin d'après-midi

Luigi Poggi commence à écrire. Penché sur son bureau, un vieux stylo à plume (cadeau de Paul VI) à la main, le nonce qui, plus que tout autre envoyé du pape est à même de suivre le jeu des puissances au sein du Kremlin et du bloc soviétique, peut enfin mettre noir sur blanc la solution d'un incroyable mystère.

Au cours des trois dernières semaines, Poggi a mobilisé toutes les sources dont il dispose derrière le Rideau de fer pour trouver la réponse à une question qui préoccupe toutes les capitales occidentales. Youri Andropov est-il vraiment mort ?

Le nonce s'est rendu à Varsovie, à Budapest, à Prague et à Vienne. Là, il a pris contact avec ses informateurs pour tenter de découvrir ce qui se passe à Moscou.

Les rares faits dont Poggi soit certain se trouvent sur son bureau et remplissent à peine une feuille de papier. Par ailleurs, il a noté les résultats de ses propres investigations. Ces informations vont lui permettre d'établir un rapport aussi précis que possible.

En gros, on est sûr de deux choses : Andropov n'est pas apparu en public depuis de nombreux mois et ne se trouvait pas dans la tribune officielle sur la place Rouge lors du défilé organisé en l'honneur du soixante-sixième anniversaire de la Révolution russe.

Ces maigres données ont engendré quantité de rumeurs [43]. Le rapport hebdomadaire préparé par l'antenne de la C.I.A. à Rome, destiné au pape, rendait compte ces derniers mois des bruits qui couraient : Andropov est mort, Andropov se meurt d'un cancer, Andropov souffre d'une maladie rénale incurable, Andropov est devenu fou, Andropov a été blessé par le fils de Brejnev et se trouve actuellement dans un état critique, Andropov s'est volontairement retiré pour préparer une attaque surprise de l'Occident.

Aucune de ces histoires, ajoutait la C.I.A., n'a pu être vérifiée.

Mais elles ont beaucoup inquiété Jean Paul II. Il a demandé à Poggi de se renseigner sur le sort véritable d'Andropov.

Compte tenu de l'échec des discussions à Genève sur le contrôle des armements et de la tension qui règne entre les deux superpuissances, il est capital pour le pape de savoir si le leader soviétique est vivant ou mort.

Jean Paul II, depuis quelques semaines (et son attitude en témoigne), a remis en question son opinion à l'égard de l'administration Reagan. Il préférerait bien entendu croire William Wilson lorsque celui-ci affirme : « Il n'existe pas de désaccords fondamentaux entre le Saint-Siège et Washington sur les questions essentielles [44]. » Ces spéculations sur la santé d'Andropov et sur sa disparition de la scène politique internationale préoccupent beaucoup le pape car elles risqueraient d'engendrer une situation dont le président Reagan pourrait bien tirer profit.

Au Moyen-Orient, les nonces craignent de plus en plus que les

Etats-Unis ne se livrent à des représailles contre la Syrie (la C.I.A. a pu établir qu'elle avait joué un rôle dans le massacre des marines à Beyrouth), et ce crime continue de choquer l'opinion publique américaine.

Les envoyés du pape en Amérique centrale se demandent si les Etats-Unis ne vont pas déclencher une offensive contre le Nicaragua, en dépit des rumeurs laissant supposer une tentative de conciliation entre Washington et le gouvernement nicaraguayen.

La disparition de Youri Andropov inquiète donc doublement le pape : d'une part, les Etats-Unis pourraient en profiter pour engager d'autres actions militaires au Moyen-Orient ou en Amérique centrale ; d'autre part, comment le Politburo réagirait-il à une nouvelle offensive militaire des Etats-Unis si Andropov, pour une raison quelconque, n'avait plus le contrôle du pays ?

Poggi a la certitude de pouvoir avancer un certain nombre d'hypothèses sans être contredit. Se fondant sur les informations qu'il a recueillies, il est convaincu qu'Andropov est encore en vie, a la mainmise sur toutes les affaires russes et continue de diriger le Politburo par l'intermédiaire de certains de ses membres.

Mais, même s'il est vivant, Andropov est très certainement gravement malade et confiné dans une clinique des environs de Moscou.

Dans son rapport pour le pape, Poggi reconnaît que la nature de la maladie d'Andropov fait l'objet de nombreuses spéculations et reste sujette à caution. Selon le nonce, on parle surtout de néphrite, une grave maladie rénale. L'état d'Andropov est si critique qu'il ne pourra sans doute pas assister à la réunion annuelle du Soviet suprême à Moscou, dans trois semaines. Quoi qu'il en soit, il est prématuré de donner trop d'importance aux rapports, émanant le plus souvent de la C.I.A., qui prétendent qu'on recherche déjà activement un successeur à Andropov.

Luigi Poggi est convaincu d'une chose : tant qu'Andropov ne sera pas déclaré « cliniquement mort », il restera à son poste.

De l'avis du nonce, Youri Andropov est « le leader soviétique le plus dangereux depuis Staline[45] ».

Radio Vatican

Mercredi matin

Longeant le couloir du second étage de la Radio où se trouvent les bureaux de la direction, Clarissa McNair se demande comment persuader le père Quercetti, le vice-directeur des programmes et son supérieur immédiat, de lui dire tout ce qu'il sait sur les étranges retombées d'une de ses récentes émissions[46].

Pour la première fois Radio Vatican s'est excusée auprès de ses auditeurs de langue anglaise à travers le monde[47]. Il n'est pas impossible que Mad Mentor ait frappé, comme il l'en avait un jour menacé, pour se venger d'elle. Il y a aussi l'éventuelle implication de Casaroli et de Cibin dans ce qu'on appelle maintenant l'affaire de la bande trafiquée. Pour Clarissa McNair, tout a commencé il y a trois semaines, lorsque Thomas Siemer a sollicité un temps d'antenne pour faire valoir ses opinions antinucléaires.

Thomas Siemer apportait aussi un lot de coupures de presse confirmant qu'il avait travaillé vingt-trois ans pour Rockwell International à Columbus dans l'Ohio. Thomas Siemer, ingénieur informaticien, avait contribué à développer dans cette société un important arsenal d'armes, — y compris des missiles nucléaires — destiné à l'industrie de la défense américaine.

Les journaux parlaient des sentiments de culpabilité qu'avaient suscité en lui ce travail. La responsabilité d'avoir fabriqué des « armes de mort » l'avait conduit à l'alcoolisme. Il souffrait à présent d'une cirrhose du foie et d'une maladie de cœur. Il avait soudainement quitté son emploi (quatre-vingt mille dollars par an chez Rockwell), vidé son compte en banque, vendu ses trois maisons et les dizaines d'hectares qui les entouraient et utilisé tout cet argent et son énergie pour créer un « centre de paix » rattaché à l'Eglise catholique de la Sainte-Famille à Columbus.

Thomas Siemer était entré en contact avec le comité du cardinal Bernardin, puis avait participé à l'élaboration de la lettre pastorale américaine. L'un des évêques suggéra que Thomas Siemer se rendît à Rome afin de faire connaître ses opinions au Vatican.

Siemer est un homme passionné. Ce catholique de quarante-deux ans, barbu aux yeux bleus, est père de sept enfants et vit avec sa femme de façon modeste à Columbus. Il suivit son conseil.

Clarissa McNair écouta Thomas Siemer développer ses idées. Bien qu'il fût persuasif et éloquent, elle hésitait à lui accorder un temps d'antenne.

Au cours des semaines précédentes, elle avait diffusé une série de reportages très controversés. Elle décida de plaider la cause de Siemer auprès du directeur des programmes, le père Ricardo Sanchis, un Espagnol ne parlant pas anglais.

Le père Sanchis estima que les points de vue de Thomas Siemer étaient suffisamment importants pour lui consacrer trois émissions consécutives. Clarissa McNair interviewa donc Thomas Siemer. Il attaqua la politique nucléaire de l'administration Reagan, décrivit à l'aide de graphiques l'effet des missiles de croisière atteignant leurs objectifs et présenta l'habituel scénario apocalyptique de tous les partisans du désarmement nucléaire[48].

Clarissa le provoquait fréquemment, bien décidée à faire clairement comprendre à ses auditeurs « que son rôle consistait à poser des questions, mais qu'elle ne partageait nullement ses opinions[49] ».

Le père Sanchis demeura dans la cabine de contrôle pendant la durée de l'interview et se déclara satisfait de « son objectivité ». Clarissa McNair s'en amusa, certaine que le père Sanchis, en fait, n'avait rien compris à son interview.

Elle passa deux jours à monter la bande des trois émissions et les confia à Sanchis qui les rangea dans un placard à porte coulissante. C'est là que toutes les bandes sont entreposées avant leur passage à l'antenne et il n'est fermé que la nuit.

La transmission de la première partie à travers tous les pays anglophones du monde provoqua la fureur des diplomates américains en poste à Rome[50].

Quand William Wilson, rentré des Etats-Unis, appris que Radio Vatican avait diffusé une fois de plus une émission anti-américaine, il entra dans une violente colère.

La seconde interview de Thomas Siemer passa sur les ondes deux jours plus tard[51]. Au bout de quelques minutes, McNair s'aperçut avec stupeur que les réponses de Thomas Siemer n'avaient plus le moindre rapport avec les questions qu'elle lui posait.

Elle ne fut pas longue à comprendre ce qui avait dû se passer :

« La bande diffusée n'était pas celle que j'avais préparée. Les propos de Siemer ne reflétaient plus ni sa pensée ni la mienne. Je fus horrifiée d'apprendre que toute une partie avait été coupée. Personne n'avait le droit de toucher à cette bande[52]. »

Furieuse, elle alla trouver Quercetti. Il lui conseilla d'écrire une lettre de protestation. Quand elle revint pour la lui remettre, elle découvrit qu'il s'était absenté et ne serait pas de retour avant plusieurs jours.

Folle de rage, elle sollicita et obtint une entrevue avec le père Pasquale Borgameo, directeur des programmes de la Radio, responsable de leur diffusion auprès de Casaroli. Borgameo se montra conciliant, et lui assura qu'il devait exister une « explication simple à tout cela ».

Mais, quand la secrétaire de Thomas Siemer vint exiger des excuses publiques, Borgameo en écrivit aussitôt le texte qui fut communiqué juste avant la troisième émission de Thomas Siemer[53]. Il s'agissait d'une « simple erreur technique » qui avait malencontreusement déformé les opinions de Thomas Siemer.

Dès lors la question semblait réglée.

En fait, selon l'expression de Clarissa McNair, « en coulisse, les crabes s'agitaient dans le panier[54] ».

En dépit de son attitude apparemment nonchalante, Borgameo était bouleversé par toute cette affaire. Casaroli en fut informé. Le secrétaire d'Etat demanda à Cibin de mener une enquête.

En quarante-huit heures, celui-ci put établir que la bande avait été vraisemblablement falsifiée la veille de l'émission[55]. Après avoir interrogé les techniciens et le personnel de la radio, le chef de la sécurité eut la conviction qu'ils n'étaient pas en cause.

Cependant, les excuses présentées par Radio Vatican attirèrent l'attention de nombreux journalistes à Rome qui commencèrent à s'intéresser à l'histoire.

Pour Al Troner du *Daily Express* de Londres, l'affaire était claire : « C'est la C.I.A. qui a joué un sale tour à Clarissa McNair et à Thomas Siemer[56]. »

Al Troner a prétendu avoir appris par le D.I.G.O.S. que la bande avait été subtilisée par une taupe de la C.I.A. travaillant à la radio, puis rapportée ensuite en douce aux studios[57].

Le *Daily Express* publia un article intitulé « La chasse à la taupe au sein de Radio Vatican » dans lequel il soulignait l'inquiétude que provoquait cet incident parmi les journalistes de la station[58].

La sécurité, au sens propre du terme, n'existe pratiquement pas à Radio Vatican. N'importe qui peut avoir accès aux bandes. Un voleur s'emparant d'une bande pour la falsifier peut être assuré que son forfait ne sera pas découvert avant l'émission. Contrairement à la plupart des radios, Radio Vatican ne procède à aucune vérification des bandes avant leur diffusion[59].

Cibin ne fut pas le seul à être abasourdi par la façon dont Radio Vatican fonctionnait. D'autres journalistes ont suivi les traces d'Al Troner. Eux aussi ont compris à quel point il avait été facile pour le coupable de dérober cette bande et de la falsifier.

Le *Corriere della Sera* passe pour être un journal sérieux et Andrea Purgatori, qui enquêtait sur cette affaire, est considéré comme l'un des meilleurs journalistes d'Europe.

Après avoir enregistré ses conversations téléphoniques avec le père Borgameo et le père Quercetti (qui avait soudain réapparu à la radio et recommandé à Clarissa McNair de ne rien dire à la presse), Andrea Purgatori en conclut que « chaque prêtre était désireux d'étouffer l'affaire, ce qui, de la part de Radio Vatican, ne le surprenait nullement. Mes questions les ont terrorisés, le père Quercetti a failli en tomber de sa chaise[60] ».

Par ses questions, Andrea Purgatori entendait dénoncer le laxisme de la station en matière de sécurité.

A la suite de l'intervention du journaliste, Borgameo téléphona à Clarissa et tenta de la persuader de reconnaître « pour le bien de la station », qu'il s'agissait d'une « erreur technique » dont elle était seule responsable[61].

Clarissa McNair refusa sèchement de porter le chapeau. Depuis elle subit de constantes pressions pour l'obliger à revenir sur sa décision. Des journalistes continuent de la contacter. Bien qu'elle se refuse à toute déclaration, elle a appris ce qu'ils avaient découvert.

Tous se rangent à l'avis d'Al Troner : « Il s'agit vraisemblablement d'un travail de professionnel des renseignements[62]. » Le journaliste pense que « l'Agence ne songeait qu'à discréditer Thomas Siemer depuis qu'il avait quitté Rockwell. Radio Vatican n'offrait-il pas un terrain exceptionnel pour cela ? En outre, ils ont fait d'une pierre deux coups car cette affaire a porté un tort considérable à Clarissa[63] ».

Ce matin, en pénétrant dans le bureau du père Quercetti, elle ne peut s'empêcher de penser « qu'il y a certainement du Mad Mentor là-dessous[64] ».

Al Troner lui a certifié que la C.I.A. était responsable de la falsification de la bande. Mais la journaliste de Radio Vatican sait que personne — et encore moins elle — ne pourra jamais le prouver, surtout si Mad Mentor est dans le coup. Il s'est vanté un jour auprès d'elle, de pouvoir se sortir de n'importe quelle situation.

Quercetti l'observe avec insistance. Elle sait qu'elle a l'air inquiet mais ne veut pas lui en donner la raison.

Elle répond à ses questions, bien qu'on les lui ait déjà posées une centaine de fois.

Elle en est venue à considérer toute cette affaire comme « un jeu bête et méchant, mais un jeu quand même. C'est en tout cas la meilleure façon de voir les choses[65] ».

Elle ne peut cependant s'empêcher d'avoir peur de l' « intérêt » que lui porte la C.I.A.

24

Réactions de Rome

Nous savons exactement quand ces appels téléphoniques anonymes ont commencé. C'était neuf jours après notre visite au juge Martella.

Le premier interlocuteur — une femme à l'accent américain — nous dit : « Vous n'auriez pas dû donner ce dossier à Martella[1]. »

Puis les appels prirent un tour plus menaçant. Toujours cette mystérieuse interlocutrice. Au cours des trois dernières semaines, cinq voix différentes nous appelèrent nous et nos familles, en Angleterre et en Irlande[2].

Tout d'abord une voix de femme à l'accent anglais. Puis un homme à l'accent irlandais. Ensuite une troisième voix italienne ou espagnole suivie d'une quatrième, australienne ou sud-africaine. Et enfin une cinquième voix prétendant téléphoner de Vienne, nous annonça : « Je suis Kadem, un ami d'Agca[3]. »

Dans *Les Couloirs du Vatican*, nous avons raconté comment Sedat Sin Kadem, un camarade de classe d'Agca à Yesiltepe en Turquie, était devenu un terroriste entraîné en Syrie. C'est lui qui avait emmené Agca là-bas pour la première fois, le 10 mars 1977.

Les deux hommes étaient devenus amants. Leurs relations homosexuelles se prolongèrent jusqu'en février 1980, date à laquelle Agca se rendit pour la première fois à Sofia en Bulgarie. A son retour, Kadem avait disparu.

Nous n'avons aucun moyen de vérifier si la personne que nous avons eue au téléphone est vraiment Kadem. Mais l'avertissement de cet homme était clair : « Nous n'aimons pas ce que vous trafiquez. Faites attention. »

Les menaces sont assez rares dans notre profession. Nous les considérons d'habitude comme de simples tentatives d'intimidation visant à nous empêcher d'écrire ce que bon nous semble.

En l'occurrence, ces appels nous semblèrent de nature différente. Tout d'abord, ces gens paraissaient très au courant de nos activités : nos déplacements, une rencontre fortuite dans la rue avec un membre de Radio Vatican, jusqu'à la teneur de nos conversations téléphoniques.

Quelques mois auparavant, nous avions quitté l'auberge Santa Chiara et vivions à ce moment-là chacun à un bout de la ville. Nous passions donc beaucoup de temps au téléphone.

Des journalistes chevronnés tels qu'Andrew Nagorski de *Newsweek* et John Miller d'Associated Press, nous ont dit que les téléphones romains étaient souvent sur table d'écoute. Aucun de nos deux numéros de téléphone n'était enregistré à nos noms. Cependant, nos correspondants ont immédiatement su où nous trouver.

Et Kadem (rappelons qu'il était censé appeler de Vienne), semblait parfaitement au courant de la conversation que nous venions d'avoir, une heure plus tôt, avec Judith Harris, du bureau de N.B.C. à Rome.

Nous avons demandé conseil. Mgr Kabongo pensa qu'un service de sécurité pouvait être intéressé par notre travail. Sir Mark Heath, l'ambassadeur britannique au Saint-Siège, nous recommanda de ne pas prendre ces appels à la légère. Le juge Martella nous proposa d'alerter le D.I.G.O.S. Nous déclinâmes son offre. L'idée de travailler avec les agents du D.I.G.O.S. sur le dos ne nous souriait guère.

Tous ceux à qui nous en avons parlé admettent qu'utiliser un tel nombre de gens suppose des moyens et de l'argent.

L'homme à l'accent italien ou espagnol se montra plus loquace : « Je suis un ami de Frank Terpil et de Gary Korkola. Ils n'apprécient pas du tout que vous parliez d'eux et des McCarthy à Martella. Si j'étais vous, je me méfierais [4]. »

D'autres expriment des requêtes plus précises. Ils nous demandent de récupérer la documentation que nous avons confiée au juge. Même si nous le voulions, nous ne le pourrions plus. Le dossier des services de renseignements autrichiens ainsi que toute la documentation se rapportant à Frank Terpil et Gary Korkola (communiquée de leur plein gré par les McCarthy en Irlande), font maintenant partie intégrale du dossier d'instruction.

Certains n'y allaient pas de main morte : « Un accident de voiture est vite arrivé », lançaient-ils avant de raccrocher.

Cependant, il nous est très difficile de trouver le lien entre ces divers appels.

Si l'on en croit l'un de ces individus, nous n'allons pas tarder à « dérouiller ». Mais pourquoi avoir l'amabilité de nous prévenir ? Peut-être s'agit-il d'un de ces « épouvantails », chers aux services de renseignements ? Mais il est également possible que nous soyons persécutés par un ou plusieurs groupes totalement différents. En fait, l'idée qu'il puisse exister un club des « Amis de Frank Terpil » nous semble difficile à croire. Mais après tout, rien n'est impossible.

Nous avons appris par l'un de nos interlocuteurs que deux hommes des renseignements autrichiens que nous connaissons personnellement, se trouvaient actuellement à Rome « pour récupérer toute la documentation que vous avez confiée si inconsidérément à Martella[5] ».

La nouvelle de l'arrivée de ces deux Autrichiens à Rome nous incita à jeter un coup d'œil aux notes prises lors de nos rencontres avec eux à Vienne en décembre 1981. Et là, nous avons trouvé au moins un indice qui nous permettra peut-être de découvrir ce qui se cache derrière ces appels...

Selon l'officier de renseignements autrichiens qui nous avait aidés à obtenir ce dossier, des rivalités existaient au sein des services secrets de son pays. C'est la raison pour laquelle il nous avait fourni ce dossier. En outre, il avait insisté à plusieurs reprises sur les étranges lacunes que comportait le début de l'enquête menée par les services de sécurité autrichiens sur l'attentat contre le pape. Soutenus par le B.N.D. de l'Allemagne de l'Ouest, ses collègues ont tout fait pour « couvrir » Horst Grillmeir. Ce dernier aurait fourni l'arme dont Agca s'est servi pour tirer sur le pape.

Maintenant que Martella possède notre copie du dossier, il sera très difficile aux services de sécurité autrichiens de prétendre que l'original s'est « perdu » dans le labyrinthe de leurs quartiers généraux, dans le Schottenring à Vienne.

La question que nous nous posons à présent est la suivante : en supposant que les services de sécurité autrichiens sachent que nous disposions d'une copie de ce dossier (le fait est mentionné dans notre précédent ouvrage *Dans les Couloirs du Vatican*), craignent-ils que nous détenions d'autres documents encore plus confidentiels et que nous nous apprêtions à les publier ?

Bien entendu, nous ne possédons rien de tel. Mais certains de ces appels téléphoniques destinés à nous intimider commencent à avoir un sens si les services de sécurité autrichiens nous soupçonnent de posséder des dossiers de cette importance.

De toute façon, ce n'est qu'une hypothèse. Mais un nombre suffisant d'éléments se recoupent pour qu'elle tienne debout.

De fait, ces appels ne nous inquiétaient plus outre mesure. Nous assurions régulièrement à nos divers correspondants que nous ne possédions aucune information secrète qui pût les intéresser.

Puis, un jour, les appels ont cessé aussi mystérieusement qu'ils avaient commencé.

C'est alors que Giuseppe Consolo, l'avocat de Serguei Antonov, nous téléphona.

Avec une belle assurance, il nous apprit qu'Antonov serait relâché de la prison de Rebibbia à Noël. Cette fois il a allumé la mèche du paquet de dynamite de Martella.

Nous lui demandâmes comment il pouvait en être si sûr. « Un marché qui n'a rien à voir avec l'innocence ou la culpabilité de mon client, a été conclu. Antonov est innocent, bien sûr, mais ce fait n'intervient pas dans le marché en question[6]. »

Selon la version de Consolo, deux Italiens et quelques « tours de passe-passe » sur la scène internationale ont suffi à obtenir ce résultat. Les deux hommes en question, inculpés d'espionnage, sont incarcérés depuis plusieurs mois en Bulgarie. Le gouvernement bulgare s'engage à les relâcher en échange de la libération d'Antonov. Or, Antonov relaxé, la filière bulgare cesse du même coup d'exister, ce qui arrangerait bien les affaires des services secrets bulgares et du K.G.B. Ainsi s'achèverait une année d'enquête sur l'éventuelle responsabilité de Youri Andropov dans la tentative d'assassinat du pape.

Giuseppe Consolo prétend — avec l'aplomb propre aux avocats — que plus rien n'empêchera dorénavant Reagan et Youri Andropov de se rencontrer.

Il nous précise même la date de la levée d'écrou d'Antonov,

mercredi 21 décembre. Officiellement, Antonov restera en « résidence surveillée » mais, insiste l'avocat, ce sera malgré tout un « homme libre[7] ».

Si elle est vraie, la nouvelle est stupéfiante. Notre premier geste est de la vérifier en téléphonant au bureau du juge Martella. Nous ne sommes pas au bout de nos surprises : le juge est en train de mettre la dernière main au dossier d'instruction et espère le remettre à ses supérieurs dans quelques jours.

Il y a un mois à peine, il nous avait confié que ce dossier ne serait pas prêt avant l'année prochaine.

Que s'était-il passé pour que Martella pût produire si rapidement un document de près de vingt mille pages ? Et comment a-t-il pu accepter qu'Antonov soit relaxé ?

Giuseppe Consolo nous téléphona une seconde fois pour nous informer qu'Antonov serait relâché pour « raisons de santé[8] ». L'avocat admet en avoir déjà fait la demande au mois de mars. « Il est néanmoins intéressant de constater que mon point de vue a fini par triompher[9]. »

Effectivement, c'est intéressant.

Le juge Martella a la réputation de n'avoir peur de rien, faisons-nous observer à Consolo. Est-il possible qu'on l'ait obligé à se taire ? Voilà une question trop délicate pour être posée...

Giuseppe Consolo est prolixe. Il avoue nourrir une grande estime pour Martella, « mais ce qui ressort de tout cela, c'est qu'au terme de plus d'un an d'enquête, il va bien être obligé de reconnaître qu'il ne dispose d'aucune preuve l'autorisant à traduire mon client en justice[10] ».

Il est clair qu'un nouveau chapitre vient de s'ouvrir dans l'affaire de la tentative d'assassinat du pape, qui confirme ce que nous pensions depuis longtemps : certains gouvernements occidentaux préféreraient ne pas connaître les dessous du complot et quelques services de renseignements occidentaux, dont la C.I.A. et le B.N.D., se sont délibérément employés à dissimuler les faits afin d'éviter une confrontation avec l'Union soviétique[11]. Martella et sa quête obstinée de la vérité et de la justice n'empêchent évidemment pas ce genre de « magouilles » de se produire.

Ces appels téléphoniques anonymes nous étonnent de moins en moins.

25

La secrétairerie d'Etat

Mardi matin

Si les diplomates du bureau des Affaires du Moyen-Orient n'étaient pas si occupés, ils auraient certainement admiré l'immense arbre de Noël, offert par l'Autriche, et dressé sur la place Saint-Pierre. Des *sampietrini* sont en train de mettre la dernière main à la crèche, réplique exacte de l'étable de Bethléem.

Près de deux mille ans après la naissance de Jésus, un événement de nature très différente préoccupe les prêtres.

Cela fait vingt et un jours qu'ils ont entrepris des négociations diplomatiques serrées pour évacuer de Tripoli, Yasser Arafat et ses hommes.

La position du Premier ministre italien, M. Bettino Craxi, sur son éventuelle décision de retirer la force d'interposition italienne du Liban, ne leur a pas facilité la tâche [1].

Que l'O.L.P. soit expulsée ou non de Tripoli a-t-il annoncé au pape, mon gouvernement a l'intention de réduire peu à peu nos effectifs au Liban et envisagerait même un retrait total et immédiat de nos troupes si elles commençaient à subir le sort des soldats français et américains à Beyrouth.

Malgré tout, à la secrétairerie d'Etat, on était plutôt optimiste.

Melina Mercouri avait communiqué à Athènes la requête du pape. Le gouvernement grec accepta de mettre cinq bateaux à leur disposition. Le nonce Felici, à Paris, n'a pas ménagé ses efforts pour persuader le gouvernement français de fournir une armada, y compris le porte-avions *Clemenceau*, afin d'assurer l'évacuation d'Arafat et de ses hommes en toute sécurité. On avait d'ailleurs du mal à s'imaginer, en voyant cette poignée d'hommes vaincus et découragés qui entouraient Arafat, qu'ils avaient un jour représenté une puissante armée.

Puis Israël, qui avait promis de ne pas intervenir, se déjugea. Cet accord avait été négocié conjointement par l'administration Reagan et par le gouvernement du président Mitterrand, soutenus par le Saint-Siège.

Les Israéliens envoyèrent une flotte de bateaux de guerre pour bombarder l'O.L.P. A Jérusalem, les officiels du gouvernement expliquèrent au délégué apostolique, l'archevêque Carew, qu'Israël n'entendait pas laisser Yasser Arafat s'en tirer à si bon compte.

Le bombardement naval se poursuivit, empêchant les bateaux grecs de s'approcher et obligeant les forces navales françaises à rester à l'ancre. Il était convenu que celles-ci n'attaqueraient les bateaux israéliens que si les navires grecs étaient menacés. Elles n'avaient reçu aucune consigne, bien que nettement supérieures en force et en nombre, les autorisant à chasser la flotte israélienne hors de Tripoli. Les Israéliens continuèrent donc de bombarder l'O.L.P. acculée dans le port.

Mgr Carew et le nonce Luciano Angeloni à Beyrouth apprirent, presque simultanément, qu'Israël n'avait pas l'intention de s'en tenir aux seuls bombardements. Ils transmirent aussitôt cette information à la secrétairerie d'Etat.

Avec l'accord du Premier ministre, Yitshak Shamir, et de son gouvernement, des équipes spéciales de l'armée et des services secrets s'apprêtaient, couvertes par ce tir nourri, à s'infiltrer dans Tripoli pour assassiner Yasser Arafat[2].

Mgr Casaroli en informa immédiatement Pio Laghi à Washington, qui découvrit que le département d'Etat était déjà au courant des intentions israéliennes.

Le président Reagan réagit aussitôt. Il condamna publiquement Israël pour avoir empêché l'évacuation de Yasser Arafat, et lui demanda de lever le blocus[3]. Afin de renforcer les propos du président, le département d'Etat dépêcha un officiel de haut rang auprès de l'ambassadeur d'Israël à Washington. Il lui fit sèchement comprendre que les Etats-Unis entendaient que tous les Palestiniens pussent quitter librement Tripoli.

Israël retira ses bateaux de guerre.

Peu après, les navires grecs escortés par la flotte française, arrivèrent à Tripoli. Avant qu'ils n'accostent, une vedette libanaise fit le tour du port en lâchant des bâtons de dynamite pour faire exploser les mines que les Israéliens auraient pu, profitant de l'obscurité, poser avant leur départ.

L'évacuation se déroula sans incident. Jusqu'à la fin, Arafat resta confiant : « Nous n'abandonnons pas le combat. Personne ne nous a coupé la tête et nous ne sommes pas à genoux. Seule la mort me fera abandonner la lutte. »

Toujours optimiste, Arafat s'est rendu en Egypte pour obtenir le soutien du président égyptien Hosni Mubarak.

Le nonce, en poste en Egypte depuis dix ans, annonça l'arrivée d'Arafat en téléphonant de la nonciature de Zamalek, dans les faubourgs du Caire.

Ce matin-là, son expérience des affaires du Moyen-Orient, se révéla d'une grande utilité.

Le nonce informa la direction du bureau que la présence d'Arafat en Egypte pouvait avoir une grande signification et devait être considérée comme bien autre chose qu'un simple moment de détente dans la diplomatie qui, souvent, empêche de prévoir ce qui va se passer au fond de ce chaudron de sorcières qu'est la politique au Moyen-Orient.

Selon le nonce, en rencontrant le président Mubarak, Arafat n'a pas seulement marqué un nouveau point à la suite de son évacuation de Tripoli. Il y a toutes les chances pour qu'au cours de leur entrevue, le président et le leader de l'O.L.P. aient discuté de l'opportunité d'établir de nouveaux liens entre eux. L'Egypte a tout intérêt à conclure cette alliance. Elle est isolée au sein du monde arabe depuis que le président Sadate a fait la paix avec Israël.

Si le nouveau président égyptien a l'intention d'établir des relations officielles avec la fraction de l'O.L.P. dirigée par Arafat, explique le nonce, rien n'empêchera plus Mubarak et Arafat de se rapprocher des gouvernements modérés d'Arabie Saoudite et de Jordanie. Si ces démarches réussissaient, on pourrait envisager une étape encore plus importante : le rapprochement d'Arafat et du roi Hussein de Jordanie. C'est Hussein qui, quelques années auparavant, a expulsé l'O.L.P. de Jordanie, donnant ainsi naissance à un terrorisme sanglant qui a même dépassé les frontières du Moyen-Orient.

Ces nouveaux liens, pense le nonce, créeraient une alliance puissante qui permettrait de reprendre les négociations entre Israël et les pays arabes, tout en changeant l'enjeu. En 1982, une semblable initiative conduite par le président Reagan n'avait abouti à rien de concret. La pierre angulaire de ce plan était l'instauration de liens entre la Jordanie, la rive ouest du Jourdain et Gaza, zones occupées par Israël depuis 1967.

Quelque part dans cette région, l'O.L.P. pourrait enfin trouver une patrie pour l'obtention de laquelle le Saint-Siège se bat depuis des années.

Dans quelques heures, le Vatican va donner publiquement un coup de pouce décisif aux manœuvres diplomatiques souterraines engagées depuis le début de l'année pour sauver l'O.L.P. Avec l'approbation de Jean Paul II et de Casaroli, l'*Osservatore Romano* va publier un article sur Arafat dans son prochain numéro, le qualifiant d' « homme politique de qualité et ouvert[4] ».

Cependant, au dernier moment sur les conseils du bureau des Affaires du Moyen-Orient, le journaliste ajoutera qu'en évacuant le Liban, Arafat « quitte la scène une fois encore humilié ».

Les diplomates du bureau ont appris que la Syrie et Israël — ennemis mortels comme chacun sait — ont à nouveau déclaré (mais pour des motifs différents), qu'ils voulaient la mort d'Arafat.

Compte tenu de ses accords avec l'Egypte, Israël considère le soutien apporté par le président Mubarak à Arafat comme une sorte de trahison. Bien sûr ces accords empêchent le gouvernement égyptien d'encourager le terrorisme. Mais c'est sur la personne d'Arafat que Mubarak et Shamir sont en désaccord. Le président égyptien le tient pour un patriote ; le Premier ministre israélien pour un assassin. Le Caire et Jérusalem ont échangé à ce sujet des propos plutôt violents.

Assad, le président de la Syrie, considère simplement Arafat comme un traître à la cause arabe.

Shamir et Assad souhaitent tous deux l'extermination d'Arafat.

Le personnel du bureau des Affaires du Moyen-Orient sait que comme la plupart des actions diplomatiques dans lesquelles le

Saint-Siège est engagé, la question de l'avenir de Yasser Arafat ne sera pas résolue à la fin de l'année. Il est fort probable, reconnaissent les diplomates, que l'année prochaine, à la même époque, nous cherchions encore à régler les problèmes de l'O.L.P.

Malgré tout, il y a une lueur d'espoir. Au Caire, Arafat a déclaré qu'il était prêt à abandonner son rôle de leader révolutionnaire pour devenir le chef d'un gouvernement de l'O.L.P. en exil. Selon toute probabilité, ce gouvernement aurait son siège dans la capitale égyptienne[5].

Bien que le Saint-Siège ne puisse reconnaître officiellement un tel gouvernement, il le « considérerait avec sympathie et le soutiendrait dans sa volonté de mettre un terme à une situation explosive[6] ».

Alors que les préparatifs de Noël se poursuivent sur la place Saint-Pierre, les prêtres du bureau des Affaires du Moyen-Orient s'interrogent sur le meilleur moyen d'aider à mettre en place ce gouvernement en exil qui effacerait l' « humiliation d'Arafat, lui ferait rengainer son revolver et envisager une forme de persuasion plus raisonnable ».

S'ils réussissaient à faire d'Arafat autre chose qu'un chef de bande, à l'élever au statut d'homme d'Etat, reconnaissent prudemment certains diplomates, cela ressemblerait quasiment au miracle de la Nativité.

Le même jour, à midi

Peu avant midi, l'archevêque Guido del Mestri téléphone de Bonn. Les nouvelles qu'il communique renforcent l'impression qu'on a, à la secrétairerie d'Etat, que la libération de Serguei Antonov, qui a eu lieu la veille, n'a rien à voir avec son état de santé. Il s'agit bien d'un acte politique.

Le nonce à Bonn a appris par ses contacts le contenu de la lettre que le président Reagan a récemment envoyée au chancelier

Helmut Kohl. Cette lettre disait que le président « serait très intéressé par une rencontre prochaine avec M. Andropov[7] ».

En soi, cette information est déjà un « scoop diplomatique ». Mais Del Mestri a également appris que le chancelier Kohl avait l'intention — démarche tout à fait inhabituelle — de rendre cette lettre publique, la veille de Noël, au cours d'une allocution adressée au peuple allemand.

L'ex-chancelier d'Allemagne de l'Ouest, Helmut Schmidt, a également fait ce matin une déclaration surprenante dans le quotidien le plus lu du pays, le *Bild.* Selon lui, « ni Washington ni Moscou n'envisagent de guerre. Il n'y a aucun risque de conflit[8] ».

Par ailleurs, Pio Laghi a eu connaissance, par l'entremise de ses sources à la Maison-Blanche, de la déclaration que le président vient de faire à *Time Magazine,* dans une interview qui sera publiée immédiatement après Noël[9]. Reagan y révèle l'existence de « canaux » insoupçonnés dont il s'est servi aux moments les plus critiques des confrontations américano-soviétiques au cours de l'année. Ces « canaux » lui permettront d'établir un contact personnel avec le leader soviétique si la rhétorique belliqueuse entre Washington et Moscou atteignait de telles proportions que le recours à une action militaire ne soit plus à écarter totalement.

Selon Poggi, Youri Andropov se rétablit, bien que sa santé ne lui permette pas encore d'assister au plénum du parti et au Soviet suprême. Par ailleurs, chose inhabituelle, le comité central du parti, généralement si avare d'informations, a fait part aux correspondants étrangers à Moscou de l'amélioration de l'état de M. Andropov. Bien que la nature de sa maladie doive rester un « secret d'Etat », a-t-on dit aux journalistes, il ne s'agit en aucun cas d'une maladie rénale[10].

A Bruxelles, la Communauté économique européenne a annoncé que les sanctions économiques qu'on impose depuis près de deux ans aux exportations soviétiques en guise de protestation contre la loi martiale en Pologne, seraient levées à la fin de l'année. Dès le 1er janvier, parmi une cinquantaine d'autres articles, seront disponibles sur le marché européen : les crevettes, le caviar, les pianos droits et les tracteurs soviétiques[11].

On apprend de Varsovie que le gouvernement polonais a admis qu'il avait « cédé à la pression populaire » et repoussé « d'au moins quelques semaines » la hausse des prix des denrées alimentaires, censées augmenter de 10 à 50 pour cent [12].

Tous les nonces d'Amérique centrale rapportent ce qui semble un secret de polichinelle : la commission présidée par Henry Kissinger est sur le point de proposer un prêt d'un milliard et demi de dollars à la région [13]. Le Nicaragua en bénéficiera également à condition que le régime s'engage à garantir des élections libres. De même, l'aide au Guatemala dépendra directement de l'attitude du gouvernement (que l'administration Reagan a soutenu sans relâche tout au long de l'année), à l'égard des droits de l'homme. Par ailleurs, on attend de la commission qu'elle incite le président américain à réduire la présence militaire au Honduras.

Ce rapport présente de nombreuses analogies avec celui qu'avait préparé l'an dernier pour le pape le bureau des Affaires d'Amérique latine.

Si les conclusions de la commission Kissinger sont acceptées, les accusations soviétiques d' « impérialisme » américain dans la région seront quelque peu désamorcées.

Il y a une autre bonne nouvelle, bien qu'elle déplaise à certains. Elle concerne William Wilson.

Le Congrès a mis un terme à la loi de 1867, interdisant d'user de fonds fédéraux pour maintenir une mission diplomatique auprès du Saint-Siège. Il a donc été décidé que les Etats-Unis deviendraient le cent huitième pays à entretenir des liens diplomatiques permanents avec l'Etat du Vatican. « Et, bien sûr, le Saint-Siège étant un carrefour diplomatique international [14] », le président Reagan a nommé ambassadeur son bon ami Wilson.

Certains sont tout à fait opposés à cette nomination. A Rome, la conduite passée de William Wilson à l'égard de Radio Vatican ainsi que son manque de formation diplomatique rebutent beaucoup de gens. Aux Etats-Unis, l'un des leaders des baptistes américains a déclaré que « conférer un caractère permanent aux relations des Etats-Unis avec le Saint-Siège constituait une violation flagrante du principe de la séparation de l'Eglise et de l'Etat ». Mais le président de la Conférence catholique est en complet désaccord avec lui : « Il ne s'agit pas là de religion, mais de politique [15]. »

Quoi qu'il en soit, la question est à présent réglée. Pour la première fois en cent dix-sept ans, les Etats-Unis auront en permanence un ambassadeur accrédité auprès du Saint-Siège.

A la secrétairerie d'Etat, on a le sentiment que, de même que la soudaine libération d'Antonov pourrait bien être avant tout un acte politique, la création de ces liens diplomatiques officiels n'est peut-être pas sans rapport avec l'élection du prochain président des Etats-Unis qui aura lieu en 1984.

L'ambassade de Bulgarie à Rome

Même jour, début de soirée

Bien que Vassil Dimitrov titube déjà, il propose un autre toast[16].

Il est identique sur le fond, sinon par la forme, à ceux que ses collègues et lui ont porté tout l'après-midi. Ils ont démarré à la vodka, puis, à déjeuner, dans la salle à manger sévère de l'ambassade, ils ont bu des vins italiens, habituellement réservés aux visiteurs importants de Sofia.

A présent, après avoir repoussé leur chaise et desserré leur nœud de cravate, les douze hommes lèvent leur verre rempli d'un cognac bulgare à vous faire tomber raide.

Vassil Dimitrov regarde sa montre et commence à compter les secondes à voix haute. A 5 h 45, il s'écrie : « Au camarade Serguei Antonov qui entame maintenant son deuxième jour de liberté ! »

Chancelants, les autres portent un toast à Serguei Antonov, assis à la place d'honneur, au bout de la table.

Vingt-quatre heures se sont écoulées depuis qu'Antonov est sorti de la prison de Rebibbia. On l'a conduit sous bonne escorte dans l'immeuble de la *via* Galiani où habitent la plupart des diplomates bulgares en poste à Rome.

Sa libération, la bombe préparée par le juge Martella, a ébranlé non seulement le palais apostolique, mais aussi une douzaine de capitales occidentales.

Contre toute attente, le juge Martella a estimé — comme Giuseppe Consolo l'avait prédit lorsqu'il parlait d'un « marché »

— qu'il n'y avait plus assez de preuves pour le maintenir en prison.

Peu avant qu'Antonov ne sorte de Rebibbia, le juge est parti en vacances. Il a laissé derrière lui beaucoup de questions sans réponses et les reporters en attendant le retour du Bulgare ont passé des heures à s'interroger [17].

Martella qui avait commencé l'année avec la certitude qu'il prouverait l'existence de la filière bulgare, l'achevait dans le doute. Ceux qui avaient parié sur la piste bulgare ont fait observer que le fait qu'Antonov fût sorti de prison, ne l'empêchait pas d'être inculpé. Pourtant, la plupart des journalistes qui l'attendent devant l'immeuble — et dont la conviction est alimentée par les propos de certains diplomates de Rome — sont persuadés que, selon les termes d'un ambassadeur européen, « théoriquement, c'est fini, mais, croyez-moi, on n'a pas fini d'en entendre parler ».

En général, on pense que la libération d'Antonov rend improbable, tout au moins pour le moment, l'implication d'Andropov dans l'attentat.

Les journalistes ont remarqué que, bien qu'amaigri, Antonov paraissait en meilleure santé qu'on aurait pu s'y attendre. Il est aussi plus séduisant que sur ses photographies. Sa moustache est cosmétiquée et relevée aux extrémités à la mode bulgare.

Giuseppe Consolo, débonnaire comme à l'accoutumée, n'en est pas moins resté un long moment au côté de son client pour informer les journalistes qu'Antonov « n'allait pas bien et qu'il ne pouvait rien avaler ».

De toute évidence, Antonov a décidé de faire une exception à l'ambassade cet après-midi.

Il a mangé et bu à satiété. Il porte le costume bleu dont il était vêtu la veille, une chemise blanche et une cravate rouge foncé. Il n'a pas l'air d'un homme qui a passé plus d'un an dans les quartiers de haute sécurité d'une prison italienne. « Vous n'avez rien à craindre vous n'y reviendrez jamais », lui a affirmé son avocat avant de le quitter !

Giuseppe Consolo vient également de partir en vacances dans une île de l'océan Indien, séjour enchanteur qu'il a différé à trois reprises depuis qu'il s'est chargé de la défense d'Antonov en novembre 1982.

Jusqu'à présent, entre ses honoraires exorbitants et la formidable publicité dont il a bénéficié (trois ouvrages édités aux frais de l'Etat bulgare, lui sont consacrés) il a touché l'équivalent d'un million de dollars qui vont largement lui permettre de s'offrir cette petite excursion.

Pour Vassil Dimitrov, la libération d'Antonov met fin à une année de cauchemar. Il y a dix mois, il était quasiment mis au ban du monde diplomatique bulgare. A présent, de Sofia, lui parviennent les félicitations des officiels bulgares.

Ce soir, tandis qu'il s'apprête à porter un autre toast, « à la justice italienne, puisse-t-elle ne jamais changer », le diplomate, communiste convaincu, peut aussi lever son verre à ce bon vieux dicton capitaliste : « Le succès appelle le succès. »

La secrétairerie d'État

Samedi matin

Les télex sont rares en cette veille de Noël. Il y a un long messsage du numéro VVOUN 429502 à New York. L'archevêque Giovanni Cheli fait un rapport sur sa rencontre avec Jorge Illueca, président de l'assemblée générale des Nations unies.

Jorge Illueca vient d'écrire au président Reagan et à Andropov, les incitant à faire « un geste de bonne volonté à l'occasion de cette période de Noël, à renoncer à tout accroissement de leur armement nucléaire et à négocier au conseil de sécurité afin de mettre un terme à cette folie [18] ».

Le président de l'assemblée a envoyé un double de sa lettre au Premier ministre indien Mme Indira Gandhi, figure de proue des pays non alignés. Le Saint-Siège a également été informé de sa teneur.

Selon la charte des Nations unies, les quinze membres du conseil de sécurité doivent se rencontrer périodiquement. En réalité, une seule réunion s'est tenue, en octobre 1970, afin d'aborder les questions du Moyen-Orient et de l'Afrique du Sud.

La lettre de Jorge Illueca, arrivant si vite après son propre appel aux leaders des deux superpuissances, causa une grande satisfaction à Jean Paul II. Mgr Cheli avait été chargé d'assurer Jorge

Illueca du soutien du pape et d'étudier avec lui comment le Saint-Siège pourrait organiser leur rencontre.

Deux autres rapports vont également parvenir sur le bureau du secrétaire d'Etat. Tous deux proviennent d'Allemagne de l'Ouest.

Le premier est une copie de la prochaine allocution du ministre des Affaires étrangères, Hans-Dietrich Genscher. Il souhaite l'instauration entre l'Est et l'Ouest de « rapports durablement fondés sur une confiance mutuelle et un équilibre des forces ». L'Occident, ajoute-t-il, est prêt à prendre en considération les propositions du pacte de Varsovie — réitérées à plusieurs reprises l'année dernière — et à accepter un « renoncement mutuel à l'emploi de la force », si l'Union soviétique abandonne sa politique d'intimidation de l'Europe [19].

Le second rapport émanant d'un membre de l'opposition de Bonn, va beaucoup plus loin [20]. Il réclame le désarmement unilatéral de l'Allemagne de l'Ouest, c'est-à-dire le retrait de son territoire de toutes ses armes tactiques nucléaires.

Cette attitude est loin de la position du Vatican sur le contrôle des armements.

Elle est tout aussi éloignée de celle de Paul Nitze, un homme dont Casaroli admire la patience et la ténacité.

Comme le Saint-Siège, Paul Nitze craint que le mouvement antinucléaire en Europe de l'Ouest puisse, sans le vouloir, constituer un sérieux obstacle à la reprise des négociations à Genève.

Nitze et Casaroli partagent l'opinion du cardinal Hume de Westminster : « Nous n'avons pas la preuve que ce mouvement soit dirigé par les Soviétiques, mais en revanche il ne fait aucun doute que les Russes ont cherché à l'inspirer. »

C'est pourquoi, si l'Union soviétique abandonnait sa position intransigeante et renonçait sous quelque forme que ce soit à sanctionner la présence des fusées Pershing et des missiles de croisière en Europe, elle décevrait, selon Paul Nitze, « ses supporters d'Europe de l'Ouest [21] ». En d'autres termes, les pacifistes se sentiraient trahis.

Quoi qu'il en soit, Casaroli estime que Nitze pourrait bien avoir raison lorsqu'il prétend que le déploiement des premiers missiles (soutenu par la majorité des parlements de Londres, de Bonn et de Rome), a levé ce qu'il appelle la « barrière psychologique », empêchant la reprise des discussions sur le contrôle des armements.

Mais ces deux rapports d'Allemagne de l'Ouest vont très probablement provoquer un nouvel essor des mouvements pacifistes, qui rendra très difficile un accord entre Américains et Soviétiques.

Dans la matinée, Casaroli reçoit d'autres nouvelles préoccupantes, provenant du mensuel *Bulletin of the Atomic Scientists*[22], auquel il est abonné.

Depuis 1947, la veille de Noël, le *Bulletin* imprime une horloge symbolique censée montrer par la position des aiguilles le rapprochement ou l'éloignement de la fin du monde (en l'occurrence, la guerre nucléaire). En 1947, elle indiquait minuit moins sept.

En 1953, les aiguilles atteignaient minuit moins deux. C'était l'année où la Russie fit exploser sa première bombe à hydrogène. En 1972, on recula la pendule de douze minutes. Les Etats-Unis et l'Union soviétique venaient de ratifier les accords Salt sur la limitation de l'armement nucléaire.

Aujourd'hui, les quarante-sept savants — dont dix-huit lauréats du prix Nobel —, après avoir observé attentivement « la façon dont les leaders des puissances se comportent, comme s'ils étaient prêts à utiliser ces armes », ont avancé l'aiguille d'une minute par rapport à l'année précédente.

A présent, elle indique très précisément minuit moins trois, l'heure la plus proche de la fin du monde depuis trente ans.

L'appartement du pape

Le même jour, en début de soirée

Emmitouflés dans leurs manteaux pour se protéger du brouillard givrant qui monte du Tibre, Ercole Orlandi et sa femme Maria descendent rapidement la *via* del Belvedere, déserte à cette heure.

Ils longent la Bibliothèque du Vatican et le bâtiment des Archives secrètes, puis se dirigent vers l'église Santa Anna des

Palafrenieri. Construite il y a cent ans pour les valets d'écurie du Vatican, le personnel vient encore aujourd'hui s'y recueillir. Chaque jour, les Orlandi font brûler un cierge pour Emanuela.

A leur droite s'élève le mur des Lions qui sépare le Vatican de Rome.

Les Orlandi passent devant un garde suisse vêtu de la traditionnelle cape bleue et, poursuivant leur chemin, franchissent la porte arrière du palais apostolique.

De temps à autre, ils croisent d'autres gardes suisses et des hommes de Cibin qui patrouillent dans les couloirs déserts du palais.

Ercole Orlandi et sa femme entrent au secrétariat du souverain pontife.

Mgr Kabongo les y attend. Il les conduit au bureau du pape. Le secrétaire frappe, ouvre la porte et s'efface pour laisser entrer les Orlandi.

Jean Paul II s'avance vers eux. Kabongo referme doucement la porte.

Vingt minutes plus tard, le coursier et sa femme ressortent très émus. Le pape leur a exprimé, une fois encore, sa sympathie et sa tristesse devant le malheur qui les frappe. Il espère, leur a-t-il dit, toucher le cœur d'Agca en se rendant lui-même à Rebibbia, et faire enfin la lumière sur ce drame.

Basilique Saint-Pierre

Dimanche 25 décembre, en fin de matinée

Les portes-fenêtres ouvrant sur le balcon d'où Jean Paul II s'adressera à la foule des fidèles rassemblés place Saint-Pierre en ce jour de Noël, resteront closes jusqu'au dernier moment. Un brouillard épais et glacial est tombé comme une chape de plomb sur la ville.

Casaroli et d'autres cardinaux de la curie, ses secrétaires et Mgr Jacques Martin, préfet de la maison pontificale, se sont réunis dans la grande salle qui donne place Saint-Pierre[23].

Malgré le temps, la place est noire de monde. Plusieurs milliers de personnes sortent de la basilique Saint-Pierre où Jean Paul II vient de célébrer la messe. A midi moins le quart, Mgr Martin, qui a l'œil pour ce genre de chose, estime qu'il y a environ cinquante mille personnes.

Un peu avant midi, Kabongo et Dziwisz ouvrent les portes-fenêtres. Sur la place, deux orchestres (comportant chacun le même nombre de musiciens), entament l'hymne du pape puis l'hymne national. Les cloches de la basilique sonnent douze coups.

Ajustant sa mitre, entouré de Casaroli et du cardinal Ugo Poletti, vicaire général de Rome, Jean Paul II s'avance sur le balcon pour prononcer sa bénédiction *urbi et orbi* devant la ville et le monde.

Il en vient vite à l'essentiel de son message.

Sa voix monte et résonne dans les haut-parleurs placés tout autour de la place. Les techniciens de Radio Vatican baissent un peu le son ; le discours est retransmis dans près de deux cents pays. Pour la première fois, l'équipe de la toute nouvelle télévision du Vatican filme l'événement. La télévision vaticane en est encore au stade expérimental, mais elle fait partie du plan d'amélioration de la communication du Vatican.

« Regardez avec des yeux de nouveau-né les hommes et les femmes qui meurent de faim dans le monde pendant que d'énormes sommes d'argent sont dépensées pour l'armement. »

L'un des journalistes, grelottant de froid dans la tribune réservée à la presse, note : « Le pape vient de délivrer son premier message. La foule est calme et attentive. »

Le pape baisse un peu la voix, mais elle n'en demeure pas moins vibrante, passionnée.

« Pensez au désespoir indicible des parents assistant à l'agonie de leurs enfants qui les supplient de leur donner ce pain qu'ils ne possèdent pas mais qu'on pourrait leur offrir avec seulement une infime partie des sommes investies dans les moyens de destruction qui rendent encore plus menaçants pour l'humanité les nuages qui s'amoncellent à l'horizon. »

Un tonnerre d'applaudissements salue ces paroles.

« Ecoute, ô Seigneur, cet appel à la paix qui s'élève des peuples martyrisés par la guerre. Qu'il aille au cœur de tous ceux qui peuvent encore contribuer à la faire régner par la négociation et le dialogue, de tous ceux qui peuvent substituer aux tensions qui nous entourent des solutions justes et honorables. »

Une autre vague d'applaudissements déferle sur la place.

« Voyez le chemin difficile et semé d'embûches de tous ceux qui s'acharnent à gagner le moyen de survivre, de progresser et de s'élever. Voyez les angoisses et les souffrances qui affligent les âmes de ceux qui doivent rester loin de leur famille, ou de ceux dont celle-ci est divisée par l'égoïsme et l'infidélité, de ceux qui sont sans travail, sans maison, sans pays, sans amour et sans espoir. »

Les journalistes, à qui on a distribué le texte du discours, échangent des commentaires animés.

« Il parle en italien, remarque l'un d'eux, mais le discours est traduit en hollandais pour les touristes. Il les intéresse par un mot, une phrase. *Pace, dialogo, angosce* et *soferenze, famiglia, egoismo, infedelta, amore...* Ce sont des mots clés.

« Regardez les peuples qui n'ont ni joie ni sécurité parce que leurs droits les plus élémentaires sont foulés aux pieds. Regardez le monde d'aujourd'hui, avec ses espoirs et ses désillusions, avec ses hautes aspirations et ses vils desseins, avec ses nobles idéaux et ses compromis humiliants. »

Une journaliste griffonne quelques notes pour son prochain article : « Ce n'est pas seulement un grand discours, mais un discours réaliste. Son idéalisme, profond, est équilibré par une vision précise. Il définit le monde d'aujourd'hui comme un monde d'aspirations, de déceptions et de compromis, au lieu du classique fourre-tout, " le bien contre le mal ". Il demande que l'inspiration divine nous donne force et sagesse, et c'est peut-être en effet tout ce qui nous reste, la Main de Dieu. »

Derrière elle sur la place Saint-Pierre, des reporters photographient des religieuses qui pleurent tandis que Jean Paul II s'apprête à délivrer la traditionnelle bénédiction *urbi et orbi*. Tout d'abord, il réclame l'aide au tiers monde : « Assistez votre Eglise dans ses efforts pour aider les pauvres, les oubliés, ceux qui souffrent. »

Cette phrase est de Kabongo, dont le tiers monde reste la préoccupation constante.

Enfin, Jean Paul II prononce sa bénédiction de Noël en quarante-trois langues.

Un murmure s'élève parmi les journalistes lorsqu'il prononce ses vœux en bulgare. Ils remarquent que les mots « ЧЕСТИТО РОЖДЕСТВО ХРИСТОВО », sont écrits en lettres majuscules sur leur exemplaire. Et, avant de les dire, il précise qu'il s'agit de l' « expression bulgare ».

Qu'est-ce que cela signifie ? se demandent les journalistes. Le pape cherche-t-il à faire comprendre qu'il reconnaît à présent lui aussi que la piste bulgare appartient au passé ?

Et, après-demain, à la prison de Rebibbia, tout sera-t-il fini ?

26

L'appartement du pape

Mardi, avant l'aube

A 4 h 30, trois heures avant que les lumières de l'arbre de Noël de la place Saint-Pierre ne s'éteignent, le valet de Jean Paul II frappe à la porte et pénètre dans la chambre à coucher du pape. Il allume et ouvre les rideaux[1].

La pièce carrée, étonnamment petite et haute de plafond, n'a pour ainsi dire pas changé depuis que Jean Paul II l'occupe.

Les murs sont encore tapissés de la toile pastel qu'avait fait poser Paul VI[2]. Dans un coin, la même commode en acajou où le précédent pape rangeait aussi ses chemises et ses sous-vêtements. La grande penderie qui fait face à la commode contient les soutanes de Jean Paul II.

Comme au temps de Paul VI, le parquet ciré brille. Seul un tapis tissé à la main par des religieuses polonaises remplace aujourd'hui le vieux tapis afghan qu'aimait tant son prédécesseur.

Sur le mur, au-dessus du lit ancien en cuivre dans lequel quatre papes ont successivement dormi, est accroché un crucifix.

Un beau tableau de la Vierge orne le mur opposé. Le crucifix et le portrait lui ont été offerts en Pologne.

Des souvenirs de Pologne — livres et photographies de

Cracovie — sont posés sur sa table de chevet ainsi qu'un peu partout dans la chambre.

Sa Bible est écrite dans sa langue maternelle : on la lui a offerte pour son ordination[3]. A côté de la Bible, le téléphone, poste 3102, la ligne de nuit du pape. Il ne sert que dans les cas graves.

Ce matin un vent violent secoue les volets de la chambre à coucher, couvrant le bruit du *tufo,* ce bourdonnement causé par la cendre volcanique solidifiée sur laquelle la ville a été construite.

Le vent a chassé le brouillard qui enveloppait le Vatican depuis deux jours. Aujourd'hui, le ciel est constellé d'étoiles.

Sur la place déserte, les policiers s'abritent tant bien que mal du vent glacial sous la colonnade ou derrière la crèche.

Ce n'est pas un temps à mettre le nez dehors.

Tous les jours, Jean Paul II se lève à l'aube.

Les couvertures de son prédécesseur ont été remplacées par une couette de plumes que Jean Paul II a rapportée de Cracovie.

Ceux qui le croisent à cette heure, son valet, quelquefois ses secrétaires lui apportant des nouvelles urgentes, la religieuse chargée du ménage, disent qu'il a recouvré une partie de son ancienne vitalité.

Aujourd'hui, comme tous les matins, il commence par s'agenouiller sur son prie-Dieu. C'est l'heure de ses prières « personnelles ».

Ensuite, pendant que Jean Paul II se baigne et se rase dans une salle de bains aussi fonctionnelle que celles du Hilton, son valet prépare ses vêtements : soutane blanche en laine, cape, chemise blanche de prêtre, dessous de coton, chaussettes blanches montantes, chaussures marron et calotte blanche.

Tous ses vêtements portent la griffe de la maison Gammarelli. Celle-ci, fondée en 1786, habille les papes depuis deux cents ans, et considère avec fierté qu'il ne se trouve pas un prêtre au Vatican qui ne reconnaisse au premier coup d'œil leur « coup de patte[4] ».

Peu après 5 heures, Jean Paul II est habillé et prêt à rencontrer Agca.

Prison de Rebibbia

Le même jour, un peu plus tard

A 5 h 51, un gardien ouvre la porte de la cellule d'Agca, la quatrième après la grille à fermeture électronique qui isole le quartier de haute sécurité du reste de la prison[5].

Quelques jours auparavant, Antonov occupait la cellule 13, de l'autre côté du couloir en face de celle d'Agca. Parfois, les deux hommes se criaient des injures.

Aujourd'hui, Agca est de nouveau le seul occupant du quartier de haute sécurité. Il coûte à l'administration pénitentiaire un million de lires par semaine, environ sept cents dollars U.S. Agca peut se vanter d'être le prisonnier le plus célèbre et le plus cher de la prison.

Un premier gardien ouvre la porte blindée de la cellule d'Agca, tandis qu'un autre apporte une pile de draps.

Agca est couché sur un lit de camp laqué orange. Son unique couverture est élimée et ses draps reprisés.

Le gardien qui a ouvert la porte ordonne à Agca de se lever. Son compagnon pose les draps sur le lit.

La cellule est blanche, avec pour seul ornement une glace fixée au mur.

Derrière la porte, dans un placard, Agca suspend son uniforme de prisonnier et range les vêtements qu'il porte pour rendre visite au juge Martella et pour ses rares apparitions en public.

Le sol est en tomettes. Un vieux radiateur en fer placé sous les deux fenêtres à l'épreuve des balles chauffe la cellule. Leurs barreaux ont été renforcés avec de l'acier trempé. Les fenêtres donnent sur une petite cour couverte, séparée de la grande cour de la prison centrale par un haut mur de brique. Cet espace est réservé à Agca. Il peut y faire de l'exercice quand il le désire.

Il est debout, vêtu du haut de pyjama et de la culotte de boxeur qu'il met pour dormir.

Sa peau est sombre, il n'a pas un pouce de graisse. Ses cheveux presque ras (il vient de se les faire couper pour l'occasion), donnent un aspect ascétique à son visage mince et basané. En dépit des pressions du directeur de la prison, Agca a refusé de se raser. Il dit qu'il veut se laisser pousser la barbe pour paraître « plus biblique » devant le pape.

On lui ordonne de se tourner face au mur, bras tendus, jambes écartées, pendant qu'on le fouille minutieusement pour vérifier qu'il n'a pas une arme dissimulée dans le rectum, collée sous la plante des pieds, ou encore sous les aisselles.

Puis on l'emmène se doucher. Agca se lave et s'essuie lui-même sous le regard inquisiteur du gardien.

On le reconduit ensuite dans sa cellule où, entre-temps, son lit à été refait. Une couverture à rayures brunes et blanches remplace l'ancienne, et on a également changé son oreiller. Celui-ci est en duvet.

Les deux gardiens de prison regardent Agca choisir ses vêtements. Il sélectionne un pull-over bleu à col roulé, des chaussettes noires et des chaussures de jogging noires et blanches. Avant de les enfiler, on lui ordonne de retirer les lacets. Il pourrait les utiliser comme garrot. Pour la même raison, Agca n'a pas le droit de porter de ceinture.

Une fois prêt, on lui interdit de s'allonger sur son lit. Les gardiens lui désignent une chaise de plastique noire, presque identique à celles fournies pour les invités de marque lors des audiences du mercredi sur la place Saint-Pierre.

Le bureau du pape

Même jour, un peu plus tard

Une fois sa première messe du jour célébrée et son petit déjeuner pris, Jean Paul II continue d'étudier le sommaire de la veille, cochant les articles sur lesquels il désire avoir de plus amples renseignements.

A nouveau, le Liban remplit les pages du dossier. Le bureau des Affaires du Moyen-Orient pense que les combats vont s'intensifier. La branche dure des Palestiniens qui a laissé tomber Arafat pour rester au Liban va très probablement harceler le secteur sud du pays occupé par les Israéliens ce qui ne manquera pas de provoquer des représailles immédiates de la part d'Israël.

Une réaction analogue, mais politique cette fois, va être exprimée par le gouvernement israélien si l'Egypte persiste à vouloir abriter le futur gouvernement en exil de Yasser Arafat.

L'archevêque Carew a fait le voyage de Jérusalem à Amman pour étudier les réactions du gouvernement jordanien à ce projet. A Amman, on éprouve un certain soulagement à l'idée que le roi Hussein n'aura peut-être plus besoin à l'avenir de représenter Arafat dans les discussions avec Israël, et qu'il pourra traiter le chef de l'O.L.P. en véritable partenaire, en chef d'Etat.

Mgr Carew pense qu'il n'est pas impossible qu'Israël consente finalement à s'asseoir à la table des négociations avec Arafat. Mais sûrement pas avant un an.

Dans le dossier du bureau d'Amérique latine, le pape annote deux rapports qui nécessitent à ses yeux un complément d'informations. Le premier émane de l'archevêque Lajos Kada au San Salvador. Le nonce a appris que l'aile gauche de la guérilla s'apprêtait à saboter les élections présidentielles qui auront lieu dans trois mois. Ces élections, importantes pour la stabilité future du pays, sont en partie le fruit de la diplomatie patiente et discrète de Mgr Lajos Kada, et de l'épiscopat local qui estiment que le seul espoir pour le Salvador passe par un semblant de démocratie.

L'année en Amérique centrale se termine comme elle a commencé, dans un climat de violence contenue et d'incertitude.

Néanmoins, à quelques milliers de kilomètres de ce continent toujours en effervescence, le nonce du pape à Buenos Aires, Ubaldo Calabresi, donne de bonnes nouvelles. En dépit de sa décision très critiquée de produire de l'uranium enrichi, le nouveau gouvernement démocratique du pays ne s'est pas dérobé au problème exposé il y a quelques mois par Mgr Calabresi dans un rapport adressé à la secrétairerie d'Etat.

Il s'agit du sort des « disparus », les milliers de victimes des escadrons de la mort créés par la junte militaire pendant les huit ans de la plus sanglante des dictatures.

Une des premières décisions du nouveau président, Raoul Alfonsin, a été de faire comparaître en justice neuf membres de la junte militaire accusés d'avoir fait massivement torturer et assassiner des civils.

Le pape désire connaître le verdict du tribunal.

Il annote également le rapport du bureau des Affaires asiatiques, lui-même inspiré de celui du cardinal Sin, qui décrit les derniers rebondissements de l'affaire Benigno Aquino.

Une commission désignée par le président Marcos (la seconde

qu'il ait été contraint d'accepter après les violentes critiques de Mgr Sin), vient soudain de retrouver deux témoins qui jettent la suspicion sur la version gouvernementale de la mort d'Aquino selon laquelle celui-ci aurait été tué par un terroriste lui-même instantanément abattu par les soldats du président Marcos qui auraient ainsi supprimé fort à propos le tueur.

Or ces deux témoins affirment qu'Aquino a été assassiné de sang-froid par l'un des soldats de Marcos.

A 8 heures, Jean Paul II termine la lecture du sommaire par un rapport du bureau polonais qui lui apprend que le cardinal Glemp a obtenu la libération de quelques membres de Solidarité pour Noël.

Il y a six mois, ce rapport n'aurait pas manqué de se trouver en tête du sommaire. Maintenant le personnel de la secrétairerie d'Etat juge lui-même de l'importance des nouvelles en provenance de Varsovie.

Il est maintenant temps de s'occuper d'Agca.

Le pape se met à étudier la chemise à couverture rouge qui contient les dernières coupures de presse concernant l'homme qu'il s'apprête à rencontrer. Pour lui il s'agit d'un acte de pardon et de rédemption délibéré et réfléchi [6]. En embrassant son ennemi et en lui pardonnant à nouveau, Jean Paul II espère donner l'exemple aux ravisseurs d'Emanuela Orlandi et les inciter à faire preuve de cette charité chrétienne qui dicte tous les actes et imprègne toutes les paroles de Jean Paul II.

Prison de Rebibbia

Même jour

A 8 h 30, les principaux acteurs du futur mélodrame sont réunis.

Un groupe de gardiens et leur famille se tiennent devant l'entrée de la prison.

En face d'eux, des carabiniers et d'autres gardiens armés empêchent une cinquantaine de journalistes d'avancer. Douze d'entre eux ont été désignés pour accompagner le pape dans la prison. Ils pourront, ensuite, tout raconter à leurs collègues. Mais ce compromis ne plaît pas à tout le monde.

Plus loin sur la route, un cordon de policiers tient le public à distance.

Sur le toit de la prison, comme tout au long du parcours depuis le Vatican, les tireurs d'élite de la police sont sur le qui-vive.

La cellule d'Agca est ouverte. A l'intérieur, deux gardiens-chefs contemplent Agca en silence.

A 9 heures, Nicolo Amato, directeur des institutions pénitentiaires — le procureur qui avait envoyé Agca en prison à vie avant d'être nommé à ce nouveau poste —, arrive en compagnie de Mino Martinazzoli, ministre de la Justice.

D'un geste vif, Agca saisit la main droite de chacun des deux hommes et les presse contre son front en signe de respect, comme l'exige la coutume musulmane.

Nicolo Amato lui demande ce qu'il a l'intention de dire au pape. Agca semble indécis.

Mino Martinazzoli fronce les sourcils. N'a-t-il pas eu suffisamment de temps pour y penser ?

Agca hausse les épaules. En italien, il dit qu'il lui exprimera ses regrets pour avoir tiré contre l'*homme saint*.

« Le pape, corrige sèchement Nicolo Amato. Pas l'*homme saint*, mais Sa Sainteté le pape. Vous comprenez ? »

Agca hoche la tête. On lui permet de s'asseoir.

Les deux hommes inspectent la cellule. Soudain Nicolo Amato s'immobilise et se tourne vers les gardiens-chefs, debout sur le seuil de la porte.

« La chaise du pape. Où est la chaise du pape ? »

Quelques instants plus tard, on apporte un chaise en plastique aux montants en acier.

Nicolo Amato l'installe immédiatement en face d'Agca.

C'est au tour de Mino Martinazzoli de donner des consignes : Agca devra se lever quand le pape entrera et lui tendre la main. Il ne fera pas le geste traditionnel musulman contre le front avant la fin de l'audience. Il lui faudra attendre que le pape soit assis pour s'asseoir lui-même. Surtout, aucun geste brusque ! Il devra garder les mains jointes sur les genoux. Il ne parlera pas au pape de sa sentence. Pas plus qu'il ne devra critiquer ses conditions de détention. Si le pape l'interroge à ce sujet, il se contentera de répondre qu'il est « satisfait ». A-t-il bien tout compris ?

Agca hoche la tête.

Nicolo Amato et Mino Martinazzoli sortent.

Dehors, dans le couloir, les cameramen de la R.A.I., le réseau de télévision national italien, et ceux de la télévision du Vatican vérifient leur matériel. Parmi eux, se trouve Arturo Mari, un photographe de l'*Osservatore Romano* à qui l'on a donné le droit exclusif et la responsabilité de fournir les photographies de ce qui risque d'être la plus dramatique confrontation de toute l'histoire de la papauté.

Tout enregistrement de la rencontre a été interdit. Mais, déjà, l'un de ceux qui stationnent dans le couloir (il n'y a pas que les photographes, il y a aussi les gardiens-chefs), a enregistré en secret les propos échangés entre Nicolo Amato, Mino Martinazzoli et Agca. Cet homme a l'intention de faire la même chose quand le souverain pontife et le détenu seront face à face[7].

Cour San Damaso

Même jour, un peu plus tard

Deux limousines noires du Vatican sont garées devant l'imposante entrée Jean XXIII du palais apostolique.

Stanislas Dziwisz et Emery Kabongo tentent, parmi un groupe de prélats, de s'abriter du vent derrière le porche.

Pendant les vacances de Noël, les deux secrétaires ont regardé en compagnie du pape les vidéos faites sur Agca[8]. Les deux hommes auraient voulu accompagner Jean Paul II à Rebibbia. Mais, finalement, on a décidé de réduire son entourage au minimum. Le cardinal Ugo Poletti, vicaire général de Rome, en fait partie. Mgr Jacques Martin, préfet de la Casa Pontifica, s'est prévalu du droit ancien que lui confère sa fonction d'accompagner le pape partout où celui-ci décide de se rendre. Cibin, bien sûr, est aussi de la fête. Sa présence, il le sait, est purement symbolique. Aucun vigile ni garde suisse ne l'accompagnera. Les autorités de la prison ont insisté pour assurer seules la protection du pape dans l'enceinte de Rebibbia.

A 9 h 30 précises, Jean Paul II monte dans sa voiture, conduite par l'homme qui était déjà au volant de son *popemobile* le jour de la tentative d'assassinat[9].

A l'extérieur des arcades des Cloches, une escorte de la police romaine attend le pape. Le convoi traverse la ville à vive allure.

Vingt-neuf minutes plus tard, la voiture du pape s'arrête devant Rebibbia. Jean Paul II, assis sur son siège, sourit et salue d'un geste amical le personnel de la prison et leurs familles, frigorifiés.

Il ne prête aucune attention aux journalistes. Cependant, ceux-ci ont le sentiment que le pape souhaite que cette réconciliation survenant au cours de l'année sainte de la Rédemption, soit immortalisée et montrée à ce monde « rempli d'armes nucléaires et de haines insurmontables, de superpuissances hostiles et de petits pays au fanatisme implacable[10] ».

Jean Paul II descend de voiture. Mgr Curioni, chapelain des prisons, et le père Dante Merle, aumônier de Rebibbia, l'accueillent.

Des rafales de vent soulèvent la soutane de Jean Paul II et menacent de faire envoler sa calotte. Courbé sous cette bise glaciale, il se hâte de traverser la rue pour saluer les gardiens et leurs familles. Il embrasse quelques bébés et bénit les parents avant d'entrer dans la prison, précédé de Dziwisz qui lui fraie un chemin.

Amato et Martinazzoli lui souhaitent la bienvenue. Puis, formant un groupe compact, la suite papale et l'escorte de la prison se dirigent vers la chapelle.

Les quelque cinq cents prisonniers — meurtriers, terroristes, traficants de drogue, incendiaires et chefs de gang divers — se mettent spontanément à applaudir lorsque Jean Paul II entre.

Il remonte lentement l'allée centrale, tout en s'arrêtant et en tendant sa main droite pour faire baiser l'anneau papal.

Les gardiens qui encadrent sa suite scrutent les prisonniers. Ils n'ont qu'une consigne : arrêter immédiatement quiconque ferait un mouvement suspect en direction de Jean Paul II.

L'entourage du pape considère cette lente progression jusqu'à l'autel très périlleuse. Bien que les prisonniers aient été fouillés avant de pénétrer dans la chapelle, l'un d'entre eux aurait pu réussir à cacher une arme.

Cibin se tient aussi près que possible du pape, sans bousculer

Mgr Poletti ou Mgr Martin. En cas d'alerte, il est décidé à se ruer sur lui et à prendre tous les coups qui lui sont destinés.

Pendant ce temps, Cibin fait son travail : il observe sans relâche les yeux des prisonniers les plus proches du souverain pontife ; un regard peut l'avertir et lui donner les quelques secondes vitales pour réagir.

Jean Paul II, lui, ne semble pas rongé par l'inquiétude. Il passe d'un côté à l'autre de l'allée, s'arrête pour dire quelques mots, tend son anneau à baiser.

Le groupe avance lentement, trop lentement au gré de Cibin. Mais Jean Paul II a spécifié qu'il ne voulait pas de hâte. Il a rappelé à ses collaborateurs que l'imagerie comptait beaucoup dans la foi : peintures, sculptures, architecture, tout est fait pour imprimer une image durable dans les esprits des fidèles. Il est convaincu que cette progression, calme et majestueuse, parmi les hommes les plus dangereux d'Europe, s'insère à la perfection dans cette journée du pardon et de la rédemption qui sont la quintessence même du message chrétien. En s'exposant ainsi ouvertement, le pape la délivre au monde de façon exemplaire.

L'un des reporters parqués dans un coin près de l'autel essaie de pénétrer le sens profond de ce geste. Il écrit : « Ses actes aujourd'hui, ici, ont-ils une connotation politique ? Jean Paul II veut-il faire de cette visite un symbole de la réconciliation ? Si le pape peut venir ici et, par sa seule présence, pardonner à ceux qui ont commis de graves crimes contre la société, les leaders de cette même société ne peuvent-ils pas pratiquer le pardon afin de se réconcilier ? Shamir va-t-il pardonner à Yasser Arafat comme le fit Begin lorsqu'il rencontra le président Sadate ? Les leaders américain et soviétique ne pourraient-ils pas oublier le passé et “ se pardonner ” mutuellement ? [11] »

Le pape atteint enfin l'autel, se prosterne, puis se tourne vers l'assemblée. Les voix se taisent, le silence est total.

Jean Paul II fait le signe de croix. Puis il s'arrête et ferme les yeux. Il a une expression douloureuse, angoissée.

La messe se déroule dans un silence recueilli. Avant de prononcer son sermon, Jean Paul II parcourt du regard les rangées des condamnés. Ses yeux se posent sur un visage, puis passent au suivant. Rares sont ceux capables de soutenir son regard. Les plus endurcis baissent la tête. « C'est peut-être la lumière, mais je jurerais que certains d'entre eux ont les larmes aux yeux », griffonne un journaliste[12].

Personne ne songe à mettre en doute l'émotion du souverain pontife. Sa voix vibrante de sincérité résonne dans ce lieu saint où il veut apporter « le réconfort et l'espérance ».

Les gardiens s'agitent, mal à l'aise, en écoutant les paroles du pape. « Certains jours, le souvenir des gens qu'on aime, le besoin de se retrouver chez soi, entouré des siens, vous étreint le cœur et l'emplit d'une profonde nostalgie. »

Il rappelle les épreuves auxquelles ont été soumis les chrétiens. Puis il évoque la naissance de Jésus. Dieu, dit-il, avait envoyé sur terre son fils unique pour rendre, entre autres choses, « la liberté aux esclaves et aux prisonniers ».

Il rappelle à ceux qui pourraient l'avoir oublié — et il n'y a pas l'ombre d'un sourire sur ses lèvres — qu'ils peuvent trouver ces mots dans Isaïe.

La parole de Dieu, poursuit-il, a amélioré la vie en prison. Le message de l'Evangile a permis, au fil des siècles, de respecter davantage la dignité humaine du prisonnier, de le traiter plus équitablement et de lui permettre de se réinsérer dans la société.

Il leur promet que l'Eglise continuera de soutenir cette politique.

Mais pour ceux qui auraient interprété ses propos de façon trop littérale, Jean Paul II ajoute :

« Le Christ est venu avant tout pour libérer l'homme de la prison morale où ses passions l'ont enfermé. Le péché, c'est l'esclavage ! » C'est ce qu'il entendait par « libérer les esclaves ». « Tous les hommes, sous une forme ou sous une autre, sont prisonniers d'eux-mêmes et de leurs passions. »

Les journalistes, qui suivent la plupart de ses sermons, sentent que le pape ne va pas tarder à conclure. Les pauses sont calculées, il souhaite que chaque mot soit bien compris.

« Dieu est amour et souvenez-vous qu'Il vous aime. N'attendez ni amour ni pardon de vos frères sur terre. Tournez-vous vers le Christ. Il vous délivrera du péché. Je tends la main à toutes les personnes emprisonnées et, avec une affection sincère, leur souhaite une année meilleure que celle qui se termine. Elle le sera si, dans nos cœurs, nous trouvons un peu de place pour Dieu qui " est amour ". Je vous donne, à tous, ma bénédiction. »

Il y a un profond silence dans la chapelle. Personne ne bouge.

Puis, très lentement, les prisonniers se lèvent et commencent à défiler en silence devant l'autel où Jean Paul II est assis. Le premier tend une plaque en or au pape.

Jean Paul II en lit l'inscription : « Dans notre humilité et notre solitude, le souvenir d'un jour heureux, le 27 décembre 1983. »

A son tour, le pape offre au prisonnier un chapelet et une bûche de Noël. Les boîtes de gâteaux sont empilées près de l'autel.

Le prisonnier baise l'anneau pontifical puis se redresse, le regard embué de larmes.

Pendant près d'une heure les détenus défilent et donnent leurs cadeaux. Parmi ceux-ci, on trouve même un banjo, un bateau et une croix, fabriqués avec des cure-dents et des allumettes. Ils reçoivent, en retour, le même chapelet et le même gâteau.

A midi cinq, Jean Paul II quitte la chapelle. Le père Merle le conduit au quartier de haute sécurité.

On a ouvert les grilles quelques minutes avant l'arrivée du Saint-Père. Les dix-huit personnes qui accompagnent le pape s'arrêtent derrière les grilles.

Jean Paul II longe seul le couloir qui mène à la cellule T4, restée ouverte. A l'extérieur, devant la porte, les deux cameramen de la télévision et Arturo Mari commencent leur travail. Leurs caméras sont orientées de façon à prendre en gros plan la scène qui va se dérouler à l'intérieur de la cellule [13].

Le pape s'arrête sur le seuil et tourne le dos aux caméras.

Agca fait ce qu'on lui a dit : il se lève et attend.

Le pape s'avance et tend vers lui la main qui porte l'anneau. Agca s'approche, hésite, puis se penche pour baiser l'anneau. Ensuite, il prend la main du pape et l'élève d'un geste rapide à son front.

« *Lei, è Mehmet Ali Agca ?* » Le pape lui pose cette question doucement.

Agca ébauche un sourire timide. On dirait qu'il est gêné de l'admettre.

« *Si.*

— *Ah, lei abita qui ?* »

Le pape regarde autour de lui, intéressé par cette cellule où celui qui a failli être son assassin risque de finir ses jours.

« *Si.* »

Jean Paul II s'assoit, les mains sur les accoudoirs de la chaise. Agca en fait autant. Il joint les mains puis les sépare.

« *Come si sente ?* » La question du pape est posée sur un ton presque paternel.

« *Bene, bene.* » Tout à coup, le débit s'accélère dans la bouche d'Agca. Il est volubile, excité. Les mots se bousculent. « *Volevo chiedere perdono...* »

Agca implore le pape de lui pardonner. Il crispe tant les mains que ses jointures blanchissent. Dans le couloir, les cameramen filment les deux visages en gros plan.

Le pape est maintenant aussi ému qu'Agca. Sa voix est basse, pressante. Il tourne la tête de façon que seul Agca puisse voir ses lèvres.

Celui-ci acquiesce d'un signe de tête. Puis, un instant plus tard, on a l'impression qu'il va sourire, mais son expression redevient tout de suite sérieuse. Il semble troublé, puis c'est fini, il sourit vraiment.

Jean Paul II hoche la tête et rapproche sa chaise de façon à être plus près d'Agca. Leurs genoux se touchent presque.

Ils se regardent. Maintenant, c'est à Jean Paul II de sourire.

Agca hésite, puis un sourire d'enfant éclaire son visage.

Il sait que le pape lui a vraiment pardonné. Il le comprend à la façon dont Jean Paul II tend les bras pour l'embrasser.

Agca se penche et Jean Paul II pose un instant ses mains sur ses épaules.

Puis il s'adosse à sa chaise. Agca commence à parler. Sa voix n'est qu'un murmure. Il lui explique quelque chose en agitant les mains, comme le font les Italiens.

Jean Paul II a l'air pensif.

Agca cesse de parler. Ses mains pendent entre ses genoux, il les serre et les desserre. Le silence devient pesant.

Le pape se penche de nouveau et Agca poursuit.

« ... *Italia...* »

Le visage du pape cache celui d'Agca. Le reste de ses paroles est inaudible.

Agca chuchote presque à son oreille.

Il a une expression pensive. Le pape hoche imperceptiblement la tête.

Agca s'arrête.

D'un geste, Jean Paul II l'encourage à poursuivre.

Les deux hommes sont si près l'un de l'autre que leurs deux têtes se touchent presque.

Agca se lance dans une nouvelle explication. Ses lèvres bougent à peine.

Jean Paul II a une expression douloureuse. Il ferme les yeux, comme pour se concentrer.

Agca s'interrompt soudain au milieu d'une phrase.

Jean Paul II garde les yeux fermés mais appuie son coude sur le genou d'Agca. Le pape parle et Agca répond mais personne n'entend ce qu'ils disent.

Le pape ôte soudain son coude du genou d'Agca et d'un geste lui intime l'ordre de se taire.

Agca obéit.

Jean Paul II se penche à nouveau vers lui.

Agca reprend.

D'une main, le pape abrite ses yeux comme pour dissimuler son regard et parle.

Agca se met à rire mais s'arrête si vite que ses lèvres n'ont presque pas bougé.

Jean Paul II saisit le bras du jeune homme. Il le serre comme pour le réconforter, l'assurer de son soutien.

Les deux hommes poursuivent leur conversation, mais à voix si basse, qu'on ne perçoit que quelques mots : « ... *Gesù... Madre...* »

L'entretien durera vingt-deux minutes.

Enfin, Jean Paul II se lève. Il prend la main d'Agca et l'invite à en faire autant. Le pape et son agresseur se regardent dans les yeux. Ceux de Jean Paul II sont pleins d'assurance.

Il fouille dans la poche de sa soutane et en sort une petite boîte blanche. « ... *Picolo presente.* » Il la tend à Agca.

Celui-ci paraît troublé. On ne l'avait pas préparé à cette éventualité. Il prend la boîte d'un air hésitant.

Le pape attend avec un gentil sourire.

Agca ouvre la boîte, elle contient un chapelet en argent avec des perles de nacre.

Agca serre la main du pape.

« *Ti ringrazio*, dit-il, *ti ringrazio.* »

Jean Paul II hoche la tête : « *Niente, niente.* »

Au moment de quitter la cellule, Jean Paul II s'arrête et se retourne, dissimulant Agca aux cameramen. Il se penche et lui murmure quelques mots.

Agca saisit la main droite du pape et baise à nouveau l'anneau. Il lève son visage vers lui et lui sourit.

Jean Paul II sort calmement de sa cellule.

Les caméras s'attardent sur Agca qui regarde sortir le pape avec une expression songeuse. Il semble avoir du mal à croire qu'un homme qu'on a tenté d'assassiner puisse se comporter de façon aussi amicale avec son agresseur.

Dans le couloir, entouré par le personnel de la prison, soulagé que cette confrontation historique se soit passée sans incident, Jean Paul II explique qu'il révélera peu de chose de cet entretien. « Ce que nous nous sommes dit restera un secret entre lui et moi. Je lui ai parlé comme à un frère auquel j'ai pardonné et qui a toute ma confiance. »

Et, sans un mot de plus, il se dirige vers la sortie.

Quelques minutes plus tard, les cameramen s'en vont à leur tour et les deux gardiens reviennent. Ils ordonnent à Agca de défaire son lit et de remettre la literie d'origine. Draps et couvertures sont soigneusement pliés et remportés. La porte de la cellule T4 est refermée.

Mehmet Ali Agca a tout de même reçu la permission de garder son chapelet.

27

Demain

Nous avons presque terminé notre livre.

Depuis ce jour où nous décrivions Camillo Cibin se rendant à son travail, douze mois se sont écoulés.

Aujourd'hui, flânant une fois encore sur cette place Saint-Pierre que nous avons bien dû parcourir une centaine de fois, nous avons l'impression que rien n'a changé.

Les mêmes graffiti recouvrent les colonnes du Bernin. Les gardes suisses, à la porte de bronze et aux autres entrées du Vatican, semblent plus jeunes que jamais. Les vigiles ont toujours la même expression légèrement arrogante. Les policiers romains, malgré leur mollesse évidente, sont toujours prêt à faire les fanfarons.

Cependant, derrière ce décor éternel, beaucoup de changements sont intervenus.

La diplomatie papale, au cœur d'une bureaucratie très centralisée, a été mêlée comme jamais, au cours de cinq cents ans d'une histoire pourtant mouvementée, aux événements internationaux.

Elle applique toujours les mêmes principes : un mélange bien dosé de droit canon, international et constitutionnel, de théologie et de moralisme.

Sous le règne de Jean Paul II, la politique du Vatican n'oscille plus entre conservatisme et progressisme. Le pape n'est pas seulement déterminé à faire triompher les thèses les plus traditionalistes — refus du divorce, de la contraception et de l'ordination des religieuses —, il est décidé en outre à imposer sa vision politique.

C'est devenu encore plus évident après son retour d'Amérique centrale. Là-bas, il lui est arrivé quelque chose. Quelque chose qu'il est impossible de définir réellement.

Peut-être n'est-ce pas sans rapport avec ces cris des sandinistes qui scandaient sous ses yeux : « *Queremos la paz !* Nous voulons la paix ! »

Jean Paul II avait fini par crier à son tour : « *La primera che quiere la paz es la Iglesia !* L'Eglise est la première à vouloir la paix ! »

Au Guatemala, il avait été contraint de serrer la main de Rios Montt, le dictateur à présent déchu et oublié de tous, qui avait refusé d'accéder à sa requête et de gracier des hommes dont la culpabilité était très discutable.

En Haïti, il avait subi d'insupportables discours politiques et dû assister à des manifestations visiblement organisées par le gouvernement.

Tout cela l'avait profondément choqué. Pour la première fois, l'Eglise, en sa personne, était défiée et bafouée.

Le pape ne s'est jamais tout à fait remis de ce pèlerinage en Amérique centrale. Ses yeux, très bleus, ont parfois une expression désemparée. Mgr Kabongo disait que le pape « avait entrevu l'enfer sur terre ».

La voix de Jean Paul II est devenue plus sourde, presque rauque, bien qu'encore puissante pour un homme de son âge.

Dans ses sermons, dans ses allocutions improvisées et ses discours, le pardon des offenses et l'esprit de réconciliation restent les thèmes majeurs. Sa visite à Agca prouve qu'il sait mettre en pratique ces vertus.

Cependant, dans l'intimité, Jean Paul II est souvent silencieux, réservé. Il semble alors plus humain, plus vulnérable. On dirait qu'il craint de ne pas réussir à convaincre ses interlocuteurs du grand dessein de l'humanisme chrétien auquel il croit si profondément.

Cependant, il a l'intention de continuer à exercer ce qu'il considère comme les droits traditionnels de la papauté. Dans ce domaine, pas question de tergiverser : il veut que ses diplomates jouent un rôle important dans toutes les régions qu'il juge politiquement essentielles.

Il s'en tient à cette déclaration faite au tout début de son pontificat. Il n'avait pas encore été victime de cette odieuse agression et n'avait pas effectué ces dix-huit voyages à travers le monde.

C'était en 1979, pendant sa visite en Irlande. Il avait proclamé : « La violence est le mal absolu, elle est inacceptable et ne résout aucun problème. La violence est indigne de l'homme, elle va à l'encontre de la vérité même de notre foi, de la vérité même de notre humanité. »

C'était une intervention légitime de la part d'un pape dans les affaires de ce monde, manifestant le caractère traditionnel de sa foi en usant pleinement de son autorité morale dans le domaine politique.

Depuis, il a développé un thème important que son entourage qualifie de « souveraineté spirituelle », et qui désigne très exactement l'opinion de Jean Paul II selon laquelle l'Eglise et l'Etat peuvent exercer une responsabilité analogue dans la résolution des problèmes séculiers. Il estime, en outre, que l'objectif de la diplomatie vaticane n'est pas un simple exercice d'influence mais une façon d'aider le monde et de l'aimer.

Cependant, les dissensions s'aggravent au sein de l'Eglise. Des idées subversives commencent à s'enraciner dans les esprits. Ceux qui militent en faveur d'un changement sont de plus en plus nombreux. Beaucoup de catholiques laissent entendre qu'ils ne souscriront pas à toutes les opinions exprimées par le palais apostolique. Les voix dissidentes réclament une plus grande autonomie, la liberté et la possibilité de faire un choix dans tous les aspects de la vie religieuse. Ils ont pensé un moment que le pape reviendrait sur certaines décisions par trop contraignantes. Il n'en a rien fait et n'en fera rien.

Mais les conservateurs ont l'oreille du pape et le problème de la démocratisation de l'Eglise se pose chaque jour davantage. Si le conflit et la crise s'aggravent, il arrivera un moment où Jean Paul II et son entourage verront leur autorité de plus en plus contestée.

Confrontés à de tels problèmes internes, le pontificat de Jean Paul II pourrait bien n'être plus en mesure (d'autres facteurs interviennent également) d'exercer une influence réelle dans le domaine de la politique extérieure.

Rien ne prouve que dans un avenir proche, le Saint-Siège souhaite établir des relations diplomatiques avec Israël. Il existe à la secrétairerie d'Etat un puissant lobby antisémite dont la plupart des membres sont jeunes. Ils pourraient bien être encore là au début du XXIe siècle et tant qu'ils conserveront leur poste, la situation a peu de chance d'évoluer.

En revanche, la sympathie pour les thèses arabes « modérées » grandit et continuera de le faire, et cela n'est pas uniquement dû aux liens personnels de Jean Paul II et de Yasser Arafat, en dépit de tous les problèmes qui se sont abattus sur le chef de l'O.L.P.

Le pape considère qu'Arafat pourrait devenir l'homme d'Etat le plus expérimenté dans les affaires du Moyen-Orient, à condition, bien entendu, qu'il survive.

Et le Moyen-Orient lui-même, de même que l'Amérique centrale, feront partie des préoccupations majeures du Saint-Siège. Le pape et ses diplomates continueront activement à rechercher une patrie pour l'O.L.P. En outre, ils mettront tout en œuvre pour réunifier l'Eglise latino-américaine afin que sa voix puisse être entendue au sein du tiers monde auquel le pape attache une importance capitale pour l'avenir.

Dans ses relations avec la Chine, le Saint-Siège avancera avec prudence et adaptera son rythme à celui de Pékin.

S'agissant de la Pologne, l'attitude du pape est trop émotionnelle pour vraiment changer. Mais, de plus en plus, ses diplomates, et plus particulièrement Casaroli, vont tenter de la modifier et lui rappeler que le domaine le plus mouvementé de la diplomatie vaticane a concerné, pendant des années, des régions qui sont maintenant sous contrôle russe, et qu'il ne doit pas trop en attendre.

Personne ne peut savoir le tour que prendront les relations du Vatican avec le Kremlin après la mort de Youri Andropov. Dans ce domaine également, le fait que les informations dont dispose le pape sont essentiellement, pour ne pas dire entièrement, fournies par la C.I.A. complique les choses.

Le service d'espionnage le plus puissant et peut-être le mieux informé du monde occidental s'est, de toute évidence, rapproché de Jean Paul II.

Si beaucoup voient dans ces liens étroits de la C.I.A. avec la papauté le rejeton bâtard de la politique et de la religion, d'autres sont soulagés de constater que c'est l'Agence et non le K.G.B. qui conseille Jean Paul II.

Néanmoins, on peut se demander s'il est vraiment nécessaire que le Saint-Siège entretienne des relations aussi privilégiées avec un service de renseignement, alors que ses diplomates ne cessent de répéter que tous leurs efforts tendent vers un but simple : maintenir la liberté de l'Eglise, défendre les droits de l'homme et tenter de créer un monde meilleur.

Ce fut la C.I.A. qui, la première, annonça à Jean Paul II que Youri Andropov était perdu. Le pape l'apprit par le directeur de l'antenne romaine peu après sa visite à Agca. Et c'est également lui qui informa Jean Paul II, en février 1984, de la mort du leader soviétique.

Après la mort d'Andropov, Jean Paul II parut se désintéresser du rôle qu'avait joué — ou n'avait pas joué — le leader soviétique dans la tentative d'assassinat.

La C.I.A. avait expliqué au pape — dans l'un des rapports hebdomadaires que l'antenne romaine de l'Agence fait parvenir tous les vendredis au palais apostolique — que la mort d'Andropov ôtait beaucoup d'intérêt à la filière bulgare. Peu après, Jean Paul II demanda à ses diplomates dispersés dans le monde de cesser de découper les articles de presse qui paraissaient sur le complot.

Cependant, à une plus grande échelle, la violence continue de régner.

Elle ne hante pas seulement Jean Paul II, mais aussi ses collaborateurs : ceux qui dirigent les différents bureaux de la secrétairerie d'Etat, les nonces envoyés aux quatre coins du monde. Elle obsède également les hiérarchies locales : cardinaux, archevêques, évêques, religieuses et jusqu'aux plus humbles prêtres de paroisses.

Beaucoup, dans cette immense armée spirituelle — près d'un million et demi d'âmes — savent que le carnage n'est pas prêt de cesser. Et cette vision désespérante de l'avenir, tous la partagent. La violence est continuelle non seulement au Moyen-Orient et en Amérique centrale, mais partout dans le monde. On truffe les immeubles d'explosifs, on piège les voitures. Des innocents sont déchiquetés au nom d'un nationalisme dévoyé.

Certains prêtres et religieuses, défiant le pape, continueront à en appeler au désarmement unilatéral. Mais la plupart resteront persuadés que leur tâche consiste avant tout à secourir ceux qui n'ont pas les moyens de protester parce qu'ils sont victimes d'un système politique qui le leur interdit, de régimes qui préfèrent emprisonner, torturer, supprimer et faire « disparaître » quiconque s'oppose à eux.

Pour sa part, Jean Paul II continuera à plaider en faveur des droits élémentaires de l'homme. Il restera la voix puissante qui revendique une réelle liberté d'action et de pensée. Il mettra en lumière l'impardonnable inefficacité de l'humanité quand il s'agit de nourrir les affamés ou de réduire l'hostilité entre les idéologies divergentes. En même temps, il essaiera de redonner espoir à ce monde désormais en mesure de se détruire lui-même.

Dans la bouche de Jean Paul II, des mots tels que « vérité », « justice » et « liberté » ne sont pas seulement des mots. Quand il parle du « salut », il ne s'agit pas d'un substantif éculé mais d'un rappel de la dignité humaine.

Cependant, à bien des égards, c'est une façon émouvante mais bien mystérieuse de s'attaquer aux tensions internationales. Cela suppose que toutes les sociétés aient la capacité spirituelle d'adhérer aux idéaux du pape.

Mais où est la dignité humaine dans le sanglant régime de l'ayatollah Khomeiny ? Où est la preuve qu'elle existe encore dans les régimes communistes ? Dans la haine qui oppose protestants et catholiques dans l'Irlande du Nord ? Dans les actes insensés qui se déroulent au Liban où la vengeance appelle la vengeance ?

Là et dans tant d'autres lieux, le passé semble influencer le présent. Il est toujours prêt à dévorer le moindre espoir de dignité humaine.

Cependant, ce dévouement passionné à la cause de la dignité humaine est la dernière arme dont dispose le pape. Il sous-tend tous ses actes et ceux de ses diplomates.

Par ailleurs, il est probable que, tout en restant profondément concerné par les droits de l'homme et en utilisant toute son autorité morale afin qu'ils soient respectés, le Saint-Siège fera preuve d'une certaine prudence lorsqu'il s'agira de décider où et comment il peut intervenir.

Cette attitude est en partie due aux diverses influences que subit le pontificat (la C.I.A., l'Opus Dei et le conservatisme religieux).

Bien que fidèle à sa vocation fondamentalement spirituelle, le Saint-Siège n'hésite cependant pas à s'engager dans la mêlée politique internationale et il y est encouragé par des forces qui s'exercent à l'intérieur comme à l'extérieur de l'Eglise.

Le Saint-Siège ne cessera pas de faire preuve d'une réelle indépendance. Mais cet engagement de Jean Paul II et de ses diplomates se heurte à tant de pouvoirs puissants et disparates que le rôle traditionnel de la diplomatie papale pourrait bien être remis en question. Celle-ci est désormais consacrée à la survie de l'homme sur la terre, au sens spirituel et physique du terme.

Tout cela peut paraître bien fragile face aux impulsions autodestructrices d'un monde qui bascule lentement mais sûrement dans les ténèbres de l'Apocalypse.

Notes

CHAPITRE 1

1. La meilleure étude récente sur la politique moderne du Saint-Siège est l'ouvrage de référence de Hansjakob Stehle, *Eastern Politics of the Vatican 1917-1979* (Ohio University Press, 1981). Cet historien allemand étudie les affaires du Vatican depuis 1970. Cependant, certains travaux plus anciens tels que *Vatican Diplomacy* de Robert Graham, s. j. (Princeton University Press, 1959) et *The Politics of the Vatican* de Peter Nichols, Pall Mall Press, Londres, 1968, valent également la peine d'être consultés.

2. Contrairement aux *pronuncios*, les nonces sont toujours doyens du corps diplomatique dans les pays où ils sont accrédités. Un délégué apostolique est l'équivalent d'un envoyé personnel du Saint-Siège.

3. Cette opinion a été exprimée par Eugène V. Rostow, sous-secrétaire d'Etat aux Affaires politiques dans l'administration de Lyndon Johnson, au symposium du collège de Boston qui a eu lieu en 1970.

4. Pour nous aider, nous avons fait appel à trois enquêteurs professionnels : George Waller, Vivienne Heston et Clarissa McNair. Nous devons beaucoup à leur talent.

CHAPITRE 2

1. Des détails sur les procédures obligatoires nous ont été fournis par un officier de renseignements allemand en juillet 1983 et par un *capo* (chef) de la police romaine. Ce plan est nouveau et on a fait des essais afin de contrôler le temps que mettraient les renforts de police à arriver place Saint-Pierre en cas de problème. L'hôpital Gemelli, où Jean Paul II avait été transporté en 1981, reste le centre d'urgence choisi. Là aussi, des mesures ont été prises pour éviter que ne

se reproduise la « bavure » de 1981 : l'hôpital n'avait pas été prévenu à l'avance de l'état critique du pape.

2. Les opinions de Cibin que nous rapportons ici sont fondées sur les nombreux entretiens que nous avons eus avec lui. Certaines informations nous ont été également fournies par des sources extérieures au Vatican.

3. Des enquêtes journalistiques concernant la complexité des rapports entre la C.I.A. et le Vatican ont déjà été effectuées par un excellent journaliste, Roland Flamini de *Time Magazine*. Il est l'auteur d'un ouvrage de référence sur les services de renseignements et la papauté, *Pope Premier Président* (McMillan, 1980). La commission sénatoriale d'enquête sur les activités de la C.I.A. a fourni des informations trop nombreuses pour que nous puissions les citer ici. Voir aussi l'article de Martin Lee dans le magazine *Mother Jones*, juillet 1983, pp. 21-27 et 36-38.

4. C'est par un employé de Radio Vatican que nous avons appris en mai 1982 que le Vatican était truffé de micros. Cela nous fut confirmé par deux de nos sources.

5. En quelques jours, la nouvelle que la C.I.A. était « dans le coup » parvint à d'autres services de renseignements occidentaux à Rome, et à divers « vaticanologues », dont nous.

6. Lorsque Clarissa McNair accepta de nous aider, en 1983, elle nous raconta ses propres expériences, tout en précisant qu'il n'était pas question pour elle de trahir le Vatican et que sa coopération ne devait en aucun cas interférer dans son travail ou compromettre sa situation. Ses démêlés avec Mad Mentor, que nous détaillons dans cet ouvrage, sont véritablement kafkaïens (ce n'est pas la première fois qu'on est en droit de se poser des questions sur l'état mental de certains agents de la C.I.A.).

7. Nous avons rendu de nombreuses visites au palais de justice au cours de l'année 1982-1983.

8. Giuseppe Rosselli, spécialisé en matière de droit, est l'un des rares journalistes à qui Martella n'a pas fermé sa porte. Les deux hommes se sont connus au cours de l'enquête sur le scandale Lockheed. Martella ayant été diffamé à plusieurs reprises dans la presse italienne ne porte pas les journalistes dans son cœur. Mais Rosselli lui a toujours gardé sa confiance. C'est pourquoi la façon dont Martella a traité l'affaire (telle que nous la raconta Rosselli) nous paraît vraisemblable.

9. Issu du rapport quotidien du Parlement italien, 20 décembre 1982, pp. 1194 à 1198 incluse.

10. A deux reprises pendant cette période, le 19 décembre et le 27 décembre 1982, nous rencontrâmes Martella. Il nous confirma certains faits que nous connaissions déjà et nous en révéla d'autres.

Il ne s'attendait pas, nous avoua-t-il, que ses déclarations de décembre sur la filière bulgare fissent l'objet d'une pareille publicité. Il prit la décision de ne plus dire un mot aux journalistes. Néanmoins Giuseppe Rosselli et Al Troner, alors correspondant du *Daily Express* de Londres à Rome, réussirent à le voir à plusieurs reprises et nous apportèrent de nombreux éclaircissements. Les détails des conversations entre le juge Martella et Agca nous sont parvenus de diverses sources. Pour établir son dossier, Martella avait besoin de la collaboration de nombreux services de renseignements étrangers. Il eut accès à leur documentation de base. Les dossiers des services allemands de l'Ouest, le B.N.D. et le B.K.A., étaient de première importance pour lui. En retour, il fournit au B.K.A. et au B.N.D. copie de ses retranscriptions personnelles, souvent rédigées par lui, de ses entretiens avec Agca. A leur tour, nos propres sources de renseignements dans ces services nous firent parvenir une partie de ces documents.

11. Contrairement à ce que prétendent certains rapports, les vigiles n'ont le droit de tirer que si la vie du pape est directement menacée.

12. Notre portrait de Mgr Poggi a diverses origines : son ami diplomate, l'archevêque Gaetano Alibrandi, le nonce du pape en Irlande. L'envoyé du président Reagan au Saint-Siège, William Wilson, et le père Lambert Greenan de l'*Osservatore Romano*. Nous avons eu aussi l'occasion de nous faire une idée personnelle de Mgr Poggi au cours d'un entretien que nous eûmes le 3 mai 1983.

13. *Time*, 27 décembre 1982, p. 4 ; *Newsweek*, le 3 janvier 1983, p. 20.

CHAPITRE 3

1. On nous montra ce dossier à la secrétairerie d'Etat, l'après-midi du 19 avril 1983. Notre informateur faisait partie de ces nombreux prélats qui coopéraient avec nous, sans toutefois vouloir être nommés. Dans le *New York Times*, Kenneth Briggs écrivait : « Parler ouvertement comporte de grands risques. Les ecclésiastiques n'accordent d'interviews qu'à la condition que leur nom ne soit pas cité. » *The New York Times Magazine*, 10 octobre 1982, p. 8.

2. Mgr Emery Kabongo nous donna des détails sur les dévotions du pape, le 14 avril 1983.

3. Le père Bruno Fink, secrétaire privé du cardinal Joseph Ratzinger, préfet de la Sacrée Congrégation pour la doctrine de la foi, nous parla longuement, le 5 mai 1983, des efforts déployés par l'Eglise pour combattre la laïcité en Allemagne de l'Ouest.

4. Mgr Poggi nous confirma, le 3 mai 1983, qu'il avait rédigé son rapport à la main.

5. En nous expliquant comment fonctionnait la papauté, un dominicain irlandais émit ce jugement caustique.

6. *Ibid.*

7. Les liens qui unissent Jean Paul II, Lech Walesa et Solidarité en irritent plus d'un, et notamment au bureau de presse du Vatican. Nous en avons donné un aperçu dans *Les Couloirs du Vatican*, pp. 426-430 et 456-466. Il se fondait sur nos enquêtes et celle de la N.B.C. Dans sa réponse officielle, le Vatican niait énergiquement que Jean Paul II eût jamais écrit à Brejnev.

8. Deux des plus proches collaborateurs du pape nous confirmèrent son opinion sur Walesa.

9. Voir note 7.

10. « Le pape est en paix avec Dieu et n'a peur de rien, nous confia Kabongo. C'est nous qui avons peur pour lui. »

11. Pour une explication détaillée, se reporter à *Eastern Politics of the Vatican 1917-1979*, de Hansjakob Stehle.

12. *Ibid.*

13. Le Pr Stehle, au cours d'un entretien, le 23 avril 1983.

14. *Ibid.*

15. Dimitrov nous relata de façon amusante les pressions qu'il avait subies lorsqu'on fit mention pour la première fois de la filière bulgare. Au cours de nombreuses conversations entre avril et décembre 1983, le premier secrétaire nous parla de sa vie et de ses activités comme diplomate d'Europe de l'Est en poste dans un pays occidental. Pendant tous ces entretiens, Dimitrov ne cessa de soutenir que son pays était victime d'une campagne de diffamation de la part de la presse occidentale.

16. *Newsweek*, 20 décembre 1982, p. 59.

17. *Newsweek*, 27 décembre 1982, p. 42.

18. *The Economist*, 28 décembre 1982, p. 12.

19. Les craintes de Dimitrov d'être rappelé en Bulgarie ne se sont pas vérifiées. Il est resté à Rome et c'est l'un des diplomates soviétiques les plus populaires de la capitale. Il a cependant reconnu que certains de ses collègues avaient été rappelés ou mutés, à la suite de la désastreuse conférence de presse de Sofia.

20. Nous avons pu observer Mgr Kabongo se rendant à son travail à plusieurs reprises entre mars 1983 et la fin de l'année.

21. Mgr Kabongo nous fit un compte rendu détaillé de sa biographie, le 12 avril 1983. Sa grande modestie l'empêcha d'insister sur le rôle déterminant qu'il avait joué en Corée et au Brésil. Selon Roland Minnerath, le secrétaire à la nonciature du Brésil, Mgr Kabongo est l'un des plus remarquables jeunes diplomates du Saint-Siège à l'heure actuelle.

22. Deux homologues irlandais de Mgr Magee au Vatican nous ont donné plusieurs exemples, en juin 1982, des dissensions existant entre Mgr Magee et Dziwisz. Un ami de la famille de Mgr Magee, dont la bonne foi ne peut être mise en doute, nous confia le 22 avril 1983 que « le pauvre John avait souffert avec le Polak ».

23. Fondé sur une observation personnelle.

24. Texte complet du discours fourni par le père Lambert Greenan.

25. Cette histoire se poursuivra tout au long de l'année.

26. Mgr Kabongo nous expliqua l'attitude du pape, le 9 avril 1983. « Il est tout à fait compréhensible que le Saint-Père ait envie de connaître les faits. Ceux qui échappent miraculeusement à un attentat réagissent souvent ainsi. Le pape porte un intérêt légitime à tout ce qui se dit et s'écrit à ce sujet. Parfois, c'est intéressant, mais la plupart du temps, ce n'est que du rabâchage. »

27. Fondé sur nos observations personnelles, le 15 août 1983.

28. Deux sources nous ont fourni des renseignements sur les conditions de détention d'Agca. Il s'agit, d'une part, d'un employé du ministère italien de la justice et, d'autre part, d'un officier des services de renseignements. Tous deux nous ont fait jurer de garder le secret sur leur identité. Ils ne se connaissaient pas (nous l'avons vérifié) mais leurs témoignages concordaient en tous points. Nous les avons rencontrés en 1982 et en 1983.

29. Au cours d'un long entretien que nous avons eu avec la famille d'Agca à Yetsiltepe en janvier 1982, celle-ci nous répéta à plusieurs reprises que ses lettres à Agca étaient systématiquement interceptées par les autorités turques. Ceci

nous fut catégoriquement démenti le 16 février 1982 par un porte-parole du ministère turc des Affaires étrangères.

30. L'une de nos sources (Rudi dans le texte) a interviewé Agca à deux reprises, fin 1982. Il l'a trouvé étonnamment changé : « Visiblement, le personnel médical prend soin de lui », conclut-il.

CHAPITRE 4

1. Le Vatican réagit à ces informations en demandant à l'Episcopat polonais d'inciter tous les travailleurs à ignorer les syndicats officiels. Ce mouvement eut un tel succès que la P.A.P., l'Agence d'informations polonaise, fut obligée d'admettre qu'un « état d'esprit de prudence et de réserve imprègne encore le comportement de la classe ouvrière » (U.P.I., dépêche du 4 janvier 1983).

2. Le Vatican s'intéressa vivement à ce scandale. Le pape interrogea Marcinkus afin de vérifier que la Banque du Vatican n'était pas impliquée dans cette affaire. Marcinkus rassura le souverain pontife : il ne s'agissait là que d'une « affaire purement séculière » (son commentaire nous fut transmis le 3 janvier 1983 par un de ses collaborateurs). Mgr Cibin, pour d'autres raisons, se préoccupa également de cette histoire. L'enquête que le chef de la sécurité mena sur cette affaire établit que l'homme qui avait inspiré l'article du *Daily American* (31 décembre 1982) intitulé « des personnalités de la F.A.O. prétendent que l'agence a provoqué une hausse artificielle des taux bancaires » n'était autre que Mad Mentor, dont les liens avec le Vatican avaient commencé à inquiéter Cibin.

3. Le précédent directeur de la C.I.A. avait formulé une accusation analogue sur N.B.C., le 30 décembre 1982. Selon lui, la tentative d'assassinat « présentait tous les signes caractéristiques d'une opération du K.G.B. ».

4. L'*Osservatore Romano*, 24 septembre 1982, p. 1.

5. Le communiqué du pape date du 10 janvier 1983.

6. Jas Gawronski, membre italien du Parlement européen, nous dit au cours d'un dîner, le 4 septembre 1983, que « ses sources les plus sûres » au Vatican estimaient qu'à présent il ne subsistait plus aucune preuve que la banque fût mêlée à ce scandale.

CHAPITRE 5

1. Sœur Severia nous décrivit ses fonctions au cours d'une interview, le 3 avril 1983.

2. Le pape possède un mini-standard sur son bureau. Il dispose de six lignes directes.

3. Le pape reprit cette phrase dans plusieurs de ses discours pendant son voyage en Amérique du Nord, en 1979.

4. La publication par le cardinal Bernardin de la lettre pastorale sous sa forme

définitive en 1982 fit sensation. Il la considérait comme « l'occasion d'enseigner et d'apprendre », *The New York Times Magazine*, 10 mai 1983.

5. Un prélat de la curie nous en informa le 10 avril 1983. Nous en fîmes la remarque à Wilson le 20 avril 1983. Il n'en disconvint pas.

6. Wilson au cours d'une interview, le 13 avril 1983.

7. Mgr Kabongo nous fit un portrait évocateur de Montalvo le 14 avril 1983.

8. Le séjour de Yasser Arafat en Algérie fut gâché par un accrochage avec l'envoyé de Khadafi. Dans un discours enflammé, il promit que l'O.L.P. continuerait son combat politique et militaire contre Israël « jusqu'à ce qu'une paix équitable soit obtenue et que le drapeau palestinien soit hissé au sommet des mosquées et des églises de Jérusalem ». Il ne mentionna pas les lieux saints juifs. Il déclara qu'à Jérusalem « la paix sera obtenue par une décision souveraine de notre peuple qui résultera de la lutte armée » (dépêche de l'Associated Press du 15 février 1983).

9. Joseph Harmouche, l'éditeur et le rédacteur en chef du *Middle East Panorama*, un hebdomadaire très populaire dans les pays arabes, nous communiqua l'opinion du nonce. Harmouche est un chrétien libanais qui entretient des relations étroites avec le nonce Angeloni. Entre le 23 et le 27 juillet 1983, nous avons rencontré Harmouche à plusieurs reprises. Il nous a fourni des détails sur le rôle du Saint-Siège dans les affaires de son pays. Nos sources vaticanes nous ont confirmé la justesse de son analyse.

10. *Time*, 31 janvier 1983.

11. Les téléphones du pape et ceux dû secrétariat sont munis de boutons leur permettant d'interrompre la conversation à tout moment.

12. L'influence du Saint-Siège se fit sentir. Alors que le communiqué final du sommet de Managua dénonçait « l'utilisation d'Israël par les Etats-Unis dans ses interventions en Amérique latine », cette déclaration fut jugée relativement modérée par la plupart des délégations et ne constituant certainement pas une condamnation brutale. L'Egypte et l'Inde n'en pensaient pas moins que ce document était trop critique à l'égard des Etats-Unis.

13. Cette analyse est entre les mains de Mgr Mounged El-Hachem, l'un des experts du secrétariat au Moyen-Orient. Il a reconnu devant nous le 5 septembre 1983 que « suivre la trace de tous les groupes est un cauchemar ».

14. *New York Times*, 17 janvier 1983.

15. *Ibid.*

16. Interview de Wilson, le 13 avril 1983.

17. Le pape Jean Paul II lors de sa bénédiction du nouvel an, le 1er janvier 1983.

18. *The Soviet War Machine*, de Christopher Donnelly (Salamander Books, Londres, 1981) et *The Final Decade*, de Christopher Lee (Hamish Hamilton, Londres, 1981) donnent des points de vue qui font autorité sur les effets d'une future guerre nucléaire, tout comme *The Medical Effects of Nuclear War* (British Medical Association, Chichester, 1983).

19. Citation de Mgr Kabongo, le 10 avril 1983.

20. *N.A.T.O. Force Comparison*, 1982 et *N.A.T.O. Defence Fact Shett*, février 1983. Les services occidentaux, y compris la C.I.A. nous ont facilité l'accès à ces documents.

21. *Ibid.*
22. Mgr Kabongo, le 10 avril 1983.
23. Le discours du pape prononcé en français dans le hall du palais apostolique dénonçait également ces gouvernements qui « font disparaître un certain nombre de personnes, sans procès, laissant leur famille dans une cruelle incertitude ». Cette critique s'adressait manifestement à l'Argentine. En outre, le pape fit allusion à une « interférence extérieure » en Amérique centrale.
24. Nous avons rencontré le père Fink à plusieurs reprises entre le 15 avril 1982 et le 27 juillet 1983. Tout d'abord, il se montra circonspect, puis s'ouvrit peu à peu. Tout comme Mgr Kabongo, il était trop modeste pour s'attarder sur sa brillante carrière ecclésiastique. « J'ai tout simplement eu de la chance », disait-il.
25. Lors d'une conversation avec Fink, 29 mars 1983.
26. Lors d'une conversation avec Fink, 23 mars 1983.
27. *Ibid.*
28. Nous fûmes mis au courant de la méthodologie de Fink par l'un de ses collègues.
29. Cité par le *Time*, 29 novembre 1982, p. 46.
30. *Ibid.*
31. Déclaration faite par Pie XII en 1954. Elle impressionna beaucoup Karol Wojtyla, l'étoile montante de l'épiscopat polonais à l'époque.
32. Cité dans le *Time*, 29 novembre 1982.
33. *Ibid.*
34. Lorsqu'il exprima ses sentiments, le 17 mars 1983, Fink insista sur le fait qu'il émettait sa *propre* opinion et qu'elle ne reflétait en rien celle de Ratzinger ou celle de l'Eglise.
35. Pour tous ceux que les travaux du secrétariat intéressent, nous recommandons l'étude de George Bull : *Inside the Vatican* (Hutchinson, Londres, 1982).
36. Dans une interview enregistrée, datant du 23 avril 1983, Mgr Alibrandi expliquait que « la question de la neutralité irlandaise » était d'un intérêt constant pour lui et pour le Saint-Siège.
37. Le Saint-Siège ne parvint pas à sauver la vie de Bobby Sands, le gréviste de la faim, en 1981. Cette affaire figure dans *Les Couloirs du Vatican.*
38. Le président Mitterrand dira : « Quiconque mise sur le découplement Europe-Amérique mettrait en cause le maintien de l'équilibre et celui de la paix. »
39. *Time*, 31 mars 1983.

CHAPITRE 6

1. Avec cette émission nous avons compris que l'espion de Wilson utilisait toujours le même procédé : dès qu'il avait enregistré et transcrit l'émission de Clarissa McNair, il l'envoyait à Wilson.
2. Wilson, dans une interview le 17 avril 1983.

3. McConnachie, 11 avril 1983.
4. *Ibid.*
5. Une douzaine de sources vaticanes pensent de même. La situation n'est pas entièrement imputable au père Panciroli. Il avait pris ce poste quand le bureau de presse du Vatican dissimulait automatiquement les faits les plus innocents.
6. Notre source était tout à fait autorisée. Nous ne pouvons l'accuser d'avoir dévoilé des secrets en nous expliquant ce qui se passait. La conférence avait déjà fait l'objet d'un nombre important de fuites. Plusieurs d'entre elles étaient d'ailleurs d'une origine douteuse. Notre informateur avait pour seul souci de nous dire la vérité.
7. Roach cité dans le *Daily American* de Rome, 19 janvier 1983, p. 1.

CHAPITRE 7

1. Entre le 24 mars et le 27 avril 1983, nous nous sommes rendus quatre fois au secrétariat du pape pour observer son fonctionnement. Au cours de l'une de ces visites Mgr Kabongo nous fit observer « qu'écrire sur la diplomatie vaticane devait être tout à fait fascinant ».
2. Cette habitude nous a été confirmée par Mgr Kabongo le 14 avril 1983.
3. Le calendrier du pape nous a été fourni par Greenan.
4. Le 14 avril, Mgr Kabongo nous dit qu'il était « sincèrement étonné de la capacité de travail du Saint-Père. C'est lui qui travaille le plus parmi nous ».
5. Selon U.P.I., la réunion ne porta pas sur les détails de la lettre, mais nous pensons le contraire.
6. Bull, *op. cit.*, décrit ces formalités en détail.
7. Wilson, 4 mai 1983.
8. *Ibid.*
9. Hornblow, 4 mai 1983.
10. Planty, 5 août 1983.
11. Don Planty, qui avait remplacé Hornblow au mois de juin, nous fournit une description du protocole, le 15 septembre 1983. « Ils se sont contentés de suivre la procédure normale, affirmait-il. Ils l'ont déjà fait des milliers de fois. Le boulot des agents secrets consiste à coller aux talons de l'homme qu'ils sont chargés de filer. »
12. Fondé sur une conversation avec Mgr Martin en 1982.
13. Déclaration de Bush à Rome le 8 février 1983.
14. Fondé sur les déclarations de Bush sur son voyage.
15. Fondé sur une source de la secrétairerie d'Etat qui avait aidé à mettre au point le rapport du pape.
16. Bush, *loc. cit.*
17. Wilson nous le rappela le 4 mai 1983.
18. L'un de nos enquêteurs se rendit à Rebibbia le 4 août 1983.
19. *Ibid.*
20. *Washington Post*, 28 janvier 1983 ; *International Herald Tribune*, 28 janvier 1983 ; *New York Times*, 29 janvier 1983.

21. Cette réunion eut lieu le 8 février 1983. Ensuite d'Amato publia une violente attaque contre la C.I.A.

22. *Los Angeles Times,* 1er février 1983.

23. *Ibid.*

24. Le bureau de presse du Vatican décrivit cette réunion comme une simple « consultation ».

25. Mgr Kabongo nous décrivit longuement les préparatifs du voyage du pape, le 1er avril 1983.

26. Le communiqué a été diffusé publiquement par le président Roberto d'Aubuisson le 1er mars 1983.

27. Document daté du 3 février 1983.

28. Interview de Botta du 21 avril 1983. Au cours de cet entretien, il nous rappela ses propos et les informations précises qu'il avait fournies.

29. Wilson nous confirma le 17 avril 1983 qu'il avait « essayé de faire clairement comprendre cela à Casaroli et à ses collaborateurs ».

30. Cette opinion a été fort bien développée par David Holloway, lecteur au département des sciences politiques de l'université d'Edimbourg, dans son excellente étude : *The Soviet Union and The Arms Race,* Presses de l'université de Yale, 1983.

31. Wilson, *loc. cit.*

32. Cet entretien entre Clarissa McNair et le père Quercetti nous fut confirmé par chacun d'eux au cours de deux interviews le 24 et le 26 avril 1983.

33. Wilson prétendait ne pas se souvenir pourquoi il avait agi ainsi lorsque nous avons parlé de cet incident avec lui le 17 avril 1983.

CHAPITRE 8

1. Alitalia possède un carnet de vol détaillé de tous les voyages du pape. La compagnie aérienne nous fournit les informations relatives à celui-ci.

2. Interview de Frazier, 24 mai 1983.

3. Déclaration publiée dans la ville de Mexico par le Front révolutionnaire démocratique du Salvador, 1er mars 1983 ; le gouvernement n'a pas réagi.

4. Frazier, *loc. cit.*

5. Frazier, 3 mai 1983.

6. Mgr Magee, 23 mai 1983.

7. *Ibid.*

8. Mgr Magee, 19 mai 1983.

9. MacCarthy nous accorda une interview et nous confia également une abondante documentation sur ce voyage.

10. Le doyen des correspondants du Vatican, Wilton Wynn, entendit ces mots et les rapporta dans le *Time,* 14 mars 1983.

11. D'autres chefs d'Etat avaient reçu des appels téléphoniques analogues de leurs ambassadeurs à Bonn.

12. *Time,* 14 mars 1983.

13. Mgr Kabongo, 1er avril 1983.

14. Fink, 23 avril 1983.

15. Les estimations des ordinateurs se vérifièrent. Le parti chrétien démocrate de Kohl et son allié bavarois, le parti social-chrétien, rassemblèrent 45 pour cent des voix. Les sociaux-démocrates de Vogel suivaient avec 38,3 pour cent. Le parti des Verts (antinucléaire), obtint 5,5 pour cent ce qui lui permit d'entrer pour la première fois au Bundestag. La surprise de ces élections fut la performance du parti libéral que l'on s'attendait à voir balayé et qui réunit 6,7 pour cent des votes. Kohl triomphait.

16. Frazier, *loc. cit.*

17. L'un de nos contacts à la prison nous permit de prendre connaissance des écrits d'Agca. Il souhaite conserver l'anonymat.

18. Mgr Kabongo, 12 avril 1983.

19. Mgr Poggi lors d'un entretien décrivit en ces termes sa nonciature polonaise.

20. Toutes sortes d'histoires circulèrent prétendant qu'Andropov était fort mécontent du succès remporté par Kohl. Voir *Time*, 21 mars 1983.

21. Weinberger pensait qu'en acceptant une formule intermédiaire, « le retour de l'Union soviétique à la table des négociations serait plus difficile à obtenir ». Déclaration datant du 17 mars 1983.

22. Mgr Poggi, *loc. cit.*

CHAPITRE 9

1. Un compte rendu complet de notre rôle dans cette histoire fut publié dans le *Sunday Press* de Dublin le 27 mars 1983 et le 3 avril 1983. Par la suite, le groupe de journaux de l'*Express* de Londres le publia partout dans le monde.

2. Extraits d'une interview enregistrée avec John McCarthy le 20 mars 1983.

3. Cette interview avec Marie McCarthy eut lieu à Ashford, Co. Wicklow, le 21 mars 1983.

4. Cet appel téléphonique date du 23 avril 1983.

5. Marie McCarthy, *loc. cit.*

6. John McCarthy, *loc. cit.*

7. John et Marie McCarthy répétèrent à plusieurs reprises ces déclarations au cours de leurs interviews respectives, les 20 et 21 mars 1983.

8. Voyages de recherche : décembre 1981, janvier-février 1982.

9. Mgr Kabongo, 23 mars 1983.

CHAPITRE 10

1. Cité par Bull, *op. cit.*, p. 161.

2. Lech Walesa à Gdansk, le 3 avril 1983.

3. Retranscription de l'émission de Radio Vatican, 15 juin 1983.

4. Le cardinal Koenig lors d'un entretien, 24 mars 1983.
5. *Ibid.*
6. Radio Vatican, *op. cit.*
7. *Asian Survey,* décembre 1982, pp. 1206-1237.
8. Cité à la Commission interparlementaire, deuxième session du 97e congrès, Washington, D.C., 13 août 1982.
9. Nous avons discuté de cette question à trois reprises entre avril et août 1983 au Vatican, avec l'un des experts des affaires d'Extrême-Orient, le père Quercetti de Radio Vatican. Il pense que Pékin souhaite instaurer de bonnes relations avec les Etats-Unis et la Russie afin de permettre à la Chine de retrouver une influence politique de grande puissance mondiale. Cette politique passe par une amélioration des relations avec le Saint-Siège.
10. L'une des études les plus sérieuses sur les relations sino-européennes, s'intitule *The Prospect For Sino-European Cooperation* du Dr Douglas T. Stuart, publiée dans *Orbis,* automne 1982.
11. McConnachie, 11 avril 1983.
12. Certains observateurs considèrent que *lo strappo* indique clairement que « la réalité du bloc de l'Est » est inacceptable pour la majorité des membres du P.C.I. Le fait que les trois quarts des délégués à la conférence de Milan aient rejoint le parti après 1961 est également assez intéressant. L'intérêt qu'il porte à l'idéologie soviétique est secondaire comparé aux réformes qu'ils désirent voir appliquer en Italie.
13. Les Français se sont contentés de déclarer qu'un attentat contre le pape était possible dans les trois mois à venir, sans préciser d'où venait la menace. Cependant, le M.O.S.S.A.D. avait informé le D.I.G.O.S. à Rome qu'Agca et deux hommes que les services de renseignements israéliens avaient identifié comme agents du K.G.B. se trouvaient à Pérouse. Cette information aurait dû inciter la C.I.A. à prendre les informations françaises au sérieux, ce qu'elle ne semble pas avoir fait.
14. Le coût peut avoir été l'une des raisons. Une équipe médico-chirurgicale prête à intervenir en permanence aurait été très onéreuse à un moment où l'Eglise prétendait avoir des difficultés financières. Il était aussi question de garder le secret là-dessus ce qui, selon Cibin, aurait été quasi impossible.
15. Clarissa McNair, 15 septembre 1983.
16. Selon les sources vaticanes, le roi Juan Carlos aurait également dit au pape que, si l'on trouvait des preuves irréfutables de l'implication du K.G.B. dans la tentative d'assassinat contre le pape, l'Espagne prendrait des mesures de rétorsion sans précédent contre l'Union soviétique et irait même jusqu'à rompre ses relations diplomatiques avec elle. Un porte-parole du palais royal de Madrid refusa, par la suite, de confirmer ou de démentir ces propos.
17. *Time,* 18 avril 1983.
18. Dépêche de l'U.P.I., Genève, 1983.
19. *Ibid.*
20. Clarissa McNair, 26 avril 1983.
21. Script de Clarissa McNair à Radio Vatican dont nous avons pris connaissance le 29 avril 1983.

CHAPITRE 11

1. Mgr Magee, 24 avril 1983.
2. Mgr Kabongo, 19 avril 1983.
3. Mgr Kabongo, 24 avril 1983.
4. L'interview de William Wilson dura plus de deux heures. Notre compte rendu n'est par conséquent que le résumé d'une très longue transcription. Cependant, nous estimons qu'elle reflète fidèlement la position de l'envoyé.

CHAPITRE 12

1. Au cours de ce dimanche et de la semaine suivante, nous avons effectué une douzaine de visites au palais apostolique afin de nous entretenir avec des membres de la secrétairerie d'Etat et avec le personnel du pape. Les événements décrits sont entièrement fondés sur leurs évocations.
2. Mgr Kabongo, 1er mai 1983.
3. Le Politburo polonais avait déjà adressé une première requête en ce sens. Elle avait été rejetée (*New York Times*, 1er mai 1983).
4. Pendant la réunion, un certain nombre de gens — messagers et jeunes membres de la curie — entraient et sortaient du bureau du pape, porteurs de nouvelles et d'instructions concernant l'évolution de la situation en Pologne. Certains surprirent les réactions et entendirent les réponses qui sont rapportées ici.
5. Nous ne sommes pas certains de la façon dont le pape avait transmis ces conseils à Lech Walesa. L'une de nos sources affirmait que Jean Paul II avait donné l'un de ces fameux coups de téléphone au leader de Solidarité. S'il a agi ainsi, ce geste héroïque, compte tenu des circonstances, serait assez significatif de la part du pape. Cependant, nous-mêmes écartons l'hypothèse d'un appel téléphonique. Dans le climat politique qui prévalait, il aurait été particulièrement imprudent de prendre contact de cette manière. Il est plus probable que l'on ait eu recours à un intermédiaire comme, par exemple, Mgr Poggi ou Mgr Glemp.
6. Nous avons eu connaissance de l'appel téléphonique à Dziwisz, à Rome en octobre 1983. Nous nous trouvions au palais apostolique lorsque nous avons appris que Lech Walesa avait reçu le prix Nobel de la paix.
7. Le 13 décembre 1981, nous avons également reçu une copie du dossier des services de renseignements autrichiens. La personne qui nous l'a fourni a précisé qu'il souhaitait avant tout que soit publié ce qu'il appelait une « couverture pour les services de renseignements occidentaux ».
8. Nous avons appris l'existence des deux versions lors d'un long exposé que firent deux officiers de haut rang, le *kommissar* Helmut Bruckman et le *Kriminalhauptkommissar* Hans Georg Fuchs, du B.K.A., le 9 décembre 1981 à Wiesbaden, en Allemagne de l'Ouest.
9. Interview de Cahani, 14 février 1982.

10. Télex du M.O.S.S.A.D. que l'on nous montra à Vienne, 11 décembre 1982.

11. A la suite de l'attentat contre le pape, le personnel du bureau du D.I.G.O.S. à Pérouse fut remanié. Le directeur du D.I.G.O.S. en poste à Rome à Pâques 1981 fut également remplacé.

12. Bruckman et Fuchs nous confirmèrent cet événement le 9 décembre 1981.

13. Le 29 mai 1983, le *Los Angeles Times* publia un long article, citant Clark et Casey, sous le titre : « Des officiels américains démontent la filière bulgare : nouvelle version de la tentative d'assassinat de Jean Paul II fondée sur un rapport de la C.I.A. » Celui-ci établissait que Clark et Casey « sont d'accord sur le fait que tous les efforts entrepris jusqu'à ce jour pour établir une filière entre les agents de renseignement bulgares et la tentative d'assassinat du pape ont tourné court. Cette opinion repose sur un ensemble d'informations dont dispose la C.I.A. ».

14. Mgr Kabongo, 28 septembre 1983.

15. *Ibid.*

16. Mgr Kabongo, 1er mai 1983.

17. Texte de l'allocution du pape, fourni par le père Greenan.

18. Mgr Magee, 1er mai 1983.

19. Cette scène repose sur plusieurs entrevues avec Clarissa McNair et la lecture autorisée de son journal détaillé couvrant cette période Nous nous sommes également référés à *The World Today*, vol. 39, nº 2, pp. 68-94.

20. La réaction du pape nous a été rapportée par un membre de son équipe, le 2 mai 1983.

21. Commentaire de Mgr Kabongo, 7 mai 1983.

22. Communiqué du cardinal Glemp à Varsovie, 7 mai 1983.

23. Adam Lopatka, cité par le P.A.P., 7 mai 1983.

24. Cité par le P.A.P., 7 mai 1983.

25. Commentaire de Mgr Kabongo, 7 mai 1983.

26. Information fournie par un membre de la secrétairerie d'Etat, le 6 mai 1983.

27. *Ibid.*

28. *Ibid.*

29. L'éventualité d'envoyer une force d'interposition fut mentionnée plus tard dans le *Los Angeles Times* (28 mai 1983).

30. Un membre de l'équipe de la secrétairerie d'Etat nous a fait part des points de vue du nonce le 8 mai 1983.

31. Mgr Ratzinger estima, paraît-il, qu'il manquait d'éléments pour agir. Mais, le 20 octobre 1983, Bruno Fink, son secrétaire, nous affirma que l'affaire « n'était en aucun cas classée ».

32. Extrait de la proposition de loi pour la pacification nationale, promulguée le 15 mai 1983. Celle-ci proposait également d'amnistier trois cents prisonniers inculpés de crimes terroristes par les tribunaux militaires.

33. Interview de Henry McConnachie, 7 mai 1983.

34. Youri Andropov, 4 mai 1983, à Moscou.

CHAPITRE 13

1. Dimitrov fut l'une des personnes que nous avons choisies pour effectuer des contrôles réguliers tout au long de nos recherches. Nous fûmes souvent étonnés de la franchise dont il fit preuve à notre égard. Les diplomates des pays communistes sont rarement aussi coopératifs que Dimitrov. Néanmoins, il ne nous disait pas tout. Certaines informations rapportées dans cette scène nous ont été fournies par des officiers de renseignements occidentaux pour lesquels, contrôler les activités des émissaires du bloc soviétique, constitue une routine.

2. Dimitrov, le 18 avril 1983.

3. Dimitrov, 3 mai 1983.

4. Le *Los Angeles Times* (29 mai 1983) fournit tous les détails de la colère soviétique au sujet de la filière bulgare. Les informations du *Times* proviennent de la C.I.A.

5. *Il Giornale* (18 avril 1983) rapportait les détails du prochain interrogatoire. Ces informations prouvaient que le journal avait bénéficié d'un traitement de faveur — il y avait eu des fuites provenant du bureau du juge Martella ou bien *Il Giornale* les avait obtenues par une autre source qui, selon Dimitrov, pourrait être la C.I.A.

6. Dimitrov, 13 mai 1983.

7. Dimitrov, 14 mai 1983.

8. N.B.C., 5 mai 1983.

9. A.B.C., 12 mai 1983.

10. Dimitrov, 13 mai 1983.

11. Communiqué du bureau de presse du Vatican, 13 mai 1983.

12. Temkov, cité dans *On the Wolf's track* de Iona Andronov (Sofia Press, 1983).

13. Cité dans un rapport de l'agence de presse bulgare, 3 mai 1983.

14. Mgr Kabongo à l'un de nous, 13 mai 1983.

15. Mgr Kabongo, *loc. cit.*

16. La prédiction de Mgr Laghi s'avéra. Sœur Mansour renonça à ses vœux en protestant que « ni moi ni mes supérieurs n'avons jamais eu l'occasion de plaider notre cause. Il ne m'est pas possible d'obéir de façon irrationnelle et aveugle ». Sa mère supérieure a dit que son ordre était « profondément attristé et bouleversé par la position du Vatican ». Le sujet perdit vite tout intérêt aux yeux de l'opinion.

17. Plus que tout autre affaire récente de l'Eglise en Grande-Bretagne, l'*affare inglese* obtint une publicité à l'échelle mondiale. A diverses occasions, le porte-parole du cardinal Hume jugea nécessaire de démentir publiquement quelques articles, tel celui du *Daily Express* du 28 avril 1983 portant le gros titre : « Le pape bâillonne un prêtre du C.N.D. » La majeure partie de ces articles étaient favorables à Mgr Kent : voir *inter alia*, le *Catholic Herald* (6 mai 1983).

18. Dépêche de l'Associated Press de Londres, 27 avril 1983.

19. Observations du cardinal Hume, 26 avril 1983.

20. Mgr Kent développa longuement sa position devant nous le 29 septembre 1983.

21. Le cardinal Hume, d'après *The Universe* (20 mai 1983), aurait souligné son « profond respect » à l'égard de Mgr Kent. « Nous ne devons pas sous-estimer l'importance de ce débat dans lequel il est vital pour nous tous d'écouter avec attention nos arguments respectifs. Il ne peut y avoir de différence d'opinion parmi les chrétiens en ce qui concerne notre objectif premier qui consiste à éviter à tout prix une guerre nucléaire. Ce débat concerne exclusivement les moyens à mettre en œuvre pour y parvenir. »

22. Nous avons entendu parler pour la première fois de cette initiative le 23 avril 1982 à la faveur d'une longue interview avec l'archevêque Alibrandi, nonce en Irlande. « Le Saint-Siège souhaite en priorité contribuer à apporter une solution adéquate et juste à la situation en Irlande du Nord », déclara-t-il. Bien que Mgr Alibrandi restât imprécis quant au rôle éventuel du Saint-Siège dans cette affaire : « La clé de nos espoirs est entre les mains de Londres, concéda-t-il. C'est là que nous travaillons avec le plus d'acharnement. » Avec l'aide des quatre mêmes sources qui nous avaient aidés à reconstituer les précédentes initiatives du Saint-Siège en Ulster, nous avons pu établir le rôle joué par Mgr Heim.

23. Une source du M.O.S.S.A.D. nous rappela à Rome, le 1er août 1983, que la Jordanie avait fait comparaître le père Ayad en justice pour avoir pris part au complot qui devait aboutir à l'assassinat du roi du pays, Abdullah, en 1951 — vraisemblement assassiné parce qu'il ne montrait pas assez d'acharnement à exterminer le nouvel Etat juif. Ayad fut acquitté.

24. Père Ayad, commentaire rapporté au bureau des Affaires du Moyen-Orient, 24 octobre 1983.

25. En 1973, Paul VI reçut en audience l'ancien Premier ministre d'Israël, Mme Golda Meir. Ils échangèrent des propos véhéments à ce sujet.

26. Le cardinal Glemp lors d'une intervention à Rome, 19 mai 1983.

27. Commentaire qu'il nous fit le 20 mai 1983.

CHAPITRE 14

1. McConnachie, 30 mai 1983.

2. Greenan, 30 mai 1983.

3. *Los Angeles Times* (29 mai 1983).

4. 1er juin 1983.

5. Le pape Jean Paul II, le 14 décembre 1983, à Peter Mladernov ; lors d'une audience, le pape a parlé d'*espace vital*, « l'espace vital nécessaire pour emplir la mission religieuse » en Bulgarie, où il espérait également « une recherche mutuelle et fructueuse de solutions aux différents problèmes entre l'Eglise et l'Etat ».

6. Les derniers chiffres du Vatican établissent qu'il existe près de soixante-cinq mille catholiques en Bulgarie. Le Saint-Siège a essayé à maintes reprises de soulager leurs souffrances et d'attirer l'attention sur eux ; lors de la conférence de Belgrade qui suivit la conférence sur la sécurité européenne d'Helsinki,

Mgr Silvestrini, sous-secrétaire du Vatican, fit état, le 7 octobre 1977, de « nombreuses blessures ouvertes que nous voudrions voir guérir ».

7. Le magazine *Stern* prétendit avoir acquis le journal « secret » de Hitler. Il s'agissait d'un faux et, à la suite de ce scandale, il y eut des résiliations d'abonnement en masse.

8. Le cardinal Koenig, 23 avril 1982, au cours d'une interview que nous fîmes dans son palais de Vienne.

9. Mgr Magee à l'un de nous le 22 avril 1983.

10. Voir *Annuario Pontificio* (1983), pp. 1, 169-191.

11. Voir Bull, *op. cit.*, pp. 198-201. Après la Seconde Guerre mondiale, l'ordre aida aussi, avec la Croix-Rouge et le Vatican, quelque cinquante mille criminels de guerre nazis dont Klaus Barbie, le « boucher de Lyon », à fuir en Amérique du Sud. En 1948, l'ordre accorda l'une de ses plus hautes récompenses, la Gran Croce al Merito con Placca, au général Reinhard Gehlen qui avait été le principal espion de Hitler en Union soviétique. Mais, à cette époque-là, le général Gehlen avait déjà rejoint la C.I.A. L'agence le forma afin qu'il organise le service de renseignements d'après-guerre en Allemagne de l'Ouest. Le général Gehlen recruta essentiellement d'anciens nazis pour travailler sous ses ordres (Lee, *loc. cit.* ; Flamini, *op. cit.*).

12. Lee, *loc. cit.*

13. Lors d'une conversation le 24 avril 1983.

14. Lee, *loc. cit.*

15. Voir, *inter alia*, *The Tablet* (26 mars 1983), pp. 286-289 et Lee, *loc. cit.*

16. A l'un de nous le 6 juin 1983.

17. A l'un de nous le 7 juin 1983.

18. A l'un de nous le 9 juin 1983.

19. A l'un de nous le 10 juin 1983.

20. *Ibid.*

21. Journal de Clarissa McNair daté du 11 juin 1983.

CHAPITRE 15

1. Annibale Gammarelli, 10 juin 1983. La maison Gammarelli habille les papes depuis sa fondation en 1786. Ils habillent également la plupart des cardinaux. Depuis 1981, la maison accepte les cartes de crédit. Gammarelli explique : « La plupart de nos clients en ont. Mais je suis toujours surpris quand un prince de l'Eglise me propose une carte de l'American Express. Je n'ai pas encore l'habitude. » Il refuse de dévoiler comment le pape paie ses vêtements. C'est certainement le préfet Martin qui règle les factures de Jean Paul II et il déteste les cartes de crédit.

2. Gammarelli à l'un de nous, le 14 juin 1983.

3 Mgr Kabongo à l'un de nous le 14 juin 1983.

4. Cette impression nous fut communiquée par les membres du secrétariat, le 17 juin 1983.

5. Une opinion largement répandue. Voir *International Herald Tribune* (17 juin 1983).

6. L'ambassadeur de Taiwan auprès du Saint-Siège, Chow Shu-kai, nous confirma cette opinion le 14 novembre 1983 alors que nous discutions du reportage de Clarissa McNair à Rome. Il n'était pas d'accord avec Mme Gong : « C'est une communiste et elle n'a pas de liens officiels avec le Saint-Siège. Taiwan est légalement reconnu comme le représentant du peuple chinois. »

7. Mgr Cibin à l'un de nous le 15 novembre 1985.

8. *Ibid.*

9. Communiqué de presse, ministère de l'Intérieur, Varsovie, 15 juin 1983.

10. Communiqué de presse, ministère de l'Intérieur, Varsovie, 12 juin 1983.

11. Cibin, *loc. cit.*

12. Communiqué de presse, ministère de l'Intérieur, Varsovie, 1er juin 1983.

13. Communiqué du gouvernement polonais, 11 juin 1983.

14. A l'instar de beaucoup de ses affaires, les liens précis entre la Banque du Vatican et la crise financière polonaise restent obscurs. Selon les rapports qui traitent de cette affaire, la Banque aurait offert en secret de grosses sommes d'argent à Solidarité (voir *inter alia*, le rapport de Martin A. Lee dans *Mother Jones, op. cit.*, p. 36). De la même manière, ce très respectable observateur des affaires vaticano-polonaises, le directeur du *Newsweek* à Rome, Andrew Nagorski, affirme que même la Banque du Vatican n'est pas à même de rendre compte exactement des sommes investies dans de telles opérations. En outre, selon Nagorski, « les sommes dont on parle, si elles sont exactes, anéantiraient complètement l'infrastructure financière polonaise ».

15. Nous avons appris cela par quelques ambassadeurs accrédités auprès du Saint-Siège dont les pays étaient représentés à Williamsburg en juillet 1983, au cours de diverses réunions.

16. Voir *Los Angeles Times*, 15 juin 1983.

17. Le chef de la Mission polonaise au Saint-Siège, Jerzy Kuberski, nous confirma ces faits le 16 novembre 1983 au cours d'une interview. Il les considérait comme « un signe des bonnes relations entre l'Eglise et l'Etat polonais ».

18. Plusieurs prêtres, ayant participé à ce voyage, nous ont confié que l'importance de ce désaccord était devenu un secret de polichinelle.

19. Lors d'une audience à Rome le 26 mai 1981.

20. Commentaire de Radio Vatican, 16 juin 1983.

CHAPITRE 16

1. Ces prêtres mécontents étaient décidés à « acheter » n'importe quel journaliste prêt à les écouter. Voir les dépêches de l'Associated Press des 19, 22 et 24 juin 1983 et *The New York Times*, 26 juin 1983 et son titre de première page : « Le voyage du pape relance le débat sur le rôle politique du Vatican ».

2. A l'un de nous, le 18 juin 1983.

3. Greenan à l'un de nous, le 19 juin 1983.

4. *Ibid.*

CHAPITRE 17

1. Cibin à l'un de nous, le 15 novembre 1983.
2. Mgr Magee à l'un de nous le 29 juillet 1983.
3. 18 juin 1983.
4. Mgr Glemp à Cracovie, le 23 juin 1983.
5. Ce compte rendu fut reconstitué dans son intégralité avec la contribution de deux journalistes de l'agence de presse de Varsovie, en novembre 1983. En raison d'engagements contractuels avec leurs employeurs, ils demandèrent à garder l'anonymat. Ces deux journalistes sont en étroites relations de travail avec Lech Walesa. Les informations fournies par Bogdan Lis, responsable de Solidarité à Gdansk, nous ont beaucoup aidés. Elles comprenaient également les propos de Lech et Danuta Walesa rapportés dans ce chapitre.
6. L'analyse définitive du voyage du pape fut achevée le 4 août 1983. Ce document comporte plusieurs centaines de pages. Un haut dignitaire du bureau, Mgr Josef Kowalczyk, nous a dit le 19 novembre 1983, que cette documentation servirait à écrire un livre publié en polonais et en italien par l'équipe de la secrétairerie d'Etat.
7. Bohdan R. Bociurkiw, professeur de sciences politiques à l'université de Carleton, Ottawa, identifia ces dissensions dans *The Los Angeles Times* (29 juin 1983).
8. Mgr Kowalczyk, *loc. cit.*
9. Une description réaliste des querelles intestines du journal fut publiée dans la *National Review* (2 septembre 1983), pp. 1 072 et 1 093.
10. Lambert Greenan nous a donné son opinion à ce sujet le 19 novembre 1983 : il reste convaincu que le père Levi fut le premier étonné de l'intérêt que son article a suscité parmi les journalistes. « Il m'a dit qu'il ne contenait rien d'exceptionnel », nous a confié Greenan.
11. *National Review, loc. cit.*
12. Mgr Kabongo à l'un de nous, le 11 novembre 1983.
13. *Sunday Telegraph* (26 juin 1983).
14. Le père Levi démissionna le 25 juin 1983. « L'article illustrait mes considérations personnelles en tant que journaliste », expliqua-t-il. Le communiqué du Vatican reprit les mêmes termes pour annoncer son départ.

CHAPITRE 18

1 Sœur Severia Battistino nous expliqua cette procédure le 24 octobre 1983.
2. Cette religieuse était de service à ce moment-là et nous aida à reconstituer les événements tels qu'ils se déroulèrent au standard du Vatican ce matin-là.

3. Au quartier général de la police romaine, le 1er novembre 1983, Cavaliere exposa ses griefs à l'une de nos enquêtrices, Vivienne Heston. Au cours d'une interview, le chef de la brigade criminelle parla franchement de ses problèmes avec le Vatican. « Nous sommes responsables de la sécurité sur la place Saint-Pierre. Mais les citoyens du Vatican sont des étrangers dans un Etat souverain, tout au moins en ce qui concerne la loi italienne. Il n'est pas possible d'assigner une personne à comparaître en justice sans de graves présomptions contre elle. » Il nous fit clairement comprendre que le Vatican ne s'était pas montré très coopératif dans cette affaire.

4. En quelques heures, le rapport prétendument confidentiel était tombé entre les mains de plusieurs journalistes romains. Notre version est fondée sur ce qu'ils ont bien voulu nous en dire.

5. La société Avon publia par la suite un communiqué déclarant qu'elle ne commercialisait pas ses produits de cette façon.

6. Le 21 novembre 1983, Cibin tout en nous avertissant qu'il ne pourrait nous parler de l'enquête, nous confia néanmoins que Jean Paul II continuait de beaucoup s'y intéresser et lui avait effectivement demandé de tout mettre en œuvre pour retrouver Emanuela.

7. L'un des secrétaires de Mgr Audrys Backis au conseil pour les Affaires publiques de l'Eglise, nous a dit, le 21 novembre 1983, « que son service ne pouvait hélas rien faire d'autre que d'exprimer ses sincères condoléances à la famille Orlandi. Nous sommes en mesure de régler un grand nombre de problèmes, mais l'enlèvement ne relève pas de notre compétence ».

8. Voir *Der Spiegel* (n° 11/83), pp. 29-34 ; et *Frankfürter Rundschau* (22 février 1983), pp. 2 et 4.

9. Mgr Paolo Giglio, le représentant du pape à Taiwan, informa, le 1er juillet 1983, la secrétairerie d'Etat que le reportage de Clarissa McNair avait suscité beaucoup de commentaires à Taiwan. La majorité de ses habitants le considéraient comme un indice de l'altération des relations de Taiwan et du Saint-Siège. Mgr Giglio fut chargé de démentir ce fait.

10. 20 juin 1983, p. 4.

11. On estime aussi à cent quarante millions environ le nombre de musulmans et de bouddhistes vivant en Chine. La population musulmane a été comparée à « une bombe politique à retardement dans ce pays » (*U.S. News and World Report,* 25 juillet 1983, p. 38). La plupart des musulmans vivent dans les provinces frontalières avec la Russie, zones où l'influence de Pékin est marginale, où le nationalisme des ethnies est très élevé et où la subversion soviétique constitue une menace permanente. C'est pourquoi les musulmans ont plus de liberté et reçoivent plus de subventions que les autres religions. L'Etat, par exemple, finance des écoles pour former leurs reponsables. Et, comme on redoute de moins en moins la contagion du fondamentalisme iranien, Pékin leur a permis d'entretenir des contacts avec les musulmans à l'étranger.

12. Le 22 novembre 1983, Mgr El-Hachem nous parla franchement de Yasser Arafat. Ce diplomate disait n'avoir jamais rencontré en dix-sept ans passés à la secrétairerie d'Etat d'homme plus surprenant que le leader de l'O.L.P. Dans une note personnelle, Mgr El-Hachem expliquait ce que les combats au Liban avaient coûté à Yasser Arafat : quarante-six membres de sa famille avaient été

tués. Arafat répétait inlassablement : « C'est une tragédie qui a été imposée au peuple libanais. Je prie chaque jour pour eux. »

13. Mgr El-Hachem, le 22 novembre 1983.
14. *Ibid.*
15. *Ibid.*
16. Le 21 novembre 1983, Mgr El-Hachem avait révisé son opinion. Il nous dit : « Je crois maintenant qu'Arafat est un homme fini. Ce n'est plus qu'une question de temps. Ils vont le tuer. »
17. Nos enquêtes concernant le sort d'Emanuela doivent beaucoup aux talents de détective déployés par Vivienne Heston. En faisant appel à ses nombreux contacts dans la police romaine, y compris Cavaliere, cette journaliste tenace a réuni un nombre considérable d'éléments qui n'ont été publiés nulle part ailleurs.
18. La retranscription complète de ce qui avait été dit fut mise à notre disposition par le bureau romain de la N.B.C.

CHAPITRE 19

1. Mgr Kabongo, 4 août 1983.
2. Le 27 novembre 1983, Marcinkus nia formellement devant nous avoir jamais fait allusion au prix de la piscine du pape. « Si vous écoutez toutes les rumeurs qui circulent sur mon compte, vous n'avez pas fini ! » plaisanta l'archevêque.
3. Mgr Kabongo, *loc. cit.*
4. *Ibid.*
5. Graham, le 27 mars 1968. Ceci reste toujours valable, nous dit-il le 12 avril 1983.
6. *Ibid.*
7. *Ibid.*
8. *Ibid.*
9. Voir le magazine *Mother Jones* (juillet 1983), p. 37, un long article de Martin A. Lee sur la C.I.A., le Vatican et Sindona.

CHAPITRE 20

1. L'attaque fut couronnée de succès mais la victoire de courte durée. En quelques heures, Beyrouth-Ouest fut investie par des tireurs d'élite défiant Gemayel et son appel à « un dialogue de réconciliation nationale afin d'organiser le Liban de demain dans le cadre de l'intégrité territoriale et de la souveraineté totale » (*International Herald Tribune*, 1er septembre 1983).
2. Les détails de ce rapport furent portés à notre attention le 10 novembre 1983.

3. Les conseillers du président Reagan s'amusèrent de l'insistance que Kissinger mit à obtenir un rendez-vous immédiat avec le président. « Bientôt, il réquisitionnera un jet de l'armée pour remettre en œuvre sa diplomatie des petits pas », plaisanta l'un des conseillers au journal *Newsweek* (1er octobre 1983). Cela impliquait que la politique de Reagan en Amérique centrale « pourrait profiter de la publicité », *loc. cit.*

4. Les termes de l'accord de coopération militaire franco-tchadienne de 1976 ne s'appliquait qu'au support logistique. L'article 4 va jusqu'à déclarer que les forces françaises au Tchad ne peuvent « participer directement » à aucune manœuvre militaire. Dans une interview au *Monde*, 23 août 1983, Mitterrand a reconnu que le gouvernement français avait outrepassé les termes de cet accord.

5. Larry Speakes, porte-parole de la Maison-Blanche, 24 août 1983.

6. *Ibid.*

7. Agence Tass (30 août 1983).

8. *Le Monde* (27 août 1983).

9. Des diplomates anonymes en poste à Manille déclarèrent au *New York Times* (31 août 1983), que l'assassinat d'Aquino résultait de ce que le *Times* a appelé une « conspiration à un haut niveau ».

10. Nous avons eu connaissance du profil psychologique du président Marcos par une de nos sources vaticanes, 2 septembre 1983.

11. Texte d'un télex qui nous fut transmis le 2 septembre 1983 par un membre de la secrétairerie d'Etat.

12. Un compte rendu global de cela fut finalement publié dans le *Times*, 5 décembre 1983.

13. Journal de Clarissa McNair daté du 1er septembre 1983.

CHAPITRE 21

1. Dimitrov, d'un naturel obligeant, prétendit au cours d'une interview, qu'il avait sermonné les deux juges, 22 octobre 1983.

2. Ces termes nous furent rapportés par Dimitrov dans une interview accordée le 22 octobre 1983.

3. *Ibid.*

4. Martella nous fit part de son opinion sur toute cette publicité le 12 novembre 1983. Un mois après l'événement que nous décrivons ici, il était encore furieux (peut-être à juste titre) de la façon dont la presse s'était comportée.

5. Martella, *loc. cit.*

6. *Ibid.*

7. Mgr Kabongo, 18 septembre 1983.

8. *Ibid.*

9. *Ibid.*

10. *Ibid.*

11. Urdampilleta, 11 décembre 1983.

12. Abboud, 11 décembre 1983.

13. Kuberski, 12 décembre 1983.
14. Gawronski, 11 décembre 1983.
15. Dislioglu, 12 décembre 1983.
16. Nous avons eu l'occasion de parler à deux d'entre eux le 11 décembre 1983 et ils nous ont confirmé leur opinion.
17. Wilson, 10 novembre 1983.
18. *Ibid.*

CHAPITRE 22

1. L'infatigable Vivienne Heston avait passé des jours et des jours à essayer d'obtenir un rendez-vous. Martella regrettait de ne pouvoir lui en accorder un. La présence des juges bulgares en ville accaparait toute son attention. Vivienne Heston se rendit au tribunal et glissa un mot sous la porte de son bureau, le suppliant de lui accorder quelques minutes de son temps. Avant même qu'elle eût quitté le tribunal, il la rappela. Quand il entendit parler du dossier autrichien et de nos documents sur Frank Terpil, « son regard s'alluma », nous raconta-t-elle.

CHAPITRE 23

1. Mgr Kabongo à l'un de nous, 1er décembre 1983.
2. *Ibid.*
3. Déclaration du synode des évêques, 29 octobre 1983.
4. 29 octobre 1983.
5. Les points de vue de Mgr Rovida nous ont été rapportés le 3 décembre 1983 par deux membres de la secrétairerie d'Etat.
6. Déclaration de Mgr Hume publiée dans *Briefing*, vol. 13, n° 38, pp. 2-6, numéro de novembre 1983. *Briefing* est un service disposant de documents et d'informations officiels publiés par l'épiscopat catholique romain d'Angleterre et du Pays de Galles.
7. Soulignant qu'il n'exprimait là qu'une opinion personnelle, Mgr El-Hachem nous confia, le 2 décembre 1983, qu'il craignait toujours que le président Assad ne fût déterminé à « avoir la tête d'Arafat ».
8. En rassemblant les détails de leurs négociations, et en raison de la nature extrêmement délicate de l'enjeu, nous convînmes de ne pas révéler l'identité de nos informateurs.
9. Le leader libyen refusa de rencontrer Mgr Gabriel Montalvo, le nonce du pape responsable des relations entre le Saint-Siège et le Libye. Le nonce en avait fait la demande le 24 novembre 1983.
10. La première intervention de Moscou (par l'intermédiaire de Gromyko), eut lieu le 19 novembre 1983.

11. Communiqué du ministère des Affaires étrangères de Syrie, le 29 novembre 1983.
12. Confirmé par Mgr Kabongo à l'un de nous, 3 décembre 1983.
13. William Wilson, à l'un de nous, le 10 novembre 1983.
14. Cette histoire circula au secrétariat pendant le mois de novembre. A Rome, un certain nombre de journalistes dont Al Troner du *Daily Express* en avait également entendu parler. Pour lui, c'était « un coup de la C.I.A. », le 14 novembre 1983.
15. William Wilson répéta, le 10 novembre 1983, qu'il essayait toujours « de toutes les façons possibles » de tenir le Saint-Siège informé à l'avance des intentions américaines.
16. Voir le *Sunday Times*, Londres (30 octobre 1983, p. 13) ; *Newsweek* (14 novembre et 28 novembre 1983) ; *Time* (5 décembre 1983). Des experts prétendaient que la prédiction, largement répandue, d'une invasion des Etats-Unis au Nicaragua faisait partie d'une campagne savamment concertée pour « détourner les sandinistes de leur projet consistant à adopter une ligne politique plus démocratique ». D'autres notèrent que le régime avait mis à profit, pendant plus d'un an, l'éventualité d'une invasion américaine pour justifier la mise en place d'une organisation militaire de plus en plus importante.

La menace de guerre fut, incontestablement, une aubaine pour le régime car elle détourna l'attention de l'opinion publique intérieure des problèmes économiques et sociaux du pays. La perspective d'une invasion américaine eut également pour effet de rallier les modérés nicaraguayens derrière un gouvernement dont la popularité ne cessait de baisser. Compte tenu de ce qui précède, le dernier rapport du bureau des Affaires d'Amérique latine reste surprenant.

17. Agence Tass (24 novembre 1983).
18. *The Sunday Times*, Londres, *loc. cit.*
19. *Ibid.*
20. L'un de nous rendait visite à Mgr Kabongo dans l'appartement du pape lorsque Orlandi et les évêques arrivèrent.
21. Deux collègues d'Orlandi nous informèrent que le pape avait l'intention de se rendre à la prison. Mgr Kagonbo le confirma. L'annonce officielle fut faite le 16 décembre 1983.
22. L'un des collègues d'Orlandi à l'un de nous, le 1er décembre 1983.
23. *Ibid.*
24. *Ibid.*
25. Observations personnelles, le 1er décembre 1983.
26. *Time* (28 novembre 1983, p. 29).
27. *Ibid* (p. 28).
28. Mgr Kabongo à l'un de nous, le 1er décembre 1983.
29. *Time* (28 novembre 1983, p. 28).
30. *Ibid.*
31. *Ibid.* (p. 29).
32. William Sullivan, cité *op. cit.*, président de l'université de Seattle.
33. Cité *op. cit.* (p. 28).
34. *Ibid.*
35. Mgr Kabongo, *loc. cit.*
36. Rapport de la F.A.O., novembre 1983.

37. Edouardo Saouma, directeur général de la F.A.O., à l'un de nous, le 17 novembre 1983.
38. Mgr Kabongo, *loc. cit.*
39. Saouma, *loc. cit.*
40. Mgr Kabongo, *loc. cit.*
41. *Ibid.*
42. *Ibid.*
43. Voir *inter alia, Newsweek* (21 novembre 1983, pp. 10-12) et le *Daily Express* (17 novembre 1983).
44. William Wilson, *loc. cit.*
45. Mgr Poggi, à l'un de nous, le 1er mai 1983.
46. Le journal de Clarissa McNair, daté du 16 novembre au 7 décembre 1983, relatait effectivement l'incident rapporté ici.
47. 18 novembre 1983.
48. Interview de Siemer, le 21 novembre 1983 à Rome.
49. Journal de Clarissa McNair, 11 novembre 1983.
50. Emission du 14 novembre 1983.
51. 16 novembre 1983.
52. Journal de Clarissa McNair, 16 novembre 1983.
53. Emission du 18 novembre 1983.
54. Journal de Clarissa McNair, 17 novembre 1983.
55. Mgr Cibin précisa que l'incident avait eu lieu entre 14 et 18 heures, le 15 novembre 1983.
56. Al Troner à l'un de nous, 18 novembre 1983.
57. *Ibid.*
58. *Daily Express* (18 novembre 1983, p. 6).
59. Quercetti avait défendu cette politique devant nous quelque temps auparavant, se fondant sur le postulat suivant : « Les gens qui travaillent ici sont tous sincères » (2 mai 1983).
60. Purgatori à l'un de nous, le 22 novembre 1983.
61. Journal de Clarissa McNair, 21 novembre 1983.
62. Al Troner, 21 novembre 1983.
63. Le 21 novembre 1983, Al Troner nous confia qu'il avait pendant plusieurs jours essayé d'obtenir confirmation des propos que lui avait tenus un diplomate américain de l'ambassade des Etats-Unis en Italie : « Le chef de l'antenne de la C.I.A. à Rome a été convoqué par son ambassadeur afin d'être mis au courant de ce qui s'est passé. » Selon l'informateur de Troner, l'ambassadeur avait été scandalisé d'apprendre que Mad Mentor était soupçonné d'avoir joué un rôle dans la falsification de la bande de Radio Vatican. Al Troner ne put vérifier l'histoire et renonça à la publier.

Nous décidâmes de confronter Mad Mentor. Le 24 novembre 1983, en présence de Clarissa McNair, nous avons téléphoné à son domicile. Il commença par nous faire cette remarque pour le moins surprenante : « Tout le monde pense que je travaille pour la C.I.A., et alors ? » puis il se mit à dénoncer avec violence l'antiaméricanisme de Clarissa McNair.

64. Journal de Clarissa McNair, 7 décembre 1983.
65. *Ibid.*

CHAPITRE 24

1. Cet appel téléphonique date du 24 novembre 1983.
2. Il y eut plus de trente appels téléphoniques en dix jours.
3. Cet appel date du 27 novembre 1983.
4. Cet appel date du 30 novembre 1983.
5. *Ibid.*
6. Consolo, à l'un de nous, le 9 décembre 1983.
7. *Ibid.*
8. Consolo à l'un de nous, le 14 décembre 1983.
9. *Ibid.*
10. *Ibid.*
11. Claire Sterling, spécialiste du terrorisme, résidant depuis longtemps à Rome et auteur d'un ouvrage, *The Time of the Assassins,* partage notre opinion. Dans ce livre, elle prétend que l'ambassade américaine essaya d'interférer dans son reportage. Elle a exprimé son opinion dans *Newsweek* (2 janvier 1984), pp. 7-8. Selon Claire Sterling, « une grande partie des informations était accessible aux principaux services de renseignements occidentaux qui n'ont eu de cesse qu'elles fussent détruites. Lorsque l'histoire de la filière bulgare commença à faire surface, ils s'en mordirent les doigts. »

CHAPITRE 25

1. Les opinions de Craxi furent largement exposées par Radio Vatican, le 24 décembre 1983. Les officiels du gouvernement italien estimèrent que ce n'était pas le meilleur moyen d'amener Craxi à modifier sa position.
2. Les détails des prétendus plans israéliens furent communiqués au magazine *Time* qui les publia dans son numéro du 2 janvier 1984, p. 32.
3. L'intervention du président Reagan fit également l'objet d'une large publicité sur Radio Vatican le 20 décembre 1983.
4. 22 décembre 1983.
5. Cette idée a été initialement émise par le président Sadate.
6. Mgr El-Hachem à l'un de nous, le 3 janvier 1984.
7. Helmut Kohl, 23 décembre 1983, à Bonn.
8. Schmidt, 23 décembre 1983 ; *Bild,* p. 1.
9. 2 janvier 1984, pp. 18-19.
10. Dépêche de l'U.P.I. de Moscou (21 décembre 1983).
11. Communiqué de la C.E.E., Bruxelles, 22 décembre 1983.
12. Déclaration du gouvernement polonais, 22 décembre 1983.
13. De nouveau, l'information que les nonces avaient obtenue par l'entremise de leur filière diplomatique fut rapidement rendue publique. Cela renforça le sentiment qui prévalait à la secrétairerie d'Etat que les Etats-Unis et l'Union

soviétique avaient décidé, une fois de plus, de préparer l'opinion publique à un brusque dégel des relations entre les deux superpuissances.

14. Déclaration de Larry Speakes, porte-parole du président Reagan, 10 janvier 1984.

15. Tous deux cités dans *International Herald Tribune*, 11 janvier 1984.

16. Toujours courtois, Dimitrov fut ravi de fournir des détails sur ce déjeuner célébrant la libération d'Antonov. La presse italienne en fit des gorges chaudes.

17. Parmi eux se trouvait notre enquêtrice, Vivienne Heston, sans laquelle nous n'aurions pu relater cette scène. Ce fut l'une des dernières tâches qu'elle remplit pour nous. Elle partit travailler à plein temps pour le *Daily Express* de Londres, et remplaça Al Troner, correspondant à Rome, lorsque celui-ci entra à l'Associated Press et s'envola pour Singapour.

18. Ces lettres furent expédiées le 21 décembre 1983.

19. En janvier 1983, au cours d'une réunion à Prague, les leaders du pacte de Varsovie furent les premiers à réclamer une mutuelle renonciation à l'emploi de la force dans les relations Est-Ouest.

20. Burkhard Hirsch, député démocrate indépendant, déclara : « Si l'on désire mettre un terme à la tension entre les deux superpuissances qui est l'une des causes de la course aux armements, il faut bien que l'un des deux grands fasse les premiers pas ! »

21. Nitze confirmera ces opinions dans *Newsweek* (2 février 1984).

22. Un membre de l'équipe de Mgr Casaroli nous confirma le 4 janvier 1984 que Casaroli était un lecteur fervent du *Bulletin.*

23. Nos propres enquêteurs, Vivienne Heston et Clarissa McNair se trouvaient à la basilique et sur la place Saint-Pierre afin de commenter la scène.

CHAPITRE 26

1. Le début de la journée du pape nous fut décrit par un membre de son entourage, le 31 décembre 1983.

2. Nous avons appris ces détails pour la première fois, alors que nous visitions l'appartement du pape pour les besoins de notre précédent ouvrage *Dans les Couloirs du Vatican* en janvier 1982. Un photographe, Peter Thursfield, nous accompagnait.

3. Un membre de l'entourage de Jean Paul II nous décrivit ses affaires personnelles en détail.

4. Annibale Gammarelli à l'un de nous, le 31 décembre 1983.

5. La description de la cellule d'Agca et la façon dont il fut traité ce jour-là proviennent de plusieurs sources, mais principalement de Vivienne Heston qui avait fait un tour à la prison de Rebibbia en compagnie d'un ami avocat. Elle s'était entretenue avec plusieurs membres du personnel de la prison. L'un d'eux qui travaillait dans le quartier de haute sécurité nous a donné des informations complémentaires. En outre, l'excellent journaliste Andrea Purgatori, du *Corriere della Sera*, nous a fourni de nombreux détails. Par ailleurs, nous avons

complété notre enquête en interrogeant tous ceux qui pouvaient nous être utiles : les familles des prisonniers incarcérés à Rebibbia, les avocats, etc.

6. Le 4 janvier 1984, lors de nos adieux à Mgr Kabongo, le secrétaire nous rappela que Jean Paul II s'intéressait à tout élément susceptible d'éclairer les circonstances de l'attentat, « comme nous tous ici. Chacun a son idée là-dessus ». Il ne voulut pas en dire davantage. Dans l'entourage du pape, beaucoup pensaient que l'abandon progressif de la filière bulgare n'avait pas servi la justice.

7. Nous avons eu accès à cet enregistrement le 5 janvier 1984.

8. Nous avons fourni ces vidéos. Mgr Kabongo nous a dit le 4 janvier 1984 : « Nous avons été particulièrement intéressés par celle qui concerne Frank Terpil et Gary Korkola. » Il s'agissait d'un reportage produit par la télévision irlandaise.

9. Dépêche de l'agence Reuter (27 décembre 1983).

10. *Time* (9 janvier 1984) pp. 7-12.

11. *Ibid.*

12. Dépêche de l'A.N.S.A., 27 décembre 1983.

13. Le 5 janvier, l'un de nous eut la possibilité de visionner le film de la réunion. Cela nous permis de faire un compte rendu des propos échangés par les deux hommes dans la cellule T4.

Achevé d'imprimer en septembre 1985
sur presse CAMERON,
dans les ateliers de la S.E.P.C.
à Saint-Amand-Montrond (Cher)
pour le compte des Éditions Stock
14, rue de l'Ancienne-Comédie, 75006 Paris

Imprimé en France.

Dépôt légal : Septembre 1985.
N° d'Édition : 4975. N° d'Impression : 2176-1359.
54-25-3460-01

ISBN 2-234-01820-X